셀파

해 법 수 학

셀파

해 법 수 학

book.chunjae.co.kr

도움을 주신 선생님

김문선 서울대 수학과 졸 / (전) 종로학원 강사
김태형 서울대 수학과 졸 / (현) 종로학원 강사
김영곤 고려대 금속공학과 졸 / (현) 종로학원 강사
명백훈 서울대 수학과 졸 / (전) 종로학원 강사
손영표 서울대 재료학과 졸 / (현) 종로학원 강사
정두영 서울대 수학과 졸 / (현) 애드큘학원 강사

자기주도 학습 sherpa

책머리에 · · ·

수학은 누구나 잘 할 수 있습니다.

셀파 해법수학과 함께 하는 여러분은 목표를 꼭 이룰 것입니다.

'어떻게 하면 지긋지긋한 수학을 쉽고 재미있게 공부할 수 있을까?'
하고 고민해본 경험은 누구에게나 한 번쯤은 있을 것입니다.
수학은 모든 학문의 바탕이 되는 과목입니다.
또한 대학입시에서도 매우 중요한 역할을 합니다.
그러나 안타깝게도 많은 학생들이 수학을 포기하는 것이 우리 현실입니다.

수학을 잘 하기 위해서는 무엇보다 수학과 친해져야 합니다.
그러기 위해서는 쉬운 문제부터 시작하여
기본 원리를 확실하게 터득해야 합니다.

이에 여러분 모두가 수학을 잘할 수 있기를 바라는 마음으로
셀파 해법수학을 만들었습니다.
수학을 쉽게 익힐 수 있는 셀파 해법수학 개념 기본서는
여러분의 수학 실력을 한 단계 더 높이는 데 도움을 줄 것입니다.

수학을 공부하다 보면
도대체 이 문제를 어떻게 푸는 걸까?
하며 힘들어 할 때가 생길 것입니다.
이렇게 도움이 필요한 순간마다 셀파 해법수학을 펼쳐 보십시오.
셀파 해법수학은 여러분의 수학 공부 도우미가 될 것입니다.

셀파 해법수학과 함께 하는 여러분의 성공을 기원합니다.

崔容準

개념 기본서 셀파 해법수학

구성과 특징

기본 개념을 확인하고 가자!

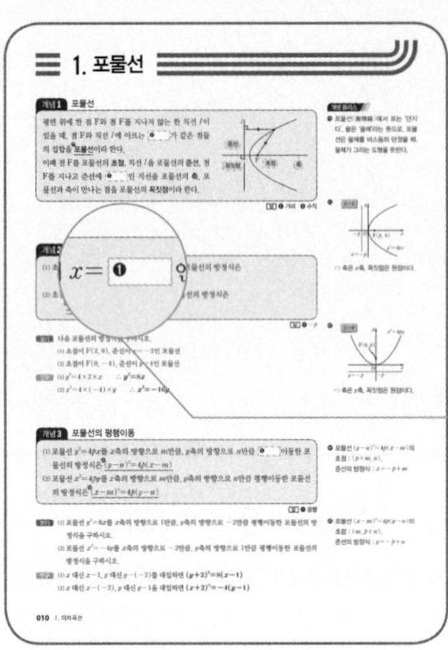

:: 개념 정리

그 단원에서 다루는 개념을 가장 쉽고 정확하게 이해할 수 있도록 꼼꼼하고 상세하게 개념을 정리했습니다.

꼭 알아야 할 개념과 함께 보기 를 제시하여 개념이 문제 해결 과정에서 어떻게 이용되는지 알 수 있도록 하였습니다.

또한 부족한 개념은 개념 플러스 에서 정리하여 학습의 공백이 없도록 구성하였습니다.

빈칸 채우기를 통해 그냥 지나치기 쉬운 개념 정리 부분을 다시 한 번 짚고 넘어갈 수 있습니다.

:: 개념 익히기

새로 배우는 개념을 좀 더 편리하게 학습할 수 있도록 다양한 형식의 가장 쉬운 문제를 제시하였습니다.

이 부분의 문제만 풀더라도 개념의 형성이 가능하도록 하였습니다.

같은 개념의 다른 문제를 한번 더 풀어봄으로써 기초를 확실히 다질 수 있도록 하였습니다.

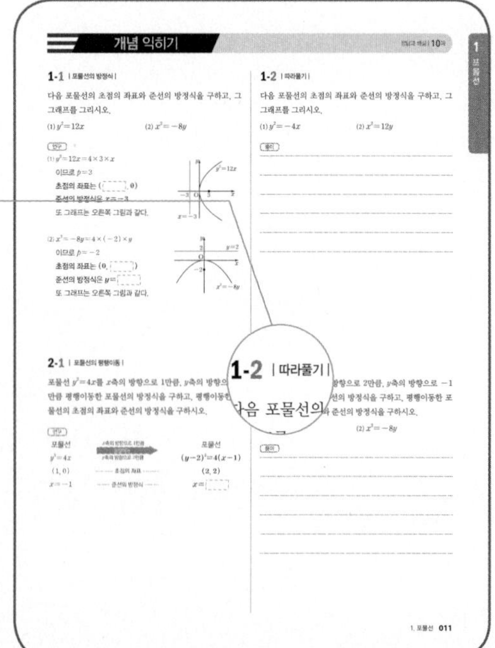

해법을 통해 문제 해결 방법을 익히자!

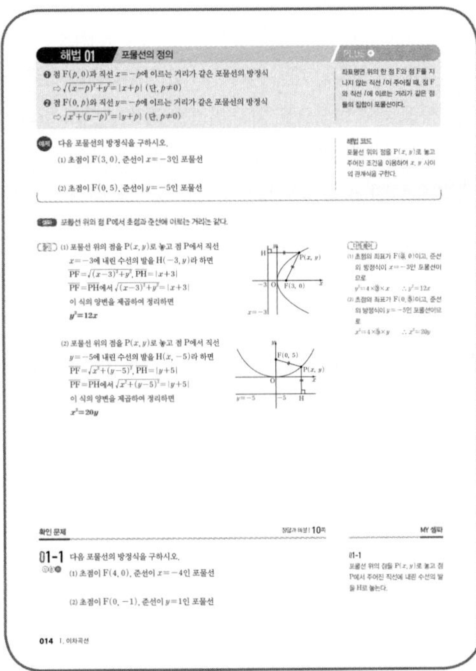

:: 셀파 해법

각 단원에서 꼭 알아야 하는 대표적인 유형을 뽑아 그 해결 방법을 제시하였습니다. 더 필요한 내용 또는 참고할 내용은 PLUS⊕ 을 통해 반복함으로써 기억에 도움이 될 수 있도록 하였으며, 예제를 해결하는 데 꼭 필요한 개념을 해법 코드와 셀파로 정리하였습니다.

꼭 알아야 할 필수 유형만 뽑은 셀파 해법

틀렸던 문제 유형이라면 확실하게 이해할 수 있도록 도와줍니다. 또 복습할 때는 개념 설명만 따로 공부할 수 있습니다.

:: 확인 문제

예제에서 익힌 문제 해결 방법을 반복 학습할 수 있도록 예제와 닮은꼴 문제를 제시하였습니다.

확인 문제에서 처음 다루는 내용이나 문제 해결에 필요한 내용은 **MY 셀파**에서 도움말을 제공하여 어려움 없이 문제를 풀 수 있도록 하였습니다.

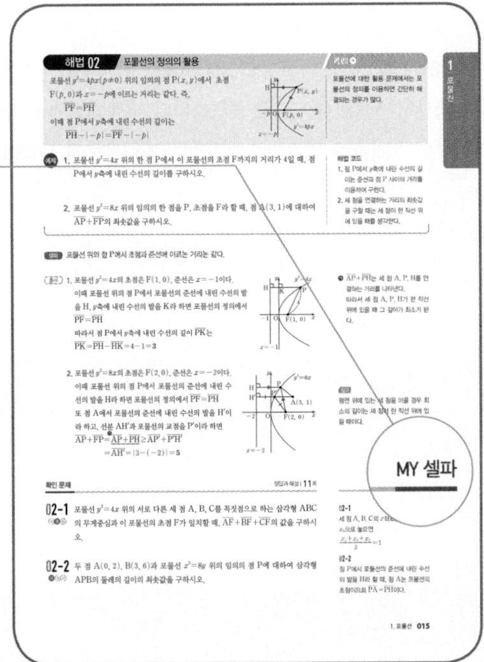

개념 기본서 셀파 해법수학

구성과 특징

특별한 강의 셀파 특강

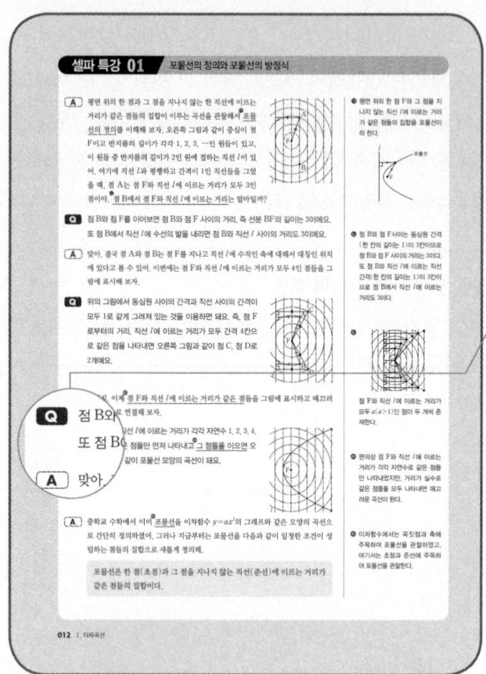

:: 셀파 특강

고등학교 수학에서 꼭 알아야 하지만 개념 정리에서 조금 부족하게 다룬 내용은 대화 형식 또는 집중 탐구 형식으로 셀파 특강을 통해 충분히 학습할 수 있도록 하였습니다.
또 중요한 내용은 확인 체크 01 를 통해 다시 한 번 강조 하였습니다.

- 선생님이 바로 옆에서 가르쳐주는 것처럼 친절한 설명!

:: 집중 연습

반복해서 풀어보고 확실히 익혀두어야 할 기본 문제는 집중 연습 코너를 두어 충분히 연습할 수 있도록 하였습니다. 문제를 풀면서 자연스럽게 공식을 외울 수 있고 실수하기 쉬운 계산 연습도 동시에 할 수 있습니다.

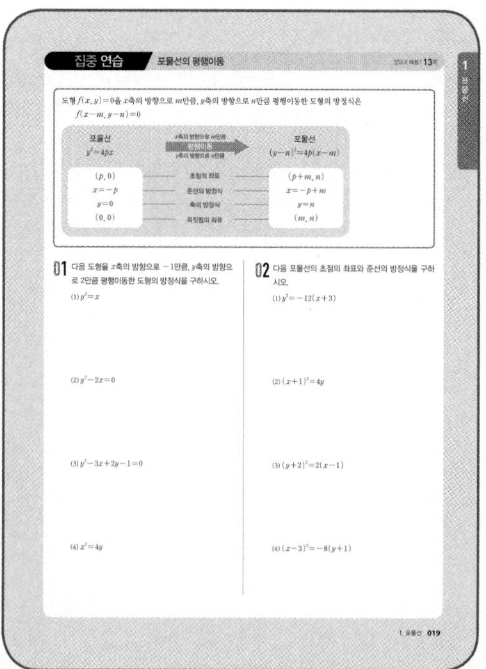

기본을 다지고 실력을 기르는 연습문제

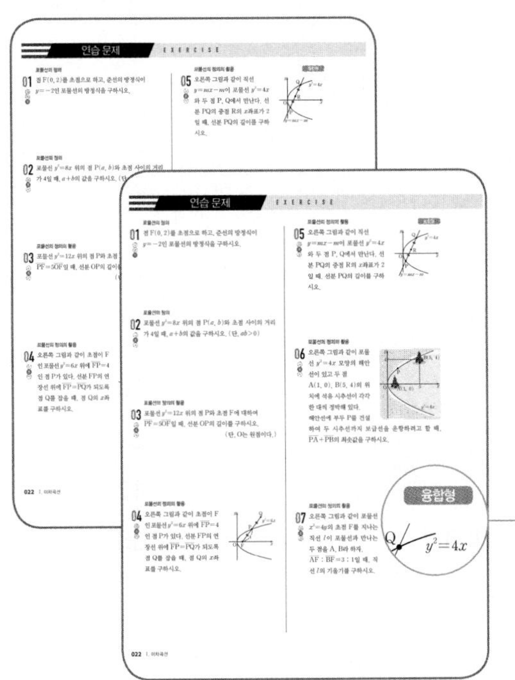

:: 연습 문제

대부분의 책에서 연습 문제는 본문과 조금 동떨어진 어려운 내용을 다뤄 실제로는 효과적인 학습이 이뤄지지 않았습니다. 그러나 셀파 해법수학의 연습 문제에서 제시하는 문제는 앞에서 다룬 내용을 바탕으로 하고 있습니다. 기본을 강화하는 데 도움이 되는 내용과 학교 시험에서 자주 나오는 내용뿐 아니라 실력을 한 단계 높일 수 있는 문제로 알차게 구성하였습니다.

- 창의력 문제, 여러 개념의 통합형 문제, 서술형 문제를 통해 실력을 한층 높일 수 있도록 하였습니다.

:: [별책] 정답과 해설

이해하기 쉽도록 과정을 자세하게 설명하였습니다.

또한 자기 주도 학습에 도움이 되도록 간단한 보충 설명에는 LECTURE 를 깊이 있는 설명이 필요한 부분에 셀파 세미나 를 제시하였습니다.

다양한 풀이 방법을 제시하여 사고력을 넓힐 수 있도록 하였습니다.

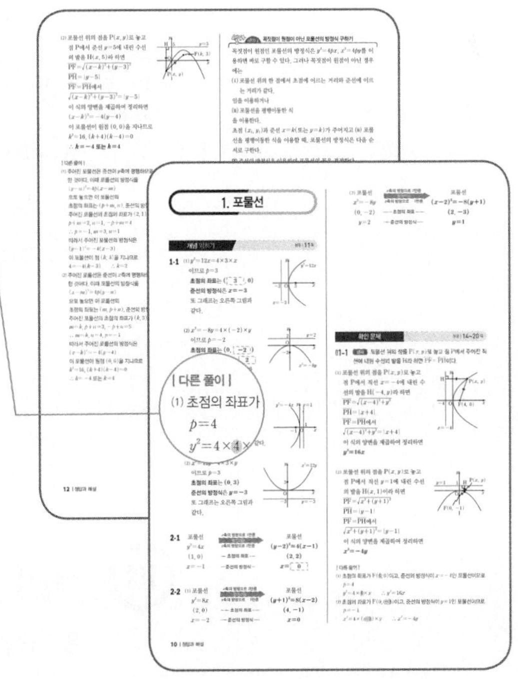

개념 기본서 셀파 해법수학

차례

셀파 특강 차례

집중 연습 차례

올림픽 성화를 채화하는 헤라 신전입니다.
이곳에서 올림픽 성화가 시작되는 거야.
오~ 성화는 비싼 라이터로 불을 붙이겠지?
라이터 아니에요~
우린 순수한 태양 빛을 모아서 성화에 불을 붙이죠.
채화는 오목한 거울을 사용합니다.
어떤 원리로 불을 붙이는 거지?
화르륵

1

포물선

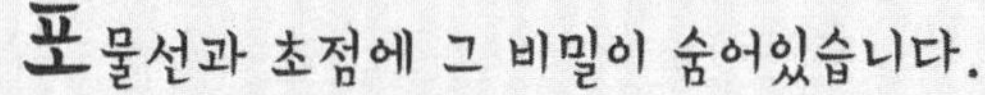

1. 포물선

개념 1 포물선

평면 위에 한 점 F와 점 F를 지나지 않는 한 직선 l이 있을 때, 점 F와 직선 l에 이르는 ❶ [   ]가 같은 점들의 집합을 ㉠**포물선**이라 한다.
이때 점 F를 포물선의 **초점**, 직선 l을 포물선의 **준선**, 점 F를 지나고 준선에 ❷ [   ]인 직선을 포물선의 **축**, 포물선과 축이 만나는 점을 포물선의 **꼭짓점**이라 한다.

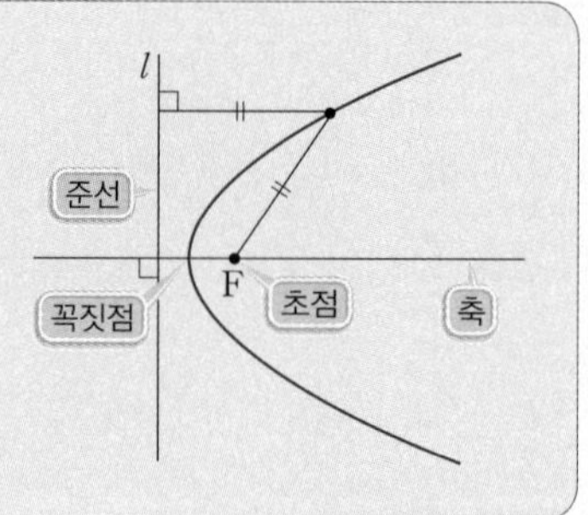

답 ❶ 거리 ❷ 수직

개념 플러스

㉠ 포물선(抛物線)에서 포는 '던지다', 물은 '물체'라는 뜻으로, 포물선은 물체를 비스듬히 던졌을 때, 물체가 그리는 도형을 뜻한다.

개념 2 포물선의 방정식

(1) 초점이 $F(p, 0)$이고, 준선이 $x=$ ❶ [   ]인 포물선의 방정식은
㉡ $y^2=4px$ (단, $p\neq0$)

(2) 초점이 $F(0, p)$이고, 준선이 $y=-p$인 포물선의 방정식은
㉢ $x^2=4py$ (단, $p\neq0$)

답 ❶ $-p$

㉡

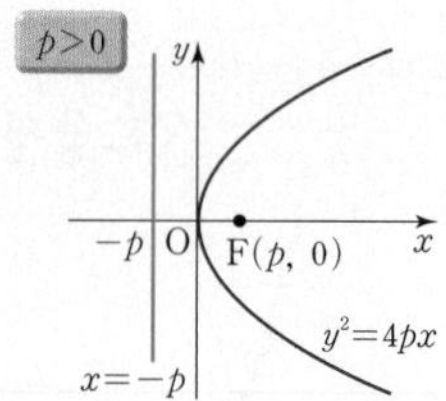

⇨ 축은 x축, 꼭짓점은 원점이다.

㉢

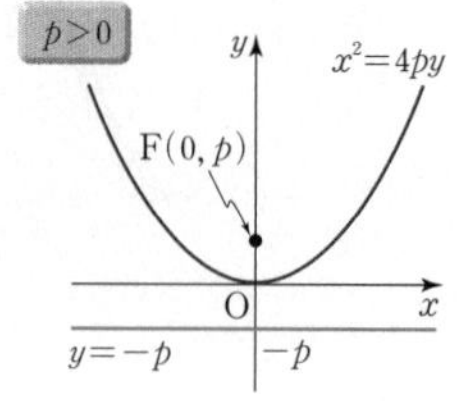

⇨ 축은 y축, 꼭짓점은 원점이다.

보기 다음 포물선의 방정식을 구하시오.

(1) 초점이 $F(2, 0)$, 준선이 $x=-2$인 포물선

(2) 초점이 $F(0, -4)$, 준선이 $y=4$인 포물선

연구 (1) $y^2=4\times2\times x$ $\quad\therefore$ $\boldsymbol{y^2=8x}$

(2) $x^2=4\times(-4)\times y$ $\quad\therefore$ $\boldsymbol{x^2=-16y}$

개념 3 포물선의 평행이동

(1) 포물선 $y^2=4px$를 x축의 방향으로 m만큼, y축의 방향으로 n만큼 ❶ [   ] 이동한 포물선의 방정식은 ㉣ $(y-n)^2=4p(x-m)$

(2) 포물선 $x^2=4py$를 x축의 방향으로 m만큼, y축의 방향으로 n만큼 평행이동한 포물선의 방정식은 ㉤ $(x-m)^2=4p(y-n)$

답 ❶ 평행

㉣ 포물선 $(y-n)^2=4p(x-m)$의
초점 : $(p+m, n)$,
준선의 방정식 : $x=-p+m$

㉤ 포물선 $(x-m)^2=4p(y-n)$의
초점 : $(m, p+n)$,
준선의 방정식 : $y=-p+n$

보기 (1) 포물선 $y^2=8x$를 x축의 방향으로 1만큼, y축의 방향으로 -2만큼 평행이동한 포물선의 방정식을 구하시오.

(2) 포물선 $x^2=-4y$를 x축의 방향으로 -2만큼, y축의 방향으로 1만큼 평행이동한 포물선의 방정식을 구하시오.

연구 (1) x 대신 $x-1$, y 대신 $y-(-2)$를 대입하면 $\boldsymbol{(y+2)^2=8(x-1)}$

(2) x 대신 $x-(-2)$, y 대신 $y-1$을 대입하면 $\boldsymbol{(x+2)^2=-4(y-1)}$

1-1 | 포물선의 방정식 |

다음 포물선의 초점의 좌표와 준선의 방정식을 구하고, 그 그래프를 그리시오.

(1) $y^2=12x$ (2) $x^2=-8y$

연구

(1) $y^2=12x=4\times3\times x$

이므로 $p=3$

초점의 좌표는 (☐ , 0)

준선의 방정식은 $x=-3$

또 그래프는 오른쪽 그림과 같다.

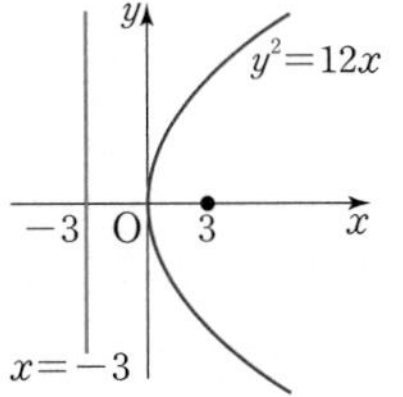

(2) $x^2=-8y=4\times(-2)\times y$

이므로 $p=-2$

초점의 좌표는 (0, ☐)

준선의 방정식은 $y=$ ☐

또 그래프는 오른쪽 그림과 같다.

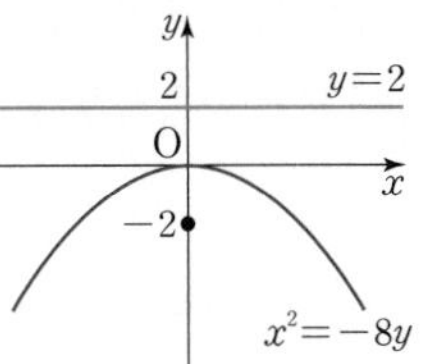

1-2 | 따라풀기 |

다음 포물선의 초점의 좌표와 준선의 방정식을 구하고, 그 그래프를 그리시오.

(1) $y^2=-4x$ (2) $x^2=12y$

풀이

2-1 | 포물선의 평행이동 |

포물선 $y^2=4x$를 x축의 방향으로 1만큼, y축의 방향으로 2만큼 평행이동한 포물선의 방정식을 구하고, 평행이동한 포물선의 초점의 좌표와 준선의 방정식을 구하시오.

연구

포물선	x축의 방향으로 1만큼 / 평행이동 / y축의 방향으로 2만큼	포물선
$y^2=4x$	→	$(y-2)^2=4(x-1)$
$(1, 0)$	초점의 좌표	$(2, 2)$
$x=-1$	준선의 방정식	$x=$ ☐

2-2 | 따라풀기 |

다음 포물선을 x축의 방향으로 2만큼, y축의 방향으로 -1만큼 평행이동한 포물선의 방정식을 구하고, 평행이동한 포물선의 초점의 좌표와 준선의 방정식을 구하시오.

(1) $y^2=8x$ (2) $x^2=-8y$

풀이

셀파 특강 01 포물선의 정의와 포물선의 방정식

A 평면 위의 한 점과 그 점을 지나지 않는 한 직선에 이르는 거리가 같은 점들의 집합이 이루는 곡선을 관찰해서 ㉠ 포물선의 정의를 이해해 보자. 오른쪽 그림과 같이 중심이 점 F이고 반지름의 길이가 각각 1, 2, 3, …인 원들이 있고, 이 원들 중 반지름의 길이가 2인 원에 접하는 직선 l이 있어. 여기에 직선 l과 평행하고 간격이 1인 직선들을 그었을 때, 점 A는 점 F와 직선 l에 이르는 거리가 모두 3인 점이야. ㉡ 점 B에서 점 F와 직선 l에 이르는 거리는 얼마일까?

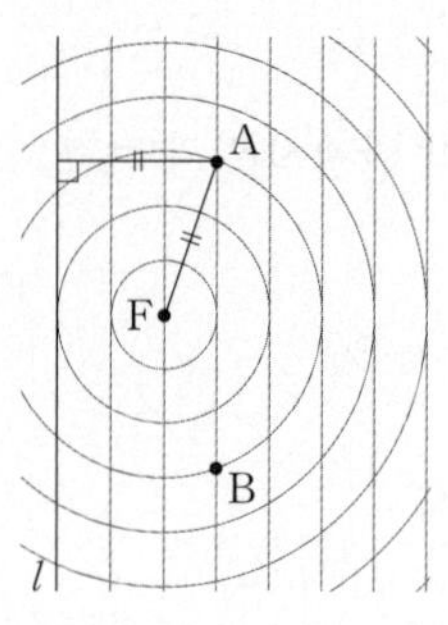

Q 점 B와 점 F를 이어보면 점 B와 점 F 사이의 거리, 즉 선분 BF의 길이는 3이에요. 또 점 B에서 직선 l에 수선의 발을 내리면 점 B와 직선 l 사이의 거리도 3이에요.

A 맞아. 결국 점 A와 점 B는 점 F를 지나고 직선 l에 수직인 축에 대해서 대칭인 위치에 있다고 볼 수 있어. 이번에는 점 F와 직선 l에 이르는 거리가 모두 4인 점들을 그림에 표시해 보자.

Q 위의 그림에서 동심원 사이의 간격과 직선 사이의 간격이 모두 1로 같게 그려져 있는 것을 이용하면 돼요. 즉, 점 F로부터의 거리, 직선 l에 이르는 거리가 모두 간격 4칸으로 같은 점을 나타내면 오른쪽 그림과 같이 점 C, 점 D로 2개예요.

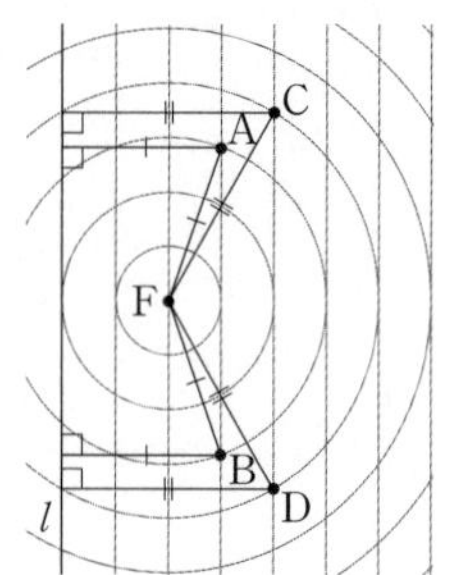

A 그렇지. 이제 ㉢ 점 F와 직선 l에 이르는 거리가 같은 점들을 그림에 표시하고 매끄러운 곡선으로 연결해 보자.

Q 네. 점 F와 직선 l에 이르는 거리가 각각 자연수 1, 2, 3, 4, 5, 6, 7로 같은 점들만 먼저 나타내고 ㉣ 그 점들을 이으면 오른쪽 그림과 같이 포물선 모양의 곡선이 돼요.

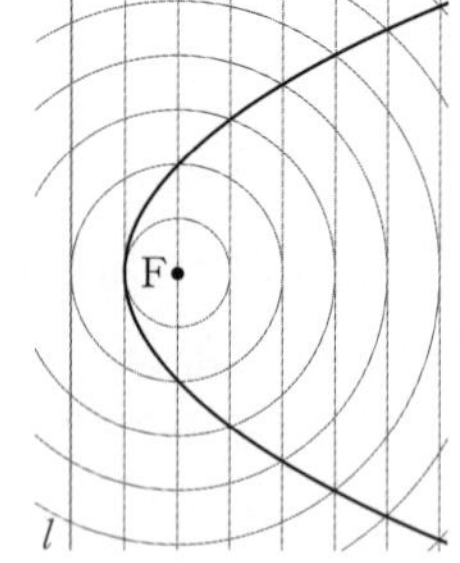

A 중학교 수학에서 이미 ㉤ 포물선을 이차함수 $y=ax^2$의 그래프와 같은 모양의 곡선으로 간단히 정의하였어. 그러나 지금부터는 포물선을 다음과 같이 일정한 조건이 성립하는 점들의 집합으로 새롭게 정의해.

> 포물선은 한 점(초점)과 그 점을 지나지 않는 직선(준선)에 이르는 거리가 같은 점들의 집합이다.

㉠ 평면 위의 한 점 F와 그 점을 지나지 않는 직선 l에 이르는 거리가 같은 점들의 집합을 포물선이라 한다.

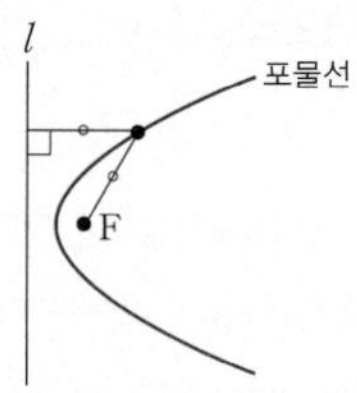

㉡ 점 B와 점 F사이는 동심원 간격(한 칸의 길이는 1)이 3칸이므로 점 B와 점 F 사이의 거리는 3이다. 또 점 B와 직선 l에 이르는 직선 간격(한 칸의 길이는 1)이 3칸이므로 점 B에서 직선 l에 이르는 거리도 3이다.

㉢

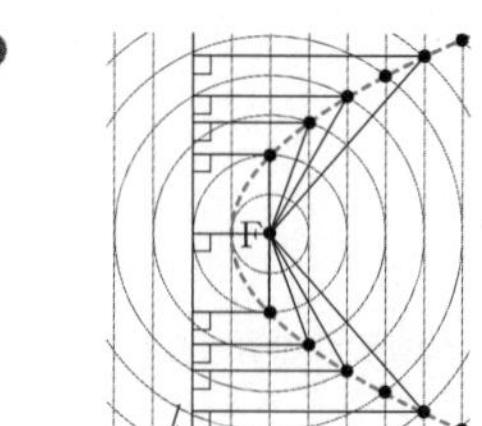

점 F와 직선 l에 이르는 거리가 모두 $a(a>1)$인 점이 두 개씩 존재한다.

㉣ 편의상 점 F와 직선 l에 이르는 거리가 각각 자연수로 같은 점들만 나타내었지만, 거리가 실수로 같은 점들을 모두 나타내면 매끄러운 곡선이 된다.

㉤ 이차함수에서는 꼭짓점과 축에 주목하여 포물선을 관찰하였고, 여기서는 초점과 준선에 주목하여 포물선을 관찰한다.

A 포물선의 정의를 이용하여 좌표평면 위에서 점 $F(p, 0)$을 초점으로 하고, 직선 $x=-p$를 준선으로 하는 포물선의 방정식을 구하여 보자. (단, $p\neq0$)

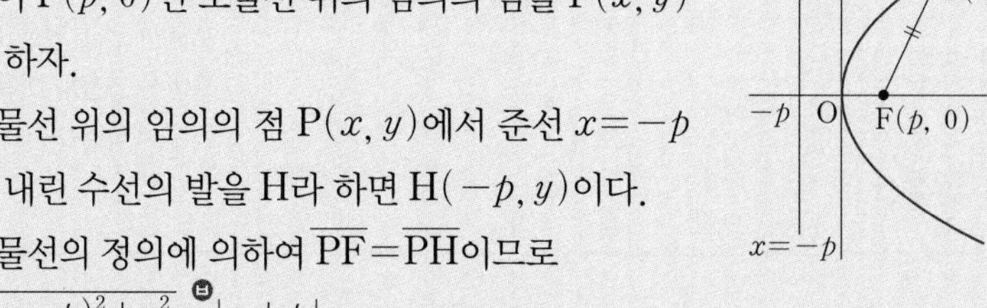

오른쪽 그림과 같이 0이 아닌 실수 p에 대하여 초점이 $F(p, 0)$인 포물선 위의 임의의 점을 $P(x, y)$라 하자.

포물선 위의 임의의 점 $P(x, y)$에서 준선 $x=-p$에 내린 수선의 발을 H라 하면 $H(-p, y)$이다.

포물선의 정의에 의하여 $\overline{PF}=\overline{PH}$이므로

$\sqrt{(x-p)^2+y^2}=|x+p|$ ㅂ

이 식의 양변을 제곱하여 정리하면 $y^2=4px$ ……㉠

역으로 점 $P(x, y)$가 방정식 ㉠을 만족하면 $\overline{PF}=\overline{PH}$이므로 주어진 포물선 위의 점이다.

따라서 초점이 $F(p, 0)$이고 준선이 $x=-p$인 포물선의 방정식은

$y^2=4px$ (단, $p\neq0$)

같은 방법으로 ㅅ 초점이 $F(0, p)$이고 준선이 $y=-p$인 포물선의 방정식은

$x^2=4py$ (단, $p\neq0$)

ㅂ 점 $P(x, y)$에서 y축에 평행한 직선 $x=-p$에 이르는 거리는 $|x-(-p)|=|x+p|$

ㅅ

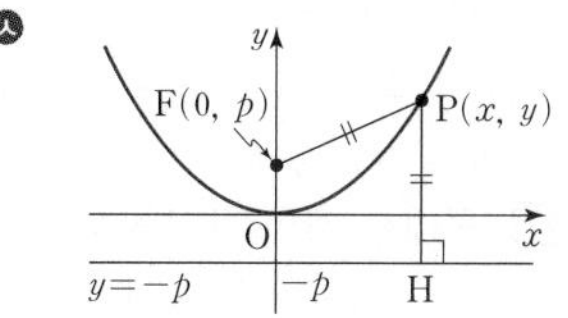

포물선 위의 임의의 점 $P(x, y)$에서 준선 $y=-p$에 내린 수선의 발 $H(x, -p)$에 대하여

$\overline{PF}=\sqrt{x^2+(y-p)^2}$이고

$\overline{PH}=|y+p|$

$\overline{PF}=\overline{PH}$에서

$\sqrt{x^2+(y-p)^2}=|y+p|$

양변을 제곱하여 정리하면

$x^2=4py$ (단, $p\neq0$)

포물선을 그리는 방법

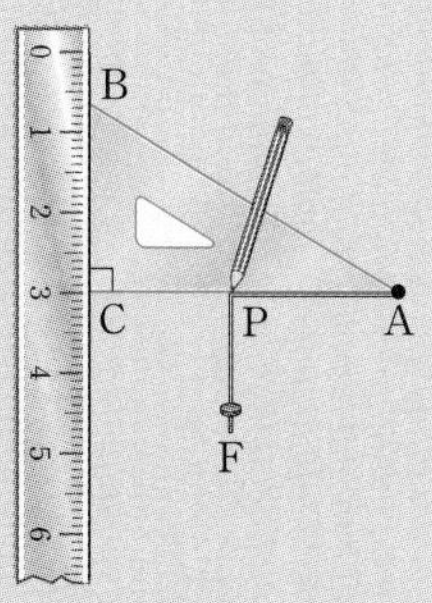

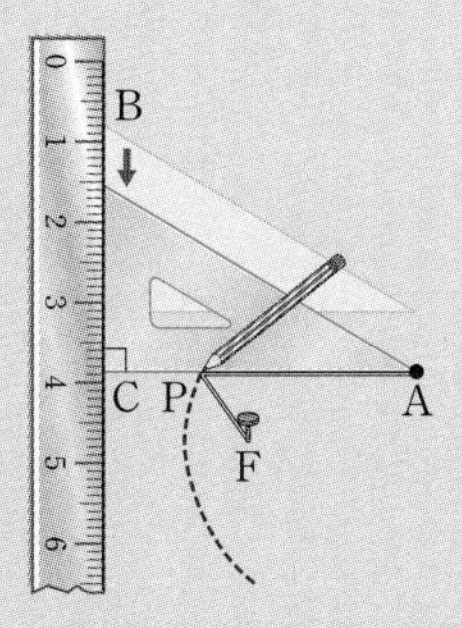

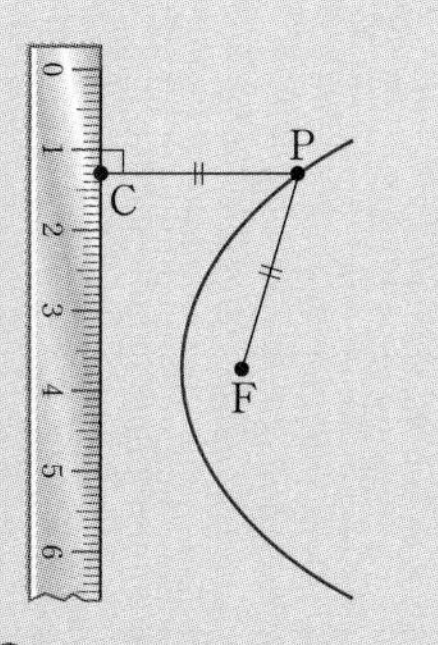

1 삼각자의 한 변 AC와 길이가 같은 실의 한쪽 끝을 삼각자의 한 꼭짓점 A에, 다른 끝을 F에 고정하고 연필의 끝점 P를 삼각자의 변 AC에 붙인다.

2 ㅇ 실을 팽팽하게 유지하면서 삼각자의 변 BC가 막대자를 따라 움직이도록 삼각자를 수평으로 이동하면서 연필로 선을 긋는다.

3 ㅈ $\overline{PF}=\overline{PC}$이므로 점 P가 그리는 도형(곡선)은 포물선이다.

ㅇ 연필의 끝점 P로 실이 팽팽하게 유지되게 잡아당긴다.

ㅈ 실의 길이가 $\overline{AC}$이므로

$\overline{AC}=\overline{PA}+\overline{PC}=\overline{PA}+\overline{PF}$

에서 $\overline{PC}=\overline{PF}$

$\therefore \overline{PF}=\overline{PC}$

해법 01 포물선의 정의

❶ 점 $F(p, 0)$과 직선 $x=-p$에 이르는 거리가 같은 포물선의 방정식
⇨ $\sqrt{(x-p)^2+y^2}=|x+p|$ (단, $p\neq0$)

❷ 점 $F(0, p)$와 직선 $y=-p$에 이르는 거리가 같은 포물선의 방정식
⇨ $\sqrt{x^2+(y-p)^2}=|y+p|$ (단, $p\neq0$)

PLUS ⊕
좌표평면 위의 한 점 F와 점 F를 지나지 않는 직선 l이 주어질 때, 점 F와 직선 l에 이르는 거리가 같은 점들의 집합이 포물선이다.

예제 다음 포물선의 방정식을 구하시오.

(1) 초점이 $F(3, 0)$, 준선이 $x=-3$인 포물선

(2) 초점이 $F(0, 5)$, 준선이 $y=-5$인 포물선

해법 코드
포물선 위의 점을 $P(x, y)$로 놓고 주어진 조건을 이용하여 x, y 사이의 관계식을 구한다.

셀파 포물선 위의 점 P에서 초점과 준선에 이르는 거리는 같다.

풀이 (1) 포물선 위의 점을 $P(x, y)$로 놓고 점 P에서 직선 $x=-3$에 내린 수선의 발을 $H(-3, y)$라 하면
$\overline{PF}=\sqrt{(x-3)^2+y^2}$, $\overline{PH}=|x+3|$
$\overline{PF}=\overline{PH}$에서 $\sqrt{(x-3)^2+y^2}=|x+3|$
이 식의 양변을 제곱하여 정리하면
$\boldsymbol{y^2=12x}$

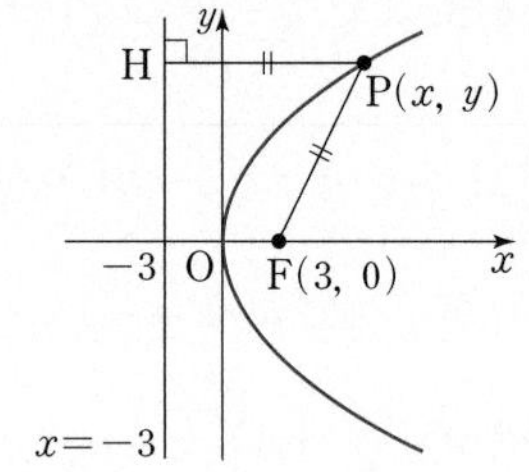

(2) 포물선 위의 점을 $P(x, y)$로 놓고 점 P에서 직선 $y=-5$에 내린 수선의 발을 $H(x, -5)$라 하면
$\overline{PF}=\sqrt{x^2+(y-5)^2}$, $\overline{PH}=|y+5|$
$\overline{PF}=\overline{PH}$에서 $\sqrt{x^2+(y-5)^2}=|y+5|$
이 식의 양변을 제곱하여 정리하면
$\boldsymbol{x^2=20y}$

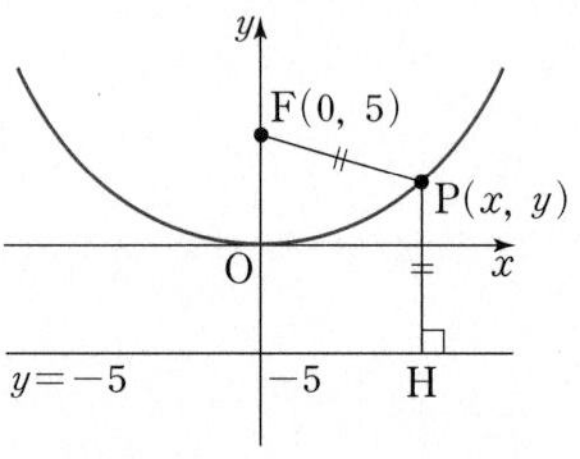

다른 풀이
(1) 초점의 좌표가 $F(3, 0)$이고, 준선의 방정식이 $x=-3$인 포물선이므로
$y^2=4\times3\times x$ $\therefore y^2=12x$
(2) 초점의 좌표가 $F(0, 5)$이고, 준선의 방정식이 $y=-5$인 포물선이므로
$x^2=4\times5\times y$ $\therefore x^2=20y$

확인 문제

정답과 해설 | 10쪽

01-1 상중하
다음 포물선의 방정식을 구하시오.

(1) 초점이 $F(4, 0)$, 준선이 $x=-4$인 포물선

(2) 초점이 $F(0, -1)$, 준선이 $y=1$인 포물선

MY 셀파

01-1
포물선 위의 점을 $P(x, y)$로 놓고 점 P에서 주어진 직선에 내린 수선의 발을 H로 놓는다.

해법 02 포물선의 정의의 활용

PLUS ⊕

포물선 $y^2=4px(p\neq0)$ 위의 임의의 점 $P(x, y)$에서 초점 $F(p, 0)$과 $x=-p$에 이르는 거리는 같다. 즉,

$\overline{PF}=\overline{PH}$

이때 점 P에서 y축에 내린 수선의 길이는

$\overline{PH}-|-p|=\overline{PF}-|-p|$

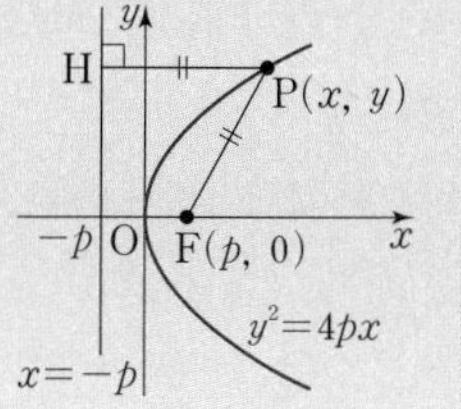

포물선에 대한 활용 문제에서는 포물선의 정의를 이용하면 간단히 해결되는 경우가 많다.

예제 **1.** 포물선 $y^2=4x$ 위의 한 점 P에서 이 포물선의 초점 F까지의 거리가 4일 때, 점 P에서 y축에 내린 수선의 길이를 구하시오.

2. 포물선 $y^2=8x$ 위의 임의의 한 점을 P, 초점을 F라 할 때, 점 $A(3, 1)$에 대하여 $\overline{AP}+\overline{FP}$의 최솟값을 구하시오.

해법 코드

1. 점 P에서 y축에 내린 수선의 길이는 준선과 점 P 사이의 거리를 이용하여 구한다.

2. 세 점을 연결하는 거리의 최솟값을 구할 때는 세 점이 한 직선 위에 있을 때를 생각한다.

셀파 포물선 위의 점 P에서 초점과 준선에 이르는 거리는 같다.

풀이 **1.** 포물선 $y^2=4x$의 초점은 $F(1, 0)$, 준선은 $x=-1$이다.
이때 포물선 위의 점 P에서 포물선의 준선에 내린 수선의 발을 H, y축에 내린 수선의 발을 K라 하면 포물선의 정의에서
$\overline{PF}=\overline{PH}$
따라서 점 P에서 y축에 내린 수선의 길이 $\overline{PK}$는
$\overline{PK}=\overline{PH}-\overline{HK}=4-1=$**3**

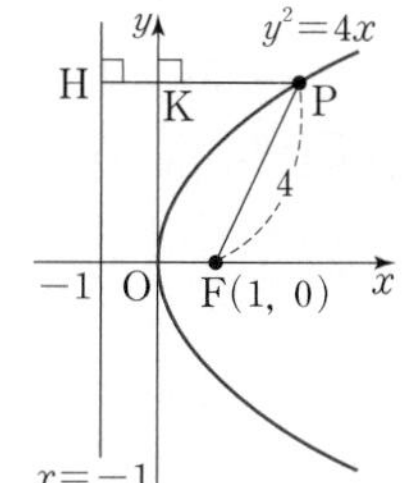

2. 포물선 $y^2=8x$의 초점은 $F(2, 0)$, 준선은 $x=-2$이다.
이때 포물선 위의 점 P에서 포물선의 준선에 내린 수선의 발을 H라 하면 포물선의 정의에서 $\overline{PF}=\overline{PH}$
또 점 A에서 포물선의 준선에 내린 수선의 발을 H′이라 하고, 선분 AH′과 포물선의 교점을 P′이라 하면
$\overline{AP}+\overline{FP}\overset{㉠}{=}\overline{AP}+\overline{PH}\geq\overline{AP'}+\overline{P'H'}$
$=\overline{AH'}=|3-(-2)|=$**5**

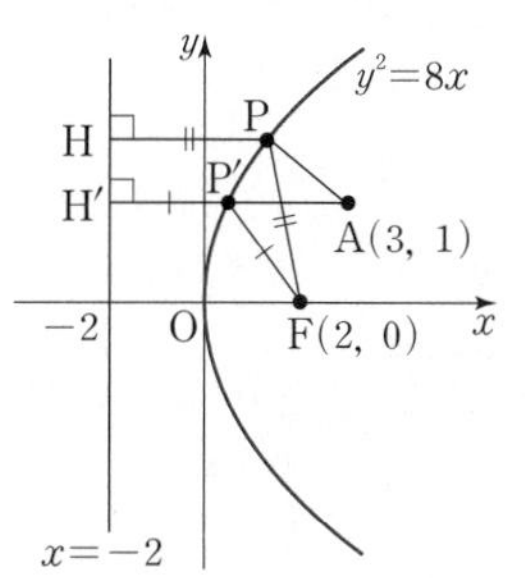

㉠ $\overline{AP}+\overline{PH}$는 세 점 A, P, H를 연결하는 거리를 나타낸다.
따라서 세 점 A, P, H가 한 직선 위에 있을 때 그 길이가 최소가 된다.

참고
평면 위에 있는 세 점을 이을 경우 최소의 길이는 세 점이 한 직선 위에 있을 때이다.

확인 문제

정답과 해설 | 11쪽

02-1 (상중하) 포물선 $y^2=4x$ 위의 서로 다른 세 점 A, B, C를 꼭짓점으로 하는 삼각형 ABC의 무게중심과 이 포물선의 초점 F가 일치할 때, $\overline{AF}+\overline{BF}+\overline{CF}$의 값을 구하시오.

02-2 (상중하) 두 점 $A(0, 2)$, $B(3, 6)$과 포물선 $x^2=8y$ 위의 임의의 점 P에 대하여 삼각형 APB의 둘레의 길이의 최솟값을 구하시오.

MY 셀파

02-1
세 점 A, B, C의 x좌표를 각각 x_1, x_2, x_3으로 놓으면
$\frac{x_1+x_2+x_3}{3}=1$

02-2
점 P에서 포물선의 준선에 내린 수선의 발을 H라 할 때, 점 A는 포물선의 초점이므로 $\overline{PA}=\overline{PH}$이다.

해법 03 꼭짓점이 원점이 아닌 포물선의 식 구하기

점 $\mathrm{F}(a, b)$와 직선 $x=p$에 이르는 거리가 같은 포물선의 방정식
⇨ $\sqrt{(x-a)^2+(y-b)^2}=|x-p|$
점 $\mathrm{F}(a, b)$와 직선 $y=p$에 이르는 거리가 같은 포물선의 방정식
⇨ $\sqrt{(x-a)^2+(y-b)^2}=|y-p|$

PLUS
좌표평면 위의 한 점 F와 점 F를 지나지 않는 직선 l이 주어질 때, 점 F와 직선 l에 이르는 거리가 같은 점들의 집합이 포물선이다.

예제 다음 포물선의 방정식을 구하시오.

(1) 초점이 $\mathrm{F}(3, -1)$, 준선이 $x=1$인 포물선

(2) 초점이 $\mathrm{F}(1, 5)$, 준선이 $y=-1$인 포물선

해법 코드
조건을 만족시키는 점을 $\mathrm{P}(x, y)$로 놓고 주어진 조건을 이용하여 x, y 사이의 관계식을 구한다.

셀파 점 P에서 주어진 직선에 내린 수선의 발을 H라 할 때, $\overline{\mathrm{PF}}=\overline{\mathrm{PH}}$이다.

풀이 (1) 포물선 위의 점을 $\mathrm{P}(x, y)$로 놓고 점 P에서 직선 $x=1$에 내린 수선의 발을 $\mathrm{H}(1, y)$라 하면
$\overline{\mathrm{PF}}=\sqrt{(x-3)^2+(y+1)^2}$
$\overline{\mathrm{PH}}=|x-1|$
$\overline{\mathrm{PF}}=\overline{\mathrm{PH}}$에서 $\sqrt{(x-3)^2+(y+1)^2}=|x-1|$
이 식의 양변을 제곱하여 정리하면
ㄱ $\boldsymbol{(y+1)^2=4(x-2)}$

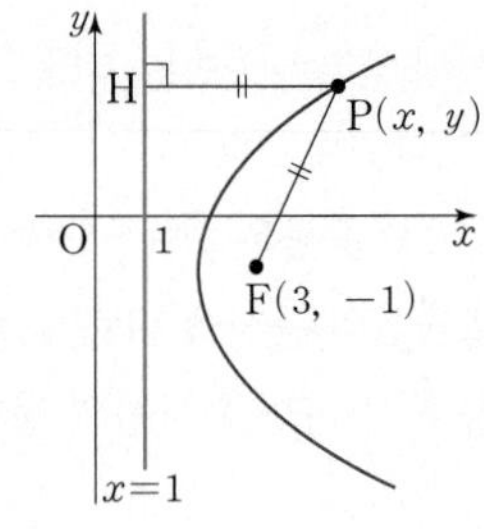

ㄱ 포물선 $(y+1)^2=4(x-2)$는 포물선 $y^2=4x$를 x축의 방향으로 2만큼, y축의 방향으로 -1만큼 평행이동한 것이다.

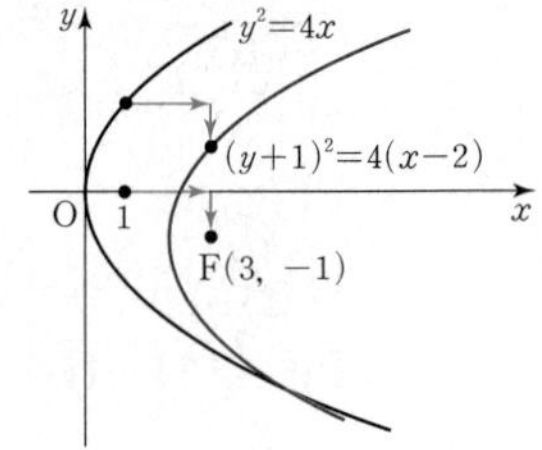

(2) 포물선 위의 점을 $\mathrm{P}(x, y)$로 놓고 점 P에서 직선 $y=-1$에 내린 수선의 발을 $\mathrm{H}(x, -1)$이라 하면
$\overline{\mathrm{PF}}=\sqrt{(x-1)^2+(y-5)^2}$
$\overline{\mathrm{PH}}=|y+1|$
$\overline{\mathrm{PF}}=\overline{\mathrm{PH}}$에서 $\sqrt{(x-1)^2+(y-5)^2}=|y+1|$
이 식의 양변을 제곱하여 정리하면
ㄴ $\boldsymbol{(x-1)^2=12(y-2)}$

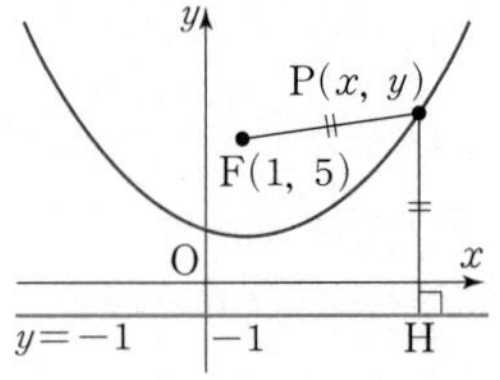

ㄴ 포물선 $(x-1)^2=12(y-2)$는 포물선 $x^2=12y$를 x축의 방향으로 1만큼, y축의 방향으로 2만큼 평행이동한 것이다.

확인 문제

정답과 해설 | 11쪽

03-1 (상중**하**) 다음 포물선의 방정식을 구하시오.

(1) 초점이 $\mathrm{F}(4, 0)$, 준선이 $x=-2$인 포물선

(2) 초점이 $\mathrm{F}(2, -1)$, 준선이 $y=3$인 포물선

MY 셀파

03-1
포물선 위의 점을 $\mathrm{P}(x, y)$로 놓고 점 $\mathrm{P}(x, y)$에서 주어진 직선에 내린 수선의 발을 H로 놓는다.

셀파 특강 02 포물선의 평행이동과 포물선의 방정식의 일반형

A 포물선 $y^2=4px\ (p\neq0)$를 x축의 방향으로 m만큼, y축의 방향으로 n만큼 평행이동한 포물선의 방정식은 $(y-n)^2=4p(x-m)$이야. 이때 포물선의 꼭짓점, 초점, 준선은 각각 다음과 같이 평행이동되지.

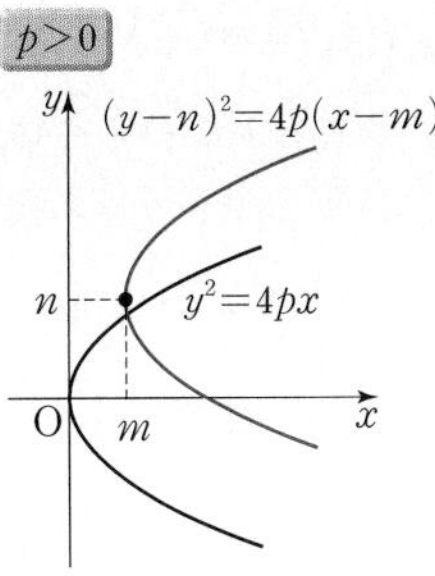

꼭짓점의 좌표 : $(0,0)$ ⇨ (m,n)
초점의 좌표 : $(p,0)$ ⇨ $(p+m,n)$
준선의 방정식 : $x=-p$ ⇨ $x=-p+m$

▶ **점과 도형의 평행이동**
점과 도형을 x축의 방향으로 m만큼, y축의 방향으로 n만큼 평행이동할 때, 각각 다음과 같이 이동된다.
점 (x,y) ⇨ 점 $(x+m,y+n)$
도형 $f(x,y)=0$
⇨ 도형 $f(x-m,y-n)=0$
포물선의 꼭짓점의 좌표와 초점의 좌표는 점의 평행이동으로 구하고, 포물선의 방정식과 준선의 방정식은 도형의 평행이동으로 구한다.

Q 마찬가지로 생각하면 포물선 $x^2=4py\ (p\neq0)$를 x축의 방향으로 m만큼, y축의 방향으로 n만큼 평행이동한 포물선의 방정식은 $(x-m)^2=4p(y-n)$이 되네요. 이때 포물선의 꼭짓점, 초점, 준선도 다음과 같이 되고요.

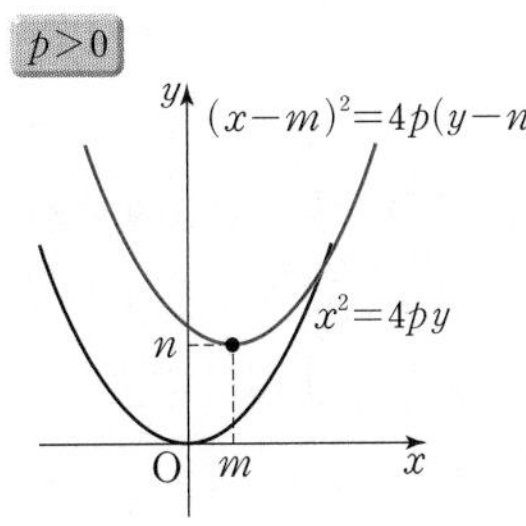

꼭짓점의 좌표 : $(0,0)$ ⇨ (m,n)
초점의 좌표 : $(0,p)$ ⇨ $(m,p+n)$
준선의 방정식 : $y=-p$ ⇨ $y=-p+n$

▶ 포물선의 방정식은 xy항이 없고, x, y 중 어느 한 문자에 대하여 이차이고, 다른 한 문자에 대하여 일차인 식이다.

A 이렇게 평행이동한 포물선의 방정식을 전개하여 정리하면 다음과 같이 포물선의 방정식의 일반형을 얻을 수 있어.

❶ x축에 평행한 축을 가진 포물선의 방정식

포물선의 방정식 $(y-n)^2=4p(x-m)$을 전개하여 정리하면
$y^2-4px-2ny+n^2+4pm=0$
여기서 $-4p=A$, $-2n=B$, $n^2+4pm=C$로 놓으면
$y^2+Ax+By+C=0$ (단, ㉠$A\neq0$)

❷ y축에 평행한 축을 가진 포물선의 방정식

포물선의 방정식 $(x-m)^2=4p(y-n)$을 전개하여 정리하면
$x^2-2mx-4py+m^2+4pn=0$
여기서 $-2m=A$, $-4p=B$, $m^2+4pn=C$로 놓으면
$x^2+Ax+By+C=0$ (단, $B\neq0$)

㉠ $A=0$이면 $p=0$이므로 포물선이 될 수 없다. ($\because p\neq0$)

해법 04 포물선의 방정식

PLUS ⊕

❶ 초점이 $\mathrm{F}(p, 0)$이고 준선이 $x=-p$인 포물선의 방정식 ⇨ $y^2=4px$(단, $p\neq0$)

❷ 초점이 $\mathrm{F}(0, p)$이고 준선이 $y=-p$인 포물선의 방정식 ⇨ $x^2=4py$(단, $p\neq0$)

주의 꼭짓점이 원점인 포물선의 방정식은 $y^2=4px$ 또는 $x^2=4py$ 꼴로 쉽게 구할 수 있지만 꼭짓점이 원점이 아닌 포물선의 방정식은 포물선의 정의를 이용한다.

❶ 축이 x축에 평행한 포물선
$y^2=4px(p\neq0)$ 또는
$y^2+Ax+By+C=0$ (단, $A\neq0$)

❷ 축이 y축에 평행한 포물선
$x^2=4py(p\neq0)$ 또는
$x^2+Ax+By+C=0$ (단, $B\neq0$)

예제 **1.** 초점이 $\mathrm{F}(0, 2)$이고, 준선이 $y=-2$인 포물선이 점 $(4, k)$를 지날 때, k의 값을 구하시오.

2. 축이 x축에 평행하고 세 점 $(0, 0)$, $(0, -2)$, $(-4, 2)$를 지나는 포물선의 방정식을 구하시오.

해법 코드

1. 주어진 포물선의 방정식은 $x^2=4py(p\neq0)$ 꼴이다.
2. 축이 x축에 평행한 포물선은 $y^2+Ax+By+C=0$ 꼴이다.

셀파 축이 y축에 평행한 포물선 ⇨ $x^2+Ax+By+C=0$ (단, $B\neq0$)

풀이 **1.** 초점이 $\mathrm{F}(0, 2)$이고, 준선이 $y=-2$인 포물선의 방정식은

$x^2=4\times2\times y$ $\quad\therefore x^2=8y$

이 포물선이 점 $(4, k)$를 지나므로 $16=8k$ $\quad\therefore \boldsymbol{k=2}$

2. 축이 x축에 평행하므로 구하는 포물선의 방정식을 $y^2+Ax+By+C=0(A\neq0)$으로 놓으면 이 포물선이 세 점 $(0, 0)$, $(0, -2)$, $(-4, 2)$를 지나므로 이 점의 좌표를 각각 대입하면

$C=0$, $4-2B+C=0$, $4-4A+2B+C=0$

세 식에서 $A=2$, $B=2$, $C=0$

따라서 구하는 포물선의 방정식은 ㉠ $\boldsymbol{y^2+2x+2y=0}$

㉠ 포물선 $y^2+2x+2y=0$은 $(y+1)^2=-2\left(x-\frac{1}{2}\right)$이므로 포물선 $y^2=-2x$를 x축의 방향으로 $\frac{1}{2}$만큼, y축의 방향으로 -1만큼 평행이동한 것이다.

확인 문제

정답과 해설 | 11쪽

04-1 (상 중 하) 다음을 만족시키는 k의 값을 구하시오.

(1) 초점이 $\mathrm{F}(2, 1)$, 준선이 $x=4$인 포물선이 점 $(k, 3)$을 지난다.

(2) 초점이 $\mathrm{F}(k, 3)$, 준선이 $y=5$인 포물선이 원점을 지난다.

04-2 (상 중 하) 축이 y축에 평행하고 세 점 $(0, -2)$, $(-3, 2)$, $(-2, 0)$을 지나는 포물선의 방정식을 구하시오.

MY 셀파

04-1
포물선의 정의를 이용한다.

04-2
축이 y축에 평행한 포물선의 방정식은 $x^2+Ax+By+C=0(B\neq0)$ 꼴이다.

집중 연습 포물선의 평행이동

정답과 해설 | 13쪽

도형 $f(x, y)=0$을 x축의 방향으로 m만큼, y축의 방향으로 n만큼 평행이동한 도형의 방정식은

$f(x-m, y-n)=0$

포물선 $y^2=4px$	x축의 방향으로 m만큼 평행이동 y축의 방향으로 n만큼	포물선 $(y-n)^2=4p(x-m)$
$(p, 0)$	초점의 좌표	$(p+m, n)$
$x=-p$	준선의 방정식	$x=-p+m$
$y=0$	축의 방정식	$y=n$
$(0, 0)$	꼭짓점의 좌표	(m, n)

01 다음 도형을 x축의 방향으로 -1만큼, y축의 방향으로 2만큼 평행이동한 도형의 방정식을 구하시오.

(1) $y^2=x$

(2) $y^2-2x=0$

(3) $y^2-3x+2y-1=0$

(4) $x^2=4y$

02 다음 포물선의 초점의 좌표와 준선의 방정식을 구하시오.

(1) $y^2=-12(x+3)$

(2) $(x+1)^2=4y$

(3) $(y+2)^2=2(x-1)$

(4) $(x-3)^2=-8(y+1)$

해법 05 포물선의 방정식의 일반형

일반형으로 주어진 포물선의 초점, 준선의 방정식을 구할 때는 주어진 식을

$(y-n)^2=4p(x-m)$,

$(x-m)^2=4p(y-n)$

꼴로 고친 다음 포물선 $y^2=4px$, $x^2=4py$의 평행이동을 생각하면 된다.

PLUS ⊕

포물선 $(y-n)^2=4p(x-m)$, 포물선 $(x-m)^2=4p(y-n)$은 각각 포물선 $y^2=4px$, $x^2=4py$를 각각 x축의 방향으로 m만큼, y축의 방향으로 n만큼 평행이동한 것이다.

예제 다음 포물선의 초점의 좌표와 준선의 방정식을 구하시오.

(1) $y^2-4x-6y+17=0$ (2) $x^2+4y+2x+5=0$

해법 코드

(1) $(y-n)^2=4p(x-m)$

(2) $(x-m)^2=4p(y-n)$

셀파 포물선의 방정식이 일반형으로 주어진 경우에는 $(y-n)^2=4p(x-m)$ 꼴 또는 $(x-m)^2=4p(y-n)$ 꼴로 고친다.

풀이 (1) $y^2-4x-6y+17=0$에서 $y^2-6y+9=4x-8$

$\therefore (y-3)^2=4(x-2)$

주어진 포물선은 포물선 $y^2=4x$를 x축의 방향으로 2만큼, y축의 방향으로 3만큼 평행이동한 것이다.

이때 포물선 $y^2=4x$의 초점의 좌표는 $(1, 0)$, 준선의 방정식은 $x=-1$

따라서 주어진 포물선ㄱ의 **초점의 좌표는 $(3, 3)$, 준선의 방정식은 $x=1$**

(2) $x^2+4y+2x+5=0$에서 $x^2+2x+1=-4y-4$

$\therefore (x+1)^2=-4(y+1)$

주어진 포물선은 포물선 $x^2=-4y$를 x축의 방향으로 -1만큼, y축의 방향으로 -1만큼 평행이동한 것이다.

이때 포물선 $x^2=-4y$의 초점의 좌표는 $(0, -1)$, 준선의 방정식은 $y=1$

따라서 주어진 포물선ㄴ의 **초점의 좌표는 $(-1, -2)$, 준선의 방정식은 $y=0$**

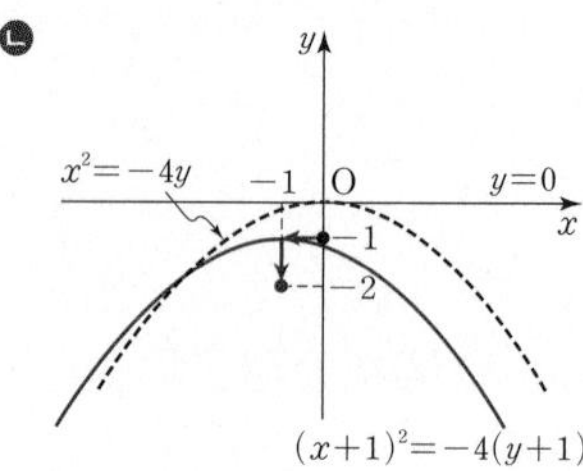

확인 문제

정답과 해설 | 13쪽

05-1 상중하 다음 포물선의 초점의 좌표와 준선의 방정식을 구하시오.

(1) $y^2+x+4y+3=0$ (2) $x^2-8y+2x+17=0$

05-2 상중하 두 포물선 $y^2=4(x-a)$와 $y^2=-8x$의 초점이 같을 때, 상수 a의 값을 구하시오.

MY 셀파

05-1

(1) $(y-n)^2=4p(x-m)$

(2) $(x-m)^2=4p(y-n)$

꼴로 고친다.

05-2

$y^2=4(x-a)$의 초점은 $(a+1, 0)$이다.

셀파 특강 03 실생활에서 포물선의 활용

Q 실생활과 관련해서 포물선을 활용하는 문제를 풀어 보고 싶어요.

A 그럼 포물선 모양의 위성 안테나 단면에 대해 알아볼까? 다음 문제를 풀어 보자.

> 오른쪽 그림은 포물선 모양의 위성 안테나 단면이다. 전파가 위성 안테나 표면의 점 A에 도달하면 직각으로 반사된 후 초점 위치에 있는 수신기 F를 지나 반대편의 점 B를 거쳐 다시 직각으로 되돌아 나간다고 한다. $\overline{AB}=80$일 때, 삼각형 OAB의 넓이를 구하시오.
>
> (단, 점 O는 포물선의 꼭짓점 위치에 있다.)

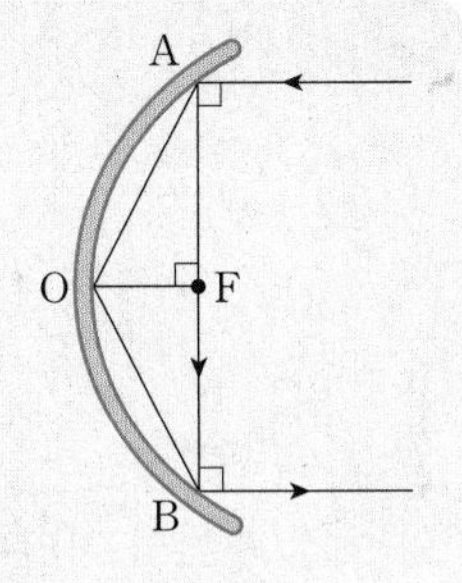

Q 어떻게 접근해야 할지 잘 모르겠어요.

A 포물선의 준선을 l이라 할 때, 오른쪽 그림과 같이 두 점 A, B에서 준선 l에 내린 수선의 발을 각각 A′, B′이라 하면

$\overline{AA'}=\overline{AF}$, $\overline{BB'}=\overline{BF}$이고

$\overline{AB}=80$에서 $\overline{AF}=\overline{BF}=40$이므로

$\overline{AA'}=40$

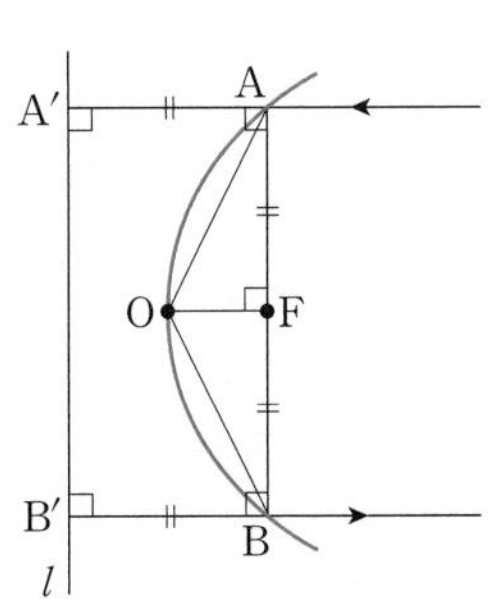

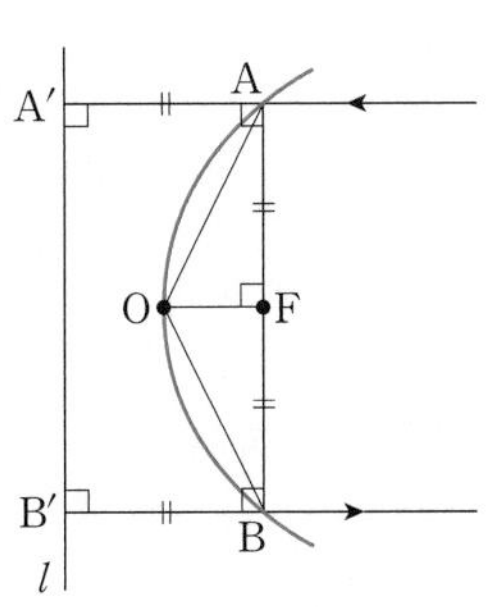

Q 그럼 ㉠$\overline{OF}=\frac{1}{2}\overline{AA'}=20$이므로 삼각형 OAB의 넓이는

$\frac{1}{2}\times\overline{AB}\times\overline{OF}=\frac{1}{2}\times80\times20=$**800**이에요.

A 그래. 이렇게 글로 된 유형의 문제들은 그 핵심만 잘 파악하여 식으로 나타낼 수 있다면 오히려 더 쉬울 수도 있어. 그러니 자신감을 가지고 문제를 풀도록 해!

확인 체크 01

정답과 해설 | 14쪽

자동차 전조등의 단면은 포물선 모양이므로 포물선의 초점에 있는 전구의 빛은 포물선에 반사되어 축에 평행한 방향으로 나아간다. 오른쪽 그림과 같은 단면이 포물선 모양인 자동차 전조등에는 포물선의 초점에 전구가 있다. 이 포물선의 꼭짓점과 전구 사이의 거리를 p cm라 할 때, 상수 p의 값을 구하시오.

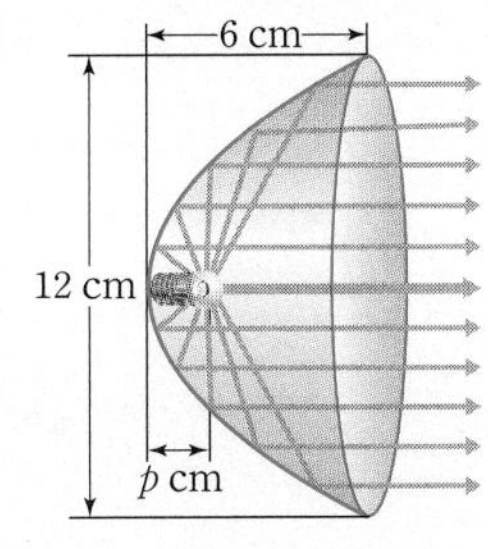

참고

'빛이 반사될 때, 입사각의 크기와 반사각의 크기는 서로 같으므로 포물선을 회전시켜 만든 포물면에서 축에 평행하게 입사한 빛은 포물면에 반사되어 초점에 모인다. 또 초점에서 나온 빛은 포물면에 반사되어 축과 평행하게 나아간다.'

포물선의 이러한 성질은 자동차의 전조등이나 파라볼라 안테나에 이용된다. 접시 모양의 위성 통신 안테나인 파라볼라 안테나에서 축과 평행하게 들어오는 전파는 포물면에 반사되어 모두 초점에 모이게 된다.

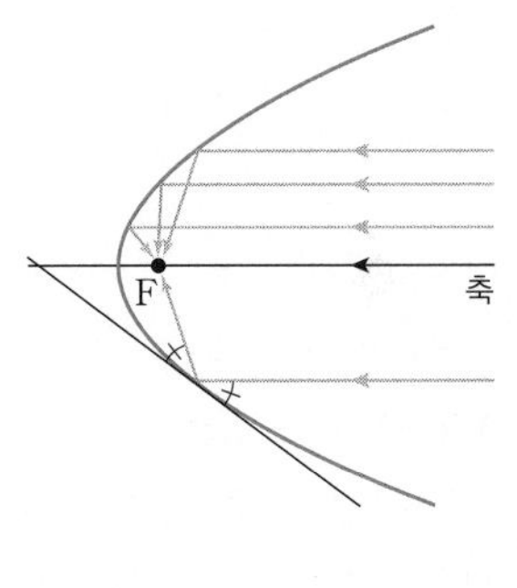

㉠ 점 O는 포물선 위의 점이다. 점 O와 초점 사이의 거리($\overline{OF}$)는 점 O에서 준선 l에 이르는 거리와 같다.

$\therefore \overline{OF}=\frac{1}{2}\overline{AA'}=20$

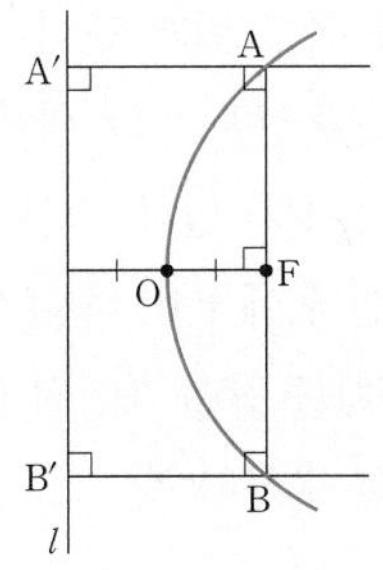

포물선의 정의

01 점 F$(0, 2)$를 초점으로 하고, 준선의 방정식이 $y=-2$인 포물선의 방정식을 구하시오.

상 중 하

포물선의 정의

02 포물선 $y^2=8x$ 위의 점 P(a, b)와 초점 사이의 거리가 4일 때, $a+b$의 값을 구하시오. (단, $ab>0$)

상 중 하

포물선의 정의의 활용

03 포물선 $y^2=12x$ 위의 점 P와 초점 F에 대하여 $\overline{PF}=5\overline{OF}$일 때, 선분 OP의 길이를 구하시오.

(단, O는 원점이다.)

상 중 하

포물선의 정의의 활용

04 오른쪽 그림과 같이 초점이 F인 포물선 $y^2=6x$ 위에 $\overline{FP}=4$인 점 P가 있다. 선분 FP의 연장선 위에 $\overline{FP}=\overline{PQ}$가 되도록 점 Q를 잡을 때, 점 Q의 x좌표를 구하시오.

상 중 하

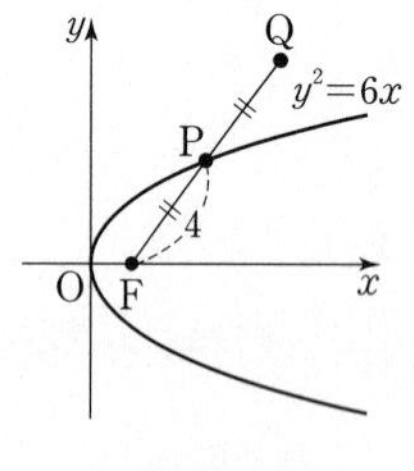

포물선의 정의의 활용 융합형

05 오른쪽 그림과 같이 직선 $y=mx-m$이 포물선 $y^2=4x$와 두 점 P, Q에서 만난다. 선분 PQ의 중점 R의 x좌표가 2일 때, 선분 PQ의 길이를 구하시오.

상 중 하

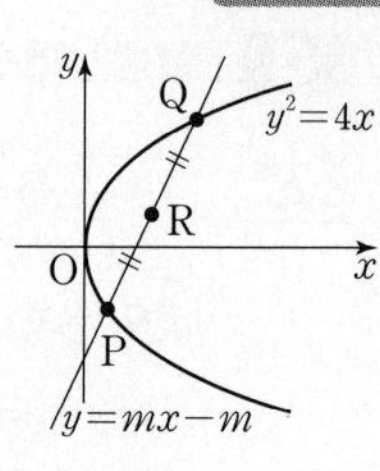

포물선의 정의의 활용

06 오른쪽 그림과 같이 포물선 $y^2=4x$ 모양의 해안선이 있고 두 점 A$(1, 0)$, B$(5, 4)$의 위치에 석유 시추선이 각각 한 대씩 정박해 있다. 해안선에 부두 P를 건설하여 두 시추선까지 보급선을 운항하려고 할 때, $\overline{PA}+\overline{PB}$의 최솟값을 구하시오.

상 중 하

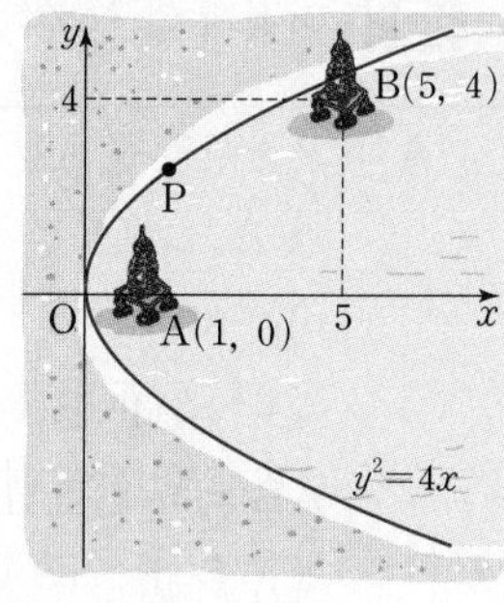

포물선의 정의의 활용

07 오른쪽 그림과 같이 포물선 $x^2=4y$의 초점 F를 지나는 직선 l이 포물선과 만나는 두 점을 A, B라 하자. $\overline{AF}:\overline{BF}=3:1$일 때, 직선 l의 기울기를 구하시오.

상 중 하

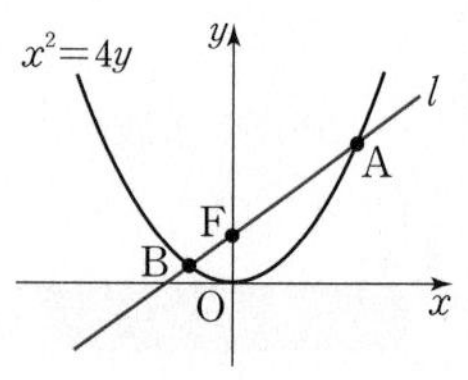

포물선의 정의의 활용 융합형

08 상 중 하 오른쪽 그림과 같이 포물선 모양을 따라 흐르는 강가에 포물선의 초점의 위치에 있는 마을 P와 또 다른 마을 Q가 있다. 강변의 한 곳에 수영장을 만들어 수영장에서 두 마을에 이르는 거리의 합이 최소가 되도록 하려고 한다. 이때 A, B, C, D, E 중 수영장을 만들기에 가장 적절한 곳을 구하시오.

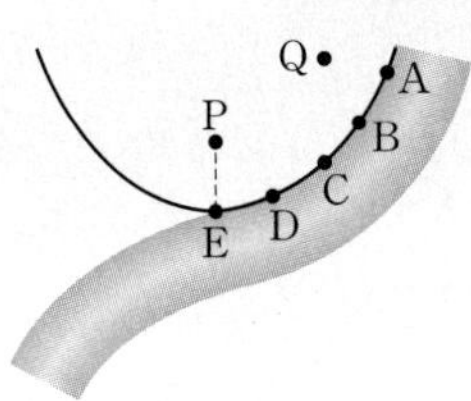

꼭짓점이 원점이 아닌 포물선의 식 구하기

09 상 중 하 점 F$(a, 0)$과 직선 $x=3$에 이르는 거리가 같은 점들이 나타내는 도형이 점 A$(-2, 2\sqrt{6})$을 지나고 원점을 지나지 않는다. 이때 a의 값을 구하시오.

포물선의 방정식

10 상 중 하 초점이 F$(-3, 0)$이고 준선이 $x=3$인 포물선이 점 $(a, -2)$를 지날 때, a의 값을 구하시오.

포물선의 평행이동 서술형

11 상 중 하 두 포물선 $(y-3)^2=a(x+2)$, $(x+1)^2=b(y-2)$의 초점이 같을 때, 상수 a, b의 값을 구하시오.

포물선의 방정식의 일반형

12 상 중 하 포물선 $y^2+4y-4x+4a=0$의 초점의 좌표가 $(2, -2)$일 때, 상수 a의 값을 구하시오.

포물선의 방정식의 일반형

13 상 중 하 포물선 $x=y^2+2y+k$의 초점이 직선 $y=x+1$ 위에 있을 때, 상수 k의 값을 구하시오.

포물선의 방정식의 일반형 융합형

14 상 중 하 포물선 $x^2=4y-12$를 직선 $y=x$에 대하여 대칭이동한 도형을 $f(x, y)=0$이라 하자. 점 $(2, 2)$에서 x축과 평행한 직선을 그어 포물선 $f(x, y)=0$과 만나는 점을 P라 할 때, 포물선 $f(x, y)=0$의 초점과 점 P를 이은 선분의 길이를 구하시오.

오래된 고성에 올라 달 구경을 합니다.
슈퍼문이다, 슈퍼문.
정말 놀랍지 않아? 저렇게 큰 천체가 지구를 중심으로 원을 그리며 돈다는 게.
뭐? 원을 그리며 돈다고? 정말 놀랍다. 아직도 달의 공전 궤도를 원이라고 알고 있다니.
우연히 수학자가 옆에서 이야기를 듣고 있었습니다.
뭐야, 설마 달의 공전궤도가 타원이라는거야?
당연하지.
타원궤도를 이해하면 달이 크게 보이는 이유를 알 수 있지.

2

타원

타원 그리는 법을 알려줍니다.

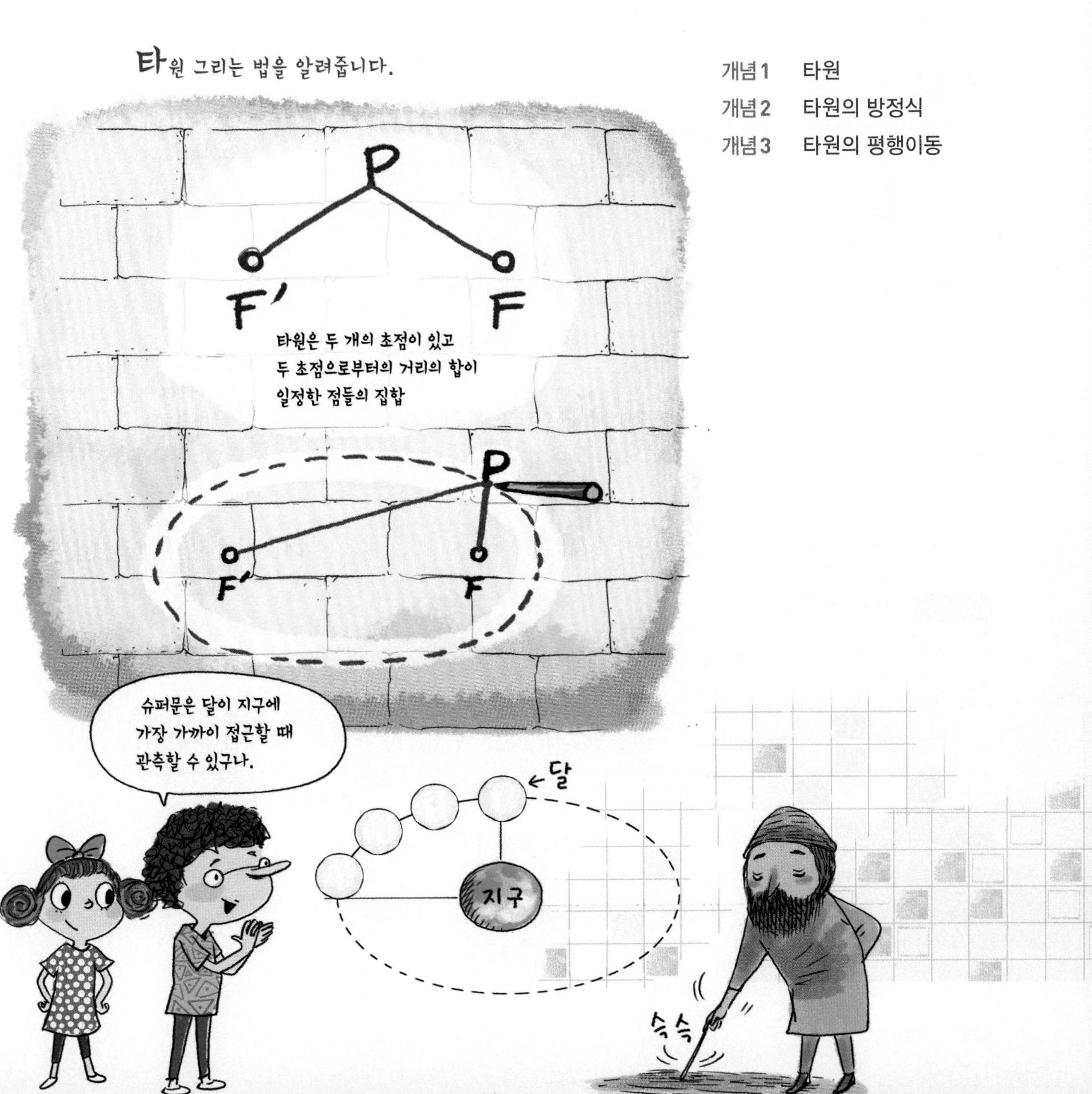

2. 타원

개념 1 타원

평면 위의 두 점 F, F′으로부터의 ❶ ___ 의 합이 일정한 점들의 집합을 **타원**이라 하고, 두 점 F, F′을 타원의 **초점**이라 한다.

또 두 초점을 잇는 직선이 타원과 만나는 점을 각각 A, A′, 선분 FF′의 ❷ ___ 이 타원과 만나는 점을 각각 B, B′이라 할 때, 네 점 A, A′, B, B′을 타원의 **꼭짓점**이라 하고 선분 AA′을 타원의 **장축**, 선분 BB′을 타원의 **단축**이라 하며 장축과 단축의 교점을 타원의 **중심**이라 한다.

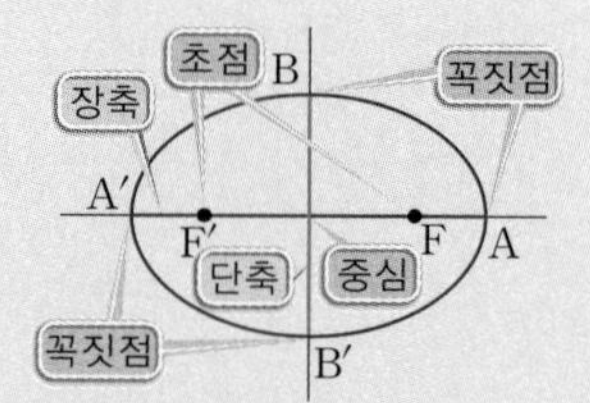

답 ❶ 거리 ❷ 수직이등분선

개념 2 타원의 방정식

(1) 초점이 x축 위에 있는 타원의 방정식

㉠두 초점 F$(c, 0)$, F′$(-c, 0)$으로부터의 거리의 합이 $2a$인 타원의 방정식은

$$\frac{x^2}{a^2}+\frac{y^2}{b^2}=1 \text{ (단, } a>c>0, \text{ ❶ ___ }=a^2-c^2)$$

(2) 초점이 y축 위에 있는 타원의 방정식

㉡두 초점 F$(0, c)$, F′$(0, -c)$로부터의 거리의 합이 $2b$인 타원의 방정식은

$$\frac{x^2}{a^2}+\frac{y^2}{b^2}=1 \text{ (단, } b>c>0, \text{ ❷ ___ }=b^2-c^2)$$

답 ❶ b^2 ❷ a^2

보기 두 점 $(2, 0)$, $(-2, 0)$으로부터의 거리의 합이 6인 타원의 방정식을 구하시오.

연구 초점이 x축 위에 있으므로 타원의 방정식을 $\frac{x^2}{a^2}+\frac{y^2}{b^2}=1$ $(a>b>0)$이라 하면

$c=2$이고 $2a=6$에서 $a=3$이므로 $b^2=a^2-c^2=9-4=5$

따라서 구하는 타원의 방정식은 $\boldsymbol{\frac{x^2}{9}+\frac{y^2}{5}=1}$

개념 3 타원의 평행이동

타원 $\frac{x^2}{a^2}+\frac{y^2}{b^2}=1$을 x축의 방향으로 m만큼, y축의 방향으로 n만큼 ❶ ___ 이동한 타원의 방정식은

$$\frac{(x-m)^2}{a^2}+\frac{(y-n)^2}{b^2}=1$$

답 ❶ 평행

보기 타원 $\frac{x^2}{25}+\frac{y^2}{9}=1$을 x축의 방향으로 -1만큼, y축의 방향으로 2만큼 평행이동한 타원의 방정식을 구하시오.

연구 x 대신 $x-(-1)$, y 대신 $y-2$를 대입하면 구하는 타원의 방정식은

$$\boldsymbol{\frac{(x+1)^2}{25}+\frac{(y-2)^2}{9}=1}$$

개념 플러스

㉠ 두 초점 F$(c, 0)$, F′$(-c, 0)$으로부터의 거리의 합이 $2a$인 타원은 다음 그림과 같다.

[가로로 긴 타원]

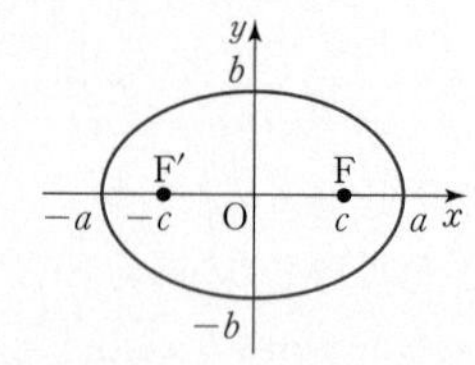

❶ 초점 : F$(c, 0)$, F′$(-c, 0)$ (단, $c=\sqrt{a^2-b^2}$)

❷ 꼭짓점 : $(\pm a, 0)$, $(0, \pm b)$

❸ 장축의 길이 : $2a$

❹ 단축의 길이 : $2b$

㉡ 두 초점 F$(0, c)$, F′$(0, -c)$로부터의 거리의 합이 $2b$인 타원은 다음 그림과 같다.

[세로로 긴 타원]

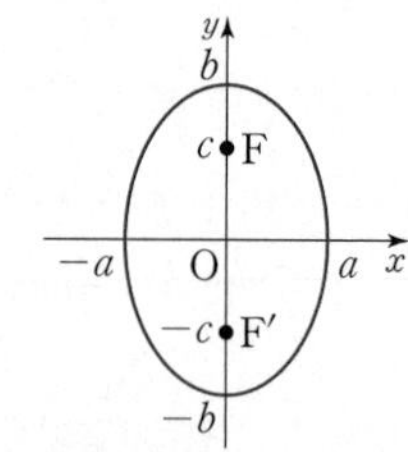

❶ 초점 : F$(0, c)$, F′$(0, -c)$ (단, $c=\sqrt{b^2-a^2}$)

❷ 꼭짓점 : $(\pm a, 0)$, $(0, \pm b)$

❸ 장축의 길이 : $2b$

❹ 단축의 길이 : $2a$

1-1 | 타원의 방정식 |

다음 타원의 초점의 좌표와 장축, 단축의 길이를 구하시오.

(1) $\frac{x^2}{81}+\frac{y^2}{64}=1$　　　(2) $\frac{x^2}{2}+\frac{y^2}{4}=1$

연구

(1) $\frac{x^2}{81}+\frac{y^2}{64}=1$, 즉 $\frac{x^2}{9^2}+\frac{y^2}{8^2}=1$에서

$c^2=81-64=17$　　$\therefore c=\pm\sqrt{17}$

초점의 좌표 : $(\sqrt{17}, 0)$, $(-\sqrt{17}, 0)$

장축의 길이 : $2\times9=18$

단축의 길이 : $2\times$ ☐ $=$ ☐

(2) $\frac{x^2}{2}+\frac{y^2}{4}=1$, 즉 $\frac{x^2}{(\sqrt{2})^2}+\frac{y^2}{2^2}=1$에서

$c^2=4-2=2$　　$\therefore c=\pm\sqrt{2}$

초점의 좌표 : $(0,$ ☐$)$, $(0, -\sqrt{2})$

장축의 길이 : $2\times$ ☐ $=$ ☐

단축의 길이 : $2\times\sqrt{2}=2\sqrt{2}$

1-2 | 따라풀기 |

다음 타원의 초점의 좌표와 장축, 단축의 길이를 구하시오.

(1) $\frac{x^2}{16}+\frac{y^2}{8}=1$　　　(2) $\frac{x^2}{5}+\frac{y^2}{12}=1$

풀이

2-1 | 타원의 평행이동 |

타원 $\frac{x^2}{25}+\frac{y^2}{16}=1$을 x축의 방향으로 1만큼, y축의 방향으로 -2만큼 평행이동한 타원의 방정식을 구하고, 평행이동한 타원의 초점의 좌표와 장축, 단축의 길이를 구하시오.

연구

타원	x축의 방향으로 1만큼 평행이동 y축의 방향으로 -2만큼	타원
$\frac{x^2}{25}+\frac{y^2}{16}=1$		$\frac{(x-1)^2}{25}+\frac{(y+2)^2}{16}=1$
$(3, 0)$, $(-3, 0)$	초점의 좌표	$($☐$, -2)$, $(-2, -2)$

장축의 길이 : $2\times$ ☐ $=$ ☐

단축의 길이 : $2\times4=8$

2-2 | 따라풀기 |

다음 타원을 x축의 방향으로 -1만큼, y축의 방향으로 3만큼 평행이동한 타원의 방정식을 구하고, 평행이동한 타원의 초점의 좌표와 장축, 단축의 길이를 구하시오.

(1) $\frac{x^2}{9}+\frac{y^2}{4}=1$　　　(2) $\frac{x^2}{8}+\frac{y^2}{9}=1$

풀이

셀파 특강 01 타원의 정의와 타원의 방정식

A 두 점으로부터의 거리의 합이 같은 점들의 집합이 이루는 곡선을 관찰하여 타원의 정의를 이해해 보자. 다음 그림과 같이 중심이 각각 F, F′이고 반지름의 길이가 각각 1, 2, 3, …인 원들이 있어. ㉠점 A가 두 점 F, F′으로부터의 거리의 합이 12인 점일 때, 점 B에서 두 점 F, F′까지의 거리의 합은 얼마일까?

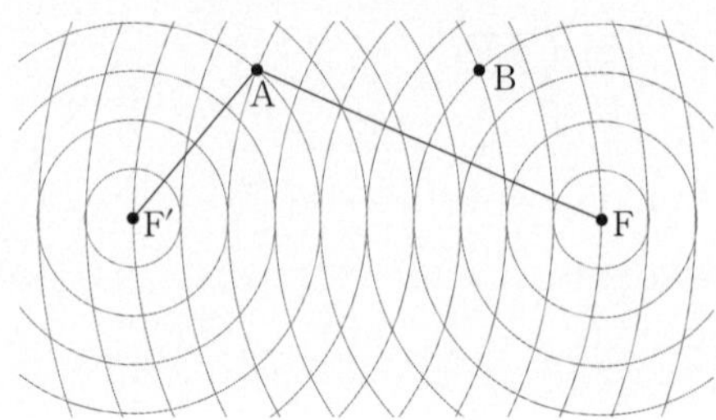

Q 점 B와 점 F, 점 B와 점 F′을 이으면
㉡$\overline{BF}=4$, $\overline{BF'}=8$이에요.
따라서 $\overline{BF}+\overline{BF'}=4+8=12$

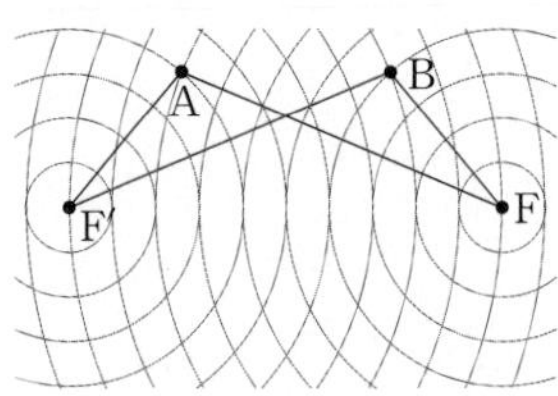

A 맞아. 그럼 두 점 F, F′으로부터의 거리의 합이 12인 점들을 그림에 표시해 보자.

Q 동심원 사이의 간격이 모두 1로 같게 그려져 있는 것을 이용하면 돼요.
즉, ㉢점 F, F′에서 자연수 거리만큼 떨어져 있는 점들 중 거리의 합이 12인 점들을 나타내면 오른쪽 그림과 같아요.

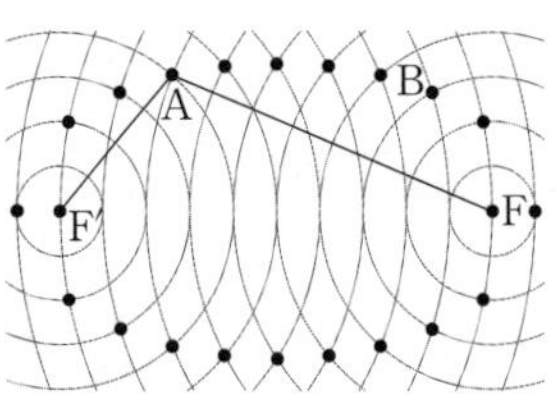

A 이제 이 점들을 매끄럽게 이으면 오른쪽 그림처럼 ㉣타원 모양 곡선이 되는 거야.
이때 두 점 F, F′이 타원의 초점이 되는 거고.

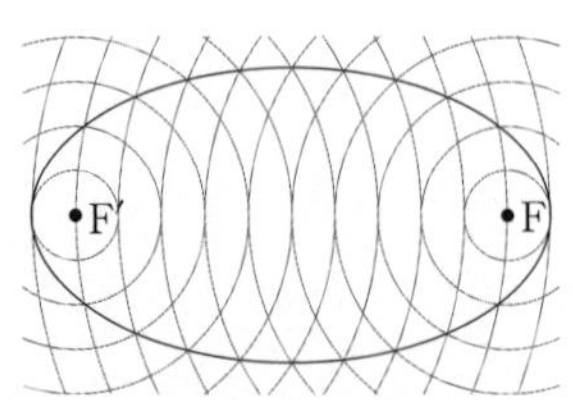

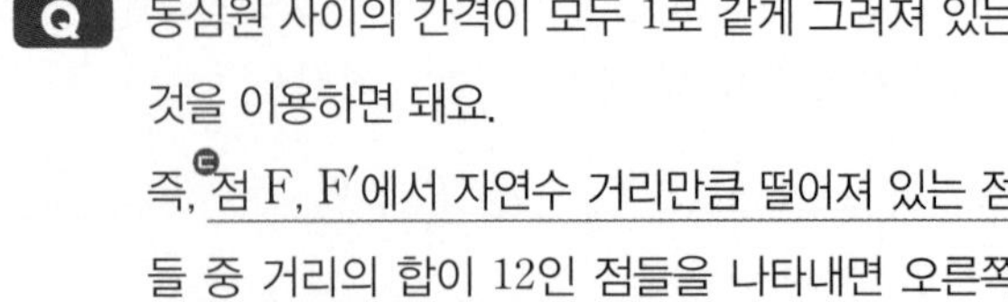

타원은 두 점으로부터의 거리의 합이 일정한 점들의 집합이다.

㉠ 동심원 사이의 간격이 모두 1이고, 한 동심원의 중심인 F에서 점 A까지 8칸, 다른 동심원의 중심인 F′에서 점 A까지는 4칸이므로
$\overline{AF}=8$, $\overline{AF'}=4$
$\therefore \overline{AF}+\overline{AF'}=8+4=12$

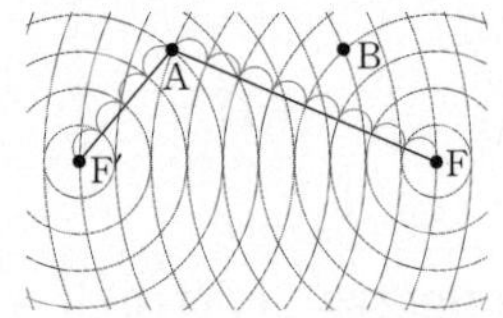

㉡ ㉠과 마찬가지로 동심원 사이의 간격이 모두 1이므로
$\overline{BF}=4$, $\overline{BF'}=8$
$\therefore \overline{BF}+\overline{BF'}=4+8=12$

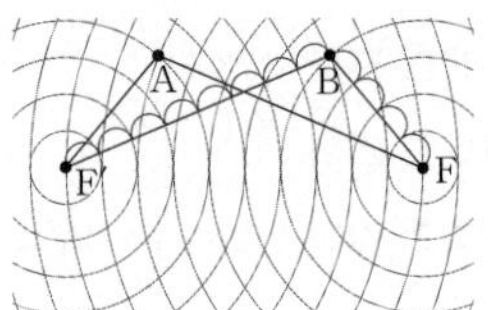

㉢ (i) $1+11$, $11+1$의 경우는 각각 1개이므로 점 P의 개수는
$2\times1=2$
(ii) $2+10$, $3+9$, $4+8$, $5+7$, $6+6$, $7+5$, $8+4$, $9+3$, $10+2$의 경우는 각각 2개이므로 점 P의 개수는
$9\times2=18$
따라서 $\overline{PF}$, $\overline{PF'}$이 모두 자연수일 때, $\overline{PF}+\overline{PF'}=12$를 만족시키는 점 P의 개수는 20이다.

㉣ 두 점 F, F′에서 실수 거리만큼 떨어진 점들 중 거리의 합이 12인 점들, 즉 $\overline{PF}+\overline{PF'}=12$인 점 P를 나타내면 타원 모양의 매끄러운 곡선이 된다.

A 이제 타원의 정의를 확실히 이해했으니 그 정의를 이용하여 좌표평면 위의 두 점 $F(c, 0)$, $F'(-c, 0)$을 초점으로 하고, 두 점 F, F′으로부터의 거리의 합이 $2a$ ($a>c>0$)인 타원의 방정식을 구하여 보자.

오른쪽 그림과 같이 두 초점이 $F(c, 0)$, $F'(-c, 0)$인 타원 위의 임의의 점을 $P(x, y)$라 하면

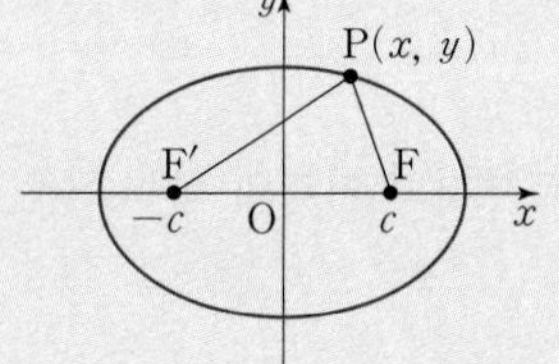

$\overline{PF}=\sqrt{(x-c)^2+y^2}$, $\overline{PF'}=\sqrt{(x+c)^2+y^2}$

이고, 타원의 정의에 의하여

$\sqrt{(x-c)^2+y^2}+\sqrt{(x+c)^2+y^2}=2a$

$\sqrt{(x-c)^2+y^2}=2a-\sqrt{(x+c)^2+y^2}$

이 식의 양변을 제곱하여 정리하면

$a\sqrt{(x+c)^2+y^2}=cx+a^2$

다시 양변을 제곱하여 정리하면

$(a^2-c^2)x^2+a^2y^2=a^2(a^2-c^2)$

이때 $a>c>0$이므로 $a^2-c^2=b^2$으로 놓으면 $b^2x^2+a^2y^2=a^2b^2$

이 식의 양변을 a^2b^2으로 나누면 $\dfrac{x^2}{a^2}+\dfrac{y^2}{b^2}=1$ (단, $b^2=a^2-c^2$) ······㉠

역으로 방정식 ㉠을 만족시키는 점 $P(x, y)$는 $\overline{PF}+\overline{PF'}=2a$를 만족시키므로 주어진 타원 위의 점이다.

따라서 두 점 $F(c, 0)$, $F'(-c, 0)$으로부터의 거리의 합이 $2a$인 타원의 방정식은 $\dfrac{x^2}{a^2}+\dfrac{y^2}{b^2}=1$ (단, $a>c>0$, $b^2=a^2-c^2$)

같은 방법으로 두 초점 $F(0, c)$, $F'(0, -c)$로부터의 거리의 합이 $2b$인 타원의 방정식은 $\dfrac{x^2}{a^2}+\dfrac{y^2}{b^2}=1$ (단, $b>c>0$, $a^2=b^2-c^2$)

타원을 그리는 방법

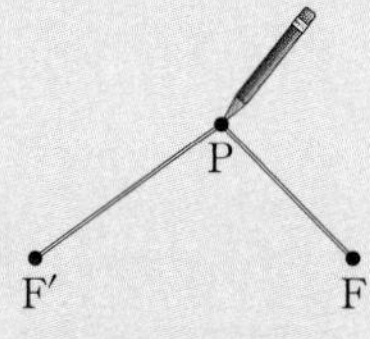

1 두 점 F, F′을 잡고 $\overline{FF'}$의 길이보다 긴 실의 양 끝을 각각 F, F′에 고정하고 연필의 끝점 P를 실에 붙인다.

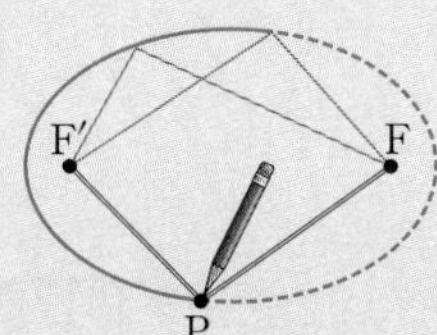

2 실을 팽팽하게 유지하면서 연필의 끝점 P를 움직여 선을 긋는다.

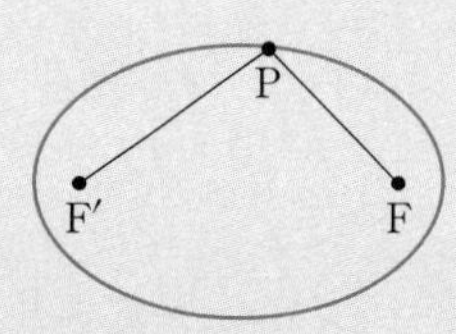

3 $\overline{PF}+\overline{PF'}=$(일정)이므로 점 P가 그리는 도형은 타원이다.

㉤ 타원 위의 점 P와 타원의 두 초점 F, F′에 대하여
$2c=\overline{FF'}<\overline{PF}+\overline{PF'}=2a$
이므로 $c<a$

㉥ $a>c>0$이므로 $b^2=a^2-c^2$에서 $a^2>b^2$이고, $b>0$이면 $a>b>0$

㉦ $b>c>0$이므로 $a^2=b^2-c^2$에서 $b^2>a^2$이고, $a>0$이면 $b>a>0$

▶타원 $\dfrac{x^2}{a^2}+\dfrac{y^2}{b^2}=1$의 초점의 좌표

❶ $a>b>0$일 때

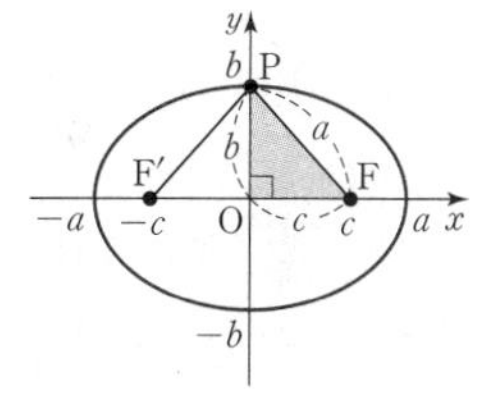

타원 위의 점 $P(0, b)$에 대하여
$\overline{PF'}=\overline{PF}$이므로
$\overline{PF'}+\overline{PF}=\overline{PF}+\overline{PF}=2a$
$\therefore \overline{PF}=a$
이때 삼각형 POF는 직각삼각형이므로
$a^2=b^2+c^2$
$\therefore c=\sqrt{a^2-b^2}$
따라서 두 초점의 좌표는
$F(\sqrt{a^2-b^2}, 0)$,
$F'(-\sqrt{a^2-b^2}, 0)$

❷ $b>a>0$일 때
위와 같은 방법으로 생각하면 두 초점의 좌표는
$F(0, \sqrt{b^2-a^2})$,
$F'(0, -\sqrt{b^2-a^2})$

2 타원

해법 01 타원의 정의

두 초점 $\mathrm{F}(c, 0)$, $\mathrm{F}'(-c, 0)$으로부터의 거리의 합이 $2a$인 타원의 방정식

⇨ $\dfrac{x^2}{a^2}+\dfrac{y^2}{b^2}=1$ (단, $a>c>0$, $b^2=a^2-c^2$)

두 초점 $\mathrm{F}(0, c)$, $\mathrm{F}'(0, -c)$로부터의 거리의 합이 $2b$인 타원의 방정식

⇨ $\dfrac{x^2}{a^2}+\dfrac{y^2}{b^2}=1$ (단, $b>c>0$, $a^2=b^2-c^2$)

PLUS ⊕

선분 FF'의 중점이 원점인 경우에는 타원의 방정식이 $\dfrac{x^2}{a^2}+\dfrac{y^2}{b^2}=1$ 꼴이다.

예제 두 초점 $\mathrm{F}(4, 0)$, $\mathrm{F}'(-4, 0)$으로부터의 거리의 합이 10인 타원의 방정식을 구하시오.

해법 코드

초점이 x축 위에 있으므로 $\dfrac{x^2}{a^2}+\dfrac{y^2}{b^2}=1$ $(a>b>0)$ 꼴이다.

셀파 타원 $\dfrac{x^2}{a^2}+\dfrac{y^2}{b^2}=1$에서 두 초점이 $\mathrm{F}(c, 0)$, $\mathrm{F}'(-c, 0)$이면 (거리의 합)$=2a$,
두 초점이 $\mathrm{F}(0, c)$, $\mathrm{F}'(0, -c)$이면 (거리의 합)$=2b$이다.

풀이 초점이 x축 위에 있고 거리의 합이 10이므로 구하는 타원의 방정식을

$\dfrac{x^2}{a^2}+\dfrac{y^2}{b^2}=1$ $(a>b>0)$

로 놓으면 $2a=10$에서 $a=5$

$c=4$에서 $b^2=a^2-c^2=25-16=9$

따라서 구하는 타원의 방정식은 ㉠ $\boldsymbol{\dfrac{x^2}{25}+\dfrac{y^2}{9}=1}$

㉠ 두 초점 $\mathrm{F}(4, 0)$, $\mathrm{F}'(-4, 0)$으로부터의 거리의 합이 10인 타원의 그래프는 다음과 같다.

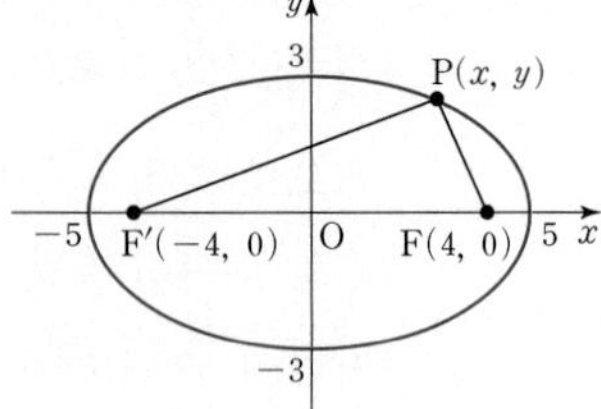

다른 풀이 타원 위의 점을 $\mathrm{P}(x, y)$로 놓으면 $\overline{\mathrm{PF}}+\overline{\mathrm{PF}'}=10$이므로

$\sqrt{(x-4)^2+y^2}+\sqrt{(x+4)^2+y^2}=10$

$\sqrt{(x-4)^2+y^2}=10-\sqrt{(x+4)^2+y^2}$

이 식의 양변을 제곱하여 정리하면 $5\sqrt{(x+4)^2+y^2}=4x+25$

다시 양변을 제곱하여 정리하면 $9x^2+25y^2=225$

이 식의 양변을 225로 나누면 구하는 타원의 방정식은 $\dfrac{x^2}{25}+\dfrac{y^2}{9}=1$

확인 문제

정답과 해설 | 17쪽

01-1 다음 타원의 방정식을 구하시오.

상 중 하

(1) 두 초점 $\mathrm{F}(\sqrt{5}, 0)$, $\mathrm{F}'(-\sqrt{5}, 0)$으로부터의 거리의 합이 6인 타원

(2) 두 초점 $\mathrm{F}(0, 2)$, $\mathrm{F}'(0, -2)$로부터의 거리의 합이 8인 타원

MY 셀파

01-1

타원 $\dfrac{x^2}{a^2}+\dfrac{y^2}{b^2}=1$에서

(1) 두 초점이 x축 위에 있으므로 (거리의 합)$=2a$

(2) 두 초점이 y축 위에 있으므로 (거리의 합)$=2b$

해법 02 타원의 정의의 활용

타원 $\frac{x^2}{a^2}+\frac{y^2}{b^2}=1$의 두 초점 F, F′과 타원 위의 임의의 점 P에 대하여

❶ $a>b>0$일 때 ⇨ $\overline{PF}+\overline{PF'}=2a$

❷ $b>a>0$일 때 ⇨ $\overline{PF}+\overline{PF'}=2b$

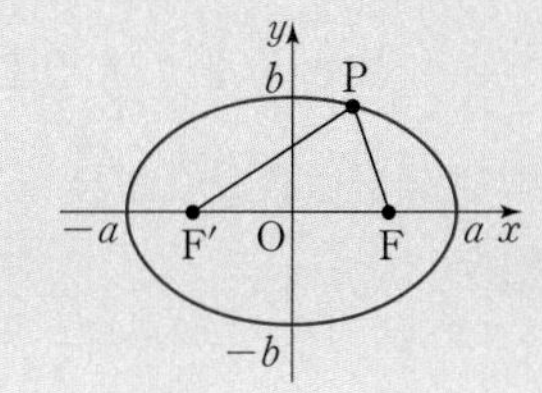

PLUS

타원 $\frac{x^2}{a^2}+\frac{y^2}{b^2}=1$에서

❶ 초점이 x축 위에 존재

⇨ 장축의 길이 : $2a$

❷ 초점이 y축 위에 존재

⇨ 장축의 길이 : $2b$

예제 오른쪽 그림과 같이 타원 $\frac{x^2}{64}+\frac{y^2}{36}=1$의 두 초점을 F, F′이라 하고, 선분 OF와 선분 OF′을 각각 3등분하는 점에서 x축에 수직인 직선이 x축 위쪽에 있는 타원과 만나는 점을 각각 P_1, P_2, P_3, P_4라 할 때, $\overline{FP_1}+\overline{FP_2}+\overline{FP_3}+\overline{FP_4}$의 값을 구하시오.

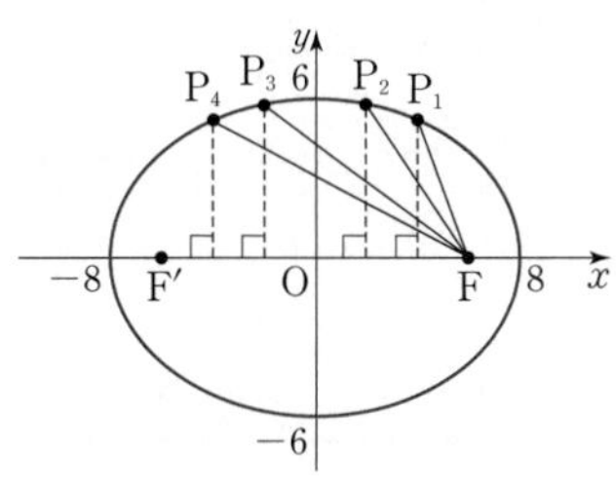

해법 코드

타원 $\frac{x^2}{64}+\frac{y^2}{36}=1$은 y축에 대하여 대칭이다. 따라서 점 P_1과 P_4, 점 P_2와 P_3은 각각 y축에 대하여 대칭인 점이다. 이때

$\overline{FP_1}=\overline{F'P_4}$, $\overline{FP_2}=\overline{F'P_3}$

임을 이용한다.

셀파 타원 위의 임의의 점에서 두 초점으로부터의 거리의 합은 장축의 길이와 같다.

풀이 오른쪽 그림에서 타원 $\frac{x^2}{64}+\frac{y^2}{36}=1$ 위의 점 P_1과 P_4가 y축에 대하여 대칭이므로

$\overline{FP_1}=\overline{F'P_4}$

또 점 P_2와 P_3이 y축에 대하여 대칭이므로

$\overline{FP_2}=\overline{F'P_3}$

이때 ㉠타원의 장축의 길이가 16이므로

$\overline{FP_1}+\overline{FP_2}+\overline{FP_3}+\overline{FP_4}$ ㉡$=\overline{F'P_4}+\overline{F'P_3}+\overline{FP_3}+\overline{FP_4}$

$=(\overline{F'P_4}+\overline{FP_4})+(\overline{F'P_3}+\overline{FP_3})$

$=16+16=$ **32**

㉠ 타원 $\frac{x^2}{64}+\frac{y^2}{36}=1$, 즉 $\frac{x^2}{8^2}+\frac{y^2}{6^2}=1$에서 초점이 x축 위에 있으므로 장축의 길이는 $2\times8=16$

㉡ $\overline{F'P_4}+\overline{F'P_3}+\overline{FP_3}+\overline{FP_4}$에서 $\overline{PF}+\overline{PF'}=16$인 것을 이용할 수 있도록 둘씩 묶는다.

확인 문제

정답과 해설 | 18쪽

02-1 (상 중 하) 타원 $\frac{x^2}{9}+y^2=1$ 위의 점 P와 타원의 두 초점 F, F′에 대하여 $\overline{PF'}:\overline{PF}=2:1$이다. $\angle FPF'=\theta$라 할 때, $\cos\theta$의 값을 구하시오.

02-2 (상 중 하) 타원 $\frac{x^2}{25}+\frac{y^2}{16}=1$ 위의 서로 다른 세 점 P, Q, R와 두 점 A$(3, 0)$, B$(-3, 0)$에 대하여 $\overline{PA}+\overline{QA}+\overline{RA}=12$일 때, $\overline{PB}+\overline{QB}+\overline{RB}$의 값을 구하시오.

MY 셀파

02-1
타원의 정의와 주어진 조건을 이용한다.

02-2
두 점 A, B는 타원의 초점이므로 타원 위의 임의의 점 P에 대하여 $\overline{PA}+\overline{PB}=10$이다.

해법 03 타원의 정의를 활용한 도형의 둘레의 길이 및 넓이

타원 $\frac{x^2}{a^2}+\frac{y^2}{b^2}=1$의 두 초점 F, F′과 타원 위의 점 P를 연결하여 삼각형 PF′F를 그린다. 이때 $\overline{PF}+\overline{PF'}=$(장축의 길이)이므로 $\overline{PF}:\overline{PF'}$ 또는 ∠FPF′의 크기를 이용하여 도형의 둘레의 길이 및 넓이를 구한다.

PLUS

∠FPF′=90°인 경우 직각삼각형 PF′F에서 $\overline{FF'}^2=\overline{PF}^2+\overline{PF'}^2$이다.

예제 타원 $x^2+4y^2=4$의 한 초점 F를 지나는 직선이 타원과 만나는 두 점을 각각 A, B라 하자. 타원의 다른 한 초점을 F′이라 할 때, 삼각형 ABF′의 둘레의 길이를 구하시오.

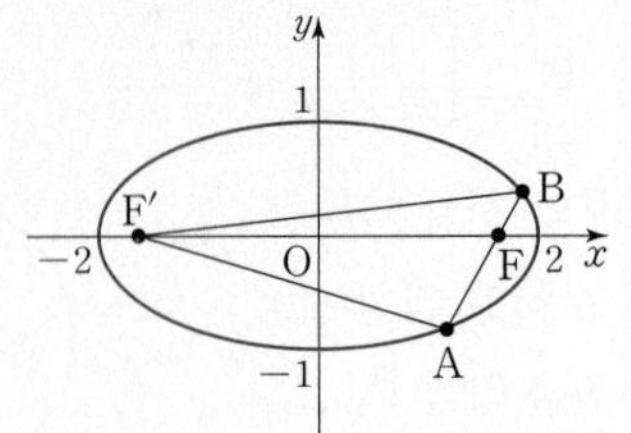

해법 코드

$\overline{AF}+\overline{AF'}=4$,
$\overline{BF}+\overline{BF'}=4$

셀파 두 초점이 F, F′인 타원 위의 점 P에 대하여 $\overline{PF}+\overline{PF'}=$(장축의 길이)

풀이 $x^2+4y^2=4$의 양변을 4로 나누면 $\frac{x^2}{4}+y^2=1$

$a=2$, $b=1$이므로 $c=\sqrt{4-1}=\sqrt{3}$

따라서 두 초점 F, F′의 좌표는 $F(\sqrt{3}, 0)$, $F'(-\sqrt{3}, 0)$

타원의 정의에 의하여

$\overline{AF}+\overline{AF'}=$(장축의 길이)$=2\times2=4$

$\overline{BF}+\overline{BF'}=$(장축의 길이)$=2\times2=4$

따라서 삼각형 ABF′의 둘레의 길이는

$\overline{AB}+\overline{BF'}+\overline{AF'}=\overline{AF}+\overline{BF}+\overline{BF'}+\overline{AF'}$
$=(\overline{AF}+\overline{AF'})+(\overline{BF}+\overline{BF'})$
$=4+4=8$

참고

타원 $\frac{x^2}{a^2}+\frac{y^2}{b^2}=1$ 위의 점 P와 초점 F, F′에 대하여

❶ $a>b>0$일 때
(장축의 길이)$=\overline{PF}+\overline{PF'}$
$=2a$

❷ $b>a>0$일 때
(장축의 길이)$=\overline{PF}+\overline{PF'}$
$=2b$

확인 문제

정답과 해설 | 18쪽

03-1 (상 중 하) 두 점 F(0, 4), F′(0, −4)를 초점으로 하는 타원 $\frac{x^2}{a^2}+\frac{y^2}{b^2}=1$과 점 F를 지나는 직선과의 두 교점을 A, B라 하자. 삼각형 ABF′의 둘레의 길이가 24일 때, 양수 a, b의 값을 구하시오.

03-2 (상 중 하) 타원 $\frac{x^2}{16}+\frac{y^2}{7}=1$의 두 초점 F, F′과 타원 위의 임의의 점 P에 대하여 $\overline{PF'}:\overline{PF}=3:1$일 때, 삼각형 PF′F의 넓이를 구하시오.

MY 셀파

03-1
두 점 A, B가 타원 위의 점이므로 삼각형 ABF′의 둘레의 길이는
$\overline{AB}+\overline{BF'}+\overline{AF'}$
$=(\overline{AF}+\overline{AF'})+(\overline{BF}+\overline{BF'})$
$=2b+2b=4b$

03-2
타원의 장축의 길이가 8이므로
$\overline{PF}+\overline{PF'}=8$이다.

셀파 특강 02 타원의 평행이동과 타원의 방정식의 일반형

A 타원 $\frac{x^2}{a^2}+\frac{y^2}{b^2}=1\ (a>b>0)$ ……㉠

을 ❶ x축의 방향으로 m만큼, y축의 방향으로 n만큼 평행이동한 타원의 방정식은

$\frac{(x-m)^2}{a^2}+\frac{(y-n)^2}{b^2}=1\ (a>b>0)$ ……㉡

이야. 이때 다음과 같은 사실을 알 수 있어.

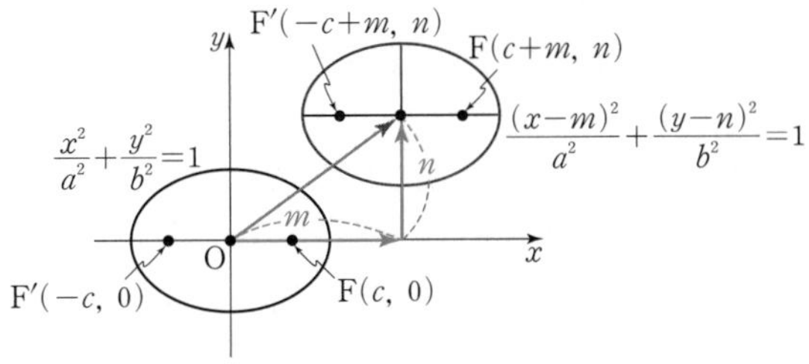

❶ 타원을 평행이동해도 모양은 변하지 않고 위치만 이동되므로 장축과 단축의 길이는 변하지 않는다.

❷ 타원 ㉡의 초점, 중심, 꼭짓점은 각각 타원 ㉠의 초점, 중심, 꼭짓점을 x축의 방향으로 m만큼, y축의 방향으로 n만큼 평행이동한 것이다.

Q 그럼 평행이동한 ❷ 타원 ㉡의 초점, 중심, 꼭짓점의 좌표는 다음과 같이 되네요.

> 초점의 좌표 : ❸ $(c, 0), (-c, 0)$ ⇨ $(c+m, n), (-c+m, n)$
> 중심의 좌표 : $(0, 0)$ ⇨ (m, n)
> 꼭짓점의 좌표 : $(a, 0), (-a, 0), (0, b), (0, -b)$
> ⇨ $(a+m, n), (-a+m, n), (m, b+n), (m, -b+n)$

A 이렇게 평행이동한 타원의 방정식을 전개하여 정리하면 다음과 같이 타원의 방정식의 일반형을 얻을 수 있어.

타원의 방정식 $\frac{(x-m)^2}{a^2}+\frac{(y-n)^2}{b^2}=1$의 양변에 a^2b^2을 곱하면

$b^2(x-m)^2+a^2(y-n)^2=a^2b^2$

$b^2x^2+a^2y^2-2b^2mx-2a^2ny+b^2m^2+a^2n^2-a^2b^2=0$

여기서 $b^2=A$, $a^2=B$, $-2b^2m=C$, $-2a^2n=D$, $b^2m^2+a^2n^2-a^2b^2=E$로 놓으면

❹ $Ax^2+By^2+Cx+Dy+E=0$ (단, $AB>0$, $A\neq B$)

---

❶ 방정식 $f(x, y)=0$이 나타내는 도형을 x축의 방향으로 m만큼, y축의 방향으로 n만큼 평행이동한 도형의 방정식은 $f(x-m, y-n)=0$

❷ 타원 ㉠의 초점, 중심, 꼭짓점을 각각 x축의 방향으로 m만큼, y축의 방향으로 n만큼 평행이동한다.

❸ $\frac{x^2}{a^2}+\frac{y^2}{b^2}=1$에서 $a>b>0$이므로 초점은 x축 위에 있다. 따라서 초점의 좌표를 $\mathrm{F}(c, 0)$, $\mathrm{F}'(-c, 0)\ (c>0)$이라 하면 $c=\sqrt{a^2-b^2}$
$\therefore \mathrm{F}(\sqrt{a^2-b^2}, 0)$, $\mathrm{F}'(-\sqrt{a^2-b^2}, 0)$

❹ 타원의 방정식의 일반형은 x, y에 대한 이차식이다. 이때 xy항이 없고, x^2, y^2의 계수의 부호는 같지만 그 절댓값은 다르다. 만약 x^2, y^2의 계수가 같으면 원의 방정식이 된다.

해법 04 중심이 원점이 아닌 타원의 방정식

중심이 원점이 아닌 타원의 방정식은 다음 두 가지 방법으로 구한다.

❶ 타원의 정의 이용

타원 위의 점 P는 초점 F, F′으로부터의 거리의 합이 일정하므로

$\overline{PF}+\overline{PF'}=k$ (단, k는 상수)

❷ 타원의 공식 이용

타원의 중심은 선분 FF′의 중점임을 이용한다.

PLUS 선분 FF′의 중점이 원점인 경우에는 타원의 방정식을 $\frac{x^2}{a^2}+\frac{y^2}{b^2}=1$ 꼴로 쉽게 구할 수 있으나 원점이 아닌 경우에는 타원의 정의를 이용하여 구한다.

예제 두 초점 F(2, 2), F′(−4, 2)로부터의 거리의 합이 8인 타원의 방정식을 구하시오.

해법 코드 타원 위의 점을 $P(x, y)$로 놓고 x, y 사이의 관계식을 구한다.

셀파 타원 위의 점 P는 초점 F, F′에 대하여 $\overline{PF}+\overline{PF'}=k$ (k는 상수)를 만족시킨다.

풀이 타원 위의 점을 $P(x, y)$로 놓으면 $\overline{PF}+\overline{PF'}=8$이므로

$\sqrt{(x-2)^2+(y-2)^2}+\sqrt{(x+4)^2+(y-2)^2}=8$

$\sqrt{(x-2)^2+(y-2)^2}=8-\sqrt{(x+4)^2+(y-2)^2}$

이 식의 양변을 제곱하여 정리하면 $4\sqrt{(x+4)^2+(y-2)^2}=3x+19$

다시 양변을 제곱하여 정리하면 $7(x+1)^2+16(y-2)^2=112$

$\therefore \boldsymbol{\frac{(x+1)^2}{16}+\frac{(y-2)^2}{7}=1}$

다른 풀이 ㉠초점을 이은 선분 FF′이 x축에 평행하고 ㉡타원의 중심은 $\overline{FF'}$의 중점이므로 구하는 타원의 방정식은

$\frac{(x+1)^2}{a^2}+\frac{(y-2)^2}{b^2}=1$ (단, $a>b>0$)

중심과 초점 사이의 거리가 c이므로 $c=3$

장축의 길이가 8이므로 $2a=8$ $\therefore a=4$

$c^2=a^2-b^2$에서 $3^2=4^2-b^2$ $\therefore b^2=7$

따라서 구하는 타원의 방정식은 $\frac{(x+1)^2}{16}+\frac{(y-2)^2}{7}=1$

㉠ 초점을 이은 선분이 x축에 평행하므로 $\frac{x^2}{a^2}+\frac{y^2}{b^2}=1$ $(a>b>0)$ 꼴이다.

㉡ 타원의 중심은 $\left(\frac{2+(-4)}{2}, \frac{2+2}{2}\right)$ $\therefore (-1, 2)$

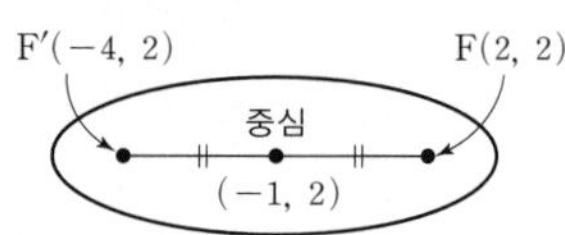

확인 문제

정답과 해설 | 19쪽

04-1 (상중하) 두 초점 F(−1, 0), F′(−1, 4)로부터의 거리의 합이 8인 타원의 방정식을 구하시오.

04-2 (상중하) 두 점 $F(2, 1+\sqrt{3})$, $F'(2, 1-\sqrt{3})$을 초점으로 하고 장축의 길이와 단축의 길이의 차가 2인 타원의 방정식을 구하시오.

MY 셀파

04-1 타원 위의 점을 $P(x, y)$로 놓고, x, y 사이의 관계식을 구한다.

04-2 타원의 중심은 두 초점을 이은 선분의 중점이다.

해법 05 타원의 방정식의 일반형

일반형으로 주어진 타원의 초점, 중심, 꼭짓점의 좌표를 구할 때는 주어진 식을

$$\frac{(x-m)^2}{a^2}+\frac{(y-n)^2}{b^2}=1$$

꼴로 고친 다음 타원 $\frac{x^2}{a^2}+\frac{y^2}{b^2}=1$의 평행이동을 생각하면 된다.

이때 타원을 평행이동해도 장축, 단축의 길이는 변하지 않는다.

PLUS

$\frac{x^2}{a^2}+\frac{y^2}{b^2}=1$에서

❶ $a>b>0$이면
⇨ 초점은 x축 위에 있다.

❷ $b>a>0$이면
⇨ 초점은 y축 위에 있다.

예제 타원 $9x^2+4y^2-54x-16y+61=0$의 초점의 좌표와 장축, 단축의 길이를 구하시오.

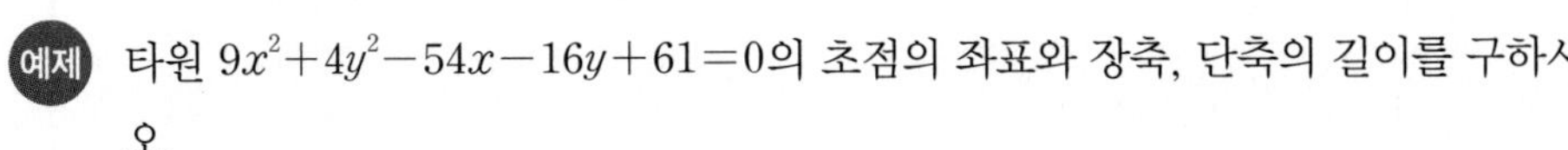

해법 코드
주어진 타원의 방정식을
$\frac{(x-m)^2}{a^2}+\frac{(y-n)^2}{b^2}=1$
꼴로 고친다.

셀파 타원의 방정식을 $\frac{(x-m)^2}{a^2}+\frac{(y-n)^2}{b^2}=1$ 꼴로 고친다.

풀이 $9x^2+4y^2-54x-16y+61=0$에서 $9(x-3)^2+4(y-2)^2=36$

$\therefore \frac{(x-3)^2}{4}+\frac{(y-2)^2}{9}=1$

즉, 주어진 타원은 타원 ㉠$\frac{x^2}{4}+\frac{y^2}{9}=1$을 x축의 방향으로 3만큼, y축의 방향으로 2만큼 평행이동한 것이다.

따라서 ㉡주어진 타원의

초점의 좌표는 $(3, 2+\sqrt{5})$, $(3, 2-\sqrt{5})$

장축의 길이는 6

단축의 길이는 4

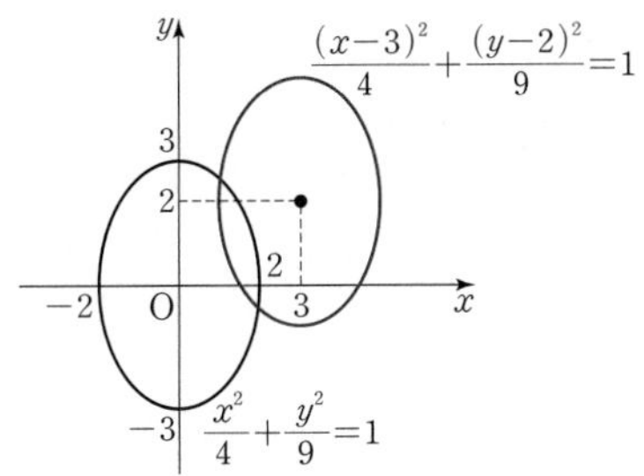

㉠ $a=2$, $b=3$이므로 $b>a>0$인 경우이다. 따라서 초점은 y축 위에 있으므로 초점의 좌표를 $\mathrm{F}(0, c)$, $\mathrm{F}'(0, -c)$ $(c>0)$라 하면
$c=\sqrt{b^2-a^2}=\sqrt{9-4}=\sqrt{5}$
$\therefore \mathrm{F}(0, \sqrt{5})$, $\mathrm{F}'(0, -\sqrt{5})$

㉡ 평행이동해도 장축, 단축의 길이는 변하지 않는다.

확인 문제

정답과 해설 | 19쪽

05-1 (상 중 하) 타원 $4x^2+y^2-16x-6y+21=0$의 초점의 좌표와 장축, 단축의 길이를 구하시오.

05-2 (상 중 하) 타원 $5x^2+9y^2+Ax+By+C=0$의 초점의 좌표가 $(0, 3)$, $(-4, 3)$이고 장축의 길이가 6일 때, 상수 A, B, C의 값을 구하시오.

MY 셀파

05-1
주어진 타원의 방정식을
$\frac{(x-m)^2}{a^2}+\frac{(y-n)^2}{b^2}=1$
꼴로 고친다.

05-2
두 초점을 이은 선분의 중점이 타원의 중심이므로 주어진 타원의 중심은 $(-2, 3)$이다.

타원 $\frac{x^2}{a^2}+\frac{y^2}{b^2}=1\ (a>b>0)$ → (x축의 방향으로 m만큼, y축의 방향으로 n만큼 평행이동) → 타원 $\frac{(x-m)^2}{a^2}+\frac{(y-n)^2}{b^2}=1\ (a>b>0)$

$(0, 0)$	중심의 좌표	(m, n)
$(a, 0)$, $(-a, 0)$, $(0, b)$, $(0, -b)$	꼭짓점의 좌표	$(a+m, n)$, $(-a+m, n)$, $(m, b+n)$, $(m, -b+n)$
$(\sqrt{a^2-b^2}, 0)$, $(-\sqrt{a^2-b^2}, 0)$	초점의 좌표	$(\sqrt{a^2-b^2}+m, n)$, $(-\sqrt{a^2-b^2}+m, n)$

01 다음 타원의 초점의 좌표와 꼭짓점의 좌표를 구하시오.

(1) $\frac{(x-1)^2}{16}+\frac{(y+2)^2}{9}=1$

(2) $\frac{(x+1)^2}{4}+\frac{(y-2)^2}{25}=1$

(3) $\frac{(x+1)^2}{25}+\frac{(y-3)^2}{16}=1$

02 다음 타원의 초점의 좌표와 장축, 단축의 길이를 구하시오.

(1) $9x^2+25y^2=225$

(2) $x^2+4y^2-4x-24y+24=0$

(3) $4x^2+y^2-8x+6y-51=0$

해법 06 타원의 방정식

타원 $\frac{x^2}{a^2}+\frac{y^2}{b^2}=1$의 장축, 단축의 길이 및 초점의 좌표는 각각 다음과 같다.

❶ $a>b>0$일 때 ⇨ 장축의 길이는 $2a$, 단축의 길이는 $2b$,
두 초점의 좌표는 $(\sqrt{a^2-b^2}, 0)$, $(-\sqrt{a^2-b^2}, 0)$

❷ $b>a>0$일 때 ⇨ 장축의 길이는 $2b$, 단축의 길이는 $2a$,
두 초점의 좌표는 $(0, \sqrt{b^2-a^2})$, $(0, -\sqrt{b^2-a^2})$

PLUS

타원 $\frac{x^2}{a^2}+\frac{y^2}{b^2}=1$에서 초점은 장축 위에 있다.

❶ $a>b>0$
⇨ 초점은 x축 위에 있다.

❷ $b>a>0$
⇨ 초점은 y축 위에 있다.

1. 장축의 길이가 8이고, 단축의 길이가 6인 타원에서 두 초점 사이의 거리를 구하시오.

2. 두 점 $F(\sqrt{3}, 0)$, $F'(-\sqrt{3}, 0)$을 초점으로 하는 타원의 장축의 길이와 단축의 길이의 차가 2이다. 이 타원의 방정식을 구하시오.

해법 코드

1. $2a=8$, $2b=6$에서
$a=4$, $b=3$

2. 주어진 타원은 초점이 x축 위에 있고 중심이 원점이다.

셀파 타원의 초점은 장축 위에 있다.

풀이 **1.** 타원의 방정식을 $\frac{x^2}{a^2}+\frac{y^2}{b^2}=1$ $(a>b>0)$로 놓으면
$2a=8$, $2b=6$에서 $a=4$, $b=3$
$\therefore$ ❶ $\frac{x^2}{16}+\frac{y^2}{9}=1$
이때 초점의 좌표는 $16-9=7$에서 $(\sqrt{7}, 0)$, $(-\sqrt{7}, 0)$이므로
구하는 두 초점 사이의 거리는 $\sqrt{7}-(-\sqrt{7})=\mathbf{2\sqrt{7}}$

❶
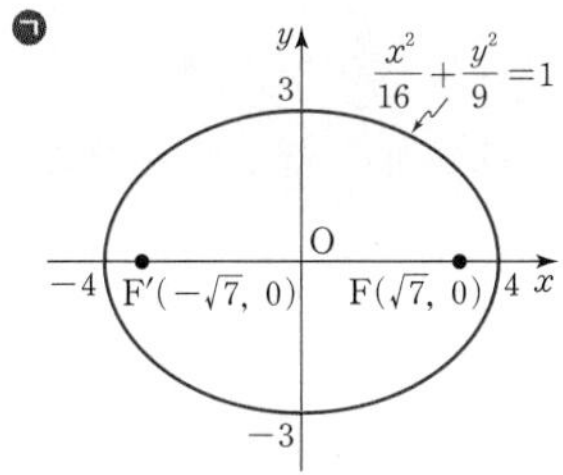

2. 구하는 타원의 방정식을 $\frac{x^2}{a^2}+\frac{y^2}{b^2}=1$ $(a>b>0)$로 놓으면
$a^2-b^2=(\sqrt{3})^2$에서 $a^2-b^2=3$ ······㉠
또 ❷ $2a-2b=2$이므로 $a-b=1$ ······㉡
㉠, ㉡을 연립하여 풀면 $a=2$, $b=1$
따라서 구하는 타원의 방정식은 $\mathbf{\frac{x^2}{4}+y^2=1}$

❷ 장축의 길이는 $2a$, 단축의 길이는 $2b$이고 장축의 길이와 단축의 길이의 차가 2이므로
$2a-2b=2$ $\therefore a-b=1$

확인 문제

정답과 해설 | 20쪽

06-1 (상중하) 한 변의 길이가 10인 마름모 ABCD에 대하여 대각선 BD를 장축으로 하고, 대각선 AC를 단축으로 하는 타원의 두 초점 사이의 거리가 $10\sqrt{2}$일 때, 마름모 ABCD의 넓이를 구하시오.

MY 셀파

06-1
점 A, D의 좌표를 각각 $A(0, b)$, $D(a, 0)$으로 놓는다.

셀파 특강 03 실생활에 이용되는 타원의 성질

타원을 장축 또는 단축을 중심으로 회전시키면 타원체가 생긴다. 이 타원체의 단면인 타원면의 한 초점에서 나온 빛은 타원면에 반사되어 다른 초점에 모인다.

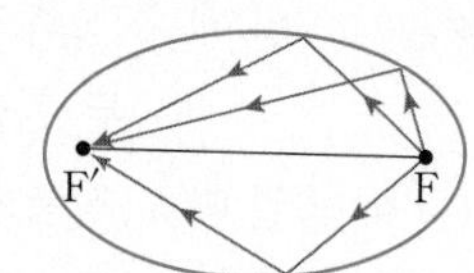

참고 타원체를 회전축과 평행한 방향으로 자른 면은 타원이다. 또 회전축에 수직인 방향으로 자른 면은 원이다.

타원의 이러한 성질이 실생활에 이용되는 경우를 살펴보자.

1 영국 성바오로 대성당의 '속삭이는 회랑'

영국 성바오로 대성당에 있는 '속삭이는 회랑 (whispering gallery)' 에서는 한 특정한 지점에 있으면 멀리 있는 다른 특정한 지점에서 속삭이는 말도 매우 또렷하게 들을 수 있다.

이러한 현상이 일어나는 이유는 속삭이는 회랑의 천장이 타원면이기 때문이다. 타원의 초점에 해당하는 지점에서 소리를 내면 이 소리는 사방으로 퍼져 가지만 타원면 천장에서 반사되어 모두 다른 초점에 해당하는 지점에 모이게 된다.

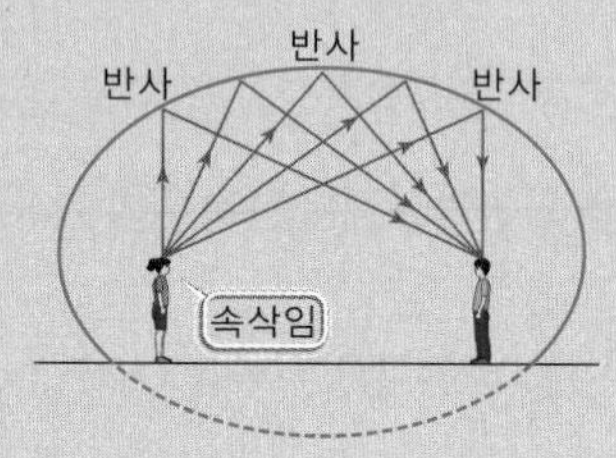

2 신장 결석 파쇄기 (체외 충격파 쇄석기)의 원리

체외 충격파 쇄석기는 환자의 신장 결석을 타원의 한 초점에 놓고 다른 한 초점에서 충격파를 발생시켜 결석을 파괴하는 의료 기구이다. 발사 장치에서 발생한 충격파가 타원면에 반사되어 신장의 결석에 모이게 되므로 몸에는 큰 손상 없이 결석을 치료할 수 있다.

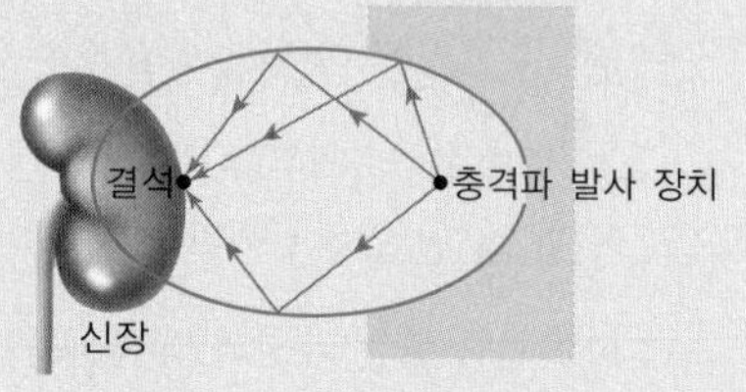

보기 오른쪽 그림은 체외 충격파 쇄석기의 단면인 타원면을 나타낸 것이다. 타원의 장축의 길이가 20 cm, 단축의 길이가 10 cm일 때, 충격파 발사 장치와 결석 사이의 거리를 구하시오.

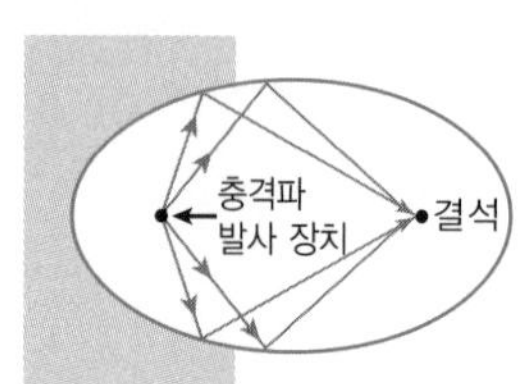

연구 $2a=20$, $2b=10$에서 $a=10$, $b=5$

이므로 체외 충격파 쇄석기의 단면을 나타내는 타원의 방정식은

$$\frac{x^2}{100}+\frac{y^2}{25}=1$$

한편 $c^2=a^2-b^2=10^2-5^2=75$이므로 두 초점의 좌표는 $(5\sqrt{3}, 0)$, $(-5\sqrt{3}, 0)$

따라서 구하는 충격파 발사 장치와 결석 사이의 거리는 두 초점 사이의 거리이므로 $\mathbf{10\sqrt{3}}$ **cm**

해법 07 실생활에서 타원의 활용

타원을 실생활에 활용하는 문제는 주어진 조건에서 타원의 모양을 결정짓는 두 초점, 장축의 길이, 단축의 길이 등을 찾는 것이 중요하다.
이때 조건이 성립하는 타원을 좌표평면 위에 나타내고 문제를 해결한다.

PLUS ⊕
타원의 중심이 좌표평면의 원점에 오도록 하고 타원의 두 초점과 꼭짓점을 x축 또는 y축 위에 오도록 한다.

예제 오른쪽 그림과 같이 장축의 길이가 100 m, 단축의 길이가 60 m인 타원 모양의 땅에 직사각형 모양의 경기장을 만들려고 할 때, 경기장의 넓이의 최댓값을 구하시오.

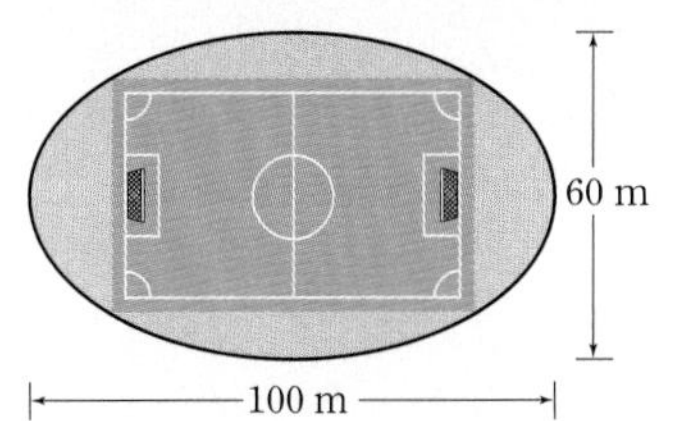

해법 코드
타원의 방정식을
$\frac{x^2}{a^2}+\frac{y^2}{b^2}=1\ (a>b>0)$
로 놓는다.

셀파 타원의 중심을 원점으로 하는 좌표평면을 생각한다.

풀이 오른쪽 그림과 같이 타원의 중심이 원점에 오도록 좌표평면 위에 나타내면 ㉠타원의 방정식은

$$\frac{x^2}{50^2}+\frac{y^2}{30^2}=1 \quad \cdots\cdots ㉠$$

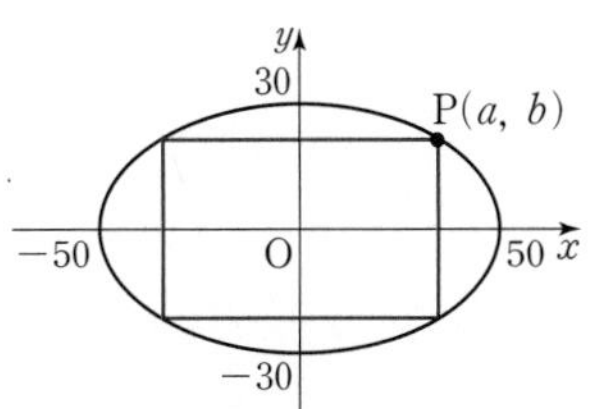

이때 이 타원에 내접하는 직사각형의 한 꼭짓점 중 제1사분면 위에 있는 점을 $\mathrm{P}(a, b)$로 놓으면
직사각형 모양의 경기장의 넓이 S는

$$S=2a\times 2b=4ab \quad \cdots\cdots ㉡$$

그런데 점 $\mathrm{P}(a, b)$는 타원 ㉠ 위의 점이므로 $\frac{a^2}{50^2}+\frac{b^2}{30^2}=1$

$\frac{a^2}{50^2}>0$, $\frac{b^2}{30^2}>0$이므로 ㉡(산술평균)≥(기하평균)에서

$$\frac{a^2}{50^2}+\frac{b^2}{30^2}\ge 2\sqrt{\frac{a^2}{50^2}\times\frac{b^2}{30^2}}\ \left(\text{단, 등호는 } \frac{a^2}{50^2}=\frac{b^2}{30^2}\text{일 때 성립}\right)$$

$$1\ge\frac{ab}{750}\ (\because a>0, b>0) \qquad \therefore ab\le 750 \quad \cdots\cdots ㉢$$

㉡, ㉢에서 $4ab\le 3000$
따라서 구하는 경기장의 넓이의 최댓값은 **3000 m²**

㉠ 타원 $\frac{x^2}{a^2}+\frac{y^2}{b^2}=1\ (a>b>0)$에서 장축의 길이는 $2a$, 단축의 길이는 $2b$이므로
$2a=100$, $2b=60$
$\therefore a=50, b=30$
따라서 주어진 타원의 방정식은
$\frac{x^2}{50^2}+\frac{y^2}{30^2}=1$

㉡ P, Q가 양수일 때
$\frac{\mathrm{P+Q}}{2}\ge\sqrt{\mathrm{PQ}}$, $\mathrm{P+Q}\ge 2\sqrt{\mathrm{PQ}}$
(단, 등호는 P=Q일 때 성립)

확인 문제

정답과 해설 | 21쪽

07-1 상중하 오른쪽 그림과 같이 어떤 혜성은 태양을 하나의 초점으로 하여 장축의 길이가 36AU, 단축의 길이가 $16\sqrt{2}$AU인 타원 궤도를 돌고 있다. 이 혜성이 태양과 가장 가까울 때, 혜성과 태양 사이의 거리를 구하시오.

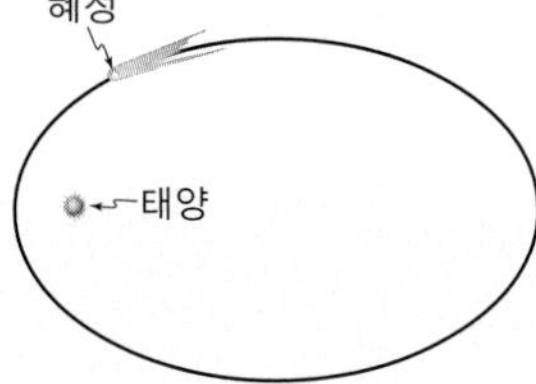

MY 셀파

07-1
타원의 중심이 좌표평면의 원점에 오도록 좌표평면 위에 나타내고, 주어진 장축의 길이와 단축의 길이에서 타원의 방정식을 구한다.

연습 문제 EXERCISE

타원의 정의

01 초점이 F(3, 0), F′(−3, 0)이고, 단축의 길이가 10인 타원의 방정식을 구하시오.

타원의 정의

02 원 $x^2+y^2=16$과 y축이 만나는 두 점을 초점으로 하고, 장축의 길이가 $8\sqrt{2}$인 타원의 단축의 길이를 구하시오.

타원의 정의

03 타원 $4x^2+y^2=4$와 두 초점을 공유하고, 장축의 길이가 6인 타원의 방정식을 $\frac{x^2}{a^2}+\frac{y^2}{b^2}=1$이라 할 때, 상수 a, b에 대하여 a^2+b^2의 값을 구하시오.

타원의 정의의 활용

04 두 점 A(−2, 0), B(2, 0)과 타원 $\frac{x^2}{16}+\frac{y^2}{12}=1$ 위의 점 P에 대하여 $\overline{\mathrm{PA}}\times\overline{\mathrm{PB}}$의 최댓값을 구하시오.

타원의 정의의 활용 융합형

05 오른쪽 그림과 같이 타원

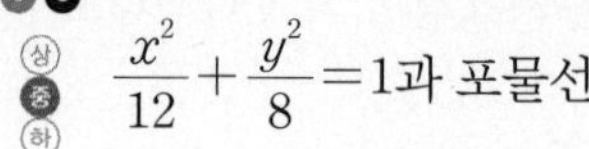

$\frac{x^2}{12}+\frac{y^2}{8}=1$과 포물선 $y^2=8x$의 교점 중 y좌표가 양수인 점을 A라 하고, 직선 $x=-2$와 x축과의 교점을 B라 하자. 점 A에서 직선 $x=-2$에 내린 수선의 발을 H라 할 때, $\overline{\mathrm{AB}}+\overline{\mathrm{AH}}$의 값을 구하시오.

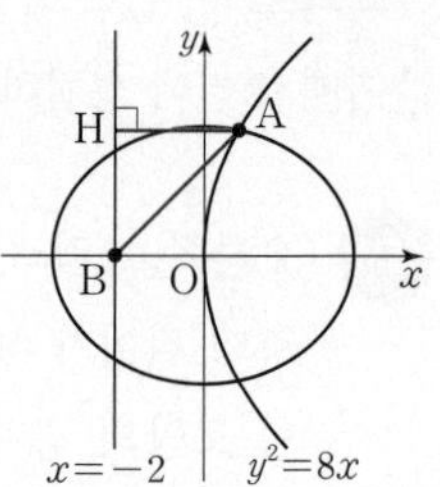

타원의 정의의 활용

06 오른쪽 그림과 같이 타원 $\frac{x^2}{9}+\frac{y^2}{4}=1$의 장축을 5등분하는 각 점을 지나면서 장축에 수직인 직선을 그어 타원과 만나는 점을 각각 $\mathrm{P}_i(i=1, 2, \cdots, 8)$라 하자. 타원의 두 초점 중 x좌표가 음수인 점을 F라 할 때, $\sum_{i=1}^{8}\overline{\mathrm{P}_i\mathrm{F}}$의 값을 구하시오.

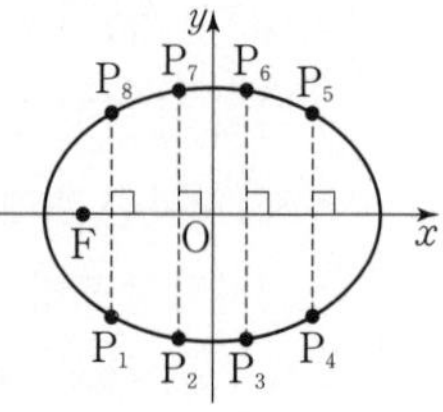

타원의 정의를 활용한 도형의 둘레의 길이 서술형

07 점 A(0, 3)을 지나는 직선이 타원 $\frac{x^2}{16}+\frac{y^2}{25}=1$과 만나는 두 점을 각각 P, Q라 하자. y축 위의 점 R(0, −3)에 대하여 삼각형 PQR의 둘레의 길이를 구하시오.

(단, 두 점 P, Q는 모두 y축 위에 있지 않다.)

타원의 정의를 활용한 도형의 넓이

08 타원 $\frac{x^2}{16}+\frac{y^2}{4}=1$의 두 초점이 F, F′이고, 이 타원과 원 $x^2+y^2=12$의 한 교점을 P라 할 때, 삼각형 PF′F의 넓이를 구하시오.

상 중 하

중심이 원점이 아닌 타원의 방정식

09 타원 $\frac{(x-1)^2}{8}+\frac{(y+3)^2}{12}=1$의 두 초점의 좌표를 구하시오.

상 중 하

중심이 원점이 아닌 타원의 방정식

10 두 초점이 F(5, 0), F′(−1, 0)인 타원 위의 점 P에 대하여 삼각형 PFF′의 둘레의 길이가 16일 때, 이 타원의 방정식을 구하시오.

상 중 하

타원의 방정식

11 타원 $7x^2+16y^2+Ax+By+C=0$의 두 초점의 좌표가 $(0, 2)$, $(-6, 2)$이고 장축의 길이가 8일 때, 상수 A, B, C의 값을 구하시오.

상 중 하

타원의 방정식

12 점 P(2, 3)을 지나는 타원 $\frac{x^2}{a^2}+\frac{y^2}{b^2}=1$의 장축의 길이와 단축의 길이의 곱이 최소일 때, a, b의 값을 구하시오. (단, $b>a>0$)

상 중 하

실생활에서 타원의 활용

13 다음 그림과 같이 폭이 30 m이고 높이가 10 m인 터널의 단면은 도로면을 장축으로 하는 타원의 절반과 같은 모양이다. 터널의 중심으로부터 9 m 떨어진 지점 위의 천장에 조명등을 설치하려고 할 때, 조명등의 도로면으로부터의 높이를 구하시오.

상 중 하

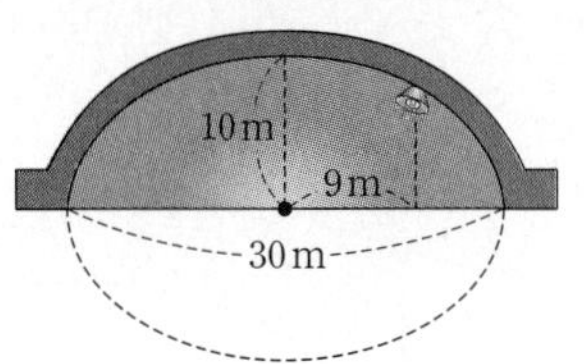

실생활에서 타원의 활용

14 오른쪽 그림과 같이 밑면의 반지름의 길이가 10인 원기둥 모양의 나무 토막을 밑면의 지름을 지나고 밑면과 60°의 각을 이루도록 자르면 단면은 타원의 절반과 같은 모양이 된다. 이 타원의 두 초점 사이의 거리를 구하시오.

상 중 하

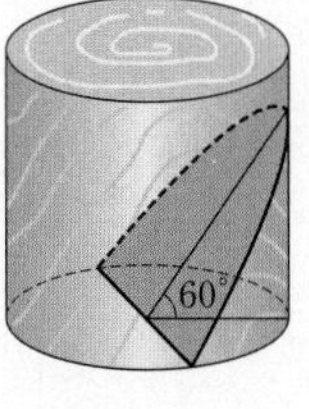

2 타원

타일로 장식한 탑을 구경합니다.
타일 장식이 정말 화려하군.
쌍곡선 모양의 타일이네!
쌍곡선?
평면 위의 두 점으로부터의 거리의 차가 일정한 점들의 집합!
꼭짓점
초점
초점
F′
중심
F

3

쌍곡선

쌍곡선 타일이 다 제각각입니다.

3. 쌍곡선

개념 1 쌍곡선

평면 위의 두 점 F, F′으로부터의 거리의 차가 일정한 점들의 집합을 **쌍곡선**이라 하고, 두 점 F, F′을 쌍곡선의 **초점**이라 한다.
두 ❶ ☐ 을 잇는 직선이 ❷ ☐ 과 만나는 점을 각각 A, A′이라 할 때, 두 점 A, A′을 쌍곡선의 **꼭짓점**, 선분 AA′을 쌍곡선의 **주축**, 주축의 ❸ ☐ 을 쌍곡선의 **중심**이라 한다.

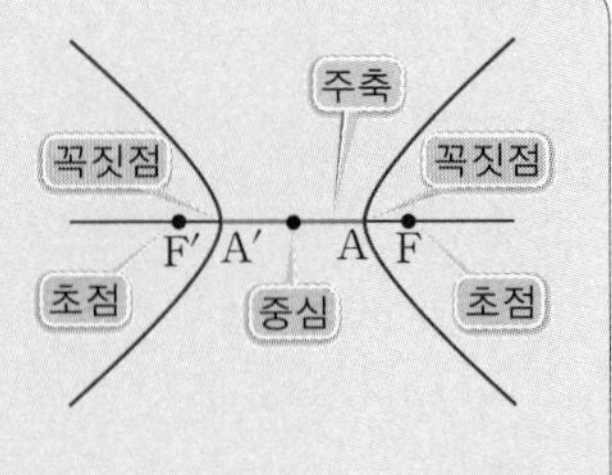

답 ❶ 초점 ❷ 쌍곡선 ❸ 중점

개념 플러스

㉠ 두 초점 $F(c, 0)$, $F'(-c, 0)$으로부터의 거리의 차가 $2a$인 쌍곡선은 다음 그림과 같다.

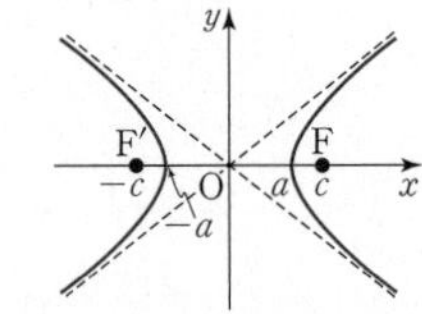

❶ 초점 : $F(c, 0)$, $F'(-c, 0)$
(단, $c=\sqrt{a^2+b^2}$)
❷ 꼭짓점 : $(a, 0)$, $(-a, 0)$
❸ 주축의 길이 : $2a$

개념 2 쌍곡선의 방정식

(1) 초점이 x축 위에 있는 쌍곡선의 방정식
㉠두 초점 $F(c, 0)$, $F'(-c, 0)$으로부터의 거리의 차가 $2a$인 쌍곡선의 방정식은

$$\frac{x^2}{a^2}-\frac{y^2}{b^2}=1 \text{ (단, } c>a>0, \text{ ❶ ☐ } =c^2-a^2)$$

(2) 초점이 y축 위에 있는 쌍곡선의 방정식
㉡두 초점 $F(0, c)$, $F'(0, -c)$로부터의 거리의 차가 ❷ ☐ 인 쌍곡선의 방정식은

$$\frac{x^2}{a^2}-\frac{y^2}{b^2}=-1 \text{ (단, } c>b>0, a^2=c^2-b^2)$$

(3) 쌍곡선 $\frac{x^2}{a^2}-\frac{y^2}{b^2}=1$, $\frac{x^2}{a^2}-\frac{y^2}{b^2}=$ ❸ ☐ 의 점근선의 방정식은 $y=\pm\frac{b}{a}x$

답 ❶ b^2 ❷ $2b$ ❸ -1

㉡ 두 초점 $F(0, c)$, $F'(0, -c)$로부터의 거리의 차가 $2b$인 쌍곡선은 다음 그림과 같다.

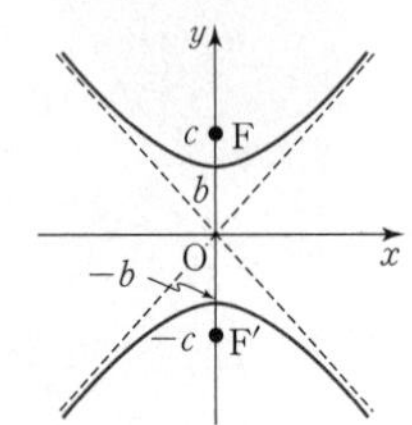

❶ 초점 : $F(0, c)$, $F'(0, -c)$
(단, $c=\sqrt{a^2+b^2}$)
❷ 꼭짓점 : $(0, b)$, $(0, -b)$
❸ 주축의 길이 : $2b$

개념 3 쌍곡선의 평행이동

$\frac{x^2}{a^2}-\frac{y^2}{b^2}=1$ $(c>a>0, b^2=c^2-a^2)$, $\frac{x^2}{a^2}-\frac{y^2}{b^2}=-1$ $(c>b>0, a^2=c^2-b^2)$을 x축의 방향으로 m만큼, y축의 방향으로 n만큼 ❶ ☐ 이동한 쌍곡선의 방정식은

$$\frac{(x-m)^2}{a^2}-\frac{(y-n)^2}{b^2}=1, \quad \frac{(x-m)^2}{a^2}-\frac{(y-n)^2}{b^2}=-1$$

답 ❶ 평행

개념 4 이차곡선

일반적으로 x, y에 대한 이차방정식

$$Ax^2+By^2+Cxy+Dx+Ey+F=0$$

의 그래프는 특수한 경우를 제외하면 원, 포물선, 타원, 쌍곡선 중의 어느 하나가 되며 이들을 통틀어 **이차곡선**이라 한다.

▶ x, y의 이차방정식 중에는 다음과 같이 특수한 경우도 있다.
❶ 그래프가 도형이 안 되는 경우
⇨ $x^2+y^2=-1$
❷ 한 점이 되는 경우
⇨ $x^2+y^2=0$
❸ 두 직선이 되는 경우
⇨ $x^2-y^2=0$

1-1 | 쌍곡선의 방정식 |

쌍곡선 $\frac{x^2}{9}-\frac{y^2}{4}=1$의 초점, 꼭짓점의 좌표와 주축의 길이를 구하고, 그 그래프를 그리시오.

연구

$\frac{x^2}{9}-\frac{y^2}{4}=1$에서 $a=3$, $b=2$이므로

$c=\sqrt{3^2+2^2}=\sqrt{13}$

초점의 좌표 : $(\boxed{}, \mathbf{0})$, $(-\sqrt{13}, \mathbf{0})$

꼭짓점의 좌표 : $(\mathbf{3}, \mathbf{0})$, $(-\mathbf{3}, \mathbf{0})$

주축의 길이 : $2\times3=\mathbf{6}$

또 그 그래프는 오른쪽 그림과 같다.

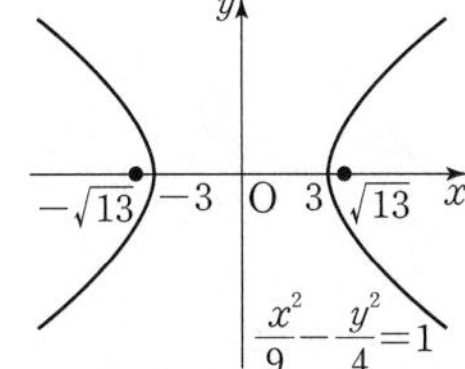

1-2 | 따라풀기 |

다음 쌍곡선의 초점, 꼭짓점의 좌표와 주축의 길이를 구하고, 그 그래프를 그리시오.

(1) $\frac{x^2}{9}-\frac{y^2}{16}=1$ (2) $\frac{x^2}{8}-\frac{y^2}{4}=-1$

풀이

2-1 | 쌍곡선의 평행이동 |

쌍곡선 $x^2-y^2=1$을 x축의 방향으로 2만큼, y축의 방향으로 3만큼 평행이동한 쌍곡선의 방정식을 구하고, 평행이동한 쌍곡선의 초점, 꼭짓점의 좌표와 주축의 길이를 구하시오.

연구

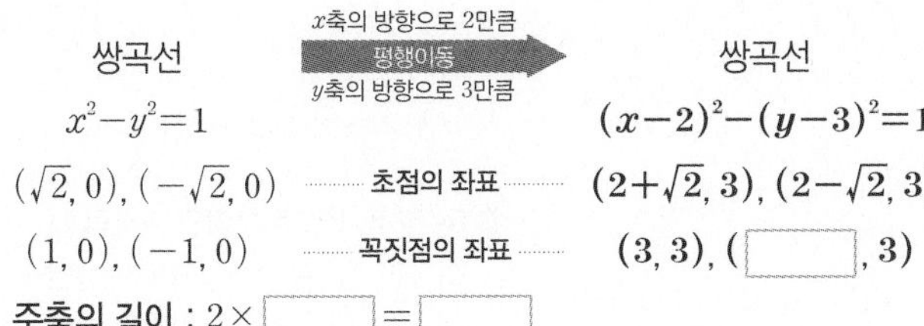

주축의 길이 : $2\times\boxed{}=\boxed{}$

2-2 | 따라풀기 |

다음 쌍곡선을 x축의 방향으로 -1만큼, y축의 방향으로 2만큼 평행이동한 쌍곡선의 방정식을 구하고, 평행이동한 쌍곡선의 초점, 꼭짓점의 좌표와 주축의 길이를 구하시오.

(1) $\frac{x^2}{16}-\frac{y^2}{9}=1$ (2) $x^2-\frac{y^2}{4}=-1$

풀이

셀파 특강 01 쌍곡선의 정의와 쌍곡선의 방정식

A 두 점으로부터의 거리의 차가 같은 점들의 집합이 이루는 곡선을 관찰하여 쌍곡선의 정의를 이해해 보자. 다음 그림과 같이 중심이 각각 F, F′이고 반지름의 길이가 각각 1, 2, 3, …인 원이 있을 때, ㉠점 A는 두 점 F, F′으로부터의 거리의 차가 4인 점이야. 점 B에서 두 점 F, F′까지의 거리의 차를 구해 봐.

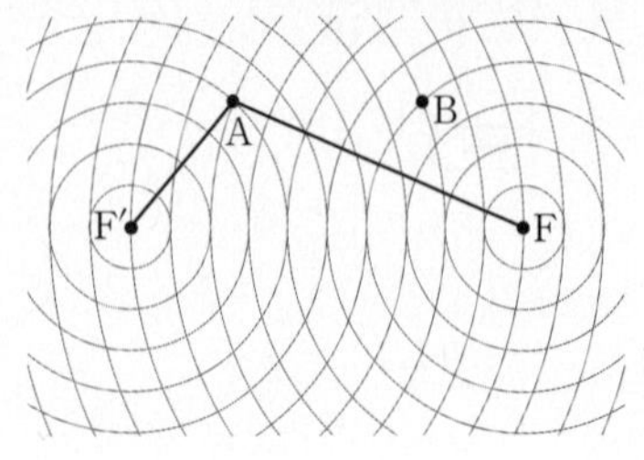

Q 점 B와 점 F, 점 B와 점 F′을 이어서 동심원의 중심에서 점 B까지 몇 칸 떨어져 있는지 보면 돼요. 따라서 ㉡$\overline{BF}=4$, $\overline{BF'}=8$이므로 그 차는 $|\overline{BF'}-\overline{BF}|=4$예요.

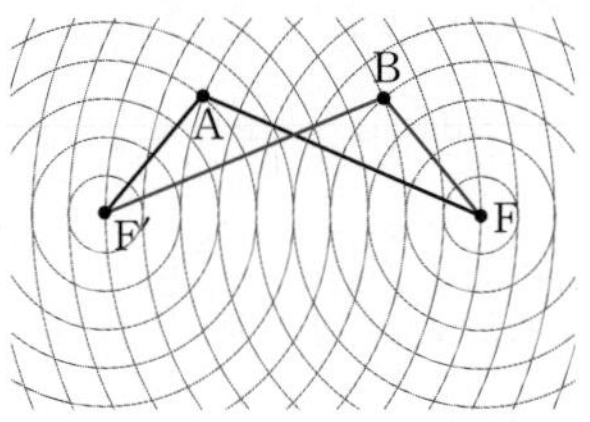

A 이제 두 점 F, F′으로부터의 거리의 차가 4이고 두 점 F, F′에서 자연수 거리만큼 떨어진 점들을 그림에 표시해 봐.

Q 주어진 그림에서 동심원 사이의 간격이 모두 1로 같게 그려져 있으므로 오른쪽 그림과 같아요.

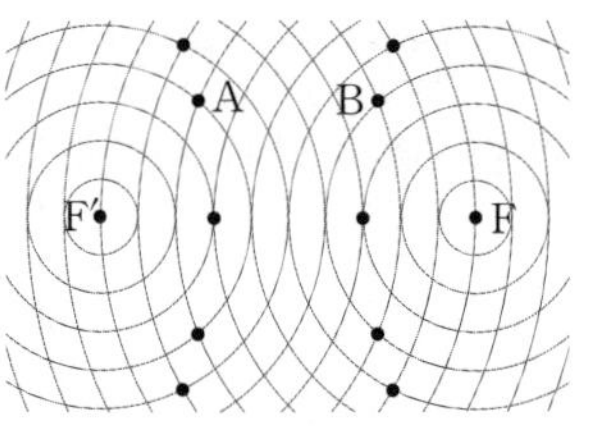

A 맞아. 그 점들을 매끄러운 곡선으로 연결해 봐.

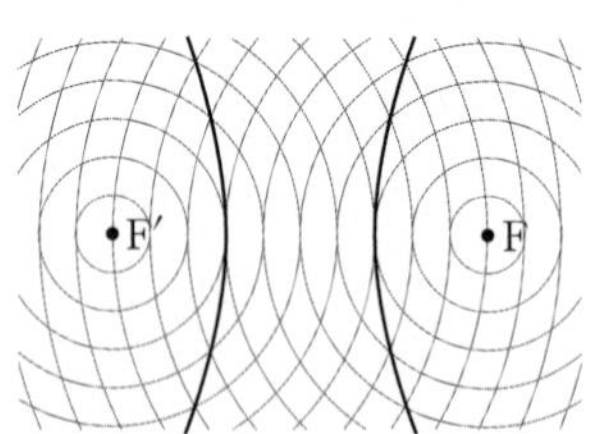

Q 네, 두 점 F, F′을 초점으로 하는 ㉢쌍곡선 모양 곡선이네요.

> 쌍곡선은 두 점으로부터의 거리의 차가 일정한 점들의 집합이다.

㉠ 동심원 사이의 간격이 모두 1이고, 한 동심원의 중심인 F에서 점 A까지는 8칸, 다른 동심원의 중심인 F′에서 점 A까지는 4칸이므로
$\overline{AF}=8$, $\overline{AF'}=4$

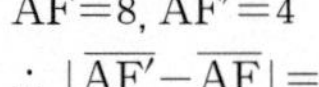

$\therefore |\overline{AF'}-\overline{AF}|=4$

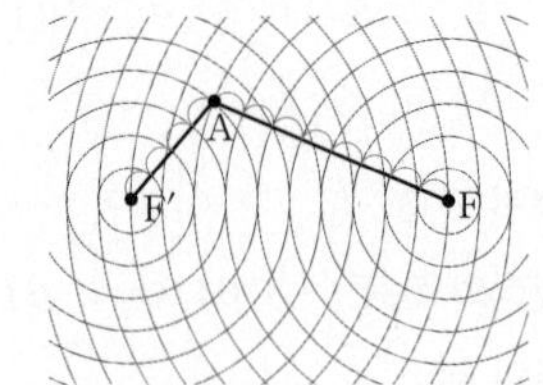

㉡ ㉠과 마찬가지로 동심원 사이의 간격이 모두 1이므로
$\overline{BF}=4$, $\overline{BF'}=8$
$\therefore |\overline{BF'}-\overline{BF}|=4$

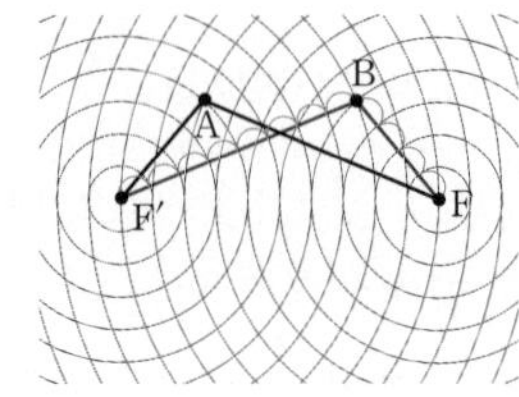

㉢ 두 점 F, F′으로부터의 거리의 차가 4인 점, 즉 $|\overline{PF'}-\overline{PF}|=4$인 점 P는 $\overline{PF'}-\overline{PF}=4$인 점 P와 $\overline{PF'}-\overline{PF}=-4$인 점 P를 합한 것이므로 쌍곡선 모양으로 나타난다.

A 이제 쌍곡선의 정의를 이해했으면 좌표평면 위의 두 점 $F(c, 0)$, $F'(-c, 0)$을 초점으로 하고, 두 점 F, F′으로부터의 거리의 차가 $2a$ $(c>a>0)$인 쌍곡선의 방정식을 구하여 보자.

오른쪽 그림과 같이 두 초점이 $F(c, 0)$, $F'(-c, 0)$인 쌍곡선 위의 임의의 점을 $P(x, y)$라 하면

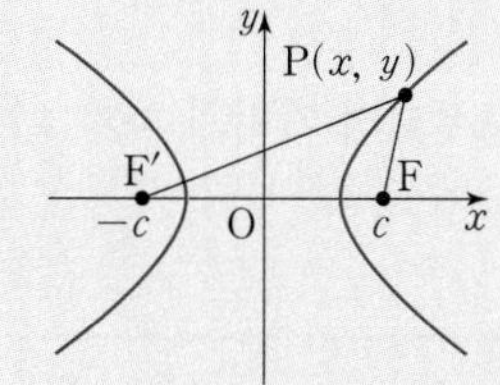

쌍곡선의 정의에 의하여 $|\overline{PF'}-\overline{PF}|=2a$이므로

$|\sqrt{(x+c)^2+y^2}-\sqrt{(x-c)^2+y^2}|=2a$

$\sqrt{(x+c)^2+y^2}=\sqrt{(x-c)^2+y^2}\pm 2a$

이 식의 양변을 제곱하여 정리하면 $cx-a^2=\pm a\sqrt{(x-c)^2+y^2}$

다시 양변을 제곱하여 정리하면 $(c^2-a^2)x^2-a^2y^2=a^2(c^2-a^2)$

이때 ㉣ $c>a>0$이므로 $c^2-a^2=b^2$으로 놓으면 $b^2x^2-a^2y^2=a^2b^2$

이 식의 양변을 a^2b^2으로 나누면 $\dfrac{x^2}{a^2}-\dfrac{y^2}{b^2}=1$ ……㉠

역으로 방정식 ㉠을 만족시키는 점 $P(x, y)$는 $|\overline{PF'}-\overline{PF}|=2a$를 만족시키므로 주어진 쌍곡선 위의 점이다.

따라서 두 초점 $F(c, 0)$, $F'(-c, 0)$으로부터의 거리의 차가 $2a$인 쌍곡선의 방정식은 ㉤ $\dfrac{x^2}{a^2}-\dfrac{y^2}{b^2}=1$ (단, $c>a>0$, $b^2=c^2-a^2$)

같은 방법으로 두 초점 $F(0, c)$, $F'(0, -c)$로부터의 거리의 차가 $2b$인 쌍곡선의 방정식은 ㉥ $\dfrac{x^2}{a^2}-\dfrac{y^2}{b^2}=-1$ (단, $c>b>0$, $a^2=c^2-b^2$)

쌍곡선을 그리는 방법

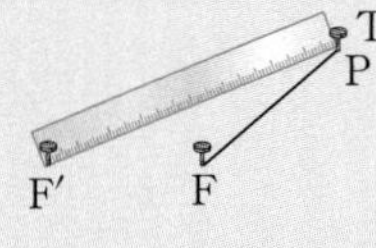

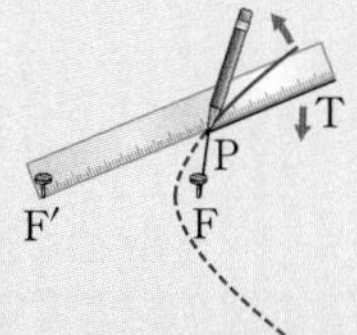

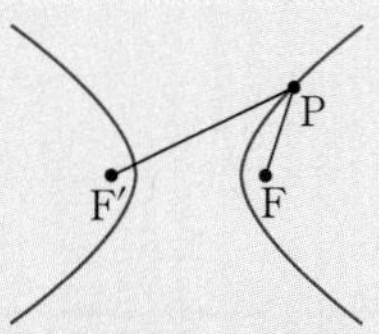

1. 자의 한 쪽 끝점 T에 실을 붙인다. 이때 실의 한 끝을 점 F에 고정하고 자의 다른 끝을 점 F′에 고정한다.
2. 실이 자에서 떨어지지 않게 연필을 자에 붙인 채로 실을 팽팽하게 유지하고 점 F′을 중심으로 자를 위, 아래로 돌리면서 움직인다.
3. 자의 길이와 실의 길이가 일정하므로 ㉦ $|\overline{PF'}-\overline{PF}|=$(일정) 이때 점 P가 그리는 도형은 쌍곡선이다.

㉣ $c>a>0$에서 $c^2>a^2$이므로 $c^2-a^2>0$
즉 $c^2-a^2=$(양수)이므로 c^2-a^2을 b^2으로 놓을 수 있다.

㉤ 쌍곡선
$\dfrac{x^2}{a^2}-\dfrac{y^2}{b^2}=1$ $(a>0, b>0)$
의 그래프는 x축, y축 및 원점에 대하여 각각 대칭이고 초점은 x축 위에 있다.

㉥ 쌍곡선
$\dfrac{x^2}{a^2}-\dfrac{y^2}{b^2}=-1$ $(a>0, b>0)$
의 그래프는 x축, y축 및 원점에 대하여 각각 대칭이고 초점은 y축 위에 있다.

㉦ 자의 길이와 실의 길이는 고정된 값이므로 두 값의 차는 상수값이다. 즉,
|(자의 길이)−(실의 길이)|
$=|(\overline{PF'}+\overline{PT})-(\overline{PF}+\overline{PT})|$
$=|\overline{PF'}-\overline{PF}|=$(일정)

쌍곡선의 두 초점의 좌표에서
❶ x좌표의 절댓값이 같고 부호가 반대이면서 y좌표가 0으로 같으면 쌍곡선의 방정식은 $\dfrac{x^2}{a^2}-\dfrac{y^2}{b^2}=1$ 꼴이야.
❷ x좌표가 0으로 같고 y좌표의 절댓값이 같으면서 부호가 반대이면 쌍곡선의 방정식은 $\dfrac{x^2}{a^2}-\dfrac{y^2}{b^2}=-1$ 꼴이야.

해법 01 쌍곡선의 정의

❶ 두 초점 $F(c, 0)$, $F'(-c, 0)$으로부터의 거리의 차가 $2a$인 쌍곡선의 방정식

$$\frac{x^2}{a^2}-\frac{y^2}{b^2}=1 \text{ (단, } c>a>0,\ b^2=c^2-a^2)$$

❷ 두 초점 $F(0, c)$, $F'(0, -c)$로부터의 거리의 차가 $2b$인 쌍곡선의 방정식

$$\frac{x^2}{a^2}-\frac{y^2}{b^2}=-1 \text{ (단, } c>b>0,\ a^2=c^2-b^2)$$

PLUS ⊕

쌍곡선의 중심이 원점인 경우에는 쌍곡선의 방정식이 $\frac{x^2}{a^2}-\frac{y^2}{b^2}=\pm1$ 꼴이다.

예제 두 초점 $F(3, 0)$, $F'(-3, 0)$으로부터의 거리의 차가 4인 쌍곡선의 방정식을 구하시오.

해법 코드

초점이 x축 위에 있는 쌍곡선의 방정식은 $\frac{x^2}{a^2}-\frac{y^2}{b^2}=1$ 꼴이다.

셀파 쌍곡선 위의 점 P는 초점 F, F′에 대하여 $|\overline{PF'}-\overline{PF}|=k$ (k는 양의 상수)이다.

풀이 초점이 x축 위에 있고 거리의 차가 4이므로 구하는 쌍곡선의 방정식을

$\frac{x^2}{a^2}-\frac{y^2}{b^2}=1$ $(a>0, b>0)$

로 놓으면 $2a=4$에서 $a=2$

$c=3$에서 $b^2=c^2-a^2=9-4=5$

따라서 구하는 쌍곡선의 방정식은 ㉠ $\boldsymbol{\frac{x^2}{4}-\frac{y^2}{5}=1}$

다른 풀이 쌍곡선 위의 점을 $P(x, y)$로 놓으면 ㉡ $|\overline{PF'}-\overline{PF}|=4$이므로

$|\sqrt{(x+3)^2+y^2}-\sqrt{(x-3)^2+y^2}|=4$

$\sqrt{(x+3)^2+y^2}=\sqrt{(x-3)^2+y^2}\pm4$

이 식의 양변을 제곱하여 정리하면 $3x-4=\pm2\sqrt{(x-3)^2+y^2}$

다시 양변을 제곱하여 정리하면 $5x^2-4y^2=20$

양변을 20으로 나누면 구하는 쌍곡선의 방정식은

$\frac{x^2}{4}-\frac{y^2}{5}=1$

㉠ 두 초점 $F(3, 0)$, $F'(-3, 0)$으로부터의 거리의 차가 4인 쌍곡선의 그래프는 다음과 같다.

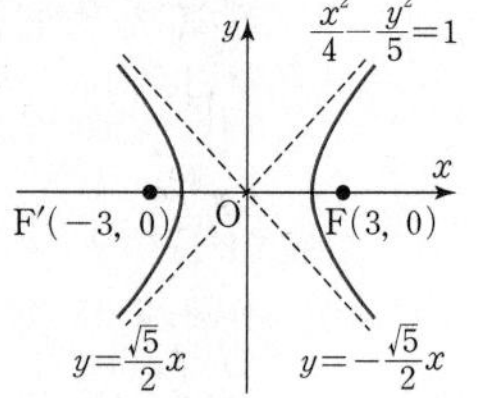

㉡ 점 $P(x, y)$, $F(3, 0)$, $F'(-3, 0)$에 대하여

$\overline{PF}=\sqrt{(x-3)^2+y^2}$

$\overline{PF'}=\sqrt{(x+3)^2+y^2}$

확인 문제

정답과 해설 | 24쪽

01-1 (상 중 **하**) 두 초점 $F(0, 5)$, $F'(0, -5)$로부터의 거리의 차가 6인 쌍곡선의 방정식을 구하시오.

01-2 (상 **중** 하) 타원 $\frac{x^2}{25}+\frac{y^2}{9}=1$의 두 초점으로부터의 거리의 차가 6인 쌍곡선의 방정식을 구하시오.

MY 셀파

01-1

초점이 y축 위에 있는 쌍곡선의 방정식은 $\frac{x^2}{a^2}-\frac{y^2}{b^2}=-1$ 꼴이다.

01-2

타원 $\frac{x^2}{a^2}+\frac{y^2}{b^2}=1$ $(a>b>0)$의 두 초점의 좌표는 $(\sqrt{a^2-b^2}, 0)$, $(-\sqrt{a^2-b^2}, 0)$

해법 02 쌍곡선의 정의의 활용

$a>0$, $b>0$일 때

❶ 쌍곡선 $\frac{x^2}{a^2}-\frac{y^2}{b^2}=1$

⇨ $|\overline{PF'}-\overline{PF}|=2a$

❷ 쌍곡선 $\frac{x^2}{a^2}-\frac{y^2}{b^2}=-1$

⇨ $|\overline{PF'}-\overline{PF}|=2b$

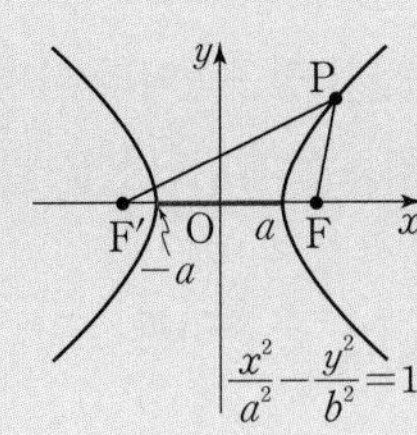

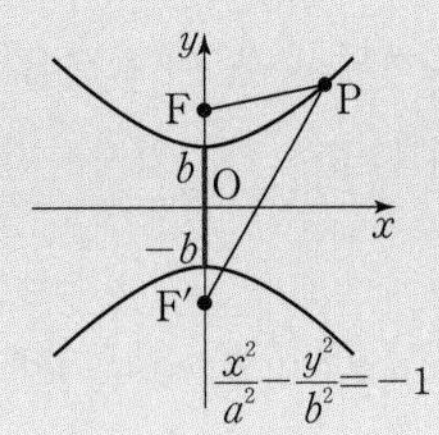

PLUS

❶ 쌍곡선 $\frac{x^2}{a^2}-\frac{y^2}{b^2}=1$의 초점은 x축 위에 있다.

❷ 쌍곡선 $\frac{x^2}{a^2}-\frac{y^2}{b^2}=-1$의 초점은 y축 위에 있다.

예제 쌍곡선 $\frac{x^2}{9}-\frac{y^2}{7}=1$에 대하여 x좌표가 양수인 초점 F를 지나는 직선이 쌍곡선의 $x>0$인 부분과 만나는 두 점을 P, Q라 하자. 쌍곡선의 또 다른 초점 F′에 대하여 삼각형 PF′Q의 둘레의 길이가 26일 때, 선분 PQ의 길이를 구하시오.

해법 코드

쌍곡선 $\frac{x^2}{3^2}-\frac{y^2}{(\sqrt{7})^2}=1$의 주축의 길이는 $2\times3=6$이므로 $\overline{PF'}-\overline{PF}=6$이다.

셀파 쌍곡선 위의 점 P와 초점 F, F′에 대하여 $|\overline{PF'}-\overline{PF}|=$(주축의 길이)이다.

풀이 쌍곡선의 정의에 의하여 쌍곡선 위의 점 P와 두 초점 F, F′으로부터의 거리의 차는 ㉠쌍곡선의 주축의 길이와 같으므로

$\overline{PF'}-\overline{PF}=6$ ……㉠

점 Q도 쌍곡선 위의 점이므로

$\overline{QF'}-\overline{QF}=6$ ……㉡

㉠+㉡에서 $\overline{PF'}+\overline{QF'}-\overline{PF}-\overline{QF}=12$

점 F가 직선 PQ 위의 점이므로 $\overline{PF}+\overline{QF}=\overline{PQ}$

$\therefore \overline{PF'}+\overline{QF'}-\overline{PQ}=12$ ……㉢

또 삼각형 PF′Q의 둘레의 길이가 26이므로

$\overline{PF'}+\overline{QF'}+\overline{PQ}=26$ ……㉣

㉣−㉢에서 $2\overline{PQ}=14$ $\therefore$ $\mathbf{\overline{PQ}=7}$

㉠ 쌍곡선 $\frac{x^2}{9}-\frac{y^2}{7}=1$, 즉 $\frac{x^2}{3^2}-\frac{y^2}{(\sqrt{7})^2}=1$의 두 꼭짓점의 좌표가 $(3, 0)$, $(-3, 0)$이므로 주축의 길이는 $2\times3=6$

참고

쌍곡선 $\frac{x^2}{9}-\frac{y^2}{7}=1$에서 두 초점의 좌표는 $(\sqrt{9+7}, 0)$, $(-\sqrt{9+7}, 0)$, 즉 F$(4, 0)$, F′$(-4, 0)$이다.

확인 문제

정답과 해설 | 25쪽

02-1 (상 중 하) 오른쪽 그림과 같이 쌍곡선 $\frac{x^2}{8}-\frac{y^2}{2}=1$ 위의 점 P와 쌍곡선의 두 초점 F, F′에 대하여 ∠F′PF의 이등분선이 x축과 만나는 점을 A라 하자. $\overline{F'A}:\overline{FA}=2:1$일 때, $\overline{PF'}^2+\overline{PF}^2$의 값을 구하시오.

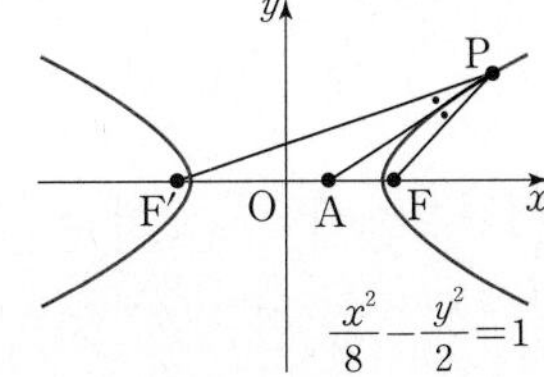

MY 셀파

02-1

선분 PA가 ∠F′PF의 이등분선이므로

$\overline{PF'}:\overline{PF}=\overline{F'A}:\overline{FA}$

셀파 특강 02 쌍곡선의 점근선과 그래프

A 곡선이 어떤 직선에 한없이 가까워질 때, 이 직선을 그 곡선의 점근선이라 하지? 여기서는 쌍곡선이 어느 직선에 한없이 가까워지는지, 즉 쌍곡선의 점근선을 알아보자.

쌍곡선의 방정식 ㉠ $\frac{x^2}{a^2}-\frac{y^2}{b^2}=1\ (a>0,\ b>0)$을 y에 대하여 풀면 $y=\pm\frac{b}{a}x\sqrt{1-\frac{a^2}{x^2}}$

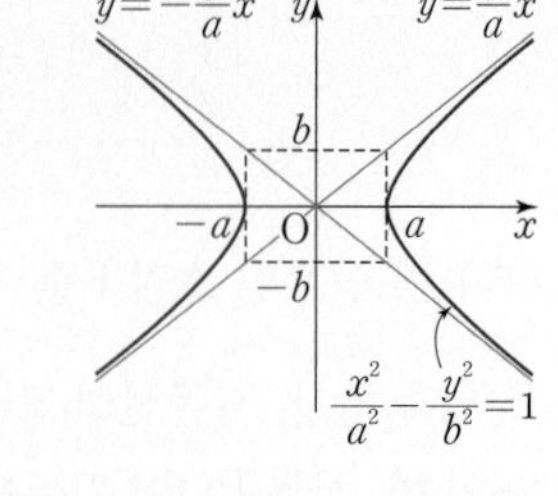

이때 ㉡ $|x|$의 값이 한없이 커지면 쌍곡선은 두 직선 $y=\pm\frac{b}{a}x$에 한없이 가까워지지. 이 두 직선을 쌍곡선의 점근선이라 해.

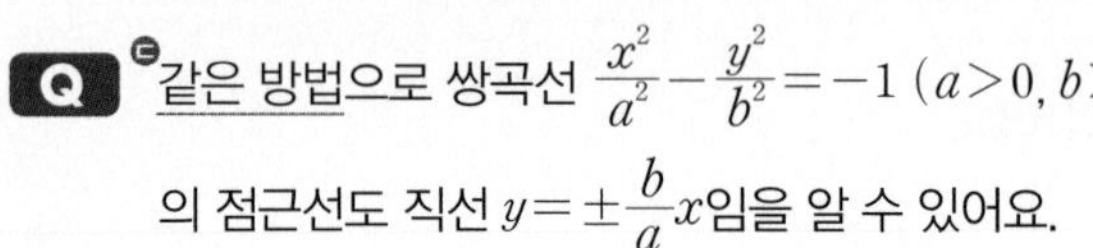

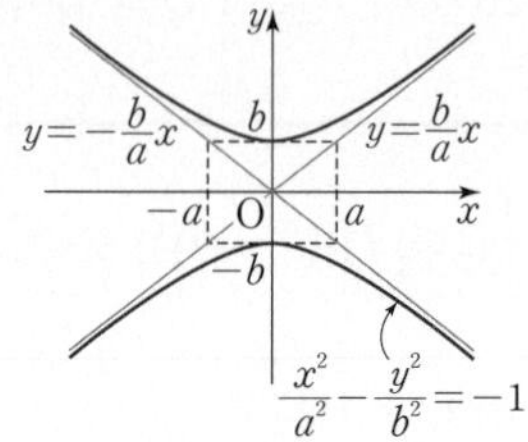

Q ㉢ 같은 방법으로 쌍곡선 $\frac{x^2}{a^2}-\frac{y^2}{b^2}=-1\ (a>0,\ b>0)$의 점근선도 직선 $y=\pm\frac{b}{a}x$임을 알 수 있어요.

A 그래. 쌍곡선의 점근선을 이용하면 쌍곡선의 그래프를 쉽게 그릴 수 있어. 먼저 점근선을 그리고 쌍곡선의 꼭짓점을 찾은 다음, 꼭짓점을 지나면서 점근선에 한없이 가까워지는 쌍곡선을 그리면 돼.

이 방법으로 쌍곡선 $\frac{x^2}{4}-\frac{y^2}{8}=1$의 그래프를 그려 볼래?

Q 네, 쌍곡선 $\frac{x^2}{4}-\frac{y^2}{8}=1$에서 $a=2,\ b=2\sqrt{2}$이므로 점근선의 방정식은

$$y=\pm\frac{b}{a}x=\pm\frac{2\sqrt{2}}{2}x=\pm\sqrt{2}x$$

따라서 꼭짓점 $(2,\ 0),\ (-2,\ 0)$을 지나면서 두 직선 $y=\sqrt{2}x,\ y=-\sqrt{2}x$에 한없이 가까워지는 쌍곡선의 그래프를 그리면 다음 그림과 같아요.

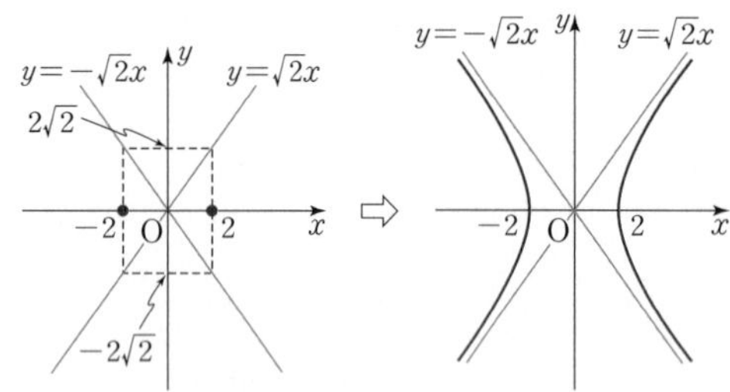

㉠ $\frac{x^2}{a^2}-\frac{y^2}{b^2}=1$에서 $\frac{y^2}{b^2}=\frac{x^2}{a^2}-1$

이 식의 양변에 b^2을 곱하면

$$y^2=\frac{b^2}{a^2}x^2-b^2=\frac{b^2}{a^2}x^2\left(1-\frac{a^2}{x^2}\right)$$

$$\therefore y=\pm\frac{b}{a}x\sqrt{1-\frac{a^2}{x^2}}$$

㉡ $|x|$의 값이 한없이 커지면 $\frac{a^2}{x^2}$의 값은 0에 한없이 가까워지므로 쌍곡선은 두 직선 $y=\pm\frac{b}{a}x$에 한없이 가까워진다.

㉢ $\frac{x^2}{a^2}-\frac{y^2}{b^2}=-1$에서

$\frac{y^2}{b^2}=\frac{x^2}{a^2}+1$

이 식의 양변에 b^2을 곱하면

$$y^2=\frac{b^2}{a^2}x^2+b^2=\frac{b^2}{a^2}x^2\left(1+\frac{a^2}{x^2}\right)$$

$$\therefore y=\pm\frac{b}{a}x\sqrt{1+\frac{a^2}{x^2}}$$

확인 체크 01 정답과 해설 | 25쪽

다음 쌍곡선의 점근선의 방정식과 꼭짓점의 좌표를 구하고, 그 그래프를 그리시오.

(1) $\frac{x^2}{12}-\frac{y^2}{3}=1$

(2) $\frac{x^2}{12}-\frac{y^2}{3}=-1$

해법 03 쌍곡선의 점근선

쌍곡선 $\frac{x^2}{a^2}-\frac{y^2}{b^2}=1$, $\frac{x^2}{a^2}-\frac{y^2}{b^2}=-1$ $(a>0, b>0)$의 점근선의 방정식

⇨ $y=\frac{b}{a}x$, $y=-\frac{b}{a}x$

PLUS ⊕

쌍곡선은 점근선에 한없이 가까워진다.

예제 1. 점 $(2, 1)$을 지나는 쌍곡선 $\frac{x^2}{a^2}-\frac{y^2}{b^2}=1$ $(a>0, b>0)$의 두 점근선이 서로 수직일 때, a^2+b^2의 값을 구하시오.

2. 쌍곡선 $x^2-3y^2=6$의 두 점근선이 이루는 예각의 크기를 구하시오.

해법 코드

1. 두 직선이 서로 수직이면 기울기의 곱은 -1이다.

2. 두 점근선이 x축의 양의 방향과 이루는 각의 크기를 구한다.

셀파 쌍곡선 $\frac{x^2}{a^2}-\frac{y^2}{b^2}=\pm1(a>0, b>0)$의 점근선의 방정식은 $y=\pm\frac{b}{a}x$

풀이 1. 쌍곡선 $\frac{x^2}{a^2}-\frac{y^2}{b^2}=1$의 점근선의 방정식은 $y=\pm\frac{b}{a}x$

두 점근선이 서로 수직이므로 $\frac{b}{a}\times\left(-\frac{b}{a}\right)=-1$ $\therefore a^2=b^2$ ……㉠

또 쌍곡선 $\frac{x^2}{a^2}-\frac{y^2}{b^2}=1$이 점 $(2, 1)$을 지나므로 $\frac{4}{a^2}-\frac{1}{b^2}=1$ ……㉡

㉠, ㉡을 연립하여 풀면 $a^2=b^2=3$이므로 $a^2+b^2=\mathbf{6}$

2. $x^2-3y^2=6$에서 $\frac{x^2}{6}-\frac{y^2}{2}=1$이므로

점근선의 방정식은❶ $y=\pm\frac{\sqrt{2}}{\sqrt{6}}x=\pm\frac{1}{\sqrt{3}}x$

따라서 두 점근선이 이루는 예각의 크기는 $\mathbf{60^\circ}$

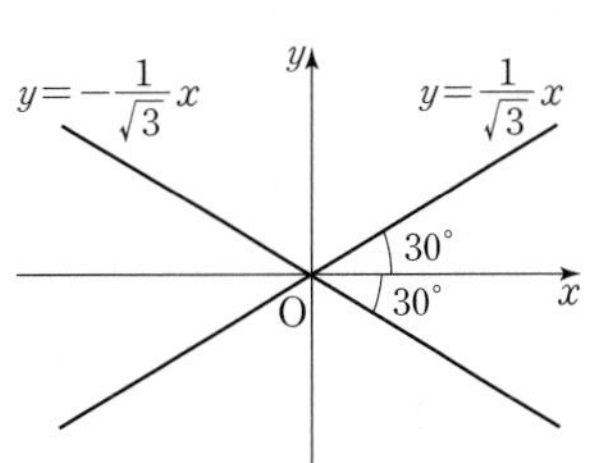

❶ 직선 $y=\pm\frac{1}{\sqrt{3}}x$가 x축의 양의 방향과 이루는 각의 크기를 각각 θ_1, θ_2라 하면

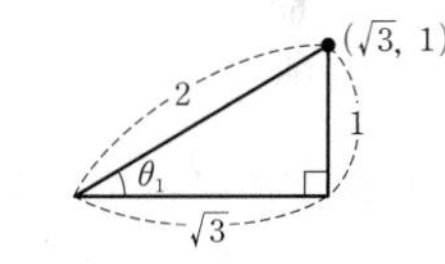

$\tan\theta_1=\frac{1}{\sqrt{3}}$ $\therefore \theta_1=30^\circ$

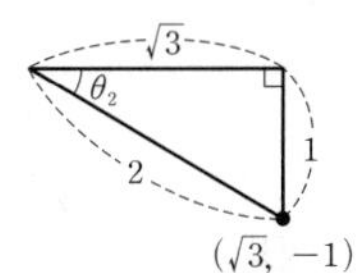

$\tan\theta_2=-\frac{1}{\sqrt{3}}$ $\therefore \theta_2=-30^\circ$

확인 문제

정답과 해설 | 26쪽

03-1 (상중하) 쌍곡선 $\frac{x^2}{4}-y^2=-1$의 두 점근선과 포물선 $y^2=8x$의 준선이 두 점 P, Q에서 만날 때, 선분 PQ의 길이를 구하시오.

03-2 (상중하) 쌍곡선 $9x^2-16y^2=144$의 초점을 지나면서 점근선과 평행한 4개의 직선으로 둘러싸인 도형의 넓이를 구하시오.

MY 셀파

03-1
포물선 $y^2=4px$의 준선의 방정식은 $x=-p$이다.

03-2
주어진 쌍곡선에서 초점의 좌표와 점근선의 방정식을 구한다.

집중 연습 쌍곡선의 점근선의 방정식

❶ 쌍곡선 $\frac{x^2}{a^2}-\frac{y^2}{b^2}=1$ ⇨ 초점과 주축은 x축 위에 있고, 주축의 길이는 $2a$
초점의 좌표는 $(\sqrt{a^2+b^2}, 0)$, $(-\sqrt{a^2+b^2}, 0)$

❷ 쌍곡선 $\frac{x^2}{a^2}-\frac{y^2}{b^2}=-1$ ⇨ 초점과 주축은 y축 위에 있고, 주축의 길이는 $2b$
초점의 좌표는 $(0, \sqrt{a^2+b^2})$,$(0, -\sqrt{a^2+b^2})$

01 초점의 좌표와 점근선의 방정식이 다음과 같이 주어진 쌍곡선의 방정식을 구하시오.

(1) 초점의 좌표가 $\mathrm{F}(10, 0)$, $\mathrm{F}'(-10, 0)$이고 점근선의 방정식이 $y=\pm\frac{3}{4}x$이다.

(2) 초점의 좌표가 $\mathrm{F}(\sqrt{5}, 0)$, $\mathrm{F}'(-\sqrt{5}, 0)$이고 점근선의 방정식이 $y=\pm\frac{1}{2}x$이다.

(3) 초점의 좌표가 $\mathrm{F}(0, 4)$, $\mathrm{F}'(0, -4)$이고 점근선의 방정식이 $y=\pm\frac{\sqrt{3}}{3}x$이다.

(4) 초점의 좌표가 $\mathrm{F}(0, \sqrt{10})$, $\mathrm{F}'(0, -\sqrt{10})$이고 점근선의 방정식이 $y=\pm 3x$이다.

02 다음 조건을 만족시키는 쌍곡선의 방정식을 구하시오.

(1) 타원 $\frac{x^2}{169}+\frac{y^2}{25}=1$과 두 초점을 공유하고, 점근선의 방정식이 $y=\pm\sqrt{3}x$이다.

(2) 타원 $\frac{x^2}{25}+\frac{y^2}{16}=1$과 두 초점을 공유하고, 점 $(\sqrt{2}, -2\sqrt{2})$를 지난다.

(3) 타원 $\frac{x^2}{7}+\frac{y^2}{16}=1$과 두 초점을 공유하고, 점근선의 방정식이 $y=\pm\sqrt{2}x$이다.

(4) 타원 $\frac{x^2}{8}+\frac{y^2}{12}=1$과 두 초점을 공유하고, 점 $(3, 2)$를 지난다.

셀파 특강 03 쌍곡선의 평행이동과 쌍곡선의 방정식의 일반형

A 쌍곡선 $\frac{x^2}{a^2}-\frac{y^2}{b^2}=1\,(a>0,\ b>0)$ ······㉠

을 x축의 방향으로 m만큼, y축의 방향으로 n만큼 평행이동한 쌍곡선의 방정식은

$\frac{(x-m)^2}{a^2}-\frac{(y-n)^2}{b^2}=1\,(a>0,\ b>0)$ ······㉡

이야. 이때 다음과 같은 사실을 알 수 있어.

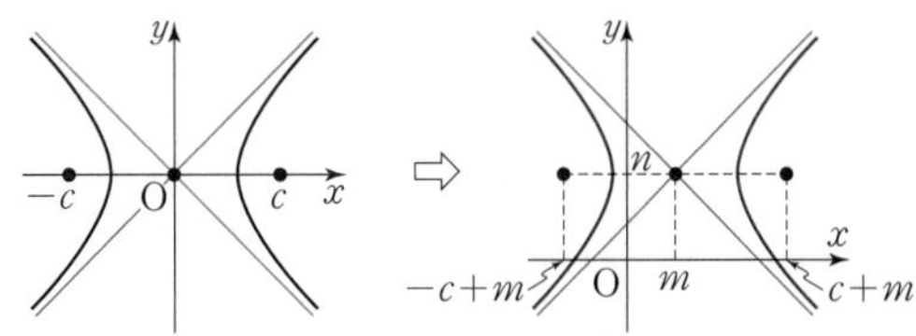

❶ 쌍곡선을 평행이동해도 모양은 변하지 않고 위치만 이동되므로 주축의 길이는 변하지 않는다.

❷ 쌍곡선 ㉡의 초점, 중심, 꼭짓점 및 점근선은 쌍곡선 ㉠의 초점, 중심, 꼭짓점 및 점근선을 각각 x축의 방향으로 m만큼, y축의 방향으로 n만큼 평행이동한 것이다.

▶쌍곡선 $\frac{x^2}{a^2}-\frac{y^2}{b^2}=-1$을 x축의 방향으로 m만큼, y축의 방향으로 n만큼 평행이동한 쌍곡선의 방정식은

$\frac{(x-m)^2}{a^2}-\frac{(y-n)^2}{b^2}=-1$

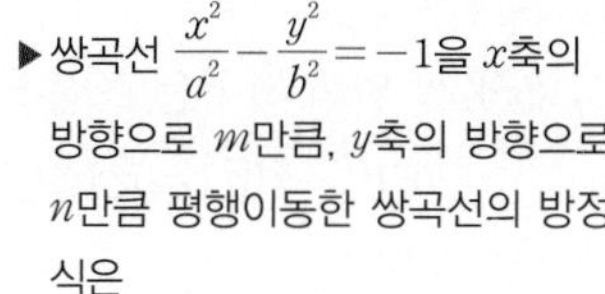

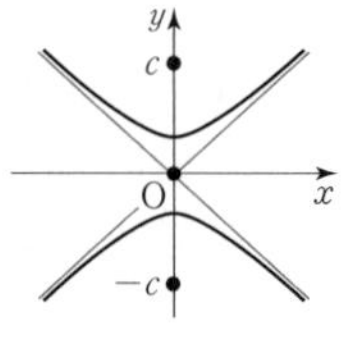

⇩

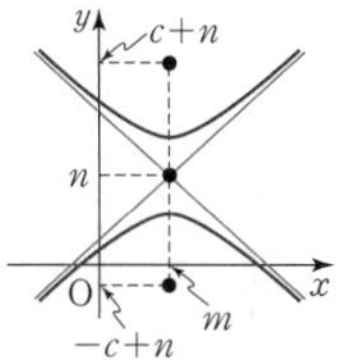

Q 그럼 평행이동한 쌍곡선 ㉡의 초점, 중심, 꼭짓점 및 점근선은 다음과 같이 되네요.

초점의 좌표 : $(c,\ 0),\ (-c,\ 0)$ ⇨ $(c+m,\ n),\ (-c+m,\ n)$

중심의 좌표 : $(0,\ 0)$ ⇨ $(m,\ n)$

꼭짓점의 좌표 : $(a,\ 0),\ (-a,\ 0)$ ⇨ $(a+m,\ n),\ (-a+m,\ n)$

점근선의 방정식 : $y=\pm\frac{b}{a}x$ ⇨ $y-n=\pm\frac{b}{a}(x-m)$

㉠ 쌍곡선 $\frac{x^2}{a^2}-\frac{y^2}{b^2}=1$의 초점, 중심, 꼭짓점을 각각 x축의 방향으로 m만큼, y축의 방향으로 n만큼 평행이동한다. 즉,

$(x,\ y) \longrightarrow (x+m,\ y+n)$

A 이렇게 평행이동한 쌍곡선의 방정식을 전개하여 정리하면 다음과 같이 쌍곡선의 방정식의 일반형을 얻을 수 있어.

쌍곡선의 방정식 $\frac{(x-m)^2}{a^2}-\frac{(y-n)^2}{b^2}=\pm1$의 양변에 a^2b^2을 곱하면

$b^2(x-m)^2-a^2(y-n)^2=\pm a^2b^2$

$b^2x^2-a^2y^2-2b^2mx+2a^2ny+b^2m^2-a^2n^2\mp a^2b^2=0$

여기서 $b^2=A,\ -a^2=B,\ -2b^2m=C,\ 2a^2n=D,\ b^2m^2-a^2n^2\mp a^2b^2=E$로 놓으면

$Ax^2+By^2+Cx+Dy+E=0$ (단, $AB<0$)

㉡ 쌍곡선의 방정식의 일반형은 $x,\ y$에 대한 이차식이면서 xy항이 없고, $x^2,\ y^2$의 계수의 부호가 다르다.

3 쌍곡선

해법 04 중심이 원점이 아닌 쌍곡선의 방정식

중심이 원점이 아닌 쌍곡선의 방정식은 다음 두 가지 방법으로 구한다.

❶ 쌍곡선의 정의 이용

쌍곡선 위의 점 P는 초점 F, F′으로부터의 거리의 차가 일정하므로

$|\overline{PF'}-\overline{PF}|=k$ (단, k는 양의 상수)

❷ 쌍곡선의 중심 이용

쌍곡선의 중심은 선분 FF′의 중점임을 이용한다.

PLUS ⊕

쌍곡선의 중심이 원점이 아닌 경우에는 쌍곡선의 방정식이 $\dfrac{(x-m)^2}{a^2}-\dfrac{(y-n)^2}{b^2}=\pm1$ 꼴이다.

예제 두 초점 F(8, 0), F′(0, 0)으로부터의 거리의 차가 6인 쌍곡선의 방정식을 구하시오.

해법 코드

조건을 만족시키는 점을 $P(x, y)$로 놓는다.

셀파 쌍곡선 위의 점 P는 초점 F, F′에 대하여 $|\overline{PF'}-\overline{PF}|=k$($k$는 양의 상수)이다.

풀이 쌍곡선 위의 점을 $P(x, y)$로 놓으면

$|\overline{PF'}-\overline{PF}|=6$이므로

$|\sqrt{x^2+y^2}-\sqrt{(x-8)^2+y^2}|=6$

$\sqrt{(x-8)^2+y^2}=\sqrt{x^2+y^2}\pm6$

이 식의 양변을 제곱하여 정리하면

$-4x+7=\pm3\sqrt{x^2+y^2}$

다시 양변을 제곱하여 정리하면 $7(x-4)^2-9y^2=63$

$\therefore \dfrac{(x-4)^2}{9}-\dfrac{y^2}{7}=1$

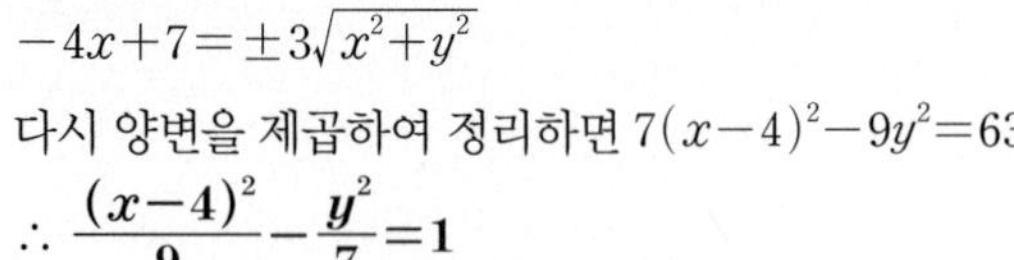

다른 풀이 ㉠초점을 이은 선분 FF′이 x축에 평행하고 ㉡쌍곡선의 중심은 $\overline{FF'}$의 중점이므로 구하는 쌍곡선의 방정식은

$\dfrac{(x-4)^2}{a^2}-\dfrac{y^2}{b^2}=1$ $(a>0, b>0)$

중심과 초점 사이의 거리가 c이므로 $c=4$

주축의 길이가 6이므로 $2a=6$ $\therefore a=3$

$b^2=c^2-a^2$에서 $b^2=16-9=7$

따라서 구하는 쌍곡선의 방정식은 $\dfrac{(x-4)^2}{9}-\dfrac{y^2}{7}=1$

㉠ 초점을 이은 선분이 x축에 평행하므로 $\dfrac{x^2}{a^2}-\dfrac{y^2}{b^2}=1$ 꼴이다.

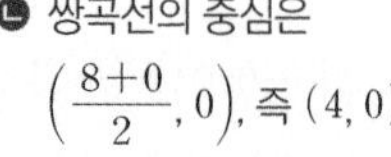

㉡ 쌍곡선의 중심은 $\left(\dfrac{8+0}{2}, 0\right)$, 즉 $(4, 0)$

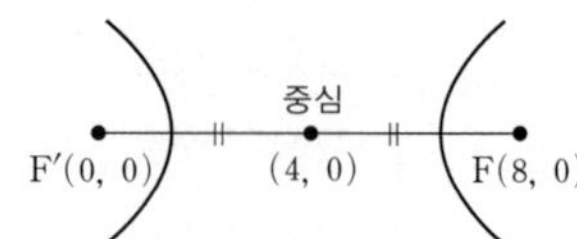

확인 문제

정답과 해설 | 27쪽

04-1 다음을 구하시오.

상 중 하

(1) 초점의 좌표가 F(−1, −1), F′(−1, 3)이고, 주축의 길이가 2인 쌍곡선의 방정식

(2) 두 초점 F(8, −1), F′(0, −1)로부터의 거리가 차가 4인 쌍곡선의 방정식

MY 셀파

04-1

(1) 쌍곡선 위의 점을 $P(x, y)$라 하면 $|\overline{PF'}-\overline{PF}|=2$

(2) 쌍곡선 위의 점을 $P(x, y)$라 하면 $|\overline{PF'}-\overline{PF}|=4$

해법 05 쌍곡선의 방정식의 일반형

일반형으로 주어진 쌍곡선의 초점, 중심, 꼭짓점의 좌표를 구할 때는 주어진 식을

$$\frac{(x-m)^2}{a^2}-\frac{(y-n)^2}{b^2}=\pm1$$

꼴로 고친 다음 쌍곡선 $\frac{x^2}{a^2}-\frac{y^2}{b^2}=\pm1$의 평행이동을 생각하면 된다.

이때 쌍곡선을 평행이동해도 주축의 길이는 변하지 않는다.

PLUS

❶ $\frac{x^2}{a^2}-\frac{y^2}{b^2}=1$ 꼴이면
⇨ 초점은 x축 위에 있다.

❷ $\frac{x^2}{a^2}-\frac{y^2}{b^2}=-1$ 꼴이면
⇨ 초점은 y축 위에 있다.

예제 쌍곡선 $4x^2-y^2-8x-2y-1=0$의 중심, 꼭짓점, 초점의 좌표를 구하시오.

해법 코드
주어진 쌍곡선의 방정식을
$\frac{(x-m)^2}{a^2}-\frac{(y-n)^2}{b^2}=\pm1$
꼴로 고친다.

셀파 쌍곡선의 방정식을 $\frac{(x-m)^2}{a^2}-\frac{(y-n)^2}{b^2}=\pm1$ 꼴로 고친다.

풀이 $4x^2-y^2-8x-2y-1=0$에서

$4(x-1)^2-(y+1)^2=4$

$\therefore (x-1)^2-\frac{(y+1)^2}{4}=1$

주어진 쌍곡선은 쌍곡선 $x^2-\frac{y^2}{4}=1$ ……㉠

을 x축의 방향으로 1만큼, y축의 방향으로 -1만큼 평행이동한 것이다.

이때 쌍곡선 ㉠의 중심의 좌표는 $(0, 0)$, 꼭짓점의 좌표는 $(1, 0)$, $(-1, 0)$,

ⓖ초점의 좌표는 $(\sqrt{5}, 0)$, $(-\sqrt{5}, 0)$이므로 주어진 쌍곡선의

중심의 좌표는 $(1, -1)$

꼭짓점의 좌표는 $(2, -1)$, $(0, -1)$

초점의 좌표는 $(1+\sqrt{5}, -1)$, $(1-\sqrt{5}, -1)$

ⓖ $\frac{x^2}{a^2}-\frac{y^2}{b^2}=1$ $(a>0, b>0)$ 꼴이므로 초점은 x축 위에 있고 꼭짓점은 $(a, 0)$, $(-a, 0)$이다.
초점의 좌표를 $F(c, 0)$, $F'(-c, 0)$ $(c>0)$이라 하면
$a=1$, $b=2$이므로
$c=\sqrt{a^2+b^2}=\sqrt{1+4}=\sqrt{5}$
$\therefore F(\sqrt{5}, 0)$, $F'(-\sqrt{5}, 0)$

확인 문제

정답과 해설 | 28쪽

05-1 (상 중 하) 쌍곡선 $x^2-8y^2-4x-48y-60=0$의 중심, 꼭짓점, 초점의 좌표를 구하시오.

05-2 (상 중 하) 쌍곡선 $12x^2-4y^2+24x+24y-72=0$의 두 초점 F, F′과 원점 O에 대하여 삼각형 OFF′의 넓이를 구하시오.

MY 셀파

05-1
주어진 쌍곡선의 방정식을
$\frac{(x-m)^2}{a^2}-\frac{(y-n)^2}{b^2}=\pm1$
꼴로 고친다.

05-2
주어진 쌍곡선의 두 초점 F, F′의 좌표를 구한다.

해법 06 실생활에서 쌍곡선의 활용

'쌍곡선을 회전시켜 만든 쌍곡면에서 한 초점을 향해 입사한 빛은 쌍곡면에 반사되어 다른 초점을 향하여 간다.'
쌍곡선의 이러한 성질은 먼 천체에서 오는 희미한 빛을 포착하는 천체 망원경이나 전파를 송수신하는 안테나를 만드는 데 이용된다.

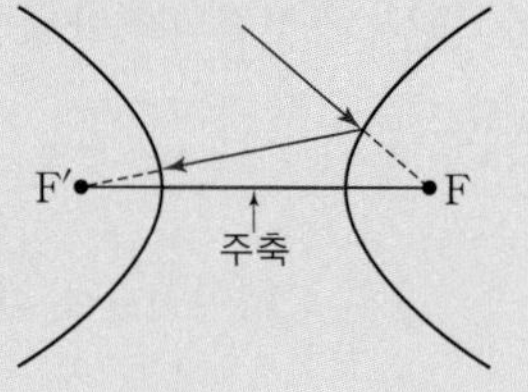

PLUS 쌍곡면은 쌍곡선의 주축을 축으로 하여 회전시킬 때 얻을 수 있는 곡면이다.

다음은 지원이가 카세그레인 안테나의 원리를 조사하여 정리한 내용이다. 이를 참고하여 다음 물음에 답하시오.

카세그레인 안테나의 원리
반사기가 2개인 카세그레인 안테나는 주반사기를 포물면으로, 부반사기를 쌍곡면으로 사용한다. 카세그레인 안테나에서 축에 평행하게 입사한 전파는 포물면인 주반사기에 반사되고, 다시 쌍곡면인 부반사기에 반사되어 쌍곡면의 다른 초점에 모인다.

▲카세그레인 안테나

어느 카세그레인 안테나의 부반사기의 단면이 쌍곡선 $\frac{x^2}{4}-\frac{y^2}{8}=1\ (x>0)$이다. 점 P를 향해 입사한 빛이 이 쌍곡선 위의 어느 점에서 반사되더라도 항상 점 Q를 향해갈 때, 두 점 P, Q의 좌표를 구하시오.

해법 코드
점 P, Q는 쌍곡선 $\frac{x^2}{4}-\frac{y^2}{8}=1$의 두 초점이다.

참고

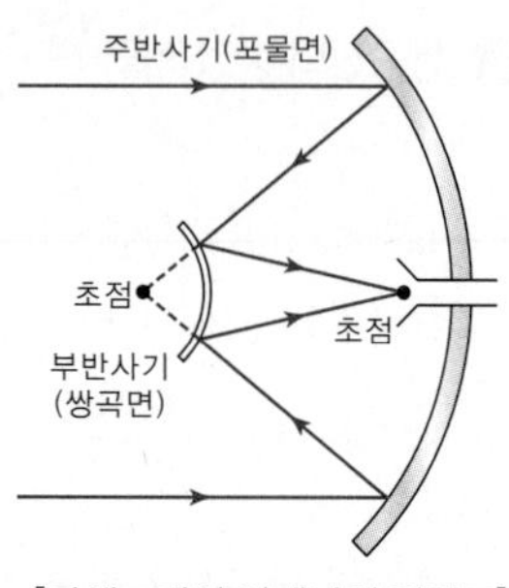

[카세그레인 안테나의 단면도]

셀파 쌍곡면의 한 초점을 향해 입사한 빛은 쌍곡면에 반사되어 다른 초점에 모인다.

풀이 점 P를 향해 입사한 빛이 쌍곡선 위의 점에서 반사되어 항상 점 Q를 향해 가려면 오른쪽 그림과 같이 두 점 P, Q가 쌍곡선의 초점이어야 한다.
❶ $\frac{x^2}{4}-\frac{y^2}{8}=1$에서 $c^2=4+8=12$이므로
$c=\pm 2\sqrt{3}$
$\therefore$ **P$(2\sqrt{3}, 0)$, Q$(-2\sqrt{3}, 0)$**

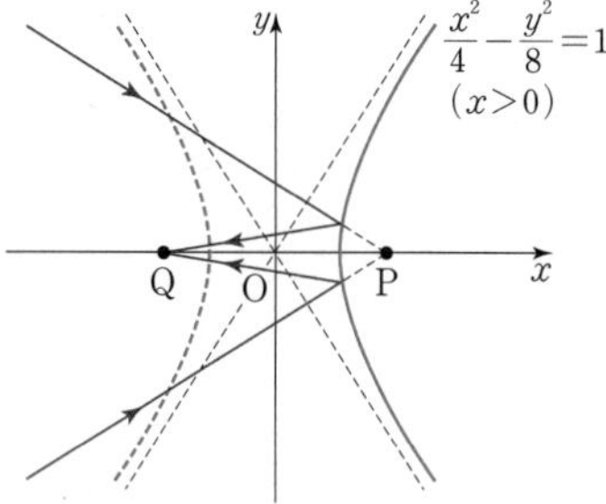

❶ 쌍곡선 $\frac{x^2}{4}-\frac{y^2}{8}=1$의 그래프는 좌우 대칭인 곡선이다. 그런데 문제에서 $x>0$이라고 하였으므로 부반사기의 단면은 쌍곡선에서 오른쪽 곡선 부분이다.
따라서 이 쌍곡선 위에서 반사되게 빛이 들어오려면 두 초점 중 오른쪽에 있는 점 $(2\sqrt{3}, 0)$이 점 P이다.

확인 문제

정답과 해설 | 28쪽

06-1 (상 중 하) 위 예제에서 카세그레인 안테나의 부반사기의 단면인 쌍곡선의 방정식이 $\frac{x^2}{8}-\frac{y^2}{8}=-1\ (y<0)$일 때, 선분 PQ의 길이를 구하시오.

MY 셀파

06-1
두 초점의 좌표를 구해 두 초점 사이의 거리 $\overline{PQ}$를 계산한다.

이차곡선 (원, 포물선, 타원, 쌍곡선)

A 지금까지 배운 도형 중 원, 포물선, 타원, 쌍곡선은 x, y에 대한 이차방정식 $Ax^2+By^2+Cx+Dy+E=0$으로 표현되는데, 이와 같은 식으로 표현되는 곡선을 이차곡선이라 해. 그러면 일반형으로 표현된 식 $Ax^2+By^2+Cx+Dy+E=0$이 어떤 도형을 나타내는지 쉽게 판단할 수는 없을까?

Q 각 항의 계수 A, B, C, D, E의 관계를 확인하거나 식 $Ax^2+By^2+Cx+Dy+E=0$을 완전제곱식을 포함한 식으로 고치면 돼요.

A 맞아. 다음과 같은 경우에 따라 이차곡선을 분류해 보자.

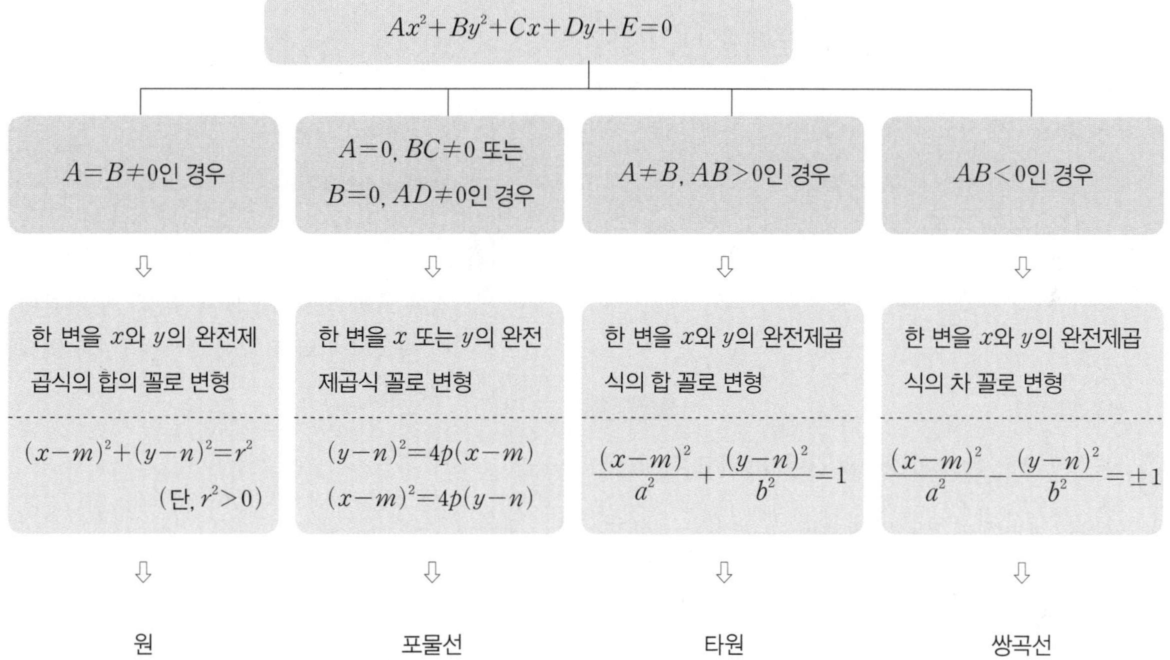

그런데 이차곡선인 원, 포물선, 타원, 쌍곡선을 원뿔을 평면으로 자를 때 생기는 단면의 둘레의 모양과 같아서 흔히 **원뿔곡선**이라고도 해. 이때 자른 평면의 기울기에 따라 다음과 같은 곡선을 얻을 수 있어.

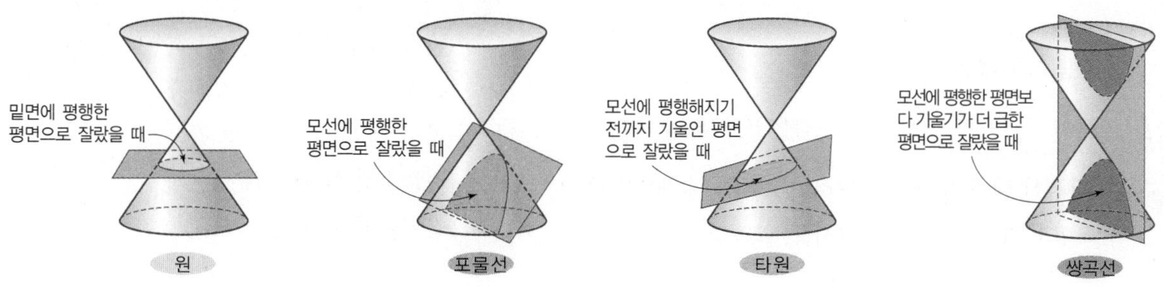

Q x, y에 대한 이차방정식의 그래프가 곡선이 아닌 경우도 있나요?

A 그 그래프가 도형이 안 되는 경우, 한 점이 되는 경우, 두 직선이 되는 경우처럼 곡선이 아닌 경우도 있어.

연습 문제 EXERCISE

쌍곡선의 정의

01 두 점 $(0, 4)$, $(0, -4)$로부터의 거리의 차가 4인 쌍곡선의 방정식을 구하시오.

상 중 하

쌍곡선의 정의

02 점 $\mathrm{P}(10, 7)$을 지나는 쌍곡선의 두 초점이 $\mathrm{F}(\sqrt{3}, 0)$, $\mathrm{F'}(-\sqrt{3}, 0)$이다. 이 쌍곡선이 점 $\mathrm{Q}(2, k)$를 지날 때, k의 값을 구하시오. (단, $k>0$)

상 중 하

쌍곡선의 정의 융합형

03 타원 $\dfrac{x^2}{a^2}+\dfrac{y^2}{b^2}=1$의 장축의 길이가 4이고, 두 초점 사이의 거리가 $2\sqrt{3}$일 때, 쌍곡선 $\dfrac{x^2}{a^2}-\dfrac{y^2}{b^2}=1$의 두 초점 사이의 거리를 구하시오. (단, $a>b>0$)

상 중 하

쌍곡선의 정의의 활용

04 쌍곡선 $\dfrac{x^2}{36}-\dfrac{y^2}{28}=1$의 두 초점을 F, F′이라 하자. 이 쌍곡선 위의 한 점 P에 대하여 $\angle\mathrm{FPF'}=90°$일 때, 삼각형 FPF′의 넓이를 구하시오.

상 중 하

쌍곡선의 정의의 활용

05 오른쪽 그림과 같이 두 초점 F, F′을 공유하는 타원과 쌍곡선이 서로 다른 네 점에서 만난다. 타원과 쌍곡선의 교점 중에서 제1사분면 위에 있는 점 P에 대하여 $\overline{\mathrm{PF'}}^2-\overline{\mathrm{PF}}^2$의 값을 구하시오.

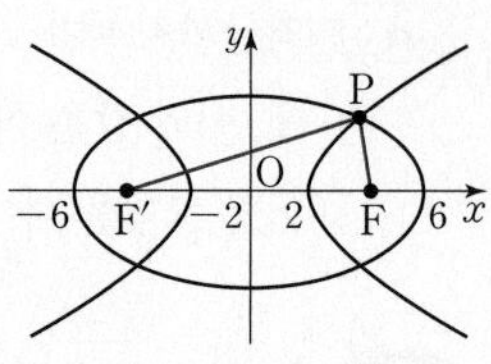

상 중 하

쌍곡선의 정의의 활용

06 쌍곡선 $\dfrac{x^2}{7}-\dfrac{y^2}{9}=-1$의 두 초점 중 y좌표가 음수인 점을 A라 하자. 점 $\mathrm{B}(4, 1)$과 제1사분면 위에 있는 이 쌍곡선 위의 점 P에 대하여 $\overline{\mathrm{PA}}+\overline{\mathrm{PB}}$의 최솟값을 구하시오.

상 중 하

쌍곡선의 정의의 활용

07 오른쪽 그림과 같이 쌍곡선 $\dfrac{x^2}{4}-\dfrac{y^2}{5}=1$의 두 초점 F, F′을 지름의 양 끝점으로 하는 원과 이 쌍곡선의 교점 중에서 제2사분면 위에 있는 점을 P라 할 때, 선분 PF의 길이를 구하시오.

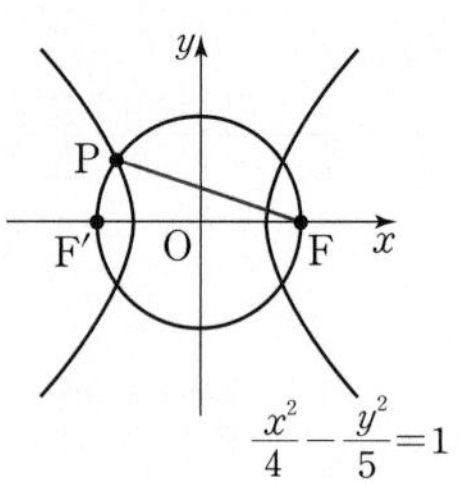

상 중 하

쌍곡선의 정의의 활용

08 오른쪽 그림과 같이 쌍곡선 $\frac{x^2}{16}-\frac{y^2}{9}=1$의 두 초점을 F, F′이라 하자. 제1사분면 위에 있는 쌍곡선 위의 점 P와 제2사분면 위에 있는 쌍곡선 위의 점 Q에 대하여 $\overline{PF'}-\overline{QF'}=3$일 때, $\overline{QF}-\overline{PF}$의 값을 구하시오.

상 중 하

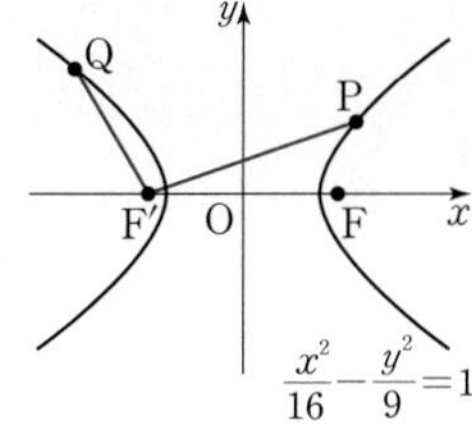

쌍곡선의 점근선 융합형

09 오른쪽 그림과 같이 두 초점 F, F′을 공유하는 타원과 쌍곡선이 있다. 타원의 방정식이 $\frac{x^2}{4}+y^2=1$이고, 쌍곡선의 한 점근선이 x축의 양의 방향과 이루는 각의 크기가 45°일 때, 쌍곡선의 주축의 길이를 구하시오.

상 중 하

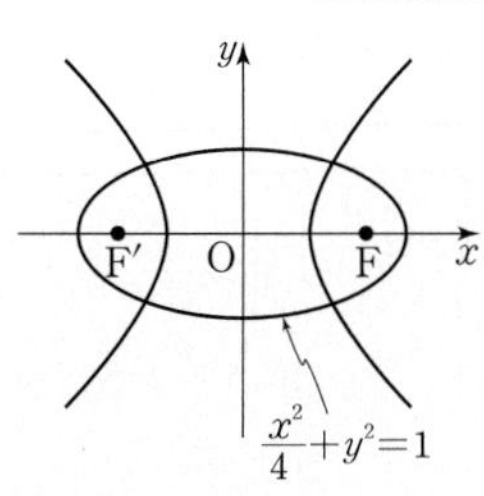

중심이 원점이 아닌 쌍곡선의 방정식

10 쌍곡선 $\frac{(x-3)^2}{16}-\frac{(y-a)^2}{9}=1$의 한 초점이 점 $(8, 8)$일 때, 다른 초점의 좌표를 구하시오.

상 중 하

쌍곡선의 방정식의 일반형 서술형

11 쌍곡선 $2x^2-3y^2-4x-12y+20=0$의 주축의 길이를 k라 하고 두 초점의 좌표를 각각 (a, b), (c, d)라 할 때, $ac+bd+k^2$의 값을 구하시오.

상 중 하

실생활에서 쌍곡선의 활용 창의·융합

12 다음 그림과 같이 해안선 위에 100 km 떨어진 두 기지 A, B가 있다. 이동하고 있는 어느 배에 두 기지 A, B에서 각각 전파를 보내어 전파가 도착하는 시간을 이용하여 계산하였더니 배에서 두 기지로부터의 거리의 차가 항상 80 km로 일정하였다. 두 기지 A, B를 지나는 직선을 x축, 두 기지 A, B의 중간 지점을 원점 O로 하는 좌표축을 그릴 때, 배의 이동 경로를 포함하는 곡선의 방정식을 구하시오.

상 중 하

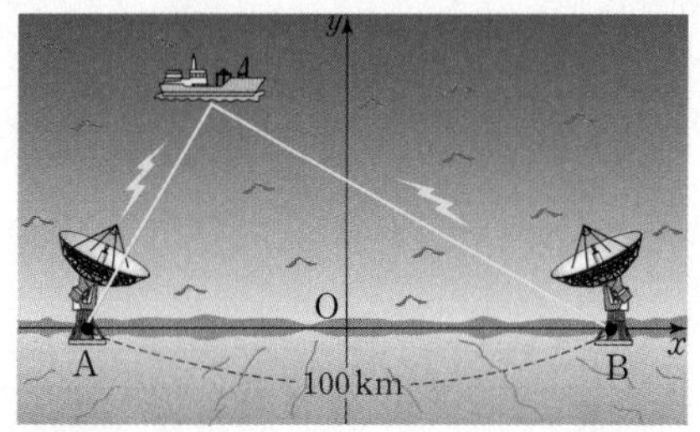

이차곡선

13 방정식 $x^2-y^2+2y+k=0$이 나타내는 도형이 x축에 평행한 주축을 가지는 쌍곡선일 때, 상수 k의 값의 범위를 구하시오.

상 중 하

이차곡선

14 다음 방정식이 나타내는 도형을 말하시오.

상 중 하

(1) $x^2-6x-3y+3=0$

(2) $3x^2+4y^2-36x+96=0$

3 쌍곡선

멋진 해변이 보이는 도로를 달립니다.

이 도로가 그 유명한 판별식 D 도로래.

4

이차곡선의 접선의 방정식

판별식 D도로의 실체를 알았습니다.

개념 1　이차곡선과 직선의 위치 관계
개념 2　기울기가 주어진 접선의 방정식
개념 3　접점이 주어진 접선의 방정식

4. 이차곡선의 접선의 방정식

개념 1 이차곡선과 직선의 위치 관계

이차곡선과 직선의 방정식에서 y를 소거하여 얻은 x의 방정식

$$Ax^2+Bx+C=0\ (A\neq 0) \qquad \cdots\cdots ㉠$$

에서 이차곡선과 직선의 교점의 개수는 이차방정식 ㉠의 서로 다른 실근의 개수와 같다.
따라서 이차곡선과 직선의 위치 관계는 이차방정식 ㉠의 판별식 D의 부호에 따라

❶ D [❶] $0 \Longleftrightarrow$ 서로 다른 두 점에서 만난다.
❷ $D=0 \Longleftrightarrow$ 한 점에서 만난다.(접한다.)
❸ $D<0 \Longleftrightarrow$ 만나지 않는다.

답 ❶ >

개념 플러스

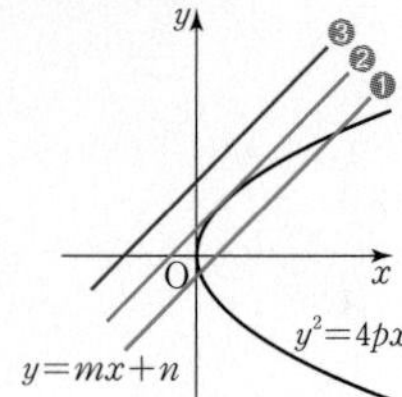

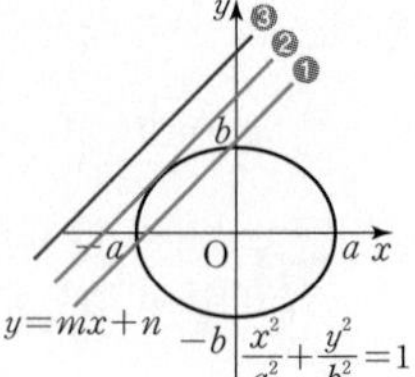

개념 2 기울기가 주어진 접선의 방정식

(1) 포물선 $y^2=4px$에 접하고 기울기가 m인 접선의 방정식

⇨ $y=$ [❶] $+\dfrac{p}{m}$ (단, $m\neq 0$)

(2) 타원 $\dfrac{x^2}{a^2}+\dfrac{y^2}{b^2}=1$에 접하고 기울기가 m인 접선의 방정식

⇨ $y=mx\pm\sqrt{a^2m^2+\boxed{❷\ }}$

(3) ㉠쌍곡선 $\dfrac{x^2}{a^2}-\dfrac{y^2}{b^2}=1$에 접하고 기울기가 m인 접선의 방정식

⇨ $y=mx\pm\sqrt{a^2m^2-b^2}$ (단, $a^2m^2-b^2>0$)

답 ❶ mx ❷ b^2

▶ 미적분에서 배운 음함수의 미분법을 이용하여 접선의 방정식을 구할 수도 있다.

보기 포물선 $y^2=8x$에 접하고 기울기가 3인 접선의 방정식을 구하시오.

연구 $y^2=8x=4\times 2\times x$에서 $p=2,\ m=3$ $\quad\therefore\ \boldsymbol{y=3x+\frac{2}{3}}$

㉠ 쌍곡선 $\dfrac{x^2}{a^2}-\dfrac{y^2}{b^2}=-1$에 접하고 기울기가 m인 접선의 방정식
⇨ $y=mx\pm\sqrt{b^2-a^2m^2}$
(단, $b^2-a^2m^2>0$)

개념 3 접점이 주어진 접선의 방정식

(1) ❶ 포물선 $y^2=4px$ 위의 점 (x_1, y_1)에서의 접선의 방정식 ⇨ $y_1y=$ [❶] $(x+x_1)$
❷ 포물선 $x^2=4py$ 위의 점 (x_1, y_1)에서의 접선의 방정식 ⇨ $x_1x=2p(y+y_1)$

(2) 타원 $\dfrac{x^2}{a^2}+\dfrac{y^2}{b^2}=1$ 위의 점(x_1, y_1)에서의 접선의 방정식 ⇨ $\dfrac{\boxed{❷\ }\,x}{a^2}+\dfrac{y_1y}{b^2}=1$

(3) ❶ 쌍곡선 $\dfrac{x^2}{a^2}-\dfrac{y^2}{b^2}=1$ 위의 점 (x_1, y_1)에서의 접선의 방정식 ⇨ $\dfrac{x_1x}{a^2}-\dfrac{y_1y}{b^2}=1$

❷ 쌍곡선 $\dfrac{x^2}{a^2}-\dfrac{y^2}{b^2}=-1$ 위의 점 (x_1, y_1)에서의 접선의 방정식 ⇨ $\dfrac{x_1x}{a^2}-\dfrac{y_1y}{b^2}=-1$

답 ❶ $2p$ ❷ x_1

▶ 이차곡선 위의 한 점 (x_1, y_1)에서의 접선의 방정식은 주어진 이차곡선의 식에서
x^2 대신 x_1x, y^2 대신 y_1y,
x 대신 $\dfrac{x+x_1}{2}$, y 대신 $\dfrac{y+y_1}{2}$
을 대입한 결과와 같다.

1-1 | 이차곡선과 직선의 위치 관계 |

포물선 $y^2=4x$와 직선 $y=-x+k$의 위치 관계를 실수 k의 값의 범위에 따라 조사하시오.

연구

$y=-x+k$를 $y^2=4x$에 대입하면

$(-x+k)^2=4x$

$x^2-2(k+2)x+k^2=0$

이 이차방정식의 판별식을 D라 하면

$\frac{D}{4}=\{-(k+2)\}^2-k^2=4k+$ ☐

판별식의 값의 부호에 따라 위치 관계를 조사하면

(i) $D>0$, 즉 $\boldsymbol{k>-1}$**일 때 서로 다른 두 점에서 만난다.**

(ii) $D=0$, 즉 $\boldsymbol{k=-1}$**일 때** ☐ **점에서 만난다.(접한다.)**

(iii) $D<0$, 즉 $\boldsymbol{k<-1}$**일 때 만나지 않는다.**

1-2 | 따라풀기 |

다음 이차곡선과 직선 $y=x+k$의 위치 관계를 실수 k의 값의 범위에 따라 조사하시오.

(1) $x^2+2y^2=2$ (2) $x^2-2y^2=4$

풀이

2-1 | 접점이 주어진 접선의 방정식 |

다음 접선의 방정식을 구하시오.

(1) 포물선 $x^2=4y$ 위의 점 $(-2, 1)$에서의 접선

(2) 타원 $\frac{x^2}{8}+\frac{y^2}{2}=1$ 위의 점 $(2, 1)$에서의 접선

연구

(1) $x^2=4y=4\times1\times y$에서 $p=1$

$x_1=-2$, $y_1=1$이므로 주어진 점에서의 접선의 방정식은

$(-2)\times x=2\times$ ☐ $\times(y+1)$, 즉 $\boldsymbol{y=-x-1}$

(2) $x_1=2$, $y_1=1$이므로 주어진 점에서의 접선의 방정식은

$\frac{☐\times x}{8}+\frac{1\times y}{2}=1$, 즉 $\boldsymbol{y=-\frac{1}{2}x+}$ ☐

2-2 | 따라풀기 |

다음 접선의 방정식을 구하시오.

(1) 포물선 $y^2=2x$ 위의 점 $(2, 2)$에서의 접선

(2) 쌍곡선 $\frac{x^2}{3}-\frac{y^2}{2}=1$ 위의 점 $(3, -2)$에서의 접선

풀이

해법 01 포물선과 직선의 위치 관계

포물선의 방정식과 직선의 방정식에서 한 문자를 소거하여 얻은 이차방정식의 판별식을 D라 할 때, 포물선과 직선의 위치 관계는 다음과 같다.

❶ $D>0 \Longleftrightarrow$ 서로 다른 두 점에서 만난다.

❷ $D=0 \Longleftrightarrow$ 한 점에서 만난다.(접한다.)

❸ $D<0 \Longleftrightarrow$ 만나지 않는다.

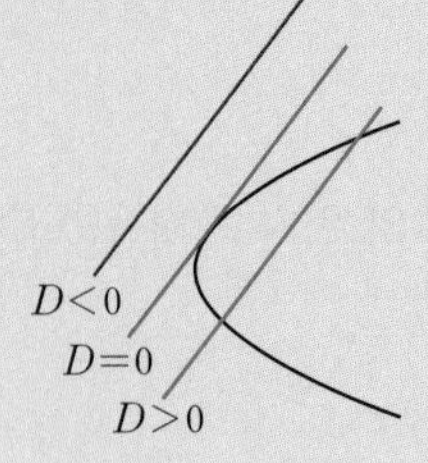

PLUS ⊕

포물선과 직선의 교점의 개수는 두 도형의 방정식을 연립하여 얻은 이차방정식의 실근의 개수와 같다.

❶ $D>0 \Longleftrightarrow$ 서로 다른 두 실근

❷ $D=0 \Longleftrightarrow$ 중근

❸ $D<0 \Longleftrightarrow$ 서로 다른 두 허근

예제 **1.** 포물선 $y^2=-2x$와 직선 $y=x+k$가 서로 다른 두 점에서 만나도록 하는 실수 k의 값의 범위를 구하시오.

2. 포물선 $y^2=16x$와 직선 $y=2x+k$가 만나지 않도록 하는 실수 k의 값의 범위를 구하시오.

해법 코드

1. $y=x+k$를 $y^2=-2x$에 대입한다.
2. $y=2x+k$를 $y^2=16x$에 대입한다.

셀파 포물선의 방정식과 직선의 방정식을 연립하여 얻은 이차방정식의 판별식을 이용한다.

풀이 **1.** $y=x+k$를 $y^2=-2x$에 대입하면

$(x+k)^2=-2x,\ x^2+2kx+k^2=-2x$

$\therefore\ x^2+2(k+1)x+k^2=0$

이 이차방정식의 ㉠판별식을 D라 하면

$\dfrac{D}{4}=(k+1)^2-k^2>0$에서 $2k+1>0$ $\quad\therefore\ \boldsymbol{k>-\dfrac{1}{2}}$

2. $y=2x+k$를 $y^2=16x$에 대입하면

$(2x+k)^2=16x,\ 4x^2+4kx+k^2=16x$

$\therefore\ 4x^2+2(2k-8)x+k^2=0$

이 이차방정식의 ㉡판별식을 D라 하면

$\dfrac{D}{4}=(2k-8)^2-4k^2<0,\ -32k+64<0$ $\quad\therefore\ \boldsymbol{k>2}$

㉠ 포물선과 직선이 서로 다른 두 점에서 만나려면 $D>0$이어야 한다.

㉡ 포물선과 직선이 만나지 않으려면 $D<0$이어야 한다.

확인 문제

정답과 해설 | 32쪽

01-1 (상 중 하) 포물선 $x^2=-4y$와 직선 $y=kx+2$가 만나지 않도록 하는 상수 k의 값의 범위를 구하시오.

01-2 (상 중 하) 직선 $y=2x$를 y축의 방향으로 k만큼 평행이동하면 포물선 $y^2=6(x+2)$와 한 점에서 만날 때, 실수 k의 값을 구하시오.

MY 셀파

01-1
$y=kx+2$를 $x^2=-4y$에 대입하여 얻은 이차방정식의 판별식을 D라 하면 $D<0$이어야 한다.

01-2
직선 $y=2x$를 y축의 방향으로 k만큼 평행이동한 직선의 방정식은 $y=2x+k$이다.

셀파 특강 01 기울기가 주어진 포물선의 접선의 방정식

포물선 $y^2=4px$에 접하고 기울기가 $m(m\neq0)$인 접선의 방정식을 구하여 보자.

구하는 접선의 방정식을 $y=mx+n$으로 놓고, 이것을 포물선의 방정식 $y^2=4px$에 대입하면

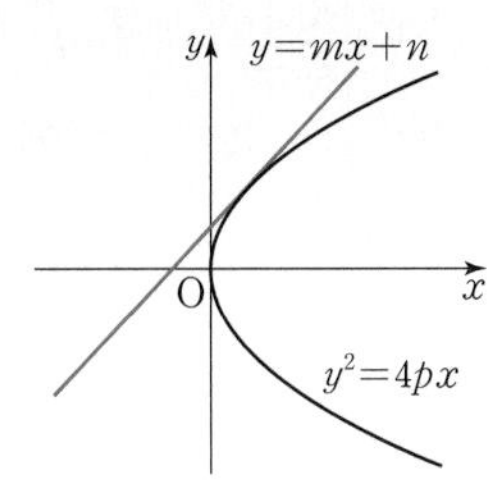

$(mx+n)^2=4px$

$\therefore m^2x^2+2(mn-2p)x+n^2=0$

이 이차방정식의 판별식을 D라 하면

$\frac{D}{4}=(mn-2p)^2-m^2n^2=0,\ -4mnp+4p^2=0$

$4p(p-mn)=0,\ p=mn\ (\because p\neq0)\qquad \therefore n=\frac{p}{m}$

따라서 구하는 접선의 방정식은

$y=mx+\frac{p}{m}$

같은 방법으로 ❶포물선 $x^2=4py$에 접하고 기울기가 m인 접선의 방정식은 $y=mx-m^2p$

❶ 접선의 방정식을 $y=mx+n$으로 놓고, 이것을 포물선의 방정식 $x^2=4py$에 대입하면

$x^2=4p(mx+n)$

$\therefore x^2-4mpx-4np=0$

이 이차방정식의 판별식을 D라 하면

$\frac{D}{4}=(-2mp)^2+4np=0$

$4m^2p^2+4np=0$

$4p(n+m^2p)=0$

$\therefore n=-m^2p\ (\because p\neq0)$

따라서 구하는 접선의 방정식은

$y=mx-m^2p$

다음 접선의 방정식을 구하시오.

(1) 포물선 $y^2=4x$에 접하고 기울기가 2인 접선

(2) 포물선 $x^2=8y$에 접하고 기울기가 3인 접선

풀이 (1) $y^2=4x$에서 $p=1$이고, $m=2$이므로 공식 $y=mx+\frac{p}{m}$에 대입하면

구하는 접선의 방정식은 $\boldsymbol{y=2x+\frac{1}{2}}$

(2) $x^2=8y$에서 $p=2$이고, $m=3$이므로 공식 $y=mx-m^2p$에 대입하면

구하는 접선의 방정식은 $\boldsymbol{y=3x-18}$

다른 풀이

(1) 접선의 방정식을 $y=2x+n$으로 놓고, 이것을 포물선의 방정식 $y^2=4x$에 대입하면

$(2x+n)^2=4x$

$\therefore 4x^2+4(n-1)x+n^2=0$

이 이차방정식의 판별식을 D라 하면

$\frac{D}{4}=4(n-1)^2-4n^2=0$

$-8n+4=0\qquad \therefore n=\frac{1}{2}$

따라서 구하는 접선의 방정식은

$y=2x+\frac{1}{2}$

확인 체크 01

정답과 해설 | 33쪽

다음 접선의 방정식을 구하시오.

(1) 포물선 $y^2=-2x$에 접하고 기울기가 $\frac{1}{2}$인 접선

(2) 포물선 $x^2=6y$에 접하고 직선 $3x+2y-4=0$에 평행한 접선

▶ 포물선 $(y-b)^2=4p(x-a)$에 접하고 기울기가 m인 직선의 방정식을 구할 때는 포물선 $y^2=4px$에 접하고 기울기가 m인 접선의 방정식을 구한 다음 이 직선을 x축의 방향으로 a만큼, y축의 방향으로 b만큼 평행이동한다.

해법 02 기울기가 주어진 포물선의 접선의 방정식

포물선 $y^2=4px$에 접하고 기울기가 m인 접선의 방정식

⇨ $y=mx+\frac{p}{m}$ (단, $m\neq0$)

PLUS ⊕

포물선 $x^2=4py$에 접하고 기울기가 $m(m\neq0)$인 접선의 방정식

⇨ $y=mx-m^2p$

1. 포물선 $y^2=-12x$에 접하고 직선 $x-2y-2=0$에 수직인 접선의 방정식을 구하시오.

2. 포물선 $y^2=x$ 위의 점과 직선 $2x-2y+1=0$ 사이의 거리의 최솟값을 구하시오.

해법 코드

2. 포물선 $y^2=x$에 접하고 기울기가 1인 접선의 방정식을 먼저 구한다.

셀파 포물선 $y^2=4px$에 접하고 기울기가 $m(m\neq0)$인 접선의 방정식은 $y=mx+\frac{p}{m}$

풀이 1. $y^2=-12x=4\times(-3)\times x$에서 $p=-3$

직선 $x-2y-2=0$, 즉 $y=\frac{1}{2}x-1$에 수직인 직선의 기울기는 -2이므로

구하는 접선의 방정식은 $y=-2x+\frac{-3}{-2}$ $\qquad\therefore$ $\boldsymbol{y=-2x+\frac{3}{2}}$

2. 직선 $2x-2y+1=0$, 즉 $y=x+\frac{1}{2}$과 평행한 직선의 기울기는 1이므로 포물선 $y^2=x$에 접하고 기울기가 1인 접선의 방정식은

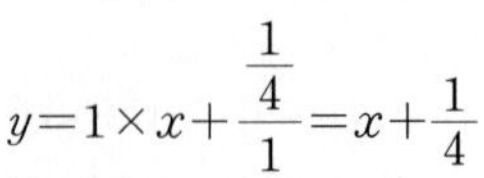

$y=1\times x+\frac{\frac{1}{4}}{1}=x+\frac{1}{4}$

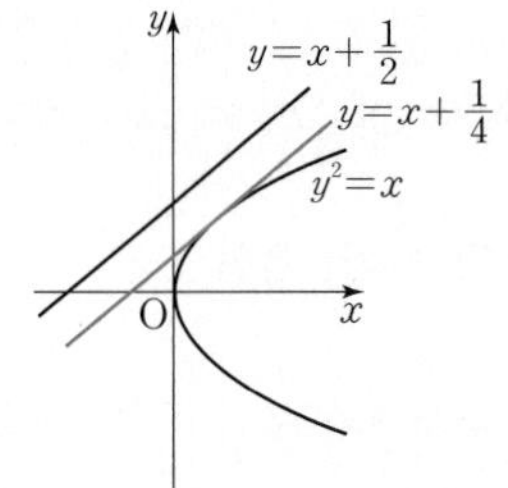

이때 ㉠구하는 최솟값은 직선 $y=x+\frac{1}{4}$ 위의 점 $\left(0, \frac{1}{4}\right)$과 직선 $2x-2y+1=0$ 사이의 거리와 같으므로

$$\frac{\left|0-\frac{1}{2}+1\right|}{\sqrt{4+4}}=\frac{\frac{1}{2}}{\sqrt{8}}=\frac{1}{4\sqrt{2}}=\frac{\sqrt{2}}{8}$$

㉠ 기울기가 1인 직선 $y=x+\frac{1}{2}$과 포물선 $y^2=x$ 사이의 최단 거리는 기울기가 1인 포물선의 접선 $y=x+\frac{1}{4}$과 직선 $y=x+\frac{1}{2}$ 사이의 거리와 같다.

참고

점 (x_1, y_1)과 직선 $ax+by+c=0$ 사이의 거리는 $\frac{|ax_1+by_1+c|}{\sqrt{a^2+b^2}}$

확인 문제

정답과 해설 | 33쪽

02-1 (상**중**하) 포물선 $x^2=20y$에 접하고 x축의 양의 방향과 이루는 각의 크기가 $60°$인 접선의 방정식을 구하시오.

02-2 (상**중**하) 포물선 $y^2=4x$ 위의 점 P와 두 점 $\mathrm{A}(-1, 3)$, $\mathrm{B}(-4, 0)$에 대하여 삼각형 ABP의 넓이의 최솟값을 구하시오.

MY 셀파

02-1

기울기가 $\tan 60°$인 접선의 방정식을 구한다.

02-2

선분 AB의 길이는 고정되어 있으므로 삼각형 ABP의 넓이가 최소일 때는 점 P와 선분 AB 사이의 거리가 최소일 때이다.

셀파 특강 02 접점의 좌표가 주어진 포물선의 접선의 방정식

A 포물선 $y^2=4px$ 위의 점 $\mathrm{P}(x_1, y_1)$에서의 접선의 방정식을 구하여 보자.

Q 먼저 접선의 기울기를 m이라 할 때, 접선의 방정식을 두 가지 방법으로 구할 수 있어요.

$x_1\neq0$일 때, 점 $\mathrm{P}(x_1, y_1)$을 지나고 기울기가 m인 접선의 방정식은

$y-y_1=m(x-x_1)$

$\therefore y=mx-mx_1+y_1$ ……㉠

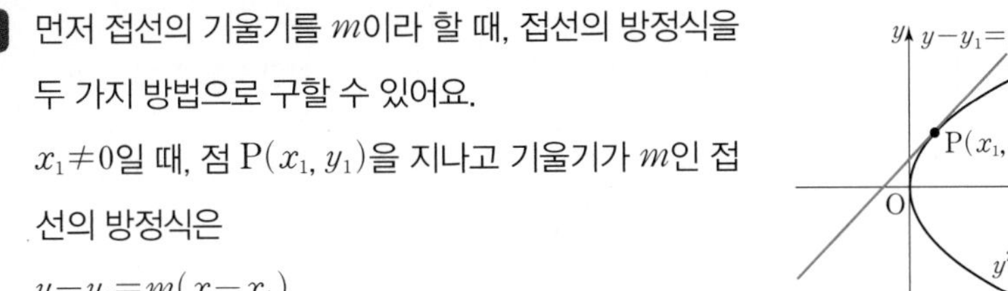

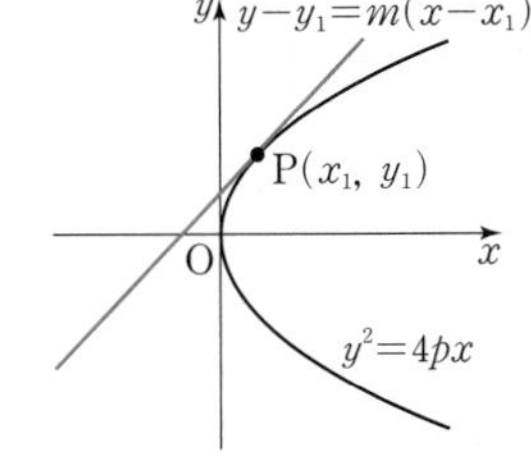

또 포물선 $y^2=4px$에 접하고 기울기가 m인 접선의 방정식은

$y=mx+\dfrac{p}{m}$ ……㉡

A ㉠, ㉡을 이용하여 m의 값을 구할 수 있겠지?

Q 네! ㉠과 ㉡은 같은 직선이므로 $-mx_1+y_1=\dfrac{p}{m}$에서

$x_1m^2-y_1m+p=0$ $\therefore m=\dfrac{y_1\pm\sqrt{y_1^2-4px_1}}{2x_1}$ (단, $x_1\neq0$)

❶ $y_1^2=4px_1$이므로 $m=\dfrac{y_1}{2x_1}=\dfrac{2p}{y_1}$

이것을 ㉡에 대입하면 $y=\dfrac{2p}{y_1}x+p\times\dfrac{y_1}{2p}$, $y_1y=2px+\dfrac{1}{2}y_1^2$

$y_1^2=4px_1$이므로 $y_1y=2px+2px_1=2p(x+x_1)$

또 이 식은 ❷ $x_1=0$일 때도 성립해요. 따라서 구하는 접선의 방정식은

$y_1y=2p(x+x_1)$

A 미적분에서 배운 ❸ 음함수의 미분법을 이용하여 구할 수도 있어.

점 $\mathrm{P}(x_1, y_1)$을 지나고 기울기가 m인 접선의 방정식은

$y-y_1=m(x-x_1)$ $\therefore y=mx-mx_1+y_1$ ……㉠

방정식 $y^2=4px$의 양변을 x에 대하여 미분하면

$2y\dfrac{dy}{dx}=4p$ $\therefore \dfrac{dy}{dx}=\dfrac{2p}{y}$ (단, $y\neq0$)

즉, $y_1\neq0$일 때 $m=\dfrac{2p}{y_1}$이므로 이 값을 ㉠에 대입하면 $y=\dfrac{2p}{y_1}x-\dfrac{2p}{y_1}x_1+y_1$

❹ $y_1y=2px-2px_1+y_1^2$ $\therefore y_1y=2px+2px_1=2p(x+x_1)$

또 이 식은 $y_1=0$일 때도 성립하므로 구하는 접선의 방정식은 $y_1y=2p(x+x_1)$

❶ 점 $\mathrm{P}(x_1, y_1)$은 포물선 $y^2=4px$ 위의 점이므로 $y_1^2=4px_1$이다.

❷ $x_1=0$일 때, 즉 점 $\mathrm{P}(0, 0)$에서의 접선의 방정식은 $x=0$이고, 이 식은 $y_1y=2p(x+x_1)$을 만족시킨다.

❸ 음함수의 미분법
x의 함수 y가 음함수 $f(x, y)=0$ 꼴로 주어졌을 때, 각 항의 y를 x의 함수로 보고 양변을 x에 대하여 미분하여 $\dfrac{dy}{dx}$를 구한다.

▶ 곡선이 음함수 $f(x, y)=0$ 꼴로 주어질 때, 곡선 위의 점 (x_1, y_1)에서의 접선의 방정식을 구하는 방법은 다음과 같다.

1. $f(x, y)=0$을 x에 대하여 미분하여 $\dfrac{dy}{dx}$를 구한다.
2. 1에서 구한 $\dfrac{dy}{dx}$에 $x=x_1$, $y=y_1$을 대입하여 접선의 기울기 m의 값을 구한다.
3. $y-y_1=m(x-x_1)$에 x_1, y_1 및 m의 값을 대입하여 접선의 방정식을 구한다.

❹ 점 $\mathrm{P}(x_1, y_1)$은 포물선 $y^2=4px$ 위의 점이므로 $y_1^2=4px_1$에서

$y_1y=2px-2px_1+y_1^2$
$=2px-2px_1+4px_1$
$=2px+2px_1$
$\therefore y_1y=2p(x+x_1)$

해법 03 접점의 좌표가 주어진 포물선의 접선의 방정식

❶ 포물선 $y^2=4px$ 위의 점 (x_1, y_1)에서의 접선의 방정식
⇨ $y_1y=2p(x+x_1)$

❷ 포물선 $x^2=4py$ 위의 점 (x_1, y_1)에서의 접선의 방정식
⇨ $x_1x=2p(y+y_1)$

PLUS ⊕
접선의 방정식은 주어진 식에 x^2 대신 x_1x, y^2 대신 y_1y, x 대신 $\frac{x+x_1}{2}$, y 대신 $\frac{y+y_1}{2}$을 대입한 결과와 같다.

예제 **1.** 포물선 $y^2=8x$ 위의 점 $(2, 4)$에서의 접선과 수직이고, 이 포물선의 초점을 지나는 직선의 방정식을 구하시오.

2. 포물선 $y^2=-4x$ 위의 점 $(-4, 4)$에서의 접선과 x축 및 이 포물선의 준선으로 둘러싸인 도형의 넓이를 구하시오.

해법 코드
1. $y^2=8x=4\times2\times x$에서 포물선의 초점의 좌표는 $(2, 0)$
2. $y^2=-4x=4\times(-1)\times x$에서 포물선의 준선의 방정식은 $x=1$

셀파 포물선 $\boldsymbol{y^2=4px}$ 위의 점 $\boldsymbol{(x_1, y_1)}$에서의 접선의 방정식 ⇨ $\boldsymbol{y_1y=2p(x+x_1)}$

풀이 **1.** ㉠포물선 $y^2=8x$ 위의 점 $(2, 4)$에서의 접선의 방정식은
$4y=4(x+2)$ $\therefore y=x+2$
이 접선과 수직인 직선은 기울기가 -1이고, 포물선 $y^2=8x$의 초점은 $(2, 0)$이므로 구하는 직선의 방정식은
$y-0=-(x-2)$ $\therefore \boldsymbol{y=-x+2}$

㉠ $y_1y=2p(x+x_1)$에 $p=2$, $x_1=2$, $y_1=4$를 대입하면
$4y=2\times2(x+2)$
$\therefore y=x+2$

2. ㉡포물선 $y^2=-4x$ 위의 점 $(-4, 4)$에서의 접선의 방정식은
$4y=-2\times(x-4)$
$\therefore y=-\frac{1}{2}x+2$
이 직선이 x축, 준선 $x=1$과 만나는 점의 좌표는 각각 $(4, 0)$, $\left(1, \frac{3}{2}\right)$이므로 구하는 도형의 넓이는
$\frac{1}{2}\times3\times\frac{3}{2}=\boldsymbol{\frac{9}{4}}$

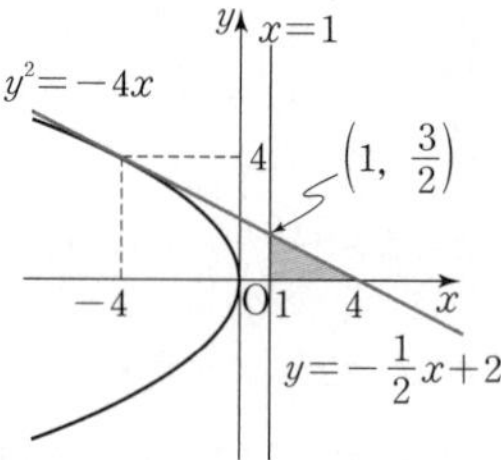

㉡ $y_1y=2p(x+x_1)$에 $p=-1$, $x_1=-4$, $y_1=4$를 대입하면
$4y=2\times(-1)\times(x-4)$
$\therefore y=-\frac{1}{2}x+2$

확인 문제

정답과 해설 | 34쪽

03-1 (상 중 하) 포물선 $x^2=-8y$ 위의 점 $(-4, -2)$에서의 접선이 x축의 양의 방향과 이루는 각의 크기를 구하시오.

03-2 (상 중 하) 포물선 $x^2=8y$ 위의 점 $\mathrm{P}(8, 8)$에서의 접선이 y축과 만나는 점을 Q라 할 때, 이 포물선의 초점 F에 대하여 삼각형 PFQ의 넓이를 구하시오.

MY 셀파

03-1
접선이 x축의 양의 방향과 이루는 각의 크기가 θ일 때
(접선의 기울기)$=\tan\theta$이다.

03-2
포물선 위의 점에서의 접선의 y절편을 이용하여 점 Q의 좌표를 구한다.

해법 04 포물선 밖의 한 점에서 포물선에 그은 접선의 방정식

포물선 밖의 한 점에서 포물선에 그은 접선의 방정식은 다음 중 하나를 이용하여 구한다.

❶ 접점의 좌표를 (x_1, y_1)로 놓고, 접점의 좌표가 주어질 때의 공식을 이용

❷ 기울기를 m이라 하고, 기울기가 주어질 때의 공식을 이용

❸ 구하는 접선의 방정식을 $y=mx+n$으로 놓고, 판별식을 이용

PLUS ⊕

포물선 밖의 한 점에서 포물선에 그은 접선은 일반적으로 2개이다. 포물선의 꼭짓점이 원점이 아닐 때는 ❸의 방법을 이용한다.

예제 점 $(0, -3)$에서 포물선 $x^2=3y$에 그은 접선의 방정식을 구하시오.

해법 코드

포물선의 두 접선은 점 $(0, -3)$을 지난다.

셀파 접점의 좌표를 (x_1, y_1)로 놓고 접선의 방정식을 구한다.

풀이 접점의 좌표를 (x_1, y_1)이라 하면 접선의 방정식은

$x_1x=2\times\frac{3}{4}(y+y_1)$, 즉 $x_1x=\frac{3}{2}(y+y_1)$ ……㉠

이 접선이 점 $(0, -3)$을 지나므로

$0=\frac{3}{2}(-3+y_1)$ $\therefore y_1=3$

또 점 (x_1, y_1)은 포물선 $x^2=3y$ 위의 점이므로

${x_1}^2=3y_1$ ……㉡

$y_1=3$을 ㉡에 대입하면 ${x_1}^2=9$ $\therefore x_1=\pm3$

$\therefore x_1=3, y_1=3$ 또는 $x_1=-3, y_1=3$

이것을 ㉠에 대입하면 구하는 접선의 방정식은

$\boldsymbol{y=2x-3}$ **또는** $\boldsymbol{y=-2x-3}$

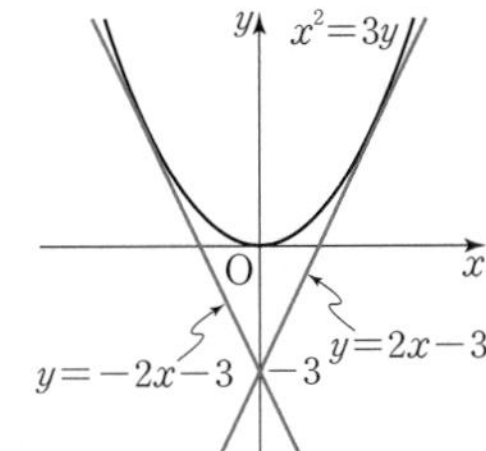

다른 풀이 접선의 기울기를 m이라 하면 ❶접선의 방정식은 $y=mx-\frac{3}{4}m^2$ ……㉠

접선 ㉠이 점 $(0, -3)$을 지나므로 $-3=-\frac{3}{4}m^2$, $m^2=4$ $\therefore m=\pm2$

이것을 ㉠에 대입하면 구하는 접선의 방정식은

$y=2x-3$ 또는 $y=-2x-3$

❶ $x^2=3y=4\times\frac{3}{4}\times y$에서 $p=\frac{3}{4}$을 $y=mx-m^2p$에 대입하면 $y=mx-\frac{3}{4}m^2$

다른 풀이

접선의 방정식을 $y=mx-3$으로 놓고 포물선의 방정식에 대입하면

$x^2=3(mx-3)$, $x^2-3mx+9=0$

이 이차방정식의 판별식을 D라 하면

$D=(-3m)^2-4\times9=0$

$m^2=4$ $\therefore m=\pm2$

따라서 구하는 접선의 방정식은

$y=2x-3$ 또는 $y=-2x-3$

확인 문제

정답과 해설 | 34쪽

04-1 (상 중 하) 점 $(-1, 2)$에서 포물선 $y^2=12x$에 그은 접선의 방정식을 구하시오.

04-2 (상 중 하) 점 $(k, 8)$에서 포물선 $y^2=8x$에 그은 두 접선이 서로 수직일 때, k의 값을 구하시오.

MY 셀파

04-1

접점 (x_1, y_1)에서의 접선의 방정식을 구한다.

04-2

두 접선의 기울기를 각각 m_1, m_2라 하면 두 접선이 서로 수직이므로 $m_1m_2=-1$이다.

4 이차곡선의 접선의 방정식

해법 05 타원과 직선의 위치 관계

타원의 방정식과 직선의 방정식에서 한 문자를 소거하여 얻은 이차방정식의 판별식을 D라 할 때, 타원과 직선의 위치 관계는 다음과 같다.

❶ $D>0 \Longleftrightarrow$ 서로 다른 두 점에서 만난다.

❷ $D=0 \Longleftrightarrow$ 한 점에서 만난다.(접한다.)

❸ $D<0 \Longleftrightarrow$ 만나지 않는다.

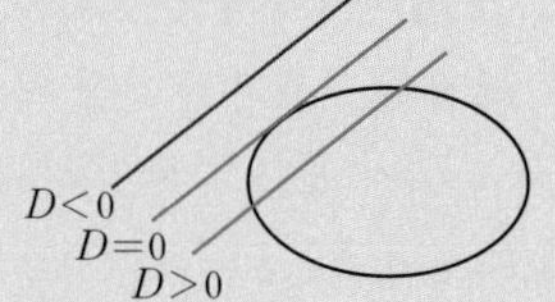

PLUS ⊕

타원과 직선의 교점의 개수는 두 도형의 방정식을 연립하여 얻은 이차방정식의 실근의 개수와 같으므로 이차방정식의 판별식을 이용한다.
한 문자를 소거할 때는 직선의 방정식을 타원의 방정식에 대입하여 y 또는 x를 소거한다.

예제 타원 $x^2+4y^2=4$와 직선 $y=\frac{1}{2}x+k$의 위치 관계가 다음과 같을 때, 실수 k의 값 또는 k의 값의 범위를 구하시오.

(1) 서로 다른 두 점에서 만난다. (2) 접한다.

(3) 만나지 않는다.

해법 코드

$y=\frac{1}{2}x+k$를 $x^2+4y^2=4$에 대입하여 x에 대한 이차방정식을 구한다.

셀파 타원의 방정식과 직선의 방정식을 연립하여 얻은 이차방정식의 판별식을 이용한다.

풀이 $y=\frac{1}{2}x+k$를 $x^2+4y^2=4$에 대입하면

$x^2+4\left(\frac{1}{2}x+k\right)^2=4$, $2x^2+4kx+4k^2=4$

$\therefore x^2+2kx+2k^2-2=0$

이 이차방정식의 판별식을 D라 하면

$\frac{D}{4}=k^2-(2k^2-2)=-k^2+2$

(1) 타원과 직선이 서로 다른 두 점에서 만나려면 $D>0$이어야 하므로
$-k^2+2>0,\ k^2-2<0 \qquad \therefore \boldsymbol{-\sqrt{2}<k<\sqrt{2}}$

(2) 타원과 직선이 접하려면 ㉠$D=0$이어야 하므로
$-k^2+2=0,\ k^2-2=0 \qquad \therefore \boldsymbol{k=\pm\sqrt{2}}$

(3) 타원과 직선이 만나지 않으려면 $D<0$이어야 하므로
$-k^2+2<0,\ k^2-2>0 \qquad \therefore$ $\boldsymbol{k<-\sqrt{2}}$ **또는** $\boldsymbol{k>\sqrt{2}}$

㉠ $D=0$인 경우 타원과 한 점에서 만나는 직선을 타원의 접선이라 하고, 이때 만나는 점을 접점이라 한다.

참고

타원 $x^2+4y^2=4$, 즉 $\frac{x^2}{4}+y^2=1$과 기울기가 $\frac{1}{2}$인 직선의 위치 관계는 다음 그림과 같다.

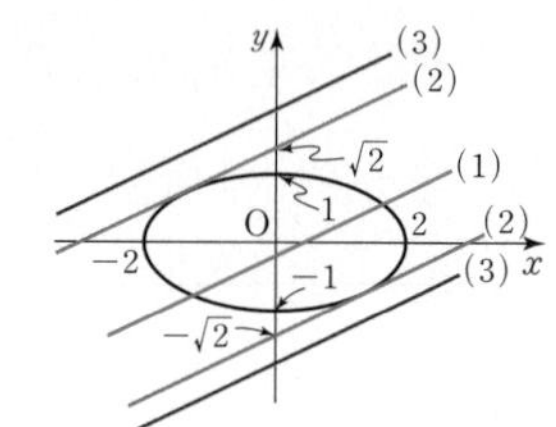

확인 문제

정답과 해설 | 35쪽

05-1 상중하 타원 $4x^2+y^2=4$와 직선 $y=mx+4$의 위치 관계가 다음과 같을 때, 실수 m의 값 또는 m의 값의 범위를 구하시오.

(1) 서로 다른 두 점에서 만난다. (2) 접한다.

(3) 만나지 않는다.

MY 셀파

05-1
직선 $y=mx+4$를 타원 $4x^2+y^2=4$에 대입하여 얻은 이차방정식의 판별식을 이용한다.

셀파 특강 03 기울기가 주어진 타원의 접선의 방정식

타원 $\frac{x^2}{a^2}+\frac{y^2}{b^2}=1$에 접하고 기울기가 m인 접선의 방정식을 구하여 보자.

구하는 접선의 방정식을 $y=mx+n$으로 놓고, 이것을

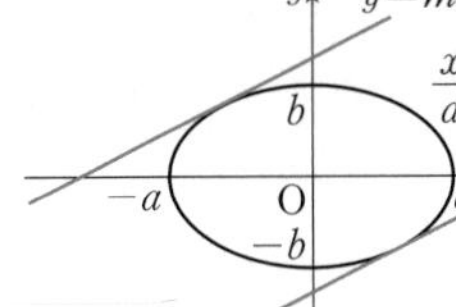

타원의 방정식 $\frac{x^2}{a^2}+\frac{y^2}{b^2}=1$, 즉 $b^2x^2+a^2y^2=a^2b^2$에

대입하면

$b^2x^2+a^2(mx+n)^2=a^2b^2$

$\therefore\ (a^2m^2+b^2)x^2+2a^2mnx+a^2n^2-a^2b^2=0$

이 이차방정식의 판별식을 D라 하면

$\frac{D}{4}=(a^2mn)^2-(a^2m^2+b^2)(a^2n^2-a^2b^2)=0,\ a^2b^2(a^2m^2-n^2+b^2)=0$

그런데 $a\neq0,\ b\neq0$이므로 $a^2m^2-n^2+b^2=0$

$n^2=a^2m^2+b^2 \qquad \therefore\ n=\pm\sqrt{a^2m^2+b^2}$

따라서 구하는 접선의 방정식은

$y=mx\pm\sqrt{a^2m^2+b^2}$

한 타원에 대하여
기울기가 같은
접선은 2개야.

타원 $\frac{x^2}{9}+\frac{y^2}{7}=1$에 접하고 기울기가 $\sqrt{2}$인 접선의 방정식을 구하시오.

풀이 $a^2=9,\ b^2=7$이고, $m=\sqrt{2}$이므로 구하는 접선의 방정식은

$y=\sqrt{2}x\pm\sqrt{9\times2+7} \qquad \therefore\ \boldsymbol{y=\sqrt{2}x\pm5}$

다른 풀이 접선의 방정식을 $y=\sqrt{2}x+n$으로 놓고, 이것을

$\frac{x^2}{9}+\frac{y^2}{7}=1$, 즉 $7x^2+9y^2=63$에 대입하면

$7x^2+9(\sqrt{2}x+n)^2=63,\ 25x^2+18\sqrt{2}nx+9n^2-63=0$

이 이차방정식의 판별식을 D라 하면

$\frac{D}{4}=162n^2-25(9n^2-63)=0,\ \ -63(n^2-25)=0 \qquad \therefore\ n=\pm5$

따라서 구하는 접선의 방정식은 $y=\sqrt{2}x\pm5$

▶ 타원 $\frac{(x-p)^2}{a^2}+\frac{(y-q)^2}{b^2}=1$에 접하고 기울기가 m인 접선의 방정식은 다음 두 가지 방법으로 구할 수 있다.

❶ 타원 $\frac{x^2}{a^2}+\frac{y^2}{b^2}=1$에 접하고 기울기가 m인 접선의 방정식을 구한 다음 이 접선을 x축의 방향으로 p만큼, y축의 방향으로 q만큼 평행이동한다.

❷ 접선의 방정식을 $y=mx+n$으로 놓고 타원의 방정식에 대입하여 얻은 이차방정식의 판별식을 D라 하면 $D=0$임을 이용한다.

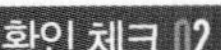
확인 체크 02

정답과 해설 | 35쪽

다음 접선의 방정식을 구하시오.

(1) 타원 $\frac{x^2}{4}+\frac{y^2}{8}=1$에 접하고 기울기가 $\frac{1}{2}$인 접선

(2) 타원 $\frac{(x+2)^2}{4}+\frac{(y-3)^2}{8}=1$에 접하고 기울기가 $\frac{1}{2}$인 접선

해법 06 기울기가 주어진 타원의 접선의 방정식

타원 $\frac{x^2}{a^2}+\frac{y^2}{b^2}=1$에 접하고 기울기가 m인 접선의 방정식

⇨ $y=mx\pm\sqrt{a^2m^2+b^2}$

PLUS

타원 위의 점과 직선 사이의 거리의 최댓값 또는 최솟값을 구하는 문제는 주어진 직선과 평행하고 타원에 접하는 직선을 이용한다.

예제 1. 타원 $\frac{x^2}{9}+\frac{y^2}{16}=1$에 접하고 직선 $3x-2y+5=0$에 수직인 접선의 방정식을 구하시오.

2. 타원 $\frac{x^2}{4}+y^2=1$ 위의 점과 직선 $y=x-2\sqrt{5}$ 사이의 거리의 최솟값을 구하시오.

해법 코드

2. 타원 $\frac{x^2}{4}+y^2=1$에 접하고 기울기가 1인 접선의 방정식을 구한다.

셀파 직선 $ax+by+c=0$에 수직인 직선의 기울기는 $\frac{b}{a}$이다.

풀이 1. 직선 $3x-2y+5=0$에 수직인 직선의 기울기는 $-\frac{2}{3}$

따라서 타원 $\frac{x^2}{9}+\frac{y^2}{16}=1$에 접하고 기울기가 $-\frac{2}{3}$인 접선의 방정식은

$y=-\frac{2}{3}x\pm\sqrt{9\times\frac{4}{9}+16}$ $\quad\therefore$ $\boldsymbol{y=-\frac{2}{3}x\pm2\sqrt{5}}$

㉠ 평행한 두 직선 사이의 거리는 한 직선 위의 한 점과 다른 직선 사이의 거리와 같다.

2. 타원 $\frac{x^2}{4}+y^2=1$에 접하고 기울기가 1인 접선의 방정식은 $y=x\pm\sqrt{4\times1+1}$ $\quad\therefore$ $y=x\pm\sqrt{5}$

따라서 오른쪽 그림에서 구하는 최솟값은 직선 $y=x-\sqrt{5}$ 위의 ㉠점 $(0, -\sqrt{5})$와 직선 $y=x-2\sqrt{5}$, 즉 $x-y-2\sqrt{5}=0$ 사이의 거리와 같으므로

$\frac{|\sqrt{5}-2\sqrt{5}|}{\sqrt{1+1}}=\frac{\sqrt{5}}{\sqrt{2}}=\boldsymbol{\frac{\sqrt{10}}{2}}$

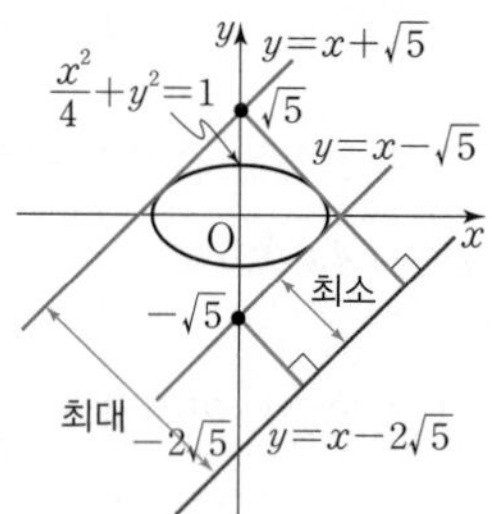

참고

타원 $\frac{x^2}{4}+y^2=1$ 위의 점과 직선 $y=x-2\sqrt{5}$ 사이의 거리의 최댓값은 접선 $y=x+\sqrt{5}$ 위의 점 $(0, \sqrt{5})$와 직선 $y=x-2\sqrt{5}$, 즉 $x-y-2\sqrt{5}=0$ 사이의 거리와 같으므로

$\frac{|-\sqrt{5}-2\sqrt{5}|}{\sqrt{1+1}}=\frac{3\sqrt{5}}{\sqrt{2}}=\frac{3\sqrt{10}}{2}$

확인 문제

정답과 해설 | 36쪽

06-1 (상 중 하) 타원 $\frac{x^2}{5}+\frac{y^2}{4}=1$에 접하고 기울기가 1인 두 접선 사이의 거리를 구하시오.

06-2 (상 중 하) 오른쪽 그림과 같이 타원 $\frac{x^2}{2}+y^2=1$ 위의 점 P와 이 타원의 꼭짓점 A와 초점 F를 지나는 직선 AF 사이의 거리의 최댓값을 구하시오.

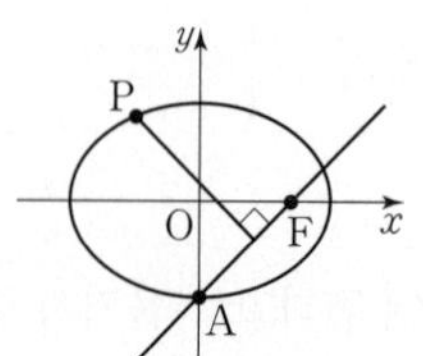

MY 셀파

06-1

주어진 타원에 접하고 기울기가 1인 접선의 방정식은

$y=x\pm\sqrt{5\times1+4}$

06-2

타원 위의 한 점과 직선 AF 사이의 거리가 최대가 되는 경우는 직선 AF와 평행한 직선이 타원에 접할 때이므로 접선 위의 한 점과 직선 AF 사이의 거리를 생각한다.

셀파 특강 04 접점의 좌표가 주어진 타원의 접선의 방정식

A 타원 $\frac{x^2}{a^2}+\frac{y^2}{b^2}=1\ (a>0,\ b>0)$ 위의 점 $\mathrm{P}(x_1,\ y_1)$에서의 접선의 방정식을 구하여 보자.

Q 먼저 접선의 기울기를 m이라 할 때, 접선의 방정식을 두 가지 방법으로 구할 수 있어요. 점 $\mathrm{P}(x_1,\ y_1)$을 지나고 기울기가 m인 접선의 방정식은

$y-y_1=m(x-x_1)$ $\quad\therefore y=mx-mx_1+y_1$ ……㉠

또 $y_1\neq0$일 때, 타원에 접하고 기울기가 m인 접선의 방정식은

$y=mx\pm\sqrt{a^2m^2+b^2}$ ……㉡

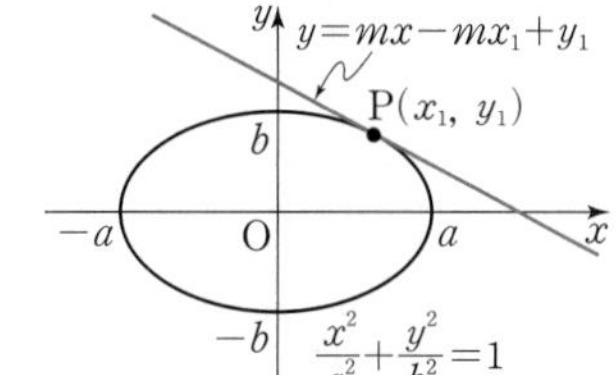

A ㉠, ㉡을 이용하여 m의 값을 구할 수 있겠지?

Q 네! ㉠과 ㉡은 같은 직선이므로 $-mx_1+y_1=\pm\sqrt{a^2m^2+b^2}$

이 식의 양변을 제곱하면 $m^2x_1^2-2mx_1y_1+y_1^2=a^2m^2+b^2$

$\therefore (a^2-x_1^2)m^2+2x_1y_1m+b^2-y_1^2=0$ ……㉢

이때 $\frac{x_1^2}{a^2}+\frac{y_1^2}{b^2}=1$이므로 ❶ $a^2-x_1^2=\frac{a^2y_1^2}{b^2},\ b^2-y_1^2=\frac{b^2x_1^2}{a^2}$ ……㉣

㉣을 ㉢에 대입하면 $\frac{a^2y_1^2}{b^2}m^2+2x_1y_1m+\frac{b^2x_1^2}{a^2}=0$ $\quad\therefore \left(\frac{ay_1}{b}m+\frac{bx_1}{a}\right)^2=0$

따라서 $m=-\frac{b^2x_1}{a^2y_1}$이고 이 값을 ㉠에 대입하면 $y=-\frac{b^2x_1}{a^2y_1}x+\frac{b^2x_1^2}{a^2y_1}+y_1$

이 식의 양변에 $\frac{y_1}{b^2}$을 곱하면 $\frac{y_1y}{b^2}=-\frac{x_1x}{a^2}+\underbrace{\frac{x_1^2}{a^2}+\frac{y_1^2}{b^2}}_{1}$ $\quad\therefore \frac{x_1x}{a^2}+\frac{y_1y}{b^2}=1$

이 식은 ❷ $y_1=0$일 때, $x_1=\pm a$, 즉 ❸ 점 P가 $(a,\ 0)$ 또는 $(-a,\ 0)$일 때도 성립해요.

따라서 구하는 접선의 방정식은 $\frac{x_1x}{a^2}+\frac{y_1y}{b^2}=1$

A 미적분에서 배운 음함수의 미분법을 이용하여 구할 수도 있어.

$\frac{x^2}{a^2}+\frac{y^2}{b^2}=1$의 양변을 x에 대하여 미분하면 $\frac{2x}{a^2}+\frac{2y}{b^2}\frac{dy}{dx}=0$

$\therefore \frac{dy}{dx}=-\frac{b^2x}{a^2y}$ (단, $y\neq0$)

따라서 $y_1\neq0$일 때, $m=-\frac{b^2x_1}{a^2y_1}$이고 이 값을 ㉠에 대입하면

$y=-\frac{b^2x_1}{a^2y_1}x+\frac{b^2x_1^2}{a^2y_1}+y_1$

이 식의 양변에 $\frac{y_1}{b^2}$을 곱하면 ❹ $\frac{y_1y}{b^2}=-\frac{x_1x}{a^2}+\frac{x_1^2}{a^2}+\frac{y_1^2}{b^2}$ $\quad\therefore \frac{x_1x}{a^2}+\frac{y_1y}{b^2}=1$

또 이 식은 $y_1=0$일 때, $x_1=\pm a$, 즉 점 P가 $(a,\ 0)$ 또는 $(-a,\ 0)$일 때도 성립하므로 구하는 접선의 방정식은 $\frac{x_1x}{a^2}+\frac{y_1y}{b^2}=1$

---

❶ 점 $\mathrm{P}(x_1,\ y_1)$은 타원 $\frac{x^2}{a^2}+\frac{y^2}{b^2}=1$ 위의 점이므로

$\frac{x_1^2}{a^2}+\frac{y_1^2}{b^2}=1$

이 식의 양변에 a^2b^2을 곱하면

$b^2x_1^2+a^2y_1^2=a^2b^2$

이때 $b^2(a^2-x_1^2)=a^2y_1^2$에서

$a^2-x_1^2=\frac{a^2y_1^2}{b^2}$ ($\because b\neq0$)

또 $a^2(b^2-y_1^2)=b^2x_1^2$에서

$b^2-y_1^2=\frac{b^2x_1^2}{a^2}$ ($\because a\neq0$)

❷ $\frac{x_1^2}{a^2}+\frac{y_1^2}{b^2}=1$에서 $y_1=0$이면

$x_1^2=a^2$ $\quad\therefore x_1=\pm a$

❸ ① 점 $\mathrm{P}(a,\ 0)$에서의 접선의 방정식은 $x=a$이다.

② 점 $\mathrm{P}(-a,\ 0)$에서의 접선의 방정식은 $x=-a$이다.

공식 $\frac{x_1x}{a^2}+\frac{y_1y}{b^2}=1$을 이용하여도 같은 결과를 얻을 수 있다.

❹ $\frac{y_1y}{b^2}=-\frac{x_1x}{a^2}+\frac{x_1^2}{a^2}+\frac{y_1^2}{b^2}$

에서 $\frac{x_1^2}{a^2}+\frac{y_1^2}{b^2}=1$이므로

$\frac{y_1y}{b^2}=-\frac{x_1x}{a^2}+1$

$\therefore \frac{x_1x}{a^2}+\frac{y_1y}{b^2}=1$

해법 07 접점의 좌표가 주어진 타원의 접선의 방정식

타원 $\frac{x^2}{a^2}+\frac{y^2}{b^2}=1$ 위의 점 (x_1, y_1)에서의 접선의 방정식

⇨ $\frac{x_1x}{a^2}+\frac{y_1y}{b^2}=1$

PLUS

타원 위의 점 (x_1, y_1)에서의 접선의 방정식은 타원의 방정식에 x^2 대신 x_1x, y^2 대신 y_1y를 대입하여 구한다.

타원 $\frac{x^2}{9}+\frac{y^2}{4}=1$ 위의 점 P에서의 접선과 x축 및 y축으로 둘러싸인 삼각형의 넓이의 최솟값을 구하시오. (단, 점 P는 제1사분면 위의 점이다.)

해법 코드
점 P의 좌표를 $P(x_1, y_1)$로 놓고, 점 P에서의 접선이 x축, y축과 만나는 점의 좌표를 구한다.

셀파 타원 $\frac{x^2}{a^2}+\frac{y^2}{b^2}=1$ 위의 점 (x_1, y_1)에서의 접선의 방정식 ⇨ $\frac{x_1x}{a^2}+\frac{y_1y}{b^2}=1$

풀이 점 P의 좌표를 $P(x_1, y_1)$ $(x_1>0, y_1>0)$이라 하면

점 $P(x_1, y_1)$에서의 접선의 방정식은

$\frac{x_1x}{9}+\frac{y_1y}{4}=1$이므로 구하는 삼각형의 넓이 S는

$S=$ ㉠ $\frac{1}{2}\times\frac{9}{x_1}\times\frac{4}{y_1}=\frac{18}{x_1y_1}$

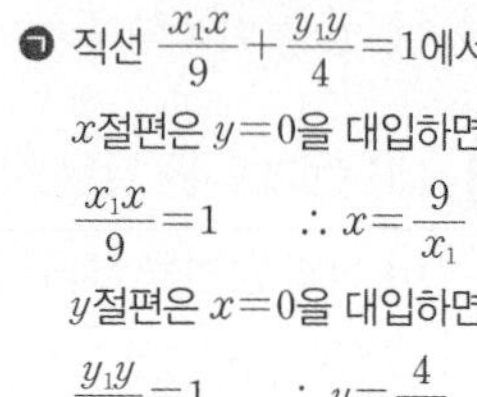

이때 점 $P(x_1, y_1)$은 타원 위의 점이므로

$\frac{{x_1}^2}{9}+\frac{{y_1}^2}{4}=1$, 이때 $\frac{{x_1}^2}{9}>0$, $\frac{{y_1}^2}{4}>0$이므로 산술평균과 기하평균의 관계에서

㉡ $\frac{{x_1}^2}{9}+\frac{{y_1}^2}{4}\ge\frac{x_1y_1}{3}$ $\left(\text{단, 등호는 } \frac{{x_1}^2}{9}=\frac{{y_1}^2}{4}\text{일 때 성립}\right)$

$\frac{x_1y_1}{3}\le1$에서 $\frac{1}{x_1y_1}\ge\frac{1}{3}$이므로 $S=\frac{18}{x_1y_1}\ge\frac{18}{3}=6$

따라서 구하는 삼각형의 넓이의 최솟값은 **6**

㉠ 직선 $\frac{x_1x}{9}+\frac{y_1y}{4}=1$에서
x절편은 $y=0$을 대입하면
$\frac{x_1x}{9}=1$ $\therefore x=\frac{9}{x_1}$
y절편은 $x=0$을 대입하면
$\frac{y_1y}{4}=1$ $\therefore y=\frac{4}{y_1}$

㉡ $\frac{{x_1}^2}{9}+\frac{{y_1}^2}{4}\ge2\sqrt{\frac{{x_1}^2}{9}\times\frac{{y_1}^2}{4}}$
$=\frac{x_1y_1}{3}$

확인 문제

정답과 해설 | 36쪽

07-1 (상중하) 타원 $\frac{x^2}{4}+\frac{y^2}{2}=1$ 위의 점 $P(\sqrt{2}, 1)$에서 x축에 내린 수선의 발을 H, 점 P에서의 접선과 x축의 교점을 T라 할 때, 삼각형 PHT의 넓이를 구하시오.

07-2 (상중하) 타원 $\frac{x^2}{16}+\frac{y^2}{9}=1$ 위의 임의의 점 P에서의 접선과 y축의 교점을 Q, 점 P에서 x축에 내린 수선의 발을 H라 할 때, $\overline{PH}\times\overline{QO}$의 값을 구하시오. (단, O는 원점)

MY 셀파

07-1
점 $P(\sqrt{2}, 1)$에서의 접선의 방정식은
$\frac{\sqrt{2}x}{4}+\frac{y}{2}=1$

07-2
점 $P(x_1, y_1)$에서의 접선의 방정식은
$\frac{x_1x}{16}+\frac{y_1y}{9}=1$

해법 08 타원 밖의 한 점에서 타원에 그은 접선의 방정식

타원 밖의 한 점에서 타원에 그은 접선의 방정식은 다음 중 하나를 이용하여 구한다.

❶ 접점의 좌표를 (x_1, y_1)로 놓고, 접점의 좌표가 주어질 때의 공식을 이용

❷ 기울기를 m이라 하고, 기울기가 주어질 때의 공식을 이용

❸ 구하는 접선의 방정식을 $y=mx+n$으로 놓고, 판별식을 이용

PLUS ⊕

타원 $\frac{x^2}{a^2}+\frac{y^2}{b^2}=1$에 접하고 기울기가 m인 접선의 방정식은 $y=mx\pm\sqrt{a^2m^2+b^2}$

예제 점 $(2, 1)$에서 타원 $x^2+2y^2=2$에 그은 접선의 방정식을 구하시오.

해법 코드
타원의 두 접선은 점 P를 지난다.

셀파 접점의 좌표를 (x_1, y_1)로 놓고 접선의 방정식을 구한다.

풀이 접점의 좌표를 (x_1, y_1)로 놓으면 접선의 방정식은

$x_1x+2y_1y=2$ ······㉠

이 접선이 점 $(2, 1)$을 지나므로

$2x_1+2y_1=2$, 즉 $x_1+y_1=1$ ······㉡

또 점 (x_1, y_1)은 타원 $x^2+2y^2=2$ 위의 점이므로

$x_1^2+2y_1^2=2$ ······㉢

❶ ㉡, ㉢에서 $x_1=0$ 또는 $x_1=\frac{4}{3}$

따라서 접점의 좌표는 $(0, 1)$ 또는 $\left(\frac{4}{3}, -\frac{1}{3}\right)$이다.

이것을 ㉠에 대입하면 구하는 접선의 방정식은 $\boldsymbol{y=1}$ **또는** $\boldsymbol{y=2x-3}$

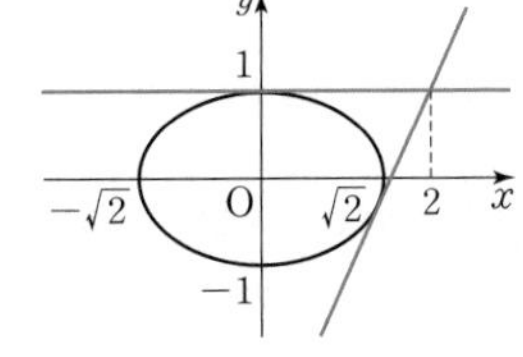

❶ ㉡에서 $y_1=1-x_1$이고 이것을 ㉢에 대입하면

$x_1^2+2(1-x_1)^2=2$

$x_1^2+2-4x_1+2x_1^2=2$

$3x_1^2-4x_1=0$

$x_1(3x_1-4)=0$

$\therefore x_1=0$ 또는 $x_1=\frac{4}{3}$

다른 풀이 점 $(2, 1)$을 지나면서 기울기가 m인 직선의 방정식은

$y-1=m(x-2)$, 즉 $y=mx-2m+1$ ······㉠

㉠을 타원의 방정식 $x^2+2y^2=2$에 대입하여 정리하면

$(1+2m^2)x^2-4m(2m-1)x+8m^2-8m=0$

이 이차방정식의 판별식을 D라 하면

$\frac{D}{4}=4m^2(2m-1)^2-(1+2m^2)(8m^2-8m)=0$

$-4m^2+8m=0$, $m(m-2)=0$ $\quad\therefore m=0$ 또는 $m=2$

이것을 ㉠에 대입하면 구하는 접선의 방정식은 $y=1$ 또는 $y=2x-3$

참고
방법 ❷ 또는 방법 ❸을 이용하면 y축에 평행한 접선을 구할 수 없거나 주어진 점을 지나지 않는 경우가 생길 수 있다.
따라서 타원 밖의 한 점에서 타원에 그은 접선은 2개인 것을 기억하고 방법 ❶을 먼저 이용해 보자.

4 이차곡선의 접선의 방정식

확인 문제

정답과 해설 | 37쪽

08-1 (상 중 하) 점 $(3, 1)$에서 타원 $\frac{x^2}{9}+\frac{y^2}{5}=1$에 그은 접선의 방정식을 구하시오.

MY 셀파

08-1
접점의 좌표를 (x_1, y_1)로 놓고 접선의 방정식이 점 $(3, 1)$을 지남을 이용한다.

해법 09 쌍곡선과 직선의 위치 관계

쌍곡선의 방정식과 직선의 방정식에서 한 문자를 소거하여 얻은 이차방정식의 판별식을 D라 할 때, 쌍곡선과 직선의 위치 관계는 다음과 같다.

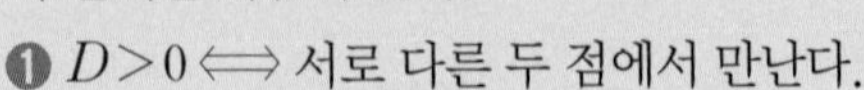

❶ $D>0 \Longleftrightarrow$ 서로 다른 두 점에서 만난다.

❷ $D=0 \Longleftrightarrow$ 한 점에서 만난다.(접한다.)

❸ $D<0 \Longleftrightarrow$ 만나지 않는다.

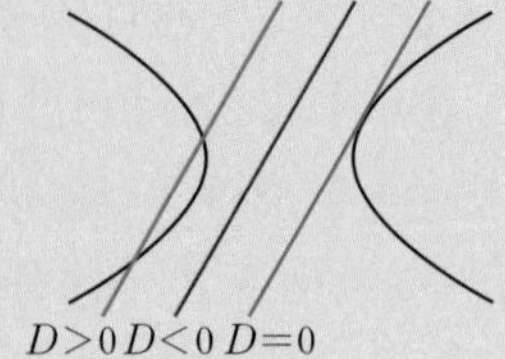

PLUS

직선의 기울기와 쌍곡선의 점근선의 기울기가 같으면 두 도형의 위치 관계는 다음 두 가지 중 한 가지이다.

(i) 쌍곡선과 직선은 만나지 않는다.

(ii) 쌍곡선과 직선은 접하지 않고 한 점에서 만난다.

예제 쌍곡선 $x^2-y^2=1$과 직선 $y=2x-k$가 다음과 같은 위치 관계에 있을 때, 실수 k의 값 또는 k의 값의 범위를 구하시오.

(1) 서로 다른 두 점에서 만난다. (2) 접한다.

(3) 만나지 않는다.

해법 코드

$y=2x-k$를 $x^2-y^2=1$에 대입하여 x에 대한 이차방정식을 구한다.

셀파 쌍곡선의 방정식과 직선의 방정식을 연립하여 얻은 이차방정식의 판별식을 이용한다.

풀이 $y=2x-k$를 $x^2-y^2=1$에 대입하면

$x^2-(2x-k)^2=1,\ x^2-(4x^2-4kx+k^2)=1$

$\therefore 3x^2-4kx+k^2+1=0$

이 이차방정식의 판별식을 D라 하면

$\frac{D}{4}=(-2k)^2-3(k^2+1)=k^2-3$

(1) 쌍곡선과 직선이 서로 다른 두 점에서 만나려면 $D>0$이어야 하므로

$k^2-3>0,\ (k+\sqrt{3})(k-\sqrt{3})>0 \qquad \therefore$ $\boldsymbol{k<-\sqrt{3}}$ **또는** $\boldsymbol{k>\sqrt{3}}$

(2) 쌍곡선과 직선이 접하려면 ㉠ $D=0$이어야 하므로

$k^2-3=0,\ (k+\sqrt{3})(k-\sqrt{3})=0 \qquad \therefore$ $\boldsymbol{k=-\sqrt{3}}$ **또는** $\boldsymbol{k=\sqrt{3}}$

(3) 쌍곡선과 직선이 만나지 않으려면 $D<0$이어야 하므로

$k^2-3<0,\ (k+\sqrt{3})(k-\sqrt{3})<0 \qquad \therefore$ $\boldsymbol{-\sqrt{3}<k<\sqrt{3}}$

㉠ $D=0$인 경우 쌍곡선과 한 점에서 만나는 직선을 쌍곡선의 접선이라 하고, 이때 만나는 점을 접점이라 한다.

참고

쌍곡선 $x^2-y^2=1$과 기울기가 2인 직선의 위치 관계는 다음 그림과 같다.

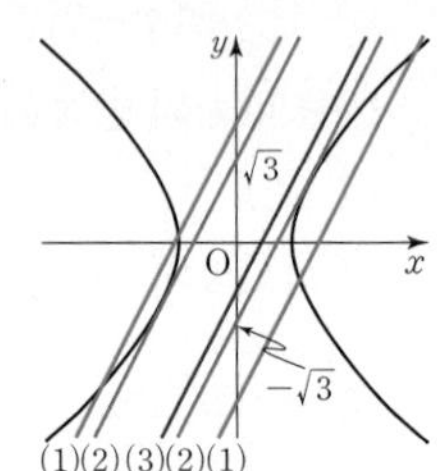

확인 문제

정답과 해설 | 38쪽

09-1 (상 중 하) 쌍곡선 $2x^2-3y^2=6$과 직선 $y=x+k$가 다음과 같은 위치 관계에 있을 때, 실수 k의 값 또는 k의 값의 범위를 구하시오.

(1) 서로 다른 두 점에서 만난다. (2) 접한다.

(3) 만나지 않는다.

MY 셀파

09-1

직선 $y=x+k$를 쌍곡선 $2x^2-3y^2=6$에 대입하여 얻은 이차방정식의 판별식을 이용한다.

셀파 특강 05 기울기가 주어진 쌍곡선의 접선의 방정식

쌍곡선 $\frac{x^2}{a^2}-\frac{y^2}{b^2}=1$에 접하고 기울기가 m인 접선의 방정식을 구하여 보자.

구하는 접선의 방정식을 $y=mx+n$으로 놓고, 이것을 쌍곡선의 방정식 $\frac{x^2}{a^2}-\frac{y^2}{b^2}=1$, 즉 $b^2x^2-a^2y^2=a^2b^2$에 대입하면

$b^2x^2-a^2(mx+n)^2=a^2b^2$

$\therefore (a^2m^2-b^2)x^2+2a^2mnx+a^2n^2+a^2b^2=0$

이 이차방정식의 판별식을 D라 하면

$\frac{D}{4}=(a^2mn)^2-(a^2m^2-b^2)(a^2n^2+a^2b^2)=0$, $a^2b^2(a^2m^2-n^2-b^2)=0$

그런데 $a\neq0$, $b\neq0$이므로 $a^2m^2-n^2-b^2=0$

$n^2=a^2m^2-b^2 \qquad \therefore n=\pm\sqrt{a^2m^2-b^2}$

따라서 구하는 접선의 방정식은

$y=mx\pm\sqrt{a^2m^2-b^2}$ (단, ㉠ $a^2m^2-b^2>0$)

또한 쌍곡선 $\frac{x^2}{a^2}-\frac{y^2}{b^2}=-1$에 접하고 기울기가 m인 접선의 방정식은

$y=mx\pm\sqrt{b^2-a^2m^2}$ (단, $b^2-a^2m^2>0$)

㉠ (i) $a^2m^2-b^2=0$, 즉 $m=\pm\frac{b}{a}$이면 점근선과 평행하므로 접선이 아니다.
(ii) $a^2m^2-b^2<0$이면 접선이 존재하지 않는다.

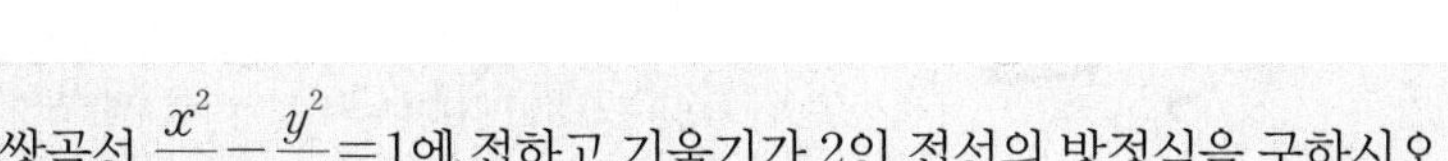

쌍곡선 $\frac{x^2}{3}-\frac{y^2}{8}=1$에 접하고 기울기가 2인 접선의 방정식을 구하시오.

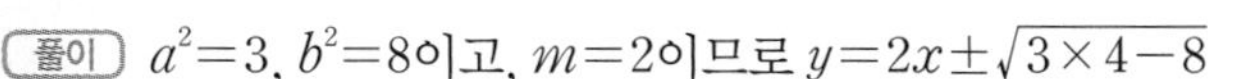

풀이 $a^2=3$, $b^2=8$이고, $m=2$이므로 $y=2x\pm\sqrt{3\times4-8}$ $\qquad \therefore$ $\boldsymbol{y=2x\pm2}$

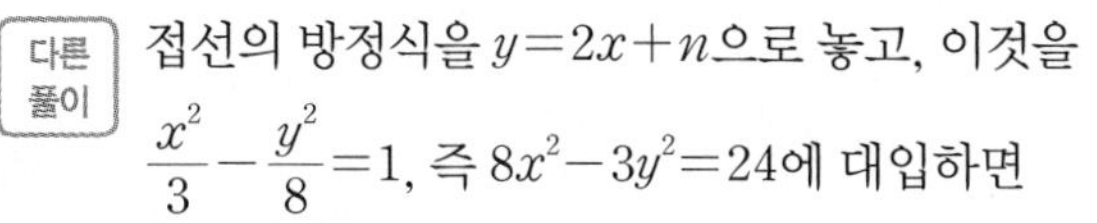

다른풀이 접선의 방정식을 $y=2x+n$으로 놓고, 이것을 $\frac{x^2}{3}-\frac{y^2}{8}=1$, 즉 $8x^2-3y^2=24$에 대입하면

$8x^2-3(2x+n)^2=24$, $4x^2+12nx+3n^2+24=0$

이 이차방정식의 판별식을 D라 하면

$\frac{D}{4}=(6n)^2-4(3n^2+24)=0$, $24(n^2-4)=0 \qquad \therefore n=\pm2$

따라서 구하는 접선의 방정식은 $y=2x\pm2$

확인 체크 03

정답과 해설 | 38쪽

다음 접선의 방정식을 구하시오.

(1) 쌍곡선 $\frac{x^2}{4}-\frac{y^2}{8}=-1$에 접하고 기울기가 -1인 접선

(2) 쌍곡선 ㉡ $\frac{(x+2)^2}{4}-\frac{(y-1)^2}{8}=-1$에 접하고 기울기가 -1인 접선

㉡ 쌍곡선 $\frac{(x+2)^2}{4}-\frac{(y-1)^2}{8}=-1$은 쌍곡선 $\frac{x^2}{4}-\frac{y^2}{8}=-1$을 x축의 방향으로 -2만큼, y축의 방향으로 1만큼 평행이동한 것이므로 구하는 접선은 (1)에서 구한 직선을 평행이동하면 된다.

해법 10 기울기가 주어진 쌍곡선의 접선의 방정식

❶ 쌍곡선 $\frac{x^2}{a^2}-\frac{y^2}{b^2}=1$에 접하고 기울기가 m인 접선의 방정식

⇨ $y=mx\pm\sqrt{a^2m^2-b^2}$ (단, $a^2m^2-b^2>0$)

❷ 쌍곡선 $\frac{x^2}{a^2}-\frac{y^2}{b^2}=-1$에 접하고 기울기가 m인 접선의 방정식

⇨ $y=mx\pm\sqrt{b^2-a^2m^2}$ (단, $b^2-a^2m^2>0$)

PLUS

접선의 방정식을 구할 때는 공식을 이용하면 편리하다. 공식이 기억나지 않으면 판별식을 이용하여 접선의 방정식을 구한다.

예제 1. 쌍곡선 $3x^2-7y^2=21$에 접하고 x축의 양의 방향과 이루는 각의 크기가 $135°$인 접선의 방정식을 구하시오.

2. 쌍곡선 $\frac{(x-2)^2}{6}-\frac{(y+1)^2}{8}=1$에 접하고 직선 $x+2y=0$에 수직인 접선의 방정식을 구하시오.

해법 코드

1. 구하는 직선의 기울기는 $\tan 135°=-1$이다.

2. 쌍곡선 $\frac{x^2}{6}-\frac{y^2}{8}=1$에 접하고 직선 $x+2y=0$에 수직인 직선을 구한 다음 평행이동한다.

셀파 쌍곡선 $\frac{x^2}{a^2}-\frac{y^2}{b^2}=1$에 접하고 기울기가 m인 접선의 방정식 ⇨ $y=mx\pm\sqrt{a^2m^2-b^2}$

풀이 1. x축의 양의 방향과 이루는 각의 크기가 $135°$인 직선의 기울기는 $\tan 135°=-1$

따라서 쌍곡선 $3x^2-7y^2=21$, 즉 $\frac{x^2}{7}-\frac{y^2}{3}=1$에 접하고 기울기가 -1인 접선의 방정식은 $y=-x\pm\sqrt{7\times(-1)^2-3}$ $\therefore$ $\boldsymbol{y=-x\pm2}$

2. 직선 $x+2y=0$에 수직인 직선의 기울기는 2이므로

쌍곡선 $\frac{x^2}{6}-\frac{y^2}{8}=1$에 접하고 기울기가 2인 접선의 방정식은

$y=2x\pm\sqrt{6\times2^2-8}$ $\therefore y=2x\pm4$ ······㉠

이때 구하는 접선은 직선 ㉠을 x축의 방향으로 2만큼, y축의 방향으로 -1만큼 평행이동한 것이므로

$y-(-1)=2(x-2)\pm4$ $\therefore$ $\boldsymbol{y=2x-1}$ **또는** $\boldsymbol{y=2x-9}$

다른 풀이

1. 기울가 -1인 직선의 방정식을 $y=-x+n$으로 놓고, 이것을 $3x^2-7y^2=21$에 대입하면

$3x^2-7(-x+n)^2=21$

$\therefore 4x^2-14nx+7n^2+21=0$

이 이차방정식의 판별식을 D라 하면

$\frac{D}{4}=(-7n)^2-4(7n^2+21)=0$

$21n^2-84=0$, $n^2-4=0$

$\therefore n=\pm2$

따라서 구하는 접선의 방정식은 $y=-x\pm2$

확인 문제

정답과 해설 | 39쪽

10-1 (상 중 하) 쌍곡선 $\frac{(x-1)^2}{5}-\frac{(y+1)^2}{9}=-1$에 접하고 직선 $y=x-4$에 수직인 접선의 방정식을 구하시오.

10-2 (상 중 하) 쌍곡선 $2x^2-y^2=4$ 위의 점 P와 직선 $y=2x+6$ 사이의 거리의 최솟값을 구하시오. (단, 점 P는 제1사분면 위의 점이다.)

MY 셀파

10-1

$\frac{x^2}{5}-\frac{y^2}{9}=-1$에 접하고 직선 $y=x-4$에 수직인 직선을 먼저 구한 다음 평행이동한다.

10-2

쌍곡선 $2x^2-y^2=4$에 접하고 직선 $y=2x+6$과 기울기가 같은 접선의 방정식을 구한다.

셀파 특강 06 접점의 좌표가 주어진 쌍곡선의 접선의 방정식

A 쌍곡선 $\frac{x^2}{a^2}-\frac{y^2}{b^2}=1\ (a>0,\ b>0)$ 위의 점 $P(x_1, y_1)$에서의 접선의 방정식을 구하여 보자.

Q 먼저 접선의 기울기를 m이라 할 때, 접선의 방정식을 두 가지 방법으로 구할 수 있어요. 점 $P(x_1, y_1)$을 지나고 기울기가 m인 접선의 방정식은

$y-y_1=m(x-x_1)\qquad \therefore y=mx-mx_1+y_1$ ……㉠

또 $y_1\neq 0$일 때, 쌍곡선에 접하고 기울기가 m인 접선의 방정식은

$y=mx\pm\sqrt{a^2m^2-b^2}$ ……㉡

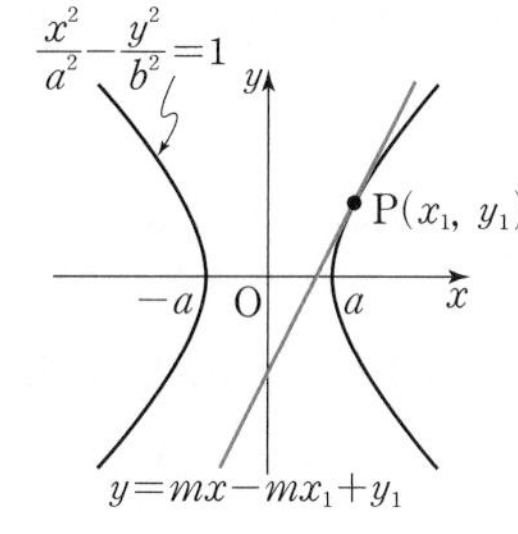

A ㉠, ㉡을 이용하여 m의 값을 구할 수 있겠지?

Q 네! ㉠, ㉡에서 $-mx_1+y_1=\pm\sqrt{a^2m^2-b^2}$

이 식의 양변을 제곱하면 $m^2x_1^2-2mx_1y_1+y_1^2=a^2m^2-b^2$

$\therefore (x_1^2-a^2)m^2-2x_1y_1m+b^2+y_1^2=0$ ……㉢

이때 $\frac{x_1^2}{a^2}-\frac{y_1^2}{b^2}=1$이므로 ❶ $x_1^2-a^2=\frac{a^2y_1^2}{b^2},\ b^2+y_1^2=\frac{b^2x_1^2}{a^2}$ ……㉣

㉣을 ㉢에 대입하면 $\frac{a^2y_1^2}{b^2}m^2-2x_1y_1m+\frac{b^2x_1^2}{a^2}=0\qquad \therefore \left(\frac{ay_1}{b}m-\frac{bx_1}{a}\right)^2=0$

따라서 $m=\frac{b^2x_1}{a^2y_1}$이고, 이 값을 ㉠에 대입하면 $y=\frac{b^2x_1}{a^2y_1}x-\frac{b^2x_1^2}{a^2y_1}+y_1$

이 식의 양변에 $\frac{y_1}{b^2}$을 곱하면 $\frac{y_1y}{b^2}=\frac{x_1x}{a^2}-\frac{x_1^2}{a^2}+\frac{y_1^2}{b^2}$

$\left(-\frac{x_1^2}{a^2}+\frac{y_1^2}{b^2}\right)$: $-\left(\frac{x_1^2}{a^2}-\frac{y_1^2}{b^2}\right)=-1$

$\therefore \frac{x_1x}{a^2}-\frac{y_1y}{b^2}=1$

이 식은 ❷ $y_1=0$일 때, $x_1=\pm a$, 즉 ❸ 점 P가 $(a, 0)$ 또는 $(-a, 0)$일 때도 성립해요.

A 미적분에서 배운 음함수의 미분법을 이용하여 구할 수도 있어.

$\frac{x^2}{a^2}-\frac{y^2}{b^2}=1$의 양변을 x에 대하여 미분하면 $\frac{2x}{a^2}-\frac{2y}{b^2}\frac{dy}{dx}=0$

$\therefore \frac{dy}{dx}=\frac{b^2x}{a^2y}$ (단, $y\neq 0$)

따라서 $y_1\neq 0$일 때, $m=\frac{b^2x_1}{a^2y_1}$이고 이 값을 ㉠에 대입하면

$y=\frac{b^2x_1}{a^2y_1}x-\frac{b^2x_1^2}{a^2y_1}+y_1$

이 식의 양변에 $\frac{y_1}{b^2}$을 곱하면 ❹ $\frac{y_1y}{b^2}=\frac{x_1x}{a^2}-\frac{x_1^2}{a^2}+\frac{y_1^2}{b^2}\qquad \therefore \frac{x_1x}{a^2}-\frac{y_1y}{b^2}=1$

또 이 식은 $y_1=0$일 때, 즉 점 P가 $(a, 0)$ 또는 $(-a, 0)$일 때도 성립해.

---

❶ 점 $P(x_1, y_1)$은 쌍곡선 $\frac{x^2}{a^2}-\frac{y^2}{b^2}=1$ 위의 점이므로

$\frac{x_1^2}{a^2}-\frac{y_1^2}{b^2}=1$

이 식의 양변에 a^2b^2을 곱하면

$b^2x_1^2-a^2y_1^2=a^2b^2$

$(x_1^2-a^2)b^2=a^2y_1^2$에서

$x_1^2-a^2=\frac{a^2y_1^2}{b^2}\ (\because b\neq 0)$

$(b^2+y_1^2)a^2=b^2x_1^2$에서

$b^2+y_1^2=\frac{b^2x_1^2}{a^2}\ (\because a\neq 0)$

❷ $\frac{x^2}{a^2}-\frac{y^2}{b^2}=1$에서 $y=0$이면

$x^2=a^2\qquad \therefore x=\pm a$

❸ ❶ 점 $P(a, 0)$에서의 접선의 방정식은 $x=a$이다.

❷ 점 $P(-a, 0)$에서의 접선의 방정식은 $x=-a$이다.

공식 $\frac{x_1x}{a^2}-\frac{y_1y}{b^2}=1$을 이용하여도 같은 결과를 얻을 수 있다.

❹ $\frac{y_1y}{b^2}=\frac{x_1x}{a^2}-\frac{x_1^2}{a^2}+\frac{y_1^2}{b^2}$에서

$\frac{x_1^2}{a^2}-\frac{y_1^2}{b^2}=1$이므로

$\frac{y_1y}{b^2}=\frac{x_1x}{a^2}-1$

$\therefore \frac{x_1x}{a^2}-\frac{y_1y}{b^2}=1$

▶ 같은 방법으로 쌍곡선 $\frac{x^2}{a^2}-\frac{y^2}{b^2}=-1$ 위의 점 $P(x_1, y_1)$에서의 접선의 방정식을 구하면

$\frac{x_1x}{a^2}-\frac{y_1y}{b^2}=-1$

해법 11 접점의 좌표가 주어진 쌍곡선의 접선의 방정식

PLUS ⊕

❶ 쌍곡선 $\frac{x^2}{a^2}-\frac{y^2}{b^2}=1$ 위의 점 (x_1, y_1)에서의 접선의 방정식

⇨ $\frac{x_1x}{a^2}-\frac{y_1y}{b^2}=1$

❷ 쌍곡선 $\frac{x^2}{a^2}-\frac{y^2}{b^2}=-1$ 위의 점 (x_1, y_1)에서의 접선의 방정식

⇨ $\frac{x_1x}{a^2}-\frac{y_1y}{b^2}=-1$

쌍곡선 위의 점 (x_1, y_1)에서의 접선의 방정식은 쌍곡선의 방정식에 x^2 대신 x_1x, y^2 대신 y_1y 를 대입하여 구한다.

예제 쌍곡선 $2x^2-y^2=2$ 위의 점 $(3, 4)$에서의 접선과 x축 및 y축으로 둘러싸인 도형의 넓이를 구하시오.

해법 코드
점 $(3, 4)$에서의 접선이 x축, y축과 만나는 점의 좌표를 구한다.

셀파 쌍곡선 $\frac{x^2}{a^2}-\frac{y^2}{b^2}=\pm1$ 위의 점 (x_1, y_1)에서의 접선의 방정식

⇨ $\frac{x_1x}{a^2}-\frac{y_1y}{b^2}=\pm1$

풀이 쌍곡선 $2x^2-y^2=2$, 즉 $x^2-\frac{y^2}{2}=1$ 위의 점 $(3, 4)$에서의 접선의 방정식은

$3\times x-\frac{4\times y}{2}=1$, $3x-2y=1$

$\therefore y=\frac{3}{2}x-\frac{1}{2}$ ······㉠

이때 ❶직선 ㉠과 x축 및 y축으로 둘러싸인 도형은 오른쪽 그림의 색칠한 부분이고, 이 부분의 넓이를 S라 하면

$S=\frac{1}{2}\times\frac{1}{3}\times\frac{1}{2}=\mathbf{\frac{1}{12}}$

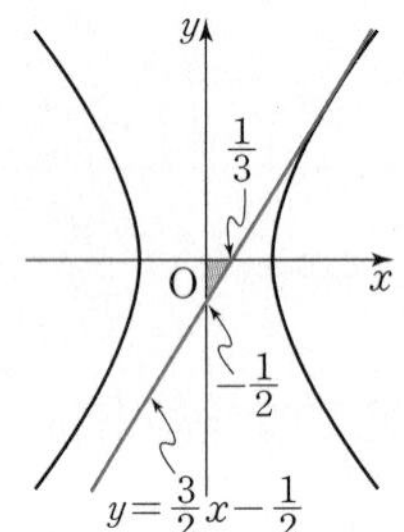

❶ 직선 ㉠에서
x절편은 $y=0$을 대입하면
$0=\frac{3}{2}x-\frac{1}{2}$ $\therefore x=\frac{1}{3}$
y절편은 $x=0$을 대입하면
$y=\frac{3}{2}\times0-\frac{1}{2}=-\frac{1}{2}$

확인 문제

정답과 해설 | 39쪽

11-1 (상중하) 쌍곡선 $x^2-2y^2=2$ 위의 점 $A(-2, 1)$에서의 접선이 y축과 만나는 점을 P라 하고, 점 A를 지나면서 접선에 수직인 직선이 y축과 만나는 점을 Q라 할 때, 선분 PQ의 길이를 구하시오.

11-2 (상중하) 쌍곡선 $x^2-y^2=5$ 위의 점 $A(3, 2)$에서의 접선을 l이라 하자. 쌍곡선의 두 초점 F, F′에서 직선 l에 내린 수선의 발을 각각 P, Q라 할 때, $\overline{FP}\times\overline{F'Q}$의 값을 구하시오.

MY 셀파

11-1
쌍곡선 $x^2-2y^2=2$, 즉 $\frac{x^2}{2}-y^2=1$ 위의 점 $A(-2, 1)$에서의 접선의 방정식을 구한다.

11-2
쌍곡선의 두 초점 F, F′의 좌표와 점 $A(3, 2)$에서의 접선의 방정식을 구하여 점과 직선 사이의 거리 공식을 이용한다.

해법 12 쌍곡선 밖의 한 점에서 쌍곡선에 그은 접선의 방정식

쌍곡선 밖의 한 점에서 쌍곡선에 그은 접선의 방정식은 다음 중 하나를 이용하여 구한다.

❶ 접점의 좌표를 (x_1, y_1)로 놓고, 접점의 좌표가 주어질 때의 공식을 이용
❷ 기울기를 m이라 하고, 기울기가 주어질 때의 공식을 이용
❸ 구하는 접선의 방정식을 $y=mx+n$으로 놓고, 판별식을 이용

PLUS ⊕

쌍곡선 $\frac{x^2}{a^2}-\frac{y^2}{b^2}=1$에 접하고 기울기가 m인 접선의 방정식은
$y=mx\pm\sqrt{a^2m^2-b^2}$
쌍곡선 $\frac{x^2}{a^2}-\frac{y^2}{b^2}=-1$에 접하고 기울기가 m인 접선의 방정식은
$y=mx\pm\sqrt{b^2-a^2m^2}$

예제 점 $(1, 0)$에서 쌍곡선 $x^2-4y^2=4$에 그은 접선의 방정식을 구하시오.

해법 코드
접점의 좌표를 (x_1, y_1)로 놓는다.

셀파 접점의 좌표를 (x_1, y_1)로 놓고 접선의 방정식을 구한다.

풀이 접점의 좌표를 (x_1, y_1)로 놓으면 접선의 방정식은 $x_1x-4y_1y=4$ ……㉠
이 접선이 점 $(1, 0)$을 지나므로 $x_1=4$
또 점 (x_1, y_1)은 쌍곡선 $x^2-4y^2=4$ 위의 점이므로 $x_1^2-4y_1^2=4$ ……㉡
$x_1=4$를 ㉡에 대입하여 풀면 $y_1=\pm\sqrt{3}$
이것을 ㉠에 대입하면 구하는 접선의 방정식은
$\boldsymbol{x-\sqrt{3}y=1}$ **또는** $\boldsymbol{x+\sqrt{3}y=1}$

참고
방법 ❷ 또는 방법 ❸을 이용할 경우에는 쌍곡선의 점근선과 일치 또는 평행한 직선이나 주어진 점을 지나지 않는 직선이 생길 수 있다.
따라서 쌍곡선 밖의 한 점에서 쌍곡선에 그은 접선은 일반적으로 2개임을 기억하고 방법 ❶을 먼저 이용해 보자.

다른 풀이 점 $(1, 0)$을 지나면서 기울기가 m인 직선의 방정식은
$y=m(x-1)$, 즉 $y=mx-m$ ……㉠
㉠을 쌍곡선의 방정식 $x^2-4y^2=4$에 대입하여 정리하면
$(1-4m^2)x^2+8m^2x-(4m^2+4)=0$
이 이차방정식의 판별식을 D라 하면 $\frac{D}{4}=0$에서 ㉠ $m=\pm\frac{\sqrt{3}}{3}$
이것을 ㉠에 대입하면 구하는 접선의 방정식은
$y=\frac{\sqrt{3}}{3}x-\frac{\sqrt{3}}{3}$ 또는 $y=-\frac{\sqrt{3}}{3}x+\frac{\sqrt{3}}{3}$

㉠ $\frac{D}{4}=16m^4+(1-4m^2)\times(4m^2+4)=0$
$3m^2-1=0$
$\therefore m=\pm\frac{\sqrt{3}}{3}$

확인 문제

정답과 해설 | 40쪽

12-1 (상중하) 점 $(2, 1)$에서 쌍곡선 $2x^2-3y^2=6$에 그은 접선의 방정식을 구하시오.

12-2 (상중하) 점 $(1, 3)$에서 쌍곡선 $\frac{x^2}{4}-\frac{y^2}{3}=1$에 그은 두 접선의 기울기를 각각 m_1, m_2라 할 때, $m_1^2+m_2^2$의 값을 구하시오.

MY 셀파

12-1
접점의 좌표를 (x_1, y_1)이라 하면
접선의 방정식은 $2x_1x-3y_1y=6$

12-2
$m_1^2+m_2^2=(m_1+m_2)^2-2m_1m_2$

연습 문제 EXERCISE

기울기가 주어진 포물선의 접선의 방정식

01 상 중 하

포물선 $x^2=12y$를 x축의 방향으로 k만큼, y축의 방향으로 $-k$만큼 평행이동하면 직선 $y=x+2$와 접한다. 이때 k의 값을 구하시오.

기울기가 주어진 포물선의 접선의 방정식

02 상 중 하

포물선 $y^2=8x$의 초점을 F라 하자. 포물선 내부의 한 점 $\mathrm{A}(4, 1)$과 제1사분면에 있는 포물선 위의 한 점 P에 대하여 삼각형 AFP의 넓이의 최댓값을 구하시오.

접점의 좌표가 주어진 포물선의 접선의 방정식

03 상 중 하

포물선 $x^2=y-2$ 위의 점 $\mathrm{P}(1, 3)$에서의 접선과 x축 및 y축으로 둘러싸인 삼각형의 넓이를 구하시오.

두 포물선의 공통인 접선 서술형

04 상 중 하

두 포물선 $y^2=8x$, $x^2=8y$에 동시에 접하는 직선의 방정식이 $y=ax+b$일 때, 상수 a, b의 값을 구하시오.

두 포물선의 공통인 접선 창의력

05 상 중 하

다음 그림과 같이 직선 l이 두 포물선 $y^2=2x$, $(y-1)^2=2(x-1)$에 동시에 접할 때, 직선 l의 방정식을 구하시오.

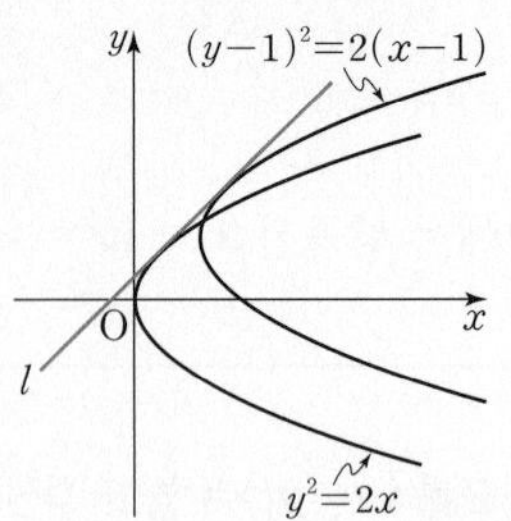

기울기가 주어진 타원의 접선의 방정식

06 상 중 하

타원 $x^2+9y^2=9$에 접하는 기울기가 m인 한 접선이 x축, y축과 만나는 점을 각각 P, Q라 할 때, $\overline{\mathrm{PQ}}$의 길이의 최솟값을 구하시오. (단, $m\neq0$)

접점의 좌표가 주어진 타원의 접선의 방정식 융합형

07 상 중 하

다음 그림과 같이 타원 $\dfrac{x^2}{9}+\dfrac{y^2}{4}=1$ 위의 점 P에서의 접선이 x축, y축과 만나는 점을 각각 Q, R라 하자.

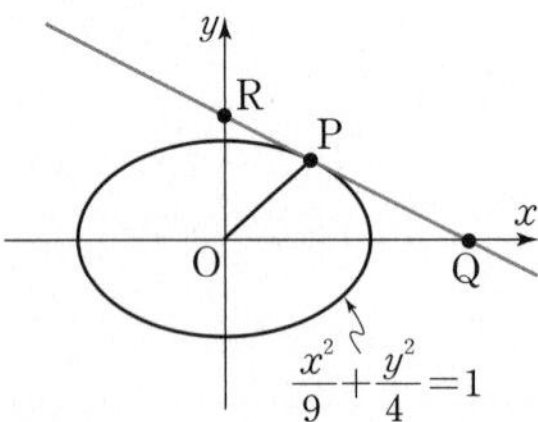

$\triangle\mathrm{OPQ} : \triangle\mathrm{OPR}=3 : 1$일 때, 점 P의 좌표를 구하시오. (단, 점 P는 제1사분면 위의 점이다.)

타원 밖의 한 점에서 타원에 그은 접선의 방정식

08 점 $(-1, 1)$에서 타원 $\frac{x^2}{4}+y^2=1$에 그은 두 접선의 기울기를 m_1, m_2라 할 때, m_1+m_2의 값을 구하시오.

상 중 하

타원 밖의 한 점에서 타원에 그은 접선의 방정식

09 점 $\mathrm{P}(4, 2)$에서 타원 $x^2+4y^2=4$에 그은 두 접선의 접점을 각각 A, B라 할 때, 두 점 A, B를 지나는 직선과 x축 및 y축으로 둘러싸인 삼각형의 넓이를 구하시오.

상 중 하

쌍곡선과 직선의 위치 관계

10 쌍곡선 $\frac{x^2}{9}-y^2=1$과 직선 $y=m(x-2)$가 한 점에서 만날 때, 실수 m의 개수를 구하시오.

상 중 하

기울기가 주어진 쌍곡선의 접선의 방정식

11 직선 $y=3x+5$가 쌍곡선 $\frac{x^2}{a}-\frac{y^2}{2}=1$에 접할 때, 쌍곡선의 두 초점 사이의 거리를 구하시오.

상 중 하

접점의 좌표가 주어진 쌍곡선의 접선의 방정식

12 쌍곡선 $x^2-4y^2=-3$ 위의 점 $(1, -1)$에서의 접선에 수직이고, 이 접선과 y축 위에서 만나는 직선의 방정식을 구하시오.

상 중 하

쌍곡선의 접선의 활용

13 오른쪽 그림과 같이 쌍곡선 $x^2-y^2=32$ 위의 점 $\mathrm{P}(-6, 2)$에서의 접선 l에 대하여 원점 O에서 직선 l에 내린 수선의 발을 H라 하자. 직선 OH와 쌍곡선이 제1사분면에서 만나는 점을 Q라 할 때, $\overline{\mathrm{OH}}\times\overline{\mathrm{OQ}}$의 값을 구하시오.

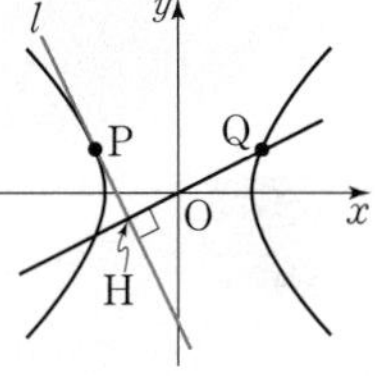

상 중 하

쌍곡선의 접선의 활용

14 원 $x^2+y^2=4$와 쌍곡선 $x^2-y^2=9$에 동시에 접하는 직선의 방정식을 $y=mx+n$이라 할 때, m^2+n^2의 값을 구하시오. (단, m, n은 상수이다.)

상 중 하

4 이차곡선의 접선의 방정식

놀이 동산에 놀러 왔습니다.
이걸 타고 가는 코스가 2가지야. A코스와 B코스
엉금 엉금
A코스와 B코스
목적지
A코스
B코스
현위치
어떤 코스를 선택하든 결국 마찬가지네.
어째서?
엉금 엉금
F

5

벡터의 연산

벡터의 관점에서 설명합니다.
팬더카의 힘도 목적지를 향한 방향도 결국 같으니까!
엉금 엉금

이렇게 갈 수도 있는거네.
목적지는 결국 같아.

5. 벡터의 연산

개념 1 벡터의 뜻

(1) 벡터

㉠크기와 방향을 함께 가지는 양을 **벡터**라 한다.

벡터를 그림으로 나타낼 때는 오른쪽 그림과 같이 방향이 주어진 선분을 이용한다. 점 A에서 점 B로 향하는 방향이 주어진 선분 AB를 벡터 AB라 하고, 기호로 $\overrightarrow{\mathbf{AB}}$와 같이 나타낸다. 이때 점 A를 벡터 $\overrightarrow{AB}$의 **시점**, 점 B를 벡터 $\overrightarrow{AB}$의 **종점**이라 한다.

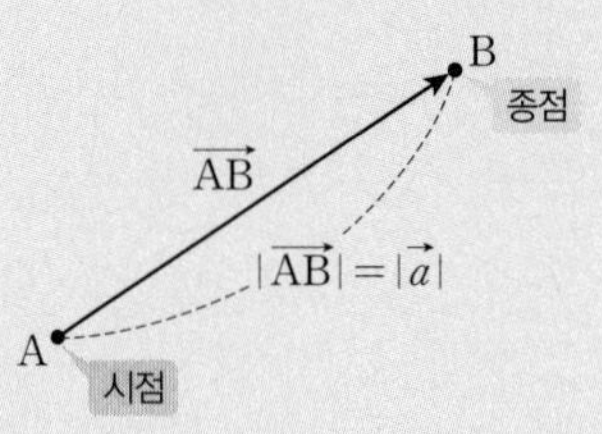

벡터를 한 문자로 나타낼 때는 기호로 $\vec{a}$, $\vec{b}$, $\vec{c}$, …와 같이 나타낸다.

(2) ㉡벡터의 크기

선분 AB의 길이를 **벡터의 크기**라 하며, 기호로 ❶ ______ 또는 $|\vec{a}|$와 같이 나타낸다.

특히 크기가 1인 벡터를 **단위벡터**라 한다.

(3) 영벡터

벡터 $\overrightarrow{AA}$와 같이 시점과 종점이 ❷ ______ 하는 벡터를 **영벡터**라 하며, 기호로 $\vec{0}$와 같이 나타낸다. 이때 영벡터의 크기는 ❸ ______ 이고, 방향은 생각하지 않는다.

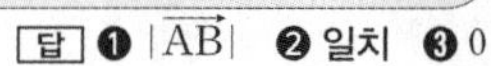
답 ❶ $|\overrightarrow{AB}|$ ❷ 일치 ❸ 0

보기 오른쪽 그림과 같이 한 변의 길이가 1인 정사각형 ABCD에서 $|\overrightarrow{AB}|$, $|\overrightarrow{AC}|$를 구하시오.

연구 $\overline{AB}=1$이므로 벡터 $\overrightarrow{AB}$의 크기는 $|\overrightarrow{AB}|=\mathbf{1}$

또 $\overline{AC}=\sqrt{2}$이므로 벡터 $\overrightarrow{AC}$의 크기는 $|\overrightarrow{AC}|=\sqrt{\mathbf{2}}$

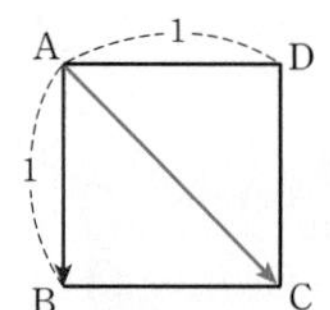

개념 플러스

㉠ 속력, 길이, 넓이, 부피 등과 같이 크기만을 가지는 양을 스칼라라 한다.

㉡ 벡터의 크기는 벡터의 시점과 종점을 양 끝점으로 하는 선분의 길이와 같다. 시점(始點)은 '시작하는 점', 종점(終點)은 '끝나는 점'을 뜻한다.

▶ 평면에서의 벡터를 평면벡터라 한다.

㉢ 크기만을 가지는 양인 스칼라의 경우 두 스칼라의 크기만 같으면 두 스칼라를 서로 같다고 하지만, 크기와 방향을 함께 가지는 양인 벡터에서는 두 벡터의 크기와 방향이 모두 같을 때만 두 벡터를 서로 같다고 한다.

개념 2 서로 같은 벡터

(1) 서로 같은 벡터

오른쪽 그림의 두 벡터 $\overrightarrow{AB}$, $\overrightarrow{CD}$와 같이 시점과 종점은 달라도 그 크기와 방향이 각각 같을 때, ㉢두 벡터는 서로 같다고 하며, 기호로 ㉣$\overrightarrow{AB}=\overrightarrow{CD}$ 또는 $\vec{a}=$ ❶ ______ 와 같이 나타낸다.

(2) 크기는 같고 방향이 반대인 벡터

벡터 $\vec{a}$와 크기는 같고 방향이 반대인 벡터를 기호로 $-\vec{a}$와 같이 나타낸다. 이때 $|-\vec{a}|=|\vec{a}|$이고, $\overrightarrow{BA}=-\overrightarrow{AB}$이다.

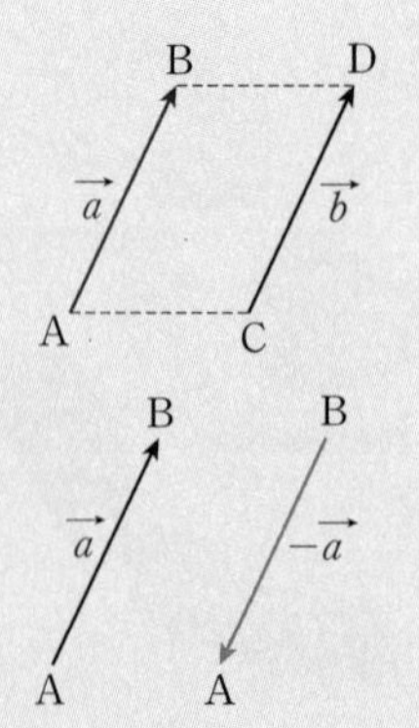

답 ❶ $\vec{b}$

㉣ $\overrightarrow{AB}=\overrightarrow{CD}$이면 선분 AB를 평행이동하여 선분 CD에 포개었을 때, 점 A와 점 C가, 점 B와 점 D가 각각 일치한다.

크기와 방향을 함께 가지는 양인 벡터는 평행이동하여 겹쳐지면 모두 같은 벡터야.

1-1 | 벡터의 뜻 |

오른쪽 그림에서 한 칸의 가로, 세로의 길이가 모두 1일 때, 다음 벡터의 크기를 구하시오.

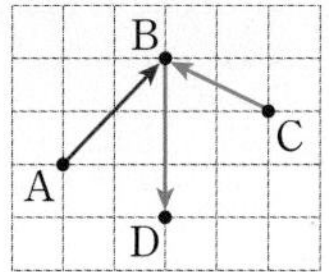

(1) $\overrightarrow{AB}$ (2) $\overrightarrow{BD}$ (3) $\overrightarrow{CB}$

연구

(1) $\overline{AB}=\sqrt{2^2+2^2}=2\sqrt{2}$이므로 $|\overrightarrow{AB}|=$ ☐

(2) $\overline{BD}=$ ☐이므로 $|\overrightarrow{BD}|=$ ☐

(3) $\overline{CB}=\sqrt{☐^2+1^2}=$ ☐이므로 $|\overrightarrow{CB}|=$ ☐

1-2 | 따라풀기 |

오른쪽 그림에서 한 칸의 가로, 세로의 길이가 모두 1일 때, 다음 벡터의 크기를 구하시오.

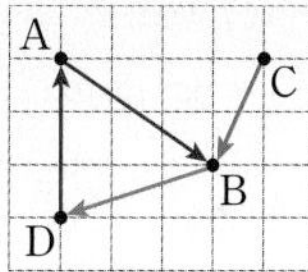

(1) $\overrightarrow{AB}$ (2) $\overrightarrow{BD}$

(3) $\overrightarrow{CB}$ (4) $\overrightarrow{DA}$

풀이

2-1 | 서로 같은 벡터 |

오른쪽 그림과 같은 5개의 벡터 $\vec{a}$, $\vec{b}$, $\vec{c}$, $\vec{d}$, $\vec{e}$에 대하여 다음을 구하시오.

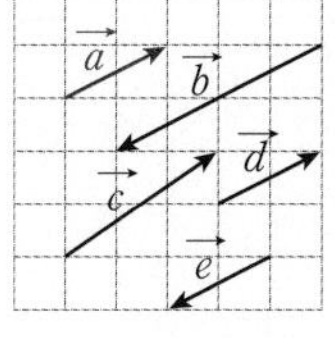

(1) $\vec{a}$와 같은 벡터

(2) $\vec{a}$와 크기는 같고 방향이 반대인 벡터

연구

한 칸의 가로, 세로의 길이를 모두 1이라 하면 $|\vec{a}|=\sqrt{2^2+1^2}=\sqrt{5}$

(1) $|\vec{d}|=|\vec{e}|=\sqrt{2^2+1^2}=\sqrt{5}$이므로
벡터 $\vec{a}$와 크기가 같은 벡터는 $\vec{d}$, ☐이다.
이때 벡터 $\vec{a}$와 방향이 같은 벡터는 $\vec{d}$이므로
벡터 $\vec{a}$와 같은 벡터는 $\boldsymbol{\vec{d}}$

(2) 벡터 $\vec{a}$와 크기가 같은 벡터는 $\vec{d}$, $\vec{e}$이다.
이때 벡터 $\vec{a}$와 방향이 반대인 벡터는 $\vec{e}$이므로
벡터 $\vec{a}$와 크기는 같고 방향이 반대인 벡터는 ☐

2-2 | 따라풀기 |

오른쪽 그림과 같은 5개의 벡터 $\vec{a}$, $\vec{b}$, $\vec{c}$, $\vec{d}$, $\vec{e}$에 대하여 다음을 구하시오.

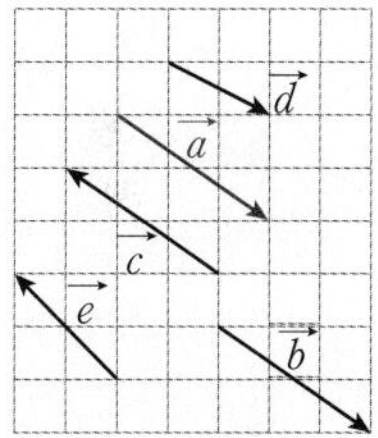

(1) $\vec{a}$와 같은 벡터

(2) $\vec{a}$와 크기는 같고 방향이 반대인 벡터

풀이

개념 3 벡터의 덧셈, 뺄셈

(1) 벡터의 덧셈

두 벡터 $\vec{a}=\overrightarrow{AB}$, $\vec{b}=\overrightarrow{BC}$에 대하여

$\vec{a}+\vec{b}=\overrightarrow{AB}+\overrightarrow{BC}=\overrightarrow{AC}$

(2) 벡터의 덧셈에 대한 성질

세 벡터 $\vec{a}$, $\vec{b}$, $\vec{c}$와 영벡터 $\vec{0}$에 대하여

❶ $\vec{a}+\vec{b}=\vec{b}+\vec{a}$ (교환법칙)

❷ $(\vec{a}+\vec{b})+\vec{c}=$ ❶ ______ $+(\vec{b}+\vec{c})$ ㉠결합법칙)

❸ $\vec{a}+\vec{0}=\vec{0}+\vec{a}=\vec{a}$

❹ $\vec{a}+(-\vec{a})=(-\vec{a})+\vec{a}=\vec{0}$

(3) 벡터의 뺄셈

두 벡터 $\vec{a}=\overrightarrow{OA}$, $\vec{b}=$ ❷ ______ 에 대하여

$\vec{a}-\vec{b}=\overrightarrow{OA}-\overrightarrow{OB}=\overrightarrow{BA}$

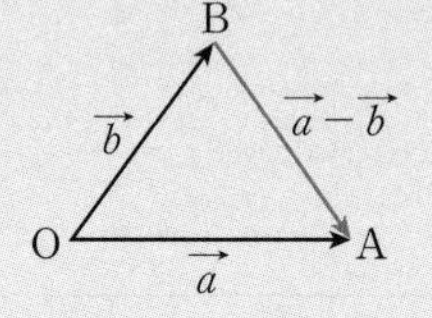

답 ❶ $\vec{a}$ ❷ $\overrightarrow{OB}$

개념 플러스

㉠ 벡터의 덧셈에 대한 결합법칙이 성립하므로 $(\vec{a}+\vec{b})+\vec{c}=\vec{a}+(\vec{b}+\vec{c})$ 를 괄호를 생략하여 $\vec{a}+\vec{b}+\vec{c}$ 로 나타내기도 한다.

㉡ 다음은 두 벡터 $\vec{a}$, $\vec{b}$가 서로 평행한 경우이다.

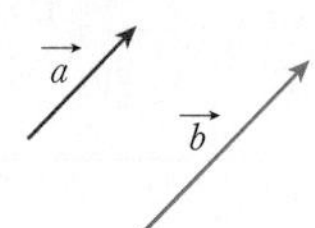

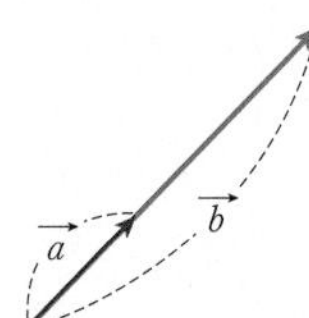

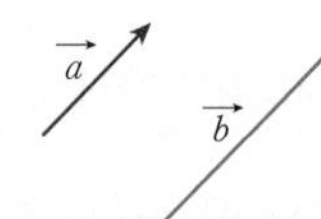

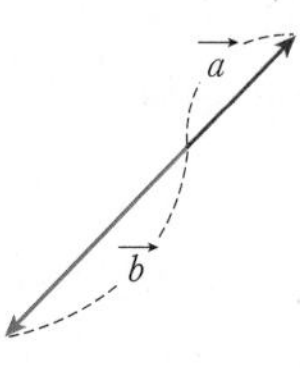

개념 4 벡터의 실수배

(1) 일반적으로 실수 k와 벡터 $\vec{a}$의 곱 $k\vec{a}$를 $\vec{a}$의 **실수배**라 한다.

실수 k와 벡터 $\vec{a}$에 대하여

❶ $\vec{a}\neq\vec{0}$일 때, $k\vec{a}$는

(i) $k>0$이면 $\vec{a}$와 방향이 같고, 크기가 $k|\vec{a}|$인 벡터이다.

(ii) $k<0$이면 $\vec{a}$와 방향이 반대이고, 크기가 $|k||\vec{a}|$인 벡터이다.

(iii) $k=0$이면 $\vec{0}$이다.

❷ $\vec{a}=\vec{0}$일 때, $k\vec{a}=\vec{0}$이다.

(2) 벡터의 실수배에 대한 성질

두 실수 k, l과 두 벡터 $\vec{a}$, $\vec{b}$에 대하여

❶ $k(l\vec{a})=(kl)\vec{a}$ (결합법칙)

❷ $(k+l)\vec{a}=$ ❶ ______ $+l\vec{a}$, $k(\vec{a}+\vec{b})=k\vec{a}+$ ❷ ______ (분배법칙)

답 ❶ $k\vec{a}$ ❷ $k\vec{b}$

개념 5 벡터의 평행

(1) 영벡터가 아닌 두 벡터 $\vec{a}$, $\vec{b}$가 방향이 같거나 반대일 때, $\vec{a}$와 $\vec{b}$는 서로 ❶ ______ 하다고 하며, 기호로 ㉡$\vec{a}\,/\!/\,\vec{b}$와 같이 나타낸다.

(2) 두 벡터가 서로 평행할 조건

영벡터가 아닌 두 벡터 $\vec{a}$, $\vec{b}$에 대하여 ㉢$\vec{a}\,/\!/\,\vec{b} \Longleftrightarrow \vec{b}=k\vec{a}$ (단, k는 0이 아닌 실수)

(3) 세 점이 한 직선 위에 있을 조건

서로 다른 세 점 A, B, C가 한 직선 위에 존재

$\Longleftrightarrow \overrightarrow{AB}\,/\!/\,\overrightarrow{AC} \Longleftrightarrow \overrightarrow{AC}=k$ ❷ ______ (단, k는 0이 아닌 실수)

답 ❶ 평행 ❷ $\overrightarrow{AB}$

㉢ $\vec{a}\neq\vec{0}$, $\vec{b}\neq\vec{0}$인 $\vec{a}$, $\vec{b}$에 대하여

(i) $\vec{a}$, $\vec{b}$가 서로 같은 방향이면 $\vec{a}\,/\!/\,\vec{b} \Longleftrightarrow \vec{b}=k\vec{a}$ (단, $k>0$)

(ii) $\vec{a}$, $\vec{b}$가 서로 반대 방향이면 $\vec{a}\,/\!/\,\vec{b} \Longleftrightarrow \vec{b}=k\vec{a}$ (단, $k<0$)

3-1 | 벡터의 실수배 |

다음을 간단히 하시오.

(1) $4(3\vec{a}-2\vec{b})-5(2\vec{a}-\vec{b})$

(2) $2(\vec{a}-3\vec{b}+2\vec{c})+3(-\vec{a}+2\vec{b}-\vec{c})$

연구

(1) $4(3\vec{a}-2\vec{b})-5(2\vec{a}-\vec{b})$

$=12\vec{a}-8\vec{b}-10\vec{a}+5\vec{b}$

$=(12-10)\vec{a}+(-8+5)\vec{b}$

$=\square\,\vec{a}-3\vec{b}$

(2) $2(\vec{a}-3\vec{b}+2\vec{c})+3(-\vec{a}+2\vec{b}-\vec{c})$

$=2\vec{a}-6\vec{b}+4\vec{c}-3\vec{a}+6\vec{b}-3\vec{c}$

$=(2-3)\vec{a}+(-6+6)\vec{b}+(4-3)\vec{c}$

$=-\vec{a}+\square$

3-2 | 따라풀기 |

다음을 간단히 하시오.

(1) $3(\vec{a}+2\vec{b})-2(\vec{a}+\vec{b})$

(2) $4(2\vec{a}-3\vec{b}+\vec{c})-5(-2\vec{a}+\vec{b}+2\vec{c})$

풀이

4-1 | 벡터의 평행 |

두 벡터 $2\vec{a}-m\vec{b}$, $\vec{a}-3\vec{b}$가 서로 평행할 때, 실수 m의 값을 구하시오.

(단, 두 벡터 $\vec{a}$, $\vec{b}$는 영벡터가 아니고 서로 평행하지 않다.)

연구

두 벡터 $2\vec{a}-m\vec{b}$, $\vec{a}-3\vec{b}$가 서로 평행하므로

$2\vec{a}-m\vec{b}=k(\vec{a}-3\vec{b})$ (단, k는 0이 아닌 실수)

$2\vec{a}-m\vec{b}=k\vec{a}-3k\vec{b}$

에서 $\square=k$, $-m=-3k$

$\therefore m=\square$

4-2 | 따라풀기 |

다음 두 벡터가 서로 평행할 때, 실수 m의 값을 구하시오.

(단, 두 벡터 $\vec{a}$, $\vec{b}$는 영벡터가 아니고 서로 평행하지 않다.)

(1) $\vec{a}-3\vec{b}$, $m\vec{a}+9\vec{b}$

(2) $2\vec{a}-5\vec{b}$, $6\vec{a}+m\vec{b}$

풀이

셀파 특강 01 벡터와 스칼라

Q 벡터는 왜 배우는 거죠?

A 자연 현상이나 일상 생활의 내용을 식으로 나타내면서 인류의 과학은 급속도로 발전했다는 걸 알고 있지? 예를 들어 줄다리기를 생각해 보자. 오른쪽 그림과 같이 두 사람이 줄다리기를 하는데, 한 사람은 왼쪽으로 a만큼, 한 사람은 오른쪽으로 b만큼 힘을 준다고 하자. ㉠이때 줄에 작용하는 힘을 식으로 나타내려면 두 사람이 힘을 주는 방향도 고려해야 하잖아? 그럼 어떻게 할까?

Q 방향을 나타낼 방법이 필요하네요.

A 그래서 벡터가 필요한 거야. 크기만을 가지는 양을 스칼라라고 하고, ㉡벡터는 크기와 방향을 함께 가지는 양이거든. 예를 들어 오른쪽 그림과 같이 힘을 준다고 할 때, 선분 AB의 길이는 힘의 크기를 나타내고 화살선이 향하는 방향으로 힘의 방향을 나타낼 수 있지. 이걸 벡터 AB라 하고 기호로 $\overrightarrow{AB}$와 같이 나타내.

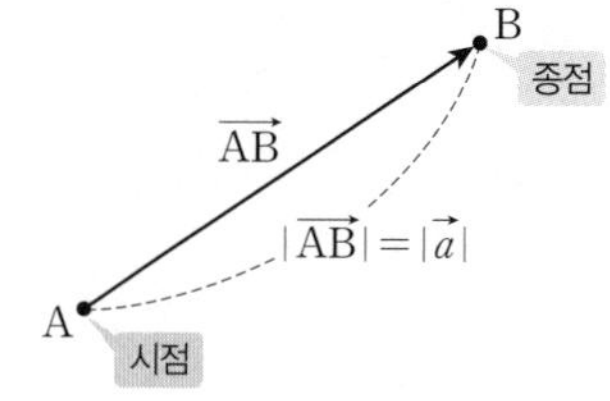

> ❶ 점 A를 벡터 $\overrightarrow{AB}$의 시점, 점 B를 벡터 $\overrightarrow{AB}$의 종점이라 한다.
> ❷ 선분 AB의 길이를 벡터 $\overrightarrow{AB}$의 크기라 하고 기호로 $|\overrightarrow{AB}|$와 같이 나타낸다.

A 벡터에서 재미있는 점은 벡터는 크기와 방향만 중요하고 ㉢시점은 고려하지 않는다는 거야. 오른쪽 그림과 같이 어떤 상자를 움직이려고 할 때, 뒤에서 밀거나 앞에서 끌거나 결국 같은 효과가 나타나지? 따라서 이 벡터들은 방향과 크기가 모두 같으므로 서로 같은 벡터야.

Q 아, 그러네요. '서로 같은 벡터'의 의미를 알겠어요.

A 따라서 두 벡터 $\vec{a}$, $\vec{b}$의 크기와 방향이 각각 같으면 두 벡터 $\vec{a}$, $\vec{b}$는 서로 같다고 하고, $\vec{a}=\vec{b}$와 같이 나타내. 두 벡터 $\vec{a}$, $\vec{b}$가 크기는 같고 방향이 반대이면 $\vec{a}=-\vec{b}$와 같이 나타내.

▶스칼라와 벡터의 구분

	스칼라	벡터
정의	크기만 가지는 양	크기와 방향을 가지는 양
예	질량, 길이, 시간, 속력, 넓이	변위, 속도, 힘, 가속도

㉠ 이때 힘의 크기뿐만 아니라 힘이 작용하는 방향도 생각해야 결과를 나타낼 수 있다.

㉡

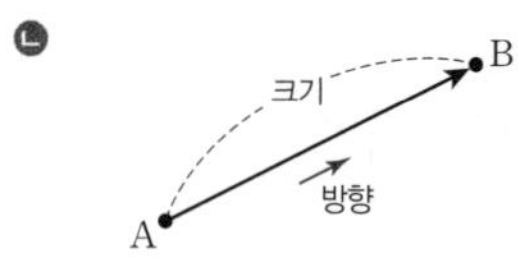

벡터를 한 문자로 나타낼 때는 기호 $\vec{a}$, $\vec{b}$, $\vec{c}$, …로 나타내고, 벡터 $\vec{a}$의 크기를 $|\vec{a}|$로 나타내.

㉢ 벡터는 위치를 고려하지 않고 방향과 크기만 주어진 양이다. 따라서 벡터는 어디에 위치하든지 크기와 방향만 같으면 서로 같은 벡터이다.

해법 01 서로 같은 벡터

❶ 두 벡터 $\vec{a}$, $\vec{b}$의 크기와 방향이 각각 같으면
⇨ $\vec{a}$, $\vec{b}$가 서로 같다고 하고, 기호로 $\vec{a}=\vec{b}$와 같이 나타낸다.

❷ 두 벡터 $\vec{a}$, $\vec{c}$의 크기는 같고, 방향이 반대이면
⇨ 기호로 $\vec{a}=-\vec{c}$와 같이 나타낸다.

❸ 벡터 $\overrightarrow{AA}$와 같이 시점과 종점이 일치하는 벡터를 영벡터라 하고 $\vec{0}$와 같이 나타낸다.

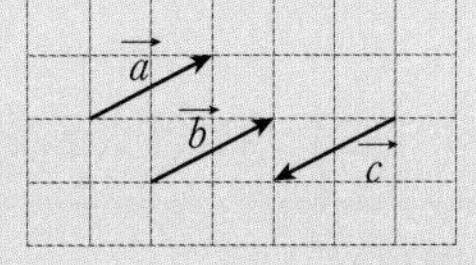

PLUS
두 벡터 중 어느 한 벡터를 평행이동하여 시점이 같도록 할 수 있다. 따라서 두 벡터의 시점이 일치하지 않더라도 두 벡터의 크기와 방향이 각각 같으면 두 벡터는 서로 같은 벡터이다.

예제 오른쪽 그림과 같이 한 변의 길이가 2인 정육각형 ABCDEF에서 세 대각선의 교점을 O라 할 때, 다음을 구하시오.

(1) $\overrightarrow{CF}$와 크기가 같은 벡터
(2) $\overrightarrow{AB}$와 같은 벡터
(3) $\overrightarrow{OA}$와 크기는 같고 방향이 반대인 벡터

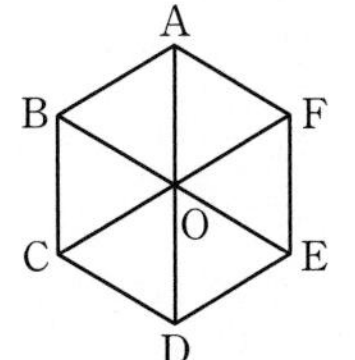

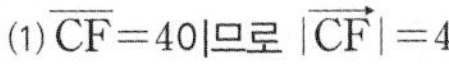

해법 코드
(1) $\overline{CF}=4$이므로 $|\overrightarrow{CF}|=4$
(2) $\overrightarrow{AB}$와 크기와 방향이 각각 같은 벡터를 찾는다.

셀파 크기와 방향이 각각 같다. ⇨ 서로 같은 벡터

풀이 (1) $\overrightarrow{CF}$의 크기는 ㉠대각선 CF의 길이와 같으므로 $|\overrightarrow{CF}|=4$
이때 $\overline{AD}=\overline{BE}=4$이므로 $\overrightarrow{CF}$와 크기가 같은 벡터는
$\overrightarrow{FC}$, $\overrightarrow{AD}$, $\overrightarrow{DA}$, $\overrightarrow{BE}$, $\overrightarrow{EB}$

(2) $\overrightarrow{AB}$와 ㉡같은 벡터는 $\overrightarrow{FO}$, $\overrightarrow{OC}$, $\overrightarrow{ED}$

(3) $\overrightarrow{OA}$와 크기는 같고 방향이 반대인 벡터는 $\overrightarrow{AO}$, $\overrightarrow{OD}$, $\overrightarrow{BC}$, $\overrightarrow{FE}$

㉠ 한 변의 길이가 2인 정육각형이므로
$\overline{CF}=2\overline{BA}=2\times2=4$

㉡ 서로 같은 벡터는 시점의 위치에 관계없이 크기와 방향이 각각 같은 벡터이다.

확인 문제

정답과 해설 | 46쪽

MY 셀파

01-1 (상중하) 오른쪽 그림과 같은 직사각형 ABCD에서 두 대각선의 교점을 O라 할 때, 다음을 구하시오.

(1) $\overrightarrow{AB}$와 같은 벡터
(2) $\overrightarrow{BC}$와 크기는 같고 방향이 반대인 벡터

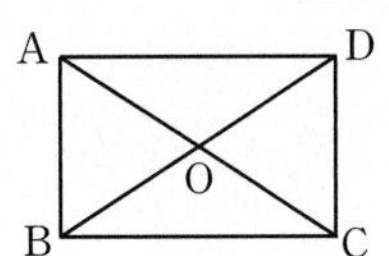

01-1
(1) $\overrightarrow{AB}$와 크기와 방향이 각각 같은 벡터를 찾는다.

01-2 (상중하) 오른쪽 그림과 같은 삼각형 ABC에서 세 변 AB, BC, CA의 중점을 각각 D, E, F라 하자. $\overrightarrow{AD}=\vec{a}$, $\overrightarrow{AF}=\vec{b}$, $\overrightarrow{BE}=\vec{c}$라 할 때, 다음 벡터를 $\vec{a}$, $\vec{b}$, $\vec{c}$로 나타내시오.

(1) $\overrightarrow{FE}$ (2) $\overrightarrow{DF}$
(3) $\overrightarrow{ED}$ (4) $\overrightarrow{CE}$

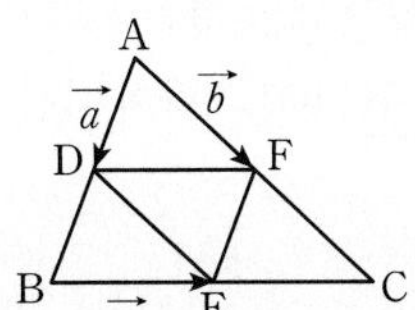

01-2
$\overline{DF}/\!/\overline{BC}$, $\overline{DF}=\frac{1}{2}\overline{BC}$
$\overline{DE}/\!/\overline{AC}$, $\overline{DE}=\frac{1}{2}\overline{AC}$
$\overline{EF}/\!/\overline{AB}$, $\overline{EF}=\frac{1}{2}\overline{AB}$

5 벡터의 연산

A 삼각형과 평행사변형을 이용하여 두 벡터의 덧셈을 구할 수 있어.

삼각형을 이용한 벡터의 덧셈

$\vec{a}=\overrightarrow{AB}$, $\vec{b}=\overrightarrow{BC}$라 할 때, 벡터 $\overrightarrow{AC}$를 $\vec{a}$와 $\vec{b}$의 합이라 하고 기호로 $\vec{a}+\vec{b}$와 같이 나타낸다.

$$\vec{a}+\vec{b}=\overrightarrow{AB}+\overrightarrow{BC}=\overrightarrow{AC}$$

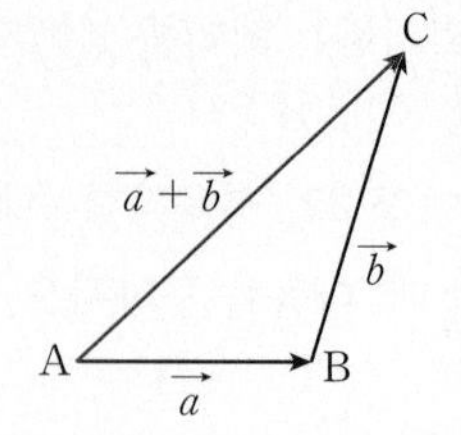

평행사변형을 이용한 벡터의 덧셈

$\vec{a}=\overrightarrow{OA}$, $\vec{b}=\overrightarrow{OB}$라 하고 $\overrightarrow{OA}$, $\overrightarrow{OB}$를 두 변으로 하는 평행사변형 OBCA를 만들 때, 벡터 $\overrightarrow{OC}$를 $\vec{a}$와 $\vec{b}$의 합이라 하고 기호로 $\vec{a}+\vec{b}$와 같이 나타낸다.

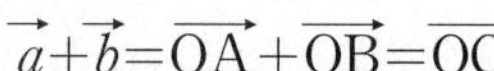

$$\vec{a}+\vec{b}=\overrightarrow{OA}+\overrightarrow{OB}=\overrightarrow{OC}$$

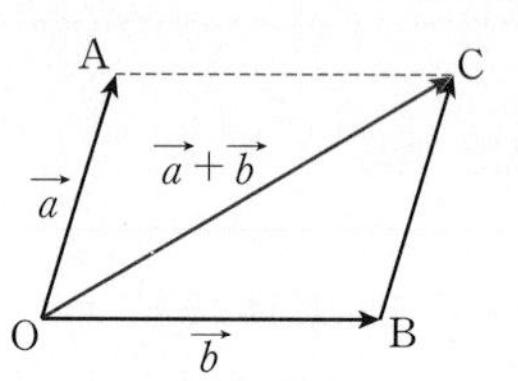

따라서 두 벡터의 합을 구할 때 다음과 같이 ㉠한 벡터를 평행이동하면 돼.

벡터의 덧셈을 삼각형과 평행사변형을 이용하여 그림으로 나타내기

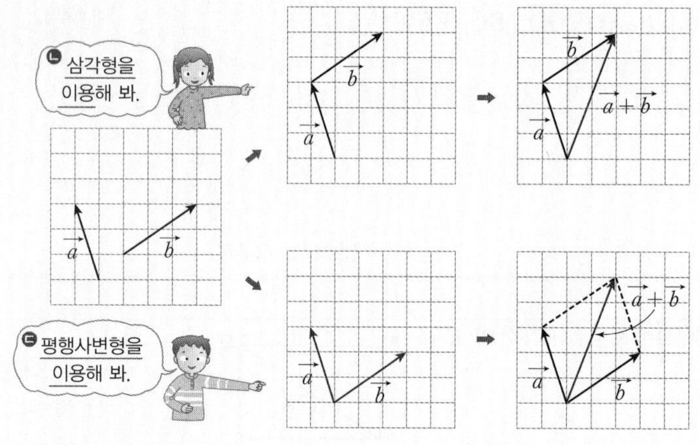

Q 아, 상황에 따라서 삼각형이나 평행사변형을 골라서 사용하면 되겠네요.

A 그렇지! 이번에는 벡터의 덧셈에 대한 성질을 알아보자.
임의의 세 벡터 $\vec{a}$, $\vec{b}$, $\vec{c}$와 ㉣영벡터 $\vec{0}$에 대하여 다음 성질이 성립해.

❶ $\vec{a}+\vec{b}=\vec{b}+\vec{a}$ (교환법칙) ❷ $(\vec{a}+\vec{b})+\vec{c}=\vec{a}+(\vec{b}+\vec{c})$ (결합법칙)
❸ $\vec{a}+\vec{0}=\vec{0}+\vec{a}=\vec{a}$ ❹ $\vec{a}+(-\vec{a})=\vec{0}$

▶ 벡터는 위치에 관계없이 크기와 방향이 각각 같으면 같은 벡터이다. 따라서 다음 그림에서 $\vec{a}$와 $\vec{a'}$, $\vec{b}$와 $\vec{b'}$은 서로 같은 벡터이다.

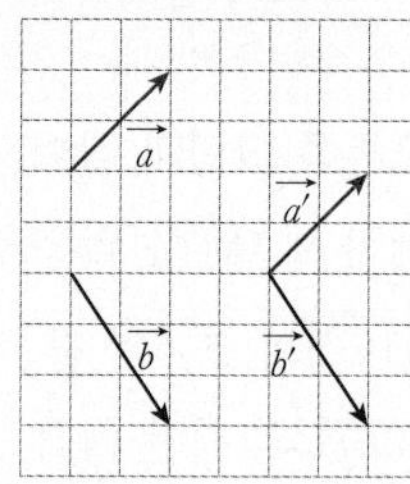

따라서 $\vec{a}$와 $\vec{b}$의 합은 $\vec{a'}$과 $\vec{b'}$의 합과 같다. 즉,
$\vec{a}+\vec{b}=\vec{a'}+\vec{b'}$

㉠ ❶ 삼각형을 이용하여 벡터의 합을 구할 때는 한 벡터의 종점에 다른 벡터의 시점을 일치시킨다.
❷ 평행사변형을 이용하여 벡터의 합을 구할 때는 두 벡터의 시점을 일치시킨다.

㉡ $\vec{a}$의 종점에 $\vec{b}$의 시점을 옮긴 다음 $\vec{a}$의 시점과 $\vec{b}$의 종점을 잇는다.

㉢ $\vec{a}$의 시점과 $\vec{b}$의 시점을 일치시킨 다음 $\vec{a}$와 $\vec{b}$를 두 변으로 하는 평행사변형을 만든다. 이 평행사변형의 $\vec{a}$의 시점에서 시작하는 대각선을 긋는다.

㉣ 영벡터의 크기는 0이고, 방향은 생각하지 않는다.

A 또 벡터의 뺄셈은 다음과 같이 생각할 수 있어.

삼각형을 이용한 벡터의 뺄셈

두 벡터 $\vec{a}$, $\vec{b}$에 대하여 $\vec{b}+\vec{x}=\vec{a}$를 만족시키는 벡터 $\vec{x}$를 $\vec{a}$에서 $\vec{b}$를 뺀 차라 하고 기호로 $\vec{x}=\vec{a}-\vec{b}$와 같이 나타낸다. 오른쪽 그림에서 $\vec{a}=\overrightarrow{OA}$, $\vec{b}=\overrightarrow{OB}$가 되도록 세 점 O, A, B를 잡으면 $\vec{b}+\overrightarrow{BA}=\vec{a}$이므로

$\vec{a}-\vec{b}=\overrightarrow{BA}$, 즉 $\overrightarrow{OA}-\overrightarrow{OB}=\overrightarrow{BA}$

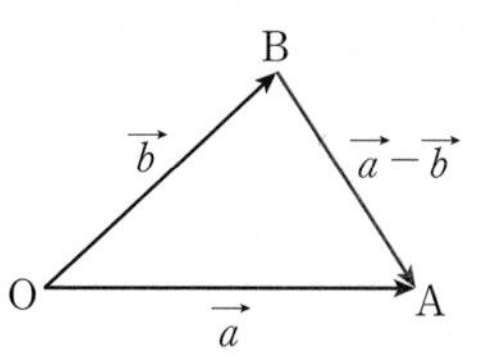

평행사변형을 이용한 벡터의 뺄셈

오른쪽 그림과 같은 평행사변형 OACB에서 $\vec{a}=\overrightarrow{OA}$, $\vec{b}=\overrightarrow{OB}$일 때

$\vec{a}-\vec{b}=\overrightarrow{OA}-\overrightarrow{OB}=\overrightarrow{BA}$
$=\overrightarrow{BC}+\overrightarrow{CA}$
$=\vec{a}+(-\vec{b})$

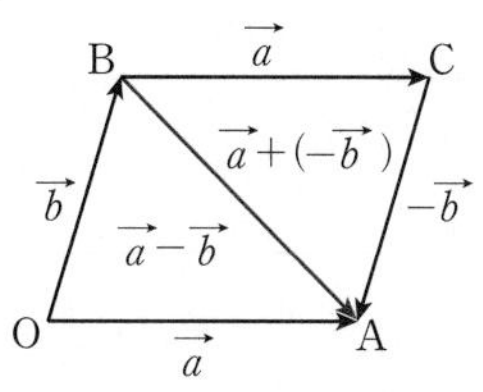

벡터의 뺄셈을 삼각형과 평행사변형을 이용하여 그림으로 나타내기

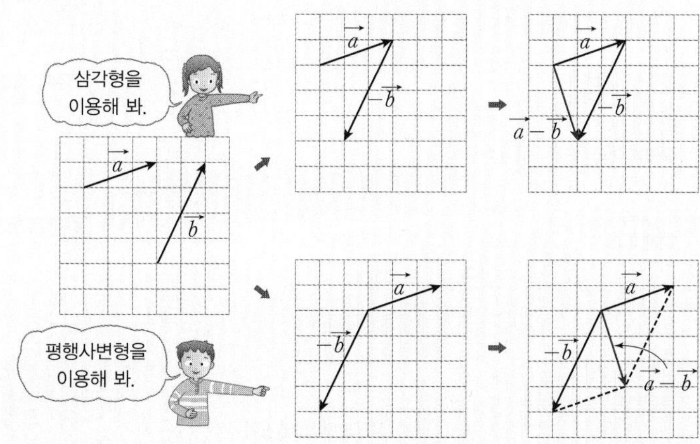

▶벡터의 덧셈에 대한 성질

❶ 교환법칙

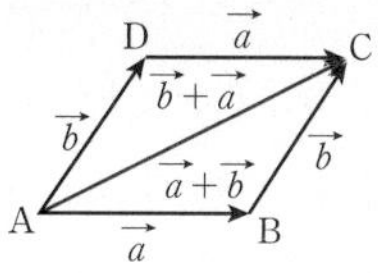

두 벡터 $\vec{a}$, $\vec{b}$에 대하여 위의 그림과 같이 $\vec{a}=\overrightarrow{AB}$, $\vec{b}=\overrightarrow{BC}$가 되도록 세 점 A, B, C를 잡고, 사각형 ABCD가 평행사변형이 되도록 점 D를 잡으면

$\overrightarrow{DC}=\overrightarrow{AB}=\vec{a}$, $\overrightarrow{AD}=\overrightarrow{BC}=\vec{b}$

이므로

$\vec{a}+\vec{b}=\overrightarrow{AB}+\overrightarrow{BC}=\overrightarrow{AC}$
$\vec{b}+\vec{a}=\overrightarrow{AD}+\overrightarrow{DC}=\overrightarrow{AC}$
$\therefore \vec{a}+\vec{b}=\vec{b}+\vec{a}$

❷ 결합법칙

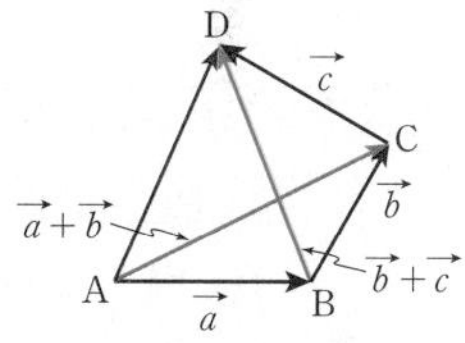

세 벡터 $\vec{a}$, $\vec{b}$, $\vec{c}$에 대하여 위의 그림과 같이 $\vec{a}=\overrightarrow{AB}$, $\vec{b}=\overrightarrow{BC}$, $\vec{c}=\overrightarrow{CD}$가 되도록 네 점 A, B, C, D를 잡으면

$(\vec{a}+\vec{b})+\vec{c}=(\overrightarrow{AB}+\overrightarrow{BC})+\overrightarrow{CD}$
$=\overrightarrow{AC}+\overrightarrow{CD}=\overrightarrow{AD}$
$\vec{a}+(\vec{b}+\vec{c})=\overrightarrow{AB}+(\overrightarrow{BC}+\overrightarrow{CD})$
$=\overrightarrow{AB}+\overrightarrow{BD}=\overrightarrow{AD}$
$\therefore (\vec{a}+\vec{b})+\vec{c}=\vec{a}+(\vec{b}+\vec{c})$

확인 체크 01 정답과 해설 | 46쪽

두 벡터 $\vec{a}$, $\vec{b}$가 다음과 같을 때, $\vec{a}+\vec{b}$, $\vec{a}-\vec{b}$를 각각 그림으로 나타내시오.

(1)

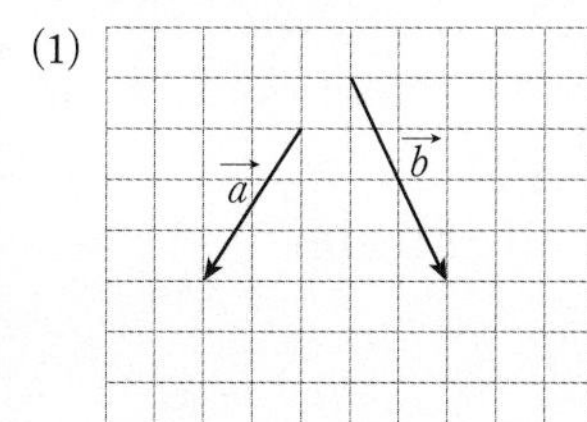

(2)

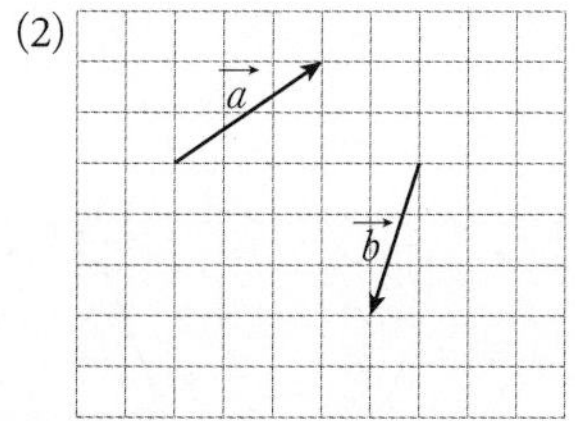

해법 02 벡터의 덧셈

앞 벡터의 종점과 뒤 벡터의 시점이 같다.

$$\overrightarrow{AB}+\overrightarrow{BC}=\overrightarrow{AC}$$

같은 것을 제외하고 순서대로 쓴다.

PLUS

세 벡터 $\vec{a}$, $\vec{b}$, $\vec{c}$에 대하여 다음이 성립한다.

❶ 교환법칙 : $\vec{a}+\vec{b}=\vec{b}+\vec{a}$

❷ 결합법칙 : $(\vec{a}+\vec{b})+\vec{c}=\vec{a}+(\vec{b}+\vec{c})$

예제 다음을 간단히 하시오.

(1) $\overrightarrow{BA}+\overrightarrow{CB}+\overrightarrow{DC}+\overrightarrow{CD}+\overrightarrow{AD}$　　(2) $\overrightarrow{CB}+\overrightarrow{DB}+\overrightarrow{BC}+\overrightarrow{BD}+\overrightarrow{AC}$

해법 코드

벡터의 덧셈에 대한 성질을 이용한다.

셀파 $\overrightarrow{AB}+\overrightarrow{BC}=\overrightarrow{AC}$, $\overrightarrow{AB}+\overrightarrow{BC}+\overrightarrow{CD}=\overrightarrow{AD}$

풀이 (1) $\overrightarrow{BA}+\overrightarrow{CB}+\overrightarrow{DC}+\overrightarrow{CD}+\overrightarrow{AD}$

$=\overrightarrow{CB}+\overrightarrow{BA}+\overrightarrow{DC}+\overrightarrow{CD}+\overrightarrow{AD}$ (교환법칙)

$=(\overrightarrow{CB}+\overrightarrow{BA})+(\overrightarrow{DC}+\overrightarrow{CD})+\overrightarrow{AD}$ (결합법칙)

$\overset{㉠}{=}\overrightarrow{CA}+\overrightarrow{DD}+\overrightarrow{AD}$

$=\overrightarrow{CA}+\overrightarrow{AD}=\overrightarrow{CD}$

㉠ $\overrightarrow{CB}+\overrightarrow{BA}=\overrightarrow{CA}$
$\overrightarrow{DC}+\overrightarrow{CD}=\overrightarrow{DD}=\vec{0}$

(2) $\overrightarrow{CB}+\overrightarrow{DB}+\overrightarrow{BC}+\overrightarrow{BD}+\overrightarrow{AC}$

$=\overrightarrow{CB}+\overrightarrow{BC}+\overrightarrow{DB}+\overrightarrow{BD}+\overrightarrow{AC}$ (교환법칙)

$=(\overrightarrow{CB}+\overrightarrow{BC})+(\overrightarrow{DB}+\overrightarrow{BD})+\overrightarrow{AC}$ (결합법칙)

$\overset{㉡}{=}\overrightarrow{CC}+\overrightarrow{DD}+\overrightarrow{AC}$

$=\overrightarrow{AC}$

㉡ $\overrightarrow{CB}+\overrightarrow{BC}=\overrightarrow{CC}=\vec{0}$
$\overrightarrow{DB}+\overrightarrow{BD}=\overrightarrow{DD}=\vec{0}$

다른 풀이 (1) $\overrightarrow{BA}+\overrightarrow{CB}+\overrightarrow{DC}+\overrightarrow{CD}+\overrightarrow{AD}$

$=\overrightarrow{BA}+\overrightarrow{CB}+(\overrightarrow{DC}+\overrightarrow{CD})+\overrightarrow{AD}$ (결합법칙)

$=\overrightarrow{BA}+\overrightarrow{CB}+\overrightarrow{DD}+\overrightarrow{AD}$

$=\overrightarrow{CB}+\overrightarrow{BA}+\overrightarrow{AD}$ (교환법칙)

$=\overrightarrow{CD}$

확인 문제

정답과 해설 | 46쪽

MY 셀파

02-1 (상중하) 다음을 간단히 하시오.

(1) $\overrightarrow{AB}+\overrightarrow{CA}+\overrightarrow{BC}$　　(2) $\overrightarrow{AB}+\overrightarrow{CD}+\overrightarrow{DA}$

02-1
(2) 종점과 시점이 일치하는 $\overrightarrow{CD}+\overrightarrow{DA}$를 먼저 간단히 한다.

02-2 (상중하) 오른쪽 그림과 같은 사각형 ABCD에서

$$\overrightarrow{AB}+\overrightarrow{CD}=\overrightarrow{AD}+\overrightarrow{CB}$$

가 성립함을 보이시오.

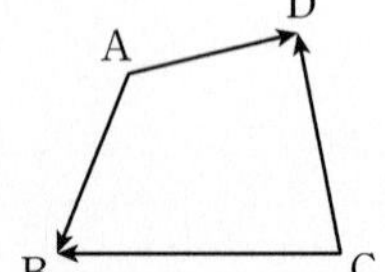

02-2
$\overrightarrow{AB}=\overrightarrow{AD}+\overrightarrow{DB}$

해법 03 벡터의 뺄셈

시점이 같다.

$$\overrightarrow{OA}-\overrightarrow{OB}=\overrightarrow{BA}$$

같은 것을 제외하고 역순으로 쓴다.

PLUS

벡터 $\overrightarrow{AB}$를 종점과 시점이 일치하는 두 벡터의 합으로 나타내면 $\overrightarrow{AC}+\overrightarrow{CB}$ 꼴이다. 또 시점이 일치하는 두 벡터의 차로 나타내면 $\overrightarrow{CB}-\overrightarrow{CA}$ 꼴이다.

예제 오른쪽 그림과 같은 평행사변형 ABCD에서 두 대각선의 교점을 O라 하고 $\overrightarrow{OA}=\vec{a}$, $\overrightarrow{OB}=\vec{b}$라 할 때, 다음 벡터를 $\vec{a}$, $\vec{b}$로 나타내시오.

(1) $\overrightarrow{AB}$　　(2) $\overrightarrow{BC}$　　(3) $\overrightarrow{CD}$

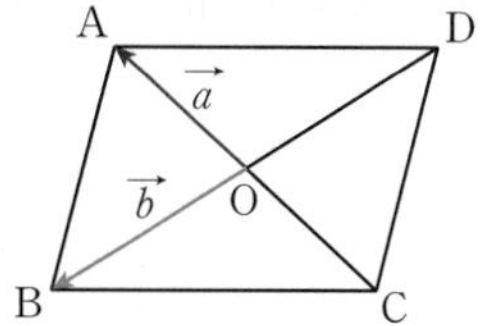

해법 코드

(1) 삼각형 ABO에서 두 벡터의 차를 이용하여 $\overrightarrow{AB}$를 나타낸다.

(2) 삼각형 OBC에서 두 벡터의 차를 이용하여 $\overrightarrow{BC}$를 나타낸다.

셀파 벡터의 뺄셈을 이용하여 시점을 일치시킨다.

풀이 (1) 삼각형 ABO에서 두 벡터의 차를 이용하여 $\overrightarrow{AB}$를 나타내면

$\overrightarrow{AB}=\overrightarrow{OB}-\overrightarrow{OA}=\vec{b}-\vec{a}=\boldsymbol{-\vec{a}+\vec{b}}$

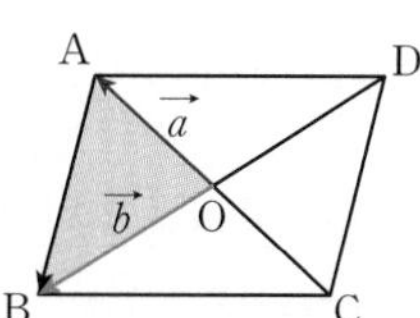

주어진 조건 $\overrightarrow{OA}=\vec{a}$, $\overrightarrow{OB}=\vec{b}$의 시점이 모두 O이므로 문제의 벡터를 시점이 O인 벡터로 변환하면 쉬워. 시점을 일치시킬 때는 벡터의 뺄셈을 주로 이용해.

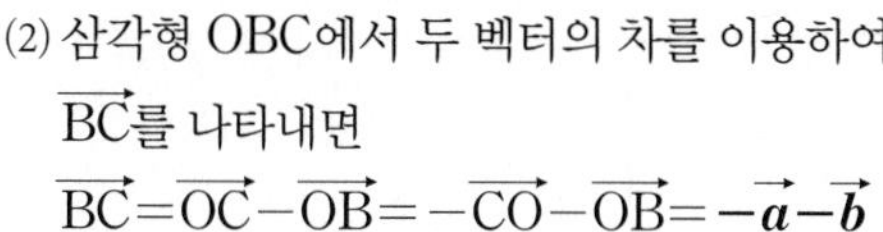

(2) 삼각형 OBC에서 두 벡터의 차를 이용하여 $\overrightarrow{BC}$를 나타내면

$\overrightarrow{BC}=\overrightarrow{OC}-\overrightarrow{OB}=-\overrightarrow{CO}-\overrightarrow{OB}=\boldsymbol{-\vec{a}-\vec{b}}$

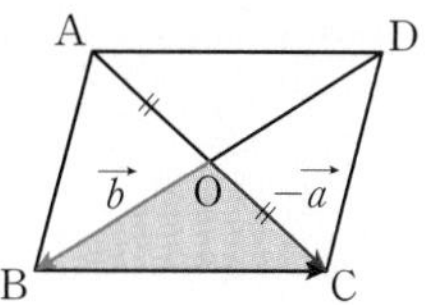

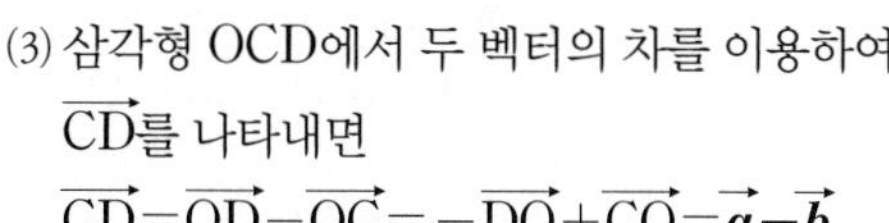

(3) 삼각형 OCD에서 두 벡터의 차를 이용하여 $\overrightarrow{CD}$를 나타내면

$\overrightarrow{CD}=\overrightarrow{OD}-\overrightarrow{OC}=-\overrightarrow{DO}+\overrightarrow{CO}=\boldsymbol{\vec{a}-\vec{b}}$

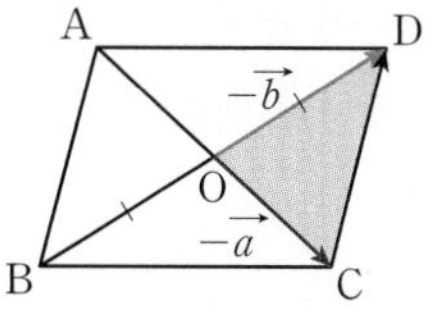

다른 풀이 두 벡터의 합을 이용하여 나타내면

(1) $\overrightarrow{AB}=\overrightarrow{AO}+\overrightarrow{OB}=-\overrightarrow{OA}+\overrightarrow{OB}=-\vec{a}+\vec{b}$

(2) $\overrightarrow{BC}=\overrightarrow{BO}+\overrightarrow{OC}=-\overrightarrow{OB}-\overrightarrow{CO}=-\overrightarrow{OB}-\overrightarrow{OA}=-\vec{a}-\vec{b}$

(3) $\overrightarrow{CD}=\overrightarrow{CO}+\overrightarrow{OD}=\overrightarrow{OA}-\overrightarrow{DO}=\overrightarrow{OA}-\overrightarrow{OB}=\vec{a}-\vec{b}$

참고

하나의 벡터는 두 벡터의 합 또는 차를 이용하여 다음과 같이 나타낼 수 있다.

합 : $\overrightarrow{AB}=\overrightarrow{AO}+\overrightarrow{OB}$
$\overrightarrow{AB}=\overrightarrow{AC}+\overrightarrow{CB}$
$\overrightarrow{AB}=\overrightarrow{AD}+\overrightarrow{DB}$
⋮

차 : $\overrightarrow{AB}=\overrightarrow{OB}-\overrightarrow{OA}$
$\overrightarrow{AB}=\overrightarrow{CB}-\overrightarrow{CA}$
$\overrightarrow{AB}=\overrightarrow{DB}-\overrightarrow{DA}$
⋮

확인 문제

정답과 해설 | 46쪽

03-1 (상중하) 오른쪽 그림과 같은 정육각형에서 세 대각선의 교점을 O라 하고 $\overrightarrow{AB}=\vec{a}$, $\overrightarrow{AF}=\vec{b}$라 할 때, 다음 벡터를 $\vec{a}$, $\vec{b}$로 나타내시오.

(1) $\overrightarrow{BF}$　　(2) $\overrightarrow{OA}$

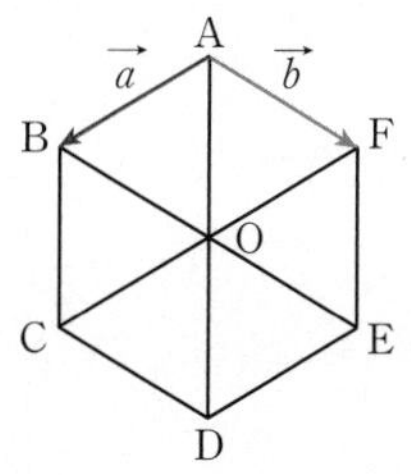

MY 셀파

03-1

(1) 삼각형 ABF에서 생각한다.

(2) 평행사변형 ABOF에서 생각한다.

5 벡터의 연산

셀파 특강 03 벡터의 실수배

Q 실수는 '크기'만 있고, 벡터는 '크기'와 '방향'이 있는데, 그럼 (실수)×(벡터)는 어떻게 되나요?

A $\vec{0}$가 아닌 벡터 $\vec{a}$에 대하여 $\vec{a}+\vec{a}+\vec{a}$와 $(-\vec{a})+(-\vec{a})$를 간단히 나타내어 보자.
$\vec{a}+\vec{a}+\vec{a}$는 $\vec{a}$와 방향이 같고 크기가 $|\vec{a}|$의 3배인 벡터이므로
$\vec{a}+\vec{a}+\vec{a}=3\vec{a}$로 나타내.

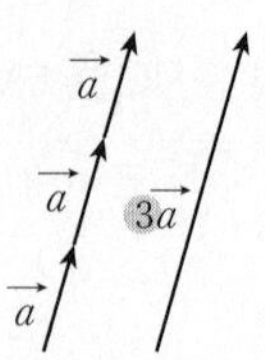

Q $(-\vec{a})+(-\vec{a})$는 $\vec{a}$와 방향이 반대이고 크기가 $|\vec{a}|$의 2배인 벡터이므로 $(-\vec{a})+(-\vec{a})=-2\vec{a}$로 나타내면 되겠네요.

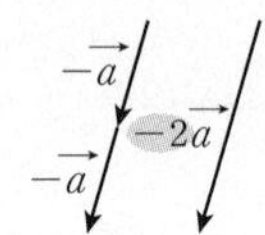

A 그렇지! 일반적으로 실수 k와 벡터 $\vec{a}$의 곱을 벡터 $\vec{a}$의 실수배(또는 스칼라배)라 하고, 기호로 $k\vec{a}$(k는 실수)와 같이 나타내.

> **벡터의 실수배**
> 실수 k와 벡터 $\vec{a}$에 대하여
> ❶ $\vec{a}\neq\vec{0}$일 때, $k\vec{a}$는
> (i) $k>0$이면 ⇨ $\vec{a}$와 방향이 같고, 크기는 $k|\vec{a}|$
> (ii) $k<0$이면 ⇨ $\vec{a}$와 방향이 반대이고, 크기는 $|k||\vec{a}|$ ㉠
> (iii) $k=0$이면 ⇨ $\vec{0}$
> ❷ $\vec{a}=\vec{0}$일 때, $k\vec{a}=\vec{0}$

㉠ 예
(i) $2\vec{a}$는 벡터 $\vec{a}$와 방향이 같고, 크기가 $|\vec{a}|$의 2배인 벡터이다.
(ii) $-3\vec{a}$는 벡터 $\vec{a}$와 방향이 반대이고, 크기가 $|\vec{a}|$의 3배인 벡터이다.

Q 벡터의 실수배에 대한 연산 방법도 수와 식에서와 마찬가지겠네요?

A 맞아. 수와 식에서의 연산 방법과 같이 ㉡벡터의 실수배에 대한 연산도 결합법칙, 분배법칙이 성립해.

	식의 연산 (단, a, b는 실수)	벡터의 실수배 (단, k, l은 실수)
결합법칙	$3(2a)=(3\times2)a=6a$	$k(l\vec{a})=(kl)\vec{a}$ 예 $3(2\vec{a})=(3\times2)\vec{a}=6\vec{a}$
분배법칙	$3a+2a=(3+2)a=5a$	❶ $k\vec{a}+l\vec{a}=(k+l)\vec{a}$ 예 $3\vec{a}+2\vec{a}=(3+2)\vec{a}=5\vec{a}$
	$2(a+b)=2a+2b$	❷ $k(\vec{a}+\vec{b})=k\vec{a}+k\vec{b}$ 예 $2(\vec{a}+\vec{b})=2\vec{a}+2\vec{b}$

㉡ 벡터의 실수배에 대한 성질의 예를 그림으로 살펴보면 다음과 같다.

• 결합법칙
$3(2\vec{a})=(3\times2)\vec{a}=6\vec{a}$

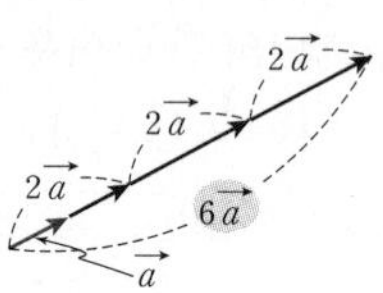

• 분배법칙
❶ $3\vec{a}+2\vec{a}=(3+2)\vec{a}=5\vec{a}$

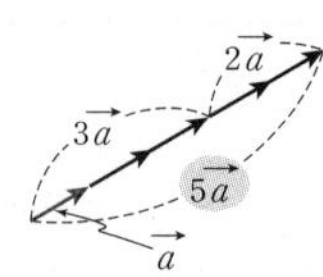

❷ $2(\vec{a}+\vec{b})=2\vec{a}+2\vec{b}$

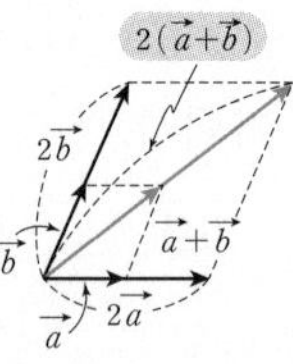

해법 04 벡터의 실수배에 대한 성질

벡터의 실수배에 대한 연산은 실수를 계수, 벡터를 문자로 생각하여 다항식의 연산과 같은 방법으로 한다.

두 실수 k, l과 두 벡터 $\vec{a}$, $\vec{b}$에 대하여

❶ $k(l\vec{a})=(kl)\vec{a}$ (결합법칙)

❷ $(k+l)\vec{a}=k\vec{a}+l\vec{a}$, $k(\vec{a}+\vec{b})=k\vec{a}+k\vec{b}$ (분배법칙)

PLUS ⊕

벡터 $\vec{a}$, $\vec{b}$를 문자로 생각하고 다음과 같이 계산할 수 있다.

$5(\vec{a}+2\vec{b})-\vec{b}$
$=5\vec{a}+10\vec{b}-\vec{b}$
$=5\vec{a}+(10-1)\vec{b}$
$=5\vec{a}+9\vec{b}$

1. 다음 등식을 만족시키는 벡터 $\vec{x}$를 $\vec{a}$, $\vec{b}$로 나타내시오.

(1) $2(\vec{x}-2\vec{b})=3\vec{a}-\vec{x}+2\vec{b}$　　(2) $3(\vec{x}+\vec{a})=2(3\vec{b}-\vec{x})$

2. 두 등식 $2\vec{x}-3\vec{y}=\vec{a}$, $-3\vec{x}+5\vec{y}=\vec{b}$를 만족시키는 벡터 $\vec{x}$, $\vec{y}$를 각각 $\vec{a}$, $\vec{b}$로 나타내시오.

해법 코드

1. $\vec{a}$, $\vec{b}$, $\vec{x}$를 문자로 생각한다.

2. $\vec{x}$, $\vec{y}$를 문자로 생각하여 $\vec{x}$, $\vec{y}$에 대한 연립방정식의 해를 구한다.

셀파 벡터의 실수배에 대한 연산은 실수를 계수, 벡터를 문자로 생각한다.

풀이 **1.** (1) $2(\vec{x}-2\vec{b})=3\vec{a}-\vec{x}+2\vec{b}$에서 $2\vec{x}-4\vec{b}=3\vec{a}-\vec{x}+2\vec{b}$

$3\vec{x}=3\vec{a}+6\vec{b}$　　$\therefore$ $\boldsymbol{\vec{x}=\vec{a}+2\vec{b}}$

(2) $3(\vec{x}+\vec{a})=2(3\vec{b}-\vec{x})$에서 $3\vec{x}+3\vec{a}=6\vec{b}-2\vec{x}$

$5\vec{x}=-3\vec{a}+6\vec{b}$　　$\therefore$ $\boldsymbol{\vec{x}=-\frac{3}{5}\vec{a}+\frac{6}{5}\vec{b}}$

2. $2\vec{x}-3\vec{y}=\vec{a}$　　……㉠

$-3\vec{x}+5\vec{y}=\vec{b}$　　……㉡

❶ ㉠×5+㉡×3에서 $10\vec{x}-9\vec{x}=5\vec{a}+3\vec{b}$　　$\therefore$ $\boldsymbol{\vec{x}=5\vec{a}+3\vec{b}}$

❷ ㉠×3+㉡×2에서 $-9\vec{y}+10\vec{y}=3\vec{a}+2\vec{b}$　　$\therefore$ $\boldsymbol{\vec{y}=3\vec{a}+2\vec{b}}$

❶ ㉠×5+㉡×3에서

$$\begin{array}{r} 10\vec{x}-15\vec{y}=5\vec{a} \\ +)\ -9\vec{x}+15\vec{y}=3\vec{b} \\ \hline \vec{x}=5\vec{a}+3\vec{b} \end{array}$$

❷ ㉠×3+㉡×2에서

$$\begin{array}{r} 6\vec{x}-9\vec{y}=3\vec{a} \\ +)\ -6\vec{x}+10\vec{y}=2\vec{b} \\ \hline \vec{y}=3\vec{a}+2\vec{b} \end{array}$$

확인 문제

정답과 해설 | 46쪽

MY 셀파

04-1 (상중**하**) 등식 $2(\vec{x}+\vec{a})-5\vec{b}=3(3\vec{b}-\vec{x})$를 만족시키는 벡터 $\vec{x}$를 $\vec{a}$, $\vec{b}$로 나타내시오.

04-1
$\vec{a}$, $\vec{b}$, $\vec{x}$를 문자로 생각한다.

04-2 (상**중**하) 두 벡터 $\vec{x}$, $\vec{y}$에 대하여 $\vec{x}=-2\vec{a}+3\vec{b}$, $\vec{y}=3\vec{a}-5\vec{b}$일 때, $\vec{a}+\vec{b}$를 $\vec{x}$, $\vec{y}$로 나타내시오.

04-2
$\vec{x}=-2\vec{a}+3\vec{b}$, $\vec{y}=3\vec{a}-5\vec{b}$에서 $\vec{a}$, $\vec{b}$를 $\vec{x}$, $\vec{y}$로 나타낸다.

(1) 벡터의 덧셈과 뺄셈

앞 벡터의 종점과 뒤 벡터의 시점이 같다.

$\overrightarrow{AB}+\overrightarrow{BC}=\overrightarrow{AC}$

같은 것을 제외하고 순서대로 쓴다.

시점이 같다.

$\overrightarrow{OA}-\overrightarrow{OB}=\overrightarrow{BA}$

같은 것을 제외하고 역순으로 쓴다.

(2) 벡터의 실수배

두 실수 k, l과 두 벡터 $\vec{a}$, $\vec{b}$에 대하여

❶ 결합법칙

$k(l\vec{a})=(kl)\vec{a}$

❷ 분배법칙

$(k+l)\vec{a}=k\vec{a}+l\vec{a}$

$k(\vec{a}+\vec{b})=k\vec{a}+k\vec{b}$

01 다음을 간단히 하시오.

(1) $\overrightarrow{AB}+\overrightarrow{BC}+\overrightarrow{CD}$

(2) $\overrightarrow{BC}+\overrightarrow{AB}+\overrightarrow{DE}+\overrightarrow{CD}$

(3) $\overrightarrow{BA}-\overrightarrow{BC}$

(4) $\overrightarrow{AB}-\overrightarrow{CB}$

(5) $\overrightarrow{AC}+\overrightarrow{CB}-\overrightarrow{AB}$

(6) $\overrightarrow{AC}+\overrightarrow{CB}-(-\overrightarrow{BD})+\overrightarrow{BA}$

02 다음을 간단히 하시오.

(1) $3(\vec{a}+2\vec{b})+\frac{1}{2}(4\vec{a}-2\vec{b})$

(2) $3(2\vec{a}+\vec{b}-3\vec{c})-(-\vec{a}-2\vec{b}+\vec{c})$

(3) $\vec{a}-2(\vec{b}-\vec{c})+3(\vec{a}-\vec{b}+2\vec{c})$

03 다음 등식을 만족시키는 벡터 $\vec{x}$를 $\vec{a}$, $\vec{b}$로 나타내시오.

(1) $\vec{a}-\vec{x}=2\vec{a}-5\vec{b}$

(2) $2\vec{b}-\vec{x}=3(\vec{x}-2\vec{a})$

(3) $4(\vec{x}+2\vec{a}-\vec{b})=3(\vec{a}+2\vec{b}+\vec{x})$

해법 05 벡터가 서로 같을 조건

영벡터가 아닌 두 벡터 $\vec{a}$, $\vec{b}$가 서로 평행하지 않을 때, 다음이 성립한다.

(단, m, n, m', n'은 실수)

❶ $m\vec{a}+n\vec{b}=\vec{0} \Longleftrightarrow m=n=0$

❷ $m\vec{a}+n\vec{b}=m'\vec{a}+n'\vec{b} \Longleftrightarrow m=m'$, $n=n'$

PLUS ⊕

$m\vec{a}+n\vec{b}=m'\vec{a}+n'\vec{b}$ 꼴로 식이 주어진 경우에는 ❷를 그대로 이용해도 되고 $m\vec{a}+n\vec{b}=\vec{0}$ 꼴로 바꾸어 ❶을 이용해도 된다.

예제 영벡터가 아닌 두 벡터 $\vec{a}$, $\vec{b}$가 서로 평행하지 않을 때, 다음 등식을 만족시키는 실수 m, n의 값을 구하시오.

(1) $(m-2)\vec{a}+(m+n)\vec{b}=\vec{0}$

(2) $2m(\vec{a}-3\vec{b})+n(\vec{a}+\vec{b})=8\vec{a}-16\vec{b}$

해법 코드

다항식의 연산과 같은 방법으로 식을 정리하여 두 실수 m, n에 대한 연립방정식을 세운다.

셀파 영벡터가 아닌 두 벡터 $\vec{a}$, $\vec{b}$에 대하여 $m\vec{a}+n\vec{b}=\mathbf{0} \Longleftrightarrow m=n=0$

풀이 (1) 영벡터가 아닌 두 벡터 $\vec{a}$, $\vec{b}$가 서로 평행하지 않으므로

$(m-2)\vec{a}+(m+n)\vec{b}=\vec{0}$에서 $m-2=0$, $m+n=0$

두 식을 연립하여 풀면 $\mathbf{m=2}$, $\mathbf{n=-2}$

(2) $2m(\vec{a}-3\vec{b})+n(\vec{a}+\vec{b})=8\vec{a}-16\vec{b}$에서

$2m\vec{a}-6m\vec{b}+n\vec{a}+n\vec{b}=8\vec{a}-16\vec{b}$

$(2m+n)\vec{a}+(-6m+n)\vec{b}=8\vec{a}-16\vec{b}$

이때 두 벡터 $\vec{a}$, $\vec{b}$는 영벡터가 아니고 서로 평행하지 않으므로

$2m+n=8$, $-6m+n=-16$

두 식을 연립하여 풀면 $\mathbf{m=3}$, $\mathbf{n=2}$

다른 풀이

(2) 주어진 식을 $p\vec{a}+q\vec{b}=\vec{0}$ 꼴로 정리하면

$2m\vec{a}-6m\vec{b}+n\vec{a}+n\vec{b}-8\vec{a}+16\vec{b}=\vec{0}$

$(2m+n-8)\vec{a}+(-6m+n+16)\vec{b}=\vec{0}$에서

$2m+n-8=0$ ······㉠

$-6m+n+16=0$ ······㉡

㉠－㉡을 하면 $8m-24=0$

$\therefore m=3$

$m=3$을 ㉠에 대입하면

$6+n-8=0$

$\therefore n=2$

확인 문제 정답과 해설 | 47쪽

05-1 (상중**하**) 영벡터가 아닌 두 벡터 $\vec{a}$, $\vec{b}$가 서로 평행하지 않을 때,

$$(m+3n-4)\vec{a}+(m-n)\vec{b}=\vec{0}$$

를 만족시키는 실수 m, n의 값을 구하시오.

05-2 (상**중**하) 영벡터가 아닌 두 벡터 $\vec{a}$, $\vec{b}$가 서로 평행하지 않을 때,

$$(3m+n)\vec{a}+(m+2n-1)\vec{b}=(2\vec{a}-\vec{b})m+(2\vec{a}+\vec{b})n+5\vec{a}$$

를 만족시키는 실수 m, n의 값을 구하시오.

MY 셀파

05-1

$p\vec{a}+q\vec{b}=\vec{0}$이면 $p=q=0$이다.

(단, p, q는 실수)

05-2

주어진 식을 $p\vec{a}+q\vec{b}=p'\vec{a}+q'\vec{b}$ 꼴로 정리한다. (단, p, q, p', q'은 실수)

셀파 특강 04 벡터의 평행

A 좌표평면에서 두 직선 l, m의 기울기가 같을 때 두 직선 l, m이 서로 평행해. 그렇다면 영벡터가 아닌 두 벡터 $\vec{a}$, $\vec{b}$가 있다고 하자. 두 벡터 $\vec{a}$, $\vec{b}$는 어떤 경우에 서로 평행하다고 할까? 또 평행하다는 것을 어떻게 나타낼까?

Q 벡터는 직선의 기울기에 해당하는 방향이 있잖아요. 그러니까 두 벡터 $\vec{a}$, $\vec{b}$의 방향이 같을 때 두 벡터 $\vec{a}$, $\vec{b}$는 서로 평행하다고 할 것 같아요. 나타내는 방법도 직선과 마찬가지로 생각하면 두 벡터 $\vec{a}$, $\vec{b}$가 서로 평행하다는 것을 $\vec{a}\,/\!/\,\vec{b}$와 같이 나타낼 것 같아요.

A 맞아. 두 벡터 $\vec{a}$, $\vec{b}$의 방향이 같을 때 두 벡터 $\vec{a}$, $\vec{b}$는 서로 평행하다고 하고, 기호로 $\vec{a}\,/\!/\,\vec{b}$와 같이 나타내. 그런데 두 벡터 $\vec{a}$, $\vec{b}$의 방향이 반대일 때는 두 벡터 $\vec{a}$, $\vec{b}$가 서로 평행하다고 할까, 아니면 평행하지 않다고 할까?

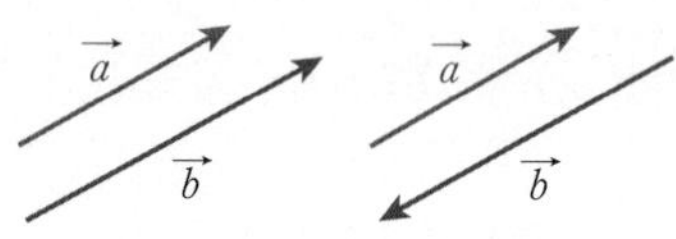

Q 두 벡터 $\vec{a}$, $\vec{b}$의 방향이 반대이더라도 직선으로 보면 기울기가 같은 경우예요. 그러니까 서로 평행하다고 할 것 같아요.

A 그래. 벡터의 경우는 두 벡터의 방향이 같을 때와 반대일 때 모두 두 벡터가 서로 평행하다고 해. 이걸 수학적으로 표현하면 다음과 같아.

> 영벡터가 아닌 두 벡터 $\vec{a}$, $\vec{b}$가 방향이 같거나 반대일 때, $\vec{a}$와 $\vec{b}$는 서로 평행하다고 하고, $\vec{a}\,/\!/\,\vec{b}$와 같이 나타낸다.
> 이때 $\vec{a}$와 $\vec{b}$ 사이에 ㉠ $\vec{b}=k\vec{a}$ (k는 0이 아닌 실수)의 관계가 성립한다.

이를 이용하여 두 벡터 $\vec{a}$, $\vec{b}$가 서로 평행하다는 것을 증명할 때, $\vec{b}=k\vec{a}$가 성립하는 0이 아닌 실수 k가 존재한다는 것을 보이면 돼.

Q 표현만 벡터로 나타낼 뿐이지 그 개념은 직선에서 배웠던 것과 비슷하네요.

㉠ $\vec{b}=k\vec{a}$가 성립하는 0이 아닌 실수 k가 존재하면 두 벡터 $\vec{a}$, $\vec{b}$의 방향은 같거나 반대이다.

❶ 두 벡터의 방향이 같은 경우

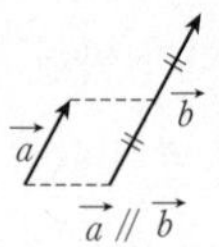

$\vec{a}$의 크기를 2배

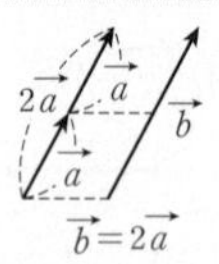

첫 그림의 두 벡터는 방향은 같고, 크기가 다르다. 따라서 벡터의 실수배를 이용하여 크기를 같게 하면 두 벡터를 같게 만들 수 있다. 이때 $\vec{b}=2\vec{a}$

❷ 두 벡터의 방향이 반대인 경우

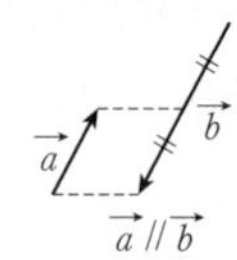

$-\vec{a}$의 크기를 2배

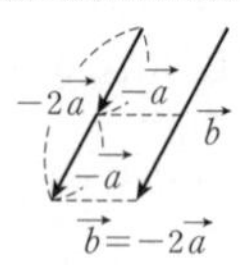

첫 그림의 두 벡터는 방향이 반대이고, 크기가 다르다. 따라서 $\vec{a}$의 방향을 반대로 만들고 벡터의 실수배를 이용하여 $\vec{b}$와 크기가 같게 하면 두 벡터를 같게 만들 수 있다. 이때 $\vec{b}=-2\vec{a}$

▶ 두 벡터가 평행인 경우는 두 벡터가 겹치는 경우도 포함한다.

확인 체크 02 정답과 해설 | 47쪽

영벡터가 아닌 두 벡터 $\vec{a}$, $\vec{b}$는 서로 평행하지 않고 두 벡터 $3\vec{a}+2\vec{b}$, $k\vec{a}-3\vec{b}$는 서로 평행할 때, 실수 k의 값을 구하시오.

해법 06 벡터의 평행

영벡터가 아닌 두 벡터 $\vec{a}$, $\vec{b}$가 방향이 서로 같거나 반대일 때, $\vec{a}$와 $\vec{b}$는 서로 평행하다고 하며, 기호로 $\vec{a} /\!/ \vec{b}$와 같이 나타낸다.

$\vec{a} /\!/ \vec{b} \Longleftrightarrow \vec{b}=k\vec{a}$ (단, k는 0이 아닌 실수)

PLUS

영벡터가 아닌 두 벡터 $\vec{a}$, $\vec{b}$가 서로 평행하지 않고
$\vec{p}=m\vec{a}+n\vec{b}$, $\vec{q}=m'\vec{a}+n'\vec{b}$일 때
$\vec{p} /\!/ \vec{q} \Longleftrightarrow \vec{p}=k\vec{q}$ (단, $k\neq0$)
$\Longleftrightarrow m=km'$, $n=kn'$

1. 세 벡터 $\vec{p}=m\vec{a}-3\vec{b}$, $\vec{q}=-5\vec{a}+3\vec{b}$, $\vec{r}=8\vec{a}-6\vec{b}$에 대하여 영벡터가 아닌 두 벡터 $\vec{p}-\vec{q}$, $\vec{q}+\vec{r}$가 서로 평행하도록 하는 실수 m의 값을 구하시오.
(단, 두 벡터 $\vec{a}$, $\vec{b}$는 영벡터가 아니고 서로 평행하지 않다.)

2. 영벡터가 아닌 두 벡터 $\vec{a}$, $\vec{b}$가 서로 평행하지 않고,
$\overrightarrow{OA}=2\vec{a}+\vec{b}$, $\overrightarrow{OB}=\vec{a}-\vec{b}$, $\overrightarrow{OC}=4\vec{a}+m\vec{b}$
일 때, $\overrightarrow{AB} /\!/ \overrightarrow{AC}$가 되도록 하는 실수 m의 값을 구하시오.

해법 코드

1. $\vec{p}-\vec{q}=k(\vec{q}+\vec{r})$
(단, k는 0이 아닌 실수)

2. $\overrightarrow{AC}=k\overrightarrow{AB}$
(단, k는 0이 아닌 실수)

셀파 영벡터가 아닌 두 벡터 $\vec{a}$, $\vec{b}$에 대하여 $\vec{a} /\!/ \vec{b} \Longleftrightarrow \vec{b}=k\vec{a}$ (단, k는 0이 아닌 실수)

풀이 1. $\vec{p}-\vec{q}$와 $\vec{q}+\vec{r}$가 서로 평행하므로

$\vec{p}-\vec{q}=k(\vec{q}+\vec{r})$ (단, k는 0이 아닌 실수)

㉠ $(m+5)\vec{a}-6\vec{b}=k(3\vec{a}-3\vec{b})=3k\vec{a}-3k\vec{b}$

이때 두 벡터 $\vec{a}$, $\vec{b}$는 영벡터가 아니고 서로 평행하지 않으므로

$m+5=3k$, $-6=-3k$ $\quad\therefore k=2$, $\boldsymbol{m=1}$

2. $\overrightarrow{AB}$와 $\overrightarrow{AC}$가 서로 평행하므로

$\overrightarrow{AC}=k\overrightarrow{AB}$ (단, k는 0이 아닌 실수)

㉡ $2\vec{a}+(m-1)\vec{b}=k(-\vec{a}-2\vec{b})=-k\vec{a}-2k\vec{b}$

이때 두 벡터 $\vec{a}$, $\vec{b}$는 영벡터가 아니고 서로 평행하지 않으므로

$2=-k$, $m-1=-2k$ $\quad\therefore k=-2$, $\boldsymbol{m=5}$

㉠ $\vec{p}-\vec{q}=m\vec{a}-3\vec{b}-(-5\vec{a}+3\vec{b})$
$=(m+5)\vec{a}-6\vec{b}$
$\vec{q}+\vec{r}=-5\vec{a}+3\vec{b}+(8\vec{a}-6\vec{b})$
$=3\vec{a}-3\vec{b}$

㉡ $\overrightarrow{AB}=\overrightarrow{OB}-\overrightarrow{OA}$
$=(\vec{a}-\vec{b})-(2\vec{a}+\vec{b})$
$=-\vec{a}-2\vec{b}$
$\overrightarrow{AC}=\overrightarrow{OC}-\overrightarrow{OA}$
$=(4\vec{a}+m\vec{b})-(2\vec{a}+\vec{b})$
$=2\vec{a}+(m-1)\vec{b}$

확인 문제

정답과 해설 | 48쪽

06-1 (상 **중** 하) 세 벡터 $\vec{p}=4\vec{a}-3\vec{b}$, $\vec{q}=m\vec{a}-2\vec{b}$, $\vec{r}=-3\vec{a}+5\vec{b}$에 대하여 영벡터가 아닌 두 벡터 $\vec{p}+\vec{r}$, $\vec{q}+\vec{r}$가 서로 평행하도록 하는 실수 m의 값을 구하시오.
(단, 두 벡터 $\vec{a}$, $\vec{b}$는 영벡터가 아니고 서로 평행하지 않다.)

06-2 (상 **중** 하) 영벡터가 아닌 두 벡터 $\vec{a}$, $\vec{b}$가 서로 평행하지 않고,
$\overrightarrow{OA}=\vec{a}+\vec{b}$, $\overrightarrow{OB}=2\vec{a}-\vec{b}$, $\overrightarrow{OC}=k\vec{a}-4\vec{b}$, $\overrightarrow{OD}=\vec{a}+2\vec{b}$
일 때, $\overrightarrow{AB} /\!/ \overrightarrow{CD}$가 되도록 하는 실수 k의 값을 구하시오.

MY 셀파

06-1
$\vec{q}+\vec{r}=k(\vec{p}+\vec{r})$
(단, k는 0이 아닌 실수)

06-2
$\overrightarrow{AB} /\!/ \overrightarrow{CD}$이므로 $\overrightarrow{CD}=t\overrightarrow{AB}$
(단, t는 0이 아닌 실수)

셀파 특강 05 세 점이 한 직선 위에 있을 조건

A 서로 다른 세 점 A, B, C에 대하여 $\overrightarrow{AC}=k\overrightarrow{AB}$를 만족시키는 실수 k가 존재하면 $\overrightarrow{AB}/\!/\overrightarrow{AC}$이므로 세 점 A, B, C는 한 직선 위에 있어.
역으로 서로 다른 세 점 A, B, C가 한 직선 위에 있으면 $\overrightarrow{AC}=k\overrightarrow{AB}$를 만족시키는 0이 아닌 실수 k가 존재해.

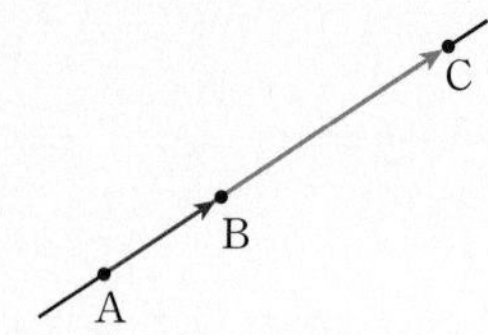

> 서로 다른 세 점 A, B, C가 한 직선 위에 있다.
> $\Longleftrightarrow \overrightarrow{AB}/\!/\overrightarrow{AC} \Longleftrightarrow \overrightarrow{AC}=k\overrightarrow{AB}$ (단, $k\neq0$)

Q $\overrightarrow{AC}=k\overrightarrow{AB}$에서 k의 값의 범위에 따라 점 C의 위치를 나타내면 다음과 같아요.

$k<0$

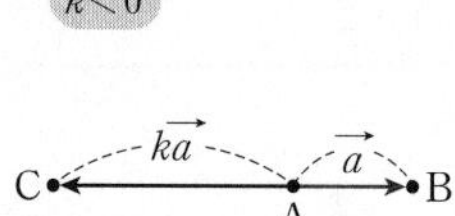

$0<k<1$

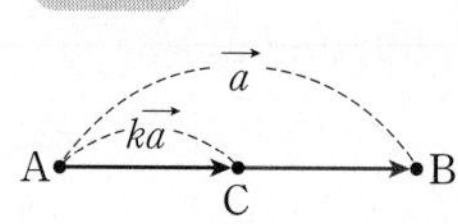

$k>1$

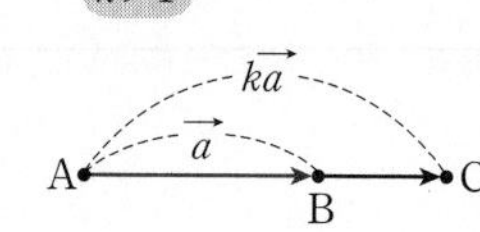

A 그렇지. 또한 점 O에 대하여 $\overrightarrow{AB}=\overrightarrow{OB}-\overrightarrow{OA}$,
$\overrightarrow{AC}=\overrightarrow{OC}-\overrightarrow{OA}$이므로 이것을 $\overrightarrow{AC}=k\overrightarrow{AB}$에 대입하면
$\overrightarrow{OC}-\overrightarrow{OA}=k(\overrightarrow{OB}-\overrightarrow{OA})$에서
㉠ $\overrightarrow{OC}=(1-k)\overrightarrow{OA}+k\overrightarrow{OB}$가 성립해.
따라서 다음과 같이 정리할 수 있어.

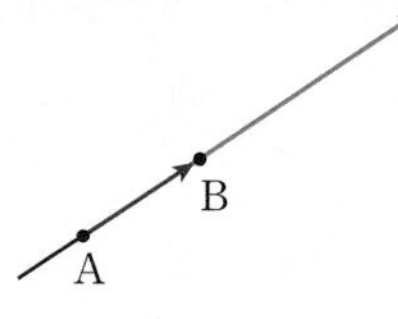

> 서로 다른 세 점 A, B, C가 한 직선 위에 있으면
> ⇨ ㉡ $\overrightarrow{AC}=k\overrightarrow{AB}$가 성립하는 0이 아닌 실수 k가 존재한다.
> ⇨ ㉢ $\overrightarrow{OC}=(1-k)\overrightarrow{OA}+k\overrightarrow{OB}$가 성립하는 0이 아닌 실수 k가 존재한다.
> ⇨ $\overrightarrow{OC}=m\overrightarrow{OA}+n\overrightarrow{OB}$, $m+n=1$이 성립하는 실수 m, n이 존재한다.

확인 체크 03

정답과 해설 | 48쪽

평면 위의 서로 다른 네 점 O, A, B, C에 대하여
$\overrightarrow{OA}=\vec{a}$, $\overrightarrow{OB}=\vec{b}$, $\overrightarrow{OC}=-4\vec{a}+5\vec{b}$
일 때, 세 점 A, B, C가 한 직선 위에 있음을 보이시오.

㉠ $\overrightarrow{OC}=(1-k)\overrightarrow{OA}+k\overrightarrow{OB}$에서 k의 값의 범위에 따라 점 C의 위치를 나타내면 다음 그림과 같다.
(i) $k<0$일 때

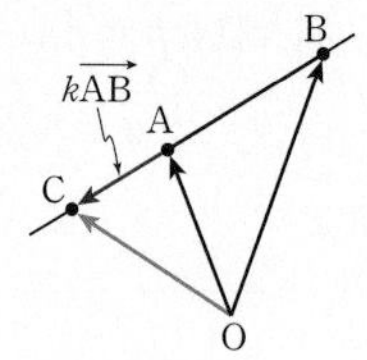

(ii) $0<k<1$일 때

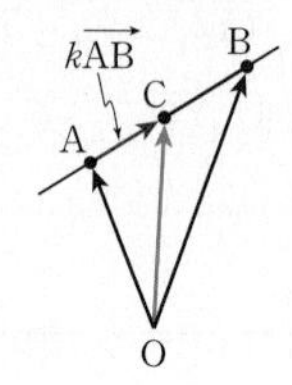
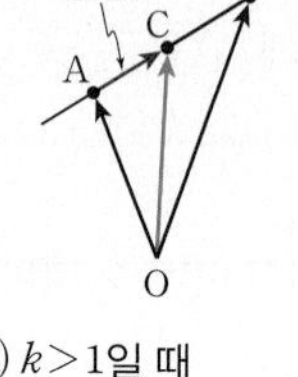

(iii) $k>1$일 때

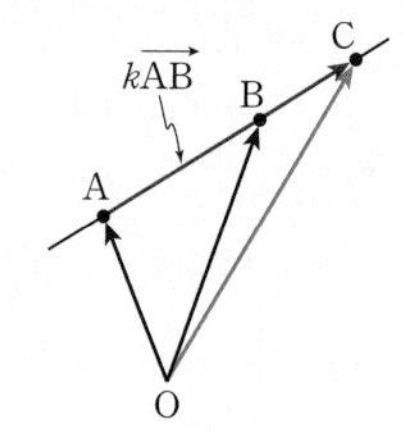

특히 $k=1$일 때는 점 C가 점 B와 일치한다.

㉡ $\overrightarrow{AB}=k\overrightarrow{BC}$, $\overrightarrow{AB}=k\overrightarrow{AC}$, $\overrightarrow{BC}=k\overrightarrow{AC}$는 모두 세 점 A, B, C가 한 직선 위에 있다는 의미이므로 어떤 것을 사용해도 관계없지만, 편의상 $\overrightarrow{AC}=k\overrightarrow{AB}$의 식을 쓰도록 한다.

㉢ $\overrightarrow{OC}=(1-k)\overrightarrow{OA}+k\overrightarrow{OB}$에서 $1-k=m$, $k=n$이라 하면 $\overrightarrow{OC}=m\overrightarrow{OA}+n\overrightarrow{OB}$ $(m+n=1)$로 나타낼 수도 있다.

해법 07 세 점이 한 직선 위에 있을 조건

서로 다른 세 점 A, B, C와 세 실수 $k(k\neq0)$, m, n에 대하여
세 점 A, B, C가 한 직선 위에 있다.
$\Longleftrightarrow \overrightarrow{AC}=k\overrightarrow{AB}$

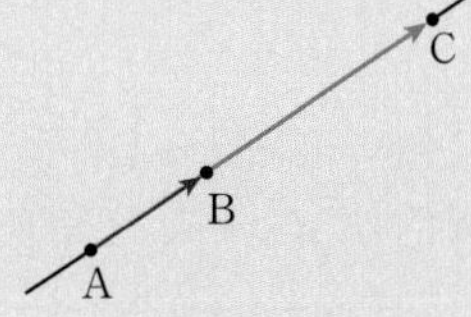

PLUS ⊕

한 직선 위의 세 점 A, B, C와 직선 밖의 한 점 O에 대하여
$\overrightarrow{OC}=x\overrightarrow{OA}+y\overrightarrow{OB}$
(단, x, y는 실수)
$\Longleftrightarrow x+y=1$

예제 평면 위의 서로 다른 네 점 O, A, B, C에 대하여

$\overrightarrow{OA}=2\vec{a}+\vec{b}$, $\overrightarrow{OB}=4\vec{a}-\vec{b}$, $\overrightarrow{OC}=\vec{a}+t\vec{b}$

일 때, 세 점 A, B, C가 한 직선 위에 있도록 하는 실수 t의 값을 구하시오.

(단, 두 벡터 $\vec{a}$, $\vec{b}$는 영벡터가 아니고 서로 평행하지 않다.)

해법 코드
세 점 A, B, C가 한 직선 위에 있다.
$\Longleftrightarrow \overrightarrow{AC}=k\overrightarrow{AB}$ (단, $k\neq0$)

셀파 세 점 A, B, C가 한 직선 위에 있을 때,
⇨ $\overrightarrow{AB}\,/\!/\,\overrightarrow{AC} \Longleftrightarrow \overrightarrow{AC}=k\overrightarrow{AB} \Longleftrightarrow \overrightarrow{OC}=(1-k)\overrightarrow{OA}+k\overrightarrow{OB}$ (단, $k\neq0$)

풀이 세 점 A, B, C가 한 직선 위에 있으므로

❶ $\overrightarrow{AC}=k\overrightarrow{AB}\ (k\neq0)$ ······㉠

를 만족시키는 실수 k가 존재한다.

$\overrightarrow{AB}=\overrightarrow{OB}-\overrightarrow{OA}=(4\vec{a}-\vec{b})-(2\vec{a}+\vec{b})=2\vec{a}-2\vec{b}$

$\overrightarrow{AC}=\overrightarrow{OC}-\overrightarrow{OA}=(\vec{a}+t\vec{b})-(2\vec{a}+\vec{b})=-\vec{a}+(t-1)\vec{b}$

이 식을 ㉠에 대입하면

$-\vec{a}+(t-1)\vec{b}=k(2\vec{a}-2\vec{b})=2k\vec{a}-2k\vec{b}$

이때 두 벡터 $\vec{a}$, $\vec{b}$는 영벡터가 아니고 서로 평행하지 않으므로

$-1=2k$, $t-1=-2k$ $\quad\therefore k=-\frac{1}{2}$, $\boldsymbol{t=2}$

❶ 두 벡터 $\overrightarrow{AC}$, $\overrightarrow{AB}$를 구한 다음 $\overrightarrow{AC}=k\overrightarrow{AB}$에 대입하여 $m\vec{a}+n\vec{b}=m'\vec{a}+n'\vec{b}$ 꼴로 나타낸다. 이때 주어진 조건에서 $\vec{a}$, $\vec{b}$가 영벡터가 아니고 서로 평행하지 않으므로 $m=m'$, $n=n'$이다.

확인 문제

정답과 해설 | 48쪽

07-1 (상 중 하) 평면 위의 서로 다른 네 점 O, A, B, C에 대하여

$\overrightarrow{OA}=\vec{a}-2\vec{b}$, $\overrightarrow{OB}=2\vec{a}-\vec{b}$, $\overrightarrow{OC}=5\vec{a}+t\vec{b}$

일 때, 세 점 A, B, C가 한 직선 위에 있도록 하는 실수 t의 값을 구하시오.

(단, 두 벡터 $\vec{a}$, $\vec{b}$는 영벡터가 아니고 서로 평행하지 않다.)

07-2 (상 중 하) 영벡터가 아니고 서로 평행하지 않은 두 벡터 $\vec{a}$, $\vec{b}$에 대하여 $\overrightarrow{OA}=\vec{a}$, $\overrightarrow{OB}=\vec{b}$일 때, 다음 | 보기 |의 세 점 C, D, E 중 직선 AB 위의 점을 모두 고르시오.

| 보기 |
ㄱ. $\overrightarrow{OC}=3\vec{a}-2\vec{b}$ ㄴ. $\overrightarrow{OD}=2\vec{a}-3\vec{b}$ ㄷ. $\overrightarrow{OE}=-4\vec{a}+5\vec{b}$

MY 셀파

07-1
$\overrightarrow{AC}=k\overrightarrow{AB}$인 0이 아닌 실수 k가 존재한다.

07-2
ㄱ. $\overrightarrow{AC}=k\overrightarrow{AB}$
ㄴ. $\overrightarrow{AD}=k\overrightarrow{AB}$
ㄷ. $\overrightarrow{AE}=k\overrightarrow{AB}$
에 대하여 각각 식이 성립하는 0이 아닌 실수 k가 존재하는지 알아본다.

연습 문제 EXERCISE

서로 같은 벡터

01 오른쪽 그림은 중심이 O인 동심원을 같은 간격으로 그려 나간 것이다. $|\overrightarrow{OA}|=1$이라 할 때, 직선 l 위의 점 O, A, B, C, D, E, F, G, H를 각각 시점과 종점으로 하는 벡터 중 $\overrightarrow{OA}$와 방향이 반대이고 크기가 3배인 벡터의 개수를 구하시오.

상 중 하

벡터의 덧셈과 뺄셈

02 오른쪽 그림과 같은 평행사변형 ABCD에서 두 대각선의 교점을 O라 하고 $\overrightarrow{OA}=\vec{a}$, $\overrightarrow{OB}=\vec{b}$라 할 때, 다음 중 옳은 것은?

상 중 하

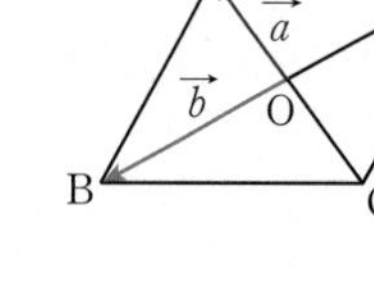

① $\overrightarrow{OC}=\vec{a}$ ② $\overrightarrow{BA}=-\vec{a}+\vec{b}$

③ $\overrightarrow{CB}=-\vec{a}-\vec{b}$ ④ $\overrightarrow{DC}=-\vec{a}-\vec{b}$

⑤ $\overrightarrow{DA}=\vec{a}+\vec{b}$

벡터의 덧셈과 뺄셈, 실수배

03 오른쪽 그림과 같은 정육각형 ABCDEF에서 $\overrightarrow{AB}=\vec{a}$, $\overrightarrow{AC}=\vec{b}$라 할 때, $\overrightarrow{AD}$를 $\vec{a}$, $\vec{b}$로 나타내시오.

상 중 하

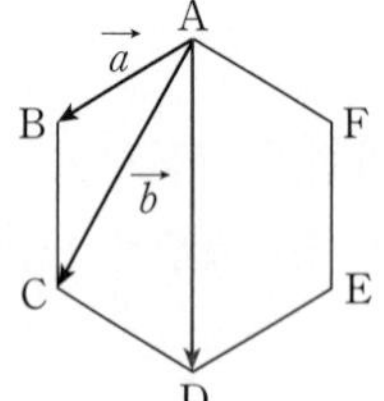

벡터의 덧셈과 뺄셈, 실수배

04 오른쪽 그림과 같이 한 변의 길이가 1인 정사각형 OABC에서 $\overrightarrow{OA}=\vec{a}$, $\overrightarrow{OB}=\vec{b}$, $\overrightarrow{OC}=\vec{c}$라 할 때, $|\vec{a}+\vec{b}+\vec{c}|+|\vec{a}-\vec{b}-\vec{c}|$의 값을 구하시오.

상 중 하

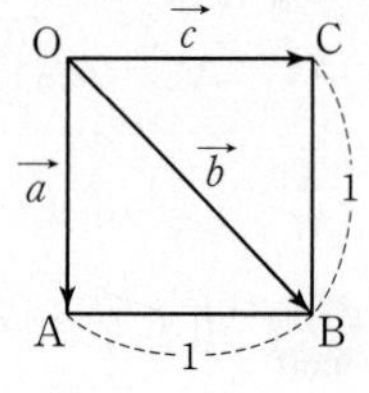

벡터의 덧셈과 뺄셈, 실수배

05 오른쪽 그림과 같이 중심이 O인 원의 둘레를 6등분하는 점을 각각 A, B, C, D, E, F라 하자. 임의의 점 P에 대하여 다음 식을 만족시키는 실수 k의 값을 구하시오.

상 중 하

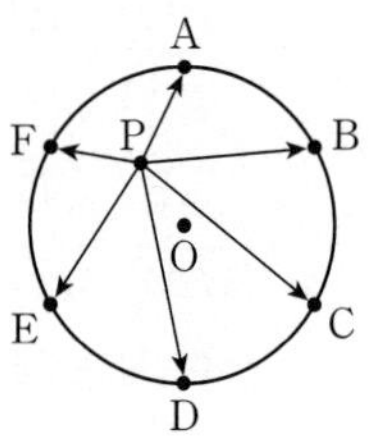

$$\overrightarrow{PA}+\overrightarrow{PB}+\overrightarrow{PC}+\overrightarrow{PD}+\overrightarrow{PE}+\overrightarrow{PF}=k\overrightarrow{PO}$$

벡터의 실수배에 대한 성질

06 등식 $4(\vec{a}+\vec{x})-3(2\vec{x}+\vec{a}-2\vec{b})=\vec{0}$를 만족시키는 벡터 $\vec{x}$를 $\vec{a}$, $\vec{b}$로 나타내면 $m\vec{a}+n\vec{b}$일 때, $2mn$의 값을 구하시오. (단, m, n은 실수)

상 중 하

벡터의 실수배에 대한 성질

07 $\vec{x}-2\vec{y}=2\vec{a}-3\vec{b}$, $2\vec{x}+3\vec{y}=-3\vec{a}+\vec{b}$를 만족시키는 네 벡터 $\vec{a}$, $\vec{b}$, $\vec{x}$, $\vec{y}$에 대하여 $3\vec{x}-\vec{y}=m\vec{a}+n\vec{b}$일 때, 실수 m, n의 값을 구하시오. (단, 두 벡터 $\vec{a}$, $\vec{b}$는 영벡터가 아니고 서로 평행하지 않다.)

상 중 하

벡터의 실수배에 대한 성질

08 한 변의 길이가 1인 정사각형 ABCD에서 $\overrightarrow{AB}=\vec{a}$, $\overrightarrow{BC}=\vec{b}$라 할 때, $|2\vec{a}+\vec{b}|$의 값을 구하시오.

상 중 하

벡터가 서로 같을 조건

09 영벡터가 아니고 서로 평행하지 않은 두 벡터 $\vec{a}$, $\vec{b}$에 대하여

$$(1-t)\vec{a}+\frac{2}{3}t\vec{b}=\frac{s}{2}\vec{a}+(1-s)\vec{b}\ (s,\ t\text{는 실수})$$

가 성립할 때, $8st$의 값을 구하시오.

상 중 하

벡터가 서로 같을 조건 창의력

10 오른쪽 그림과 같은 일정한 간격의 모눈종이 위에 네 점 O, A, B, C가 있다. $\overrightarrow{OC}=m\overrightarrow{OA}+n\overrightarrow{OB}$일 때, 실수 m, n의 값을 구하시오.

상 중 하

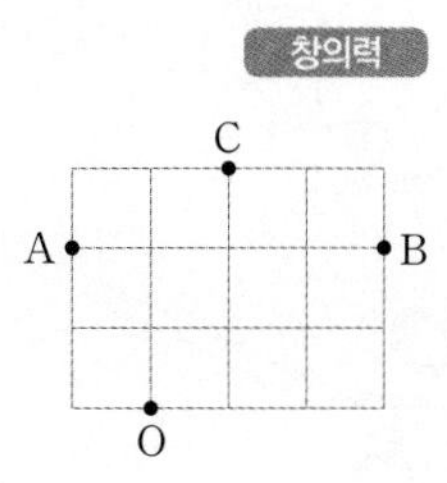

벡터의 평행

11 사각형 ABCD에서 두 대각선 AC, BD의 교점을 O라 할 때,

$$2\overrightarrow{OA}+\overrightarrow{OC}=2\overrightarrow{OB}+\overrightarrow{OD}$$

를 만족시키는 사각형 ABCD는 어떤 사각형인가?

상 중 하

① 사다리꼴 ② 평행사변형 ③ 마름모 ④ 직사각형 ⑤ 정사각형

벡터의 평행

12 영벡터가 아닌 두 벡터 $\vec{a}$, $\vec{b}$가 서로 평행하지 않을 때, $\vec{x}+2\vec{a}=k\vec{a}-\vec{b}$, $3\vec{x}-\vec{y}=-2\vec{a}+2\vec{b}$를 만족시키는 두 벡터 $\vec{x}$, $\vec{y}$가 서로 평행하도록 하는 실수 k의 값을 구하시오.

상 중 하

세 점이 한 직선 위에 있을 조건 서술형

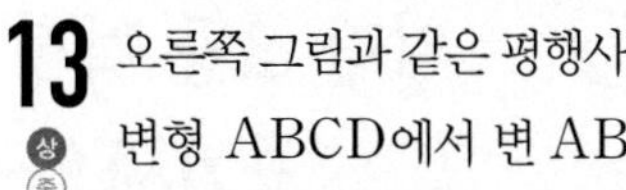

13 오른쪽 그림과 같은 평행사변형 ABCD에서 변 AB를 1 : 2로 내분하는 점을 M, 선분 AC를 1 : k로 내분하는 점을 N이라 한다. 세 점 M, N, D가 한 직선 위에 있도록 하는 실수 k의 값을 구하시오.

상 중 하

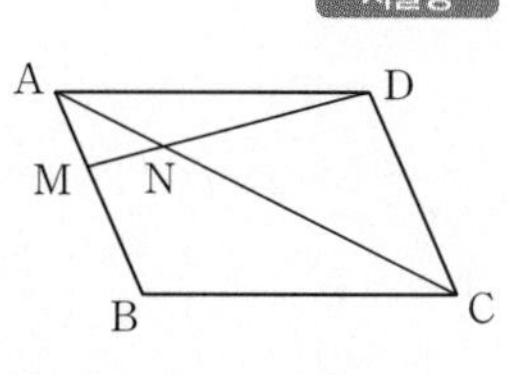

5 벡터의 연산

패러세일링을 하러 왔습니다.
우와~ 보기만 해도 시원하다.
부아아아앙
요금이 얼마인가요?
일단 한 번 타시라니까요~
저희는 철저하게 일의 양으로 요금을 계산합니다.
일단 요금 걱정 없이 즐기세요~
우와아아아…
부~~~웅

6

평면벡터의 성분과 내적

요금을 책정하기 위해 사진을 찍습니다.

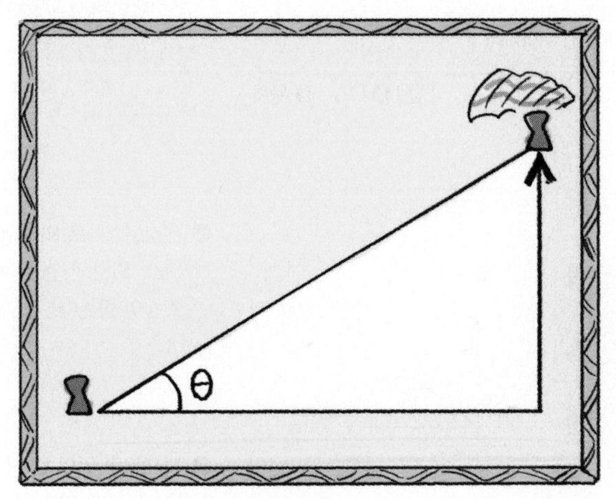

6. 평면벡터의 성분과 내적

개념 1 위치벡터

(1) 한 점 O를 시점으로 하는 벡터 $\overrightarrow{OA}$를 점 O에 대한 점 A의 **위치벡터**라 한다. 또 오른쪽 그림과 같이 두 점 A, B의 위치벡터를 각각 $\vec{a}$, $\vec{b}$라 하면 $\overrightarrow{AB}=\overrightarrow{OB}-$ ❶ $=\vec{b}-\vec{a}$

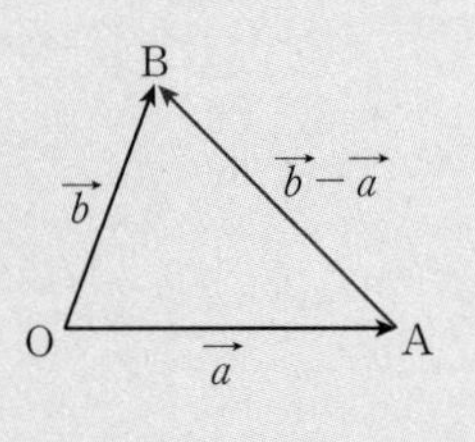

(2) 두 점 A, B의 위치벡터를 각각 $\vec{a}$, $\vec{b}$라 할 때, 선분 AB를 $m:n\,(m>0,\ n>0)$으로 내분하는 점 P와 외분하는 점 Q의 ❷ 벡터를 각각 $\vec{p}$, $\vec{q}$라 하면

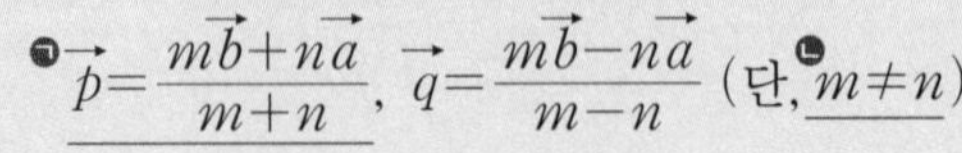

ㄱ $\vec{p}=\dfrac{m\vec{b}+n\vec{a}}{m+n}$, $\vec{q}=\dfrac{m\vec{b}-n\vec{a}}{m-n}$ (단, ㄴ $m\neq n$)

답 ❶ $\overrightarrow{OA}$ ❷ 위치

개념 2 평면벡터의 성분과 크기

(1) 평면벡터의 성분

임의의 벡터 $\vec{a}$에 대하여 $\vec{a}=\overrightarrow{OA}$가 되는 점 $A(a_1, a_2)$를 잡으면

$\vec{a}=\overrightarrow{OA}=\overrightarrow{OA_1}+\overrightarrow{OA_2}=$ ㄷ $a_1\vec{e_1}+a_2\vec{e_2}$

와 같이 나타낼 수 있다. 이때 두 실수 a_1, a_2를 ㄹ **벡터 $\vec{a}$의 성분**이라 하고 a_1을 ❶ 성분, a_2를 y성분이라 한다.

(2) 평면벡터의 크기와 두 벡터가 서로 같을 조건

❶ $\vec{a}=(a_1, a_2)$일 때, $|\vec{a}|=\sqrt{a_1^2+a_2^2}$

❷ $\vec{a}=(a_1, a_2)$, $\vec{b}=(b_1, b_2)$일 때, $\vec{a}=\vec{b} \Longleftrightarrow a_1=$ ❷ , $a_2=b_2$

답 ❶ x ❷ b_1

개념 3 평면벡터의 성분에 의한 연산

$\vec{a}=(a_1, a_2)$, $\vec{b}=(b_1, b_2)$일 때

❶ $\vec{a}+\vec{b}=(a_1+b_1, a_2+b_2)$

❷ $\vec{a}-\vec{b}=(a_1-b_1, a_2-$ ❶ $)$

❸ $k\vec{a}=($ ❷ $, ka_2)$ (단, k는 실수)

답 ❶ b_2 ❷ ka_1

개념 4 두 점에 의한 평면벡터의 성분과 크기

두 점 $A(a_1, a_2)$, $B(b_1, b_2)$일 때

❶ $\overrightarrow{AB}=\overrightarrow{OB}-\overrightarrow{OA}$

$=(b_1-$ ❶ $, b_2-a_2)$

❷ $|\overrightarrow{AB}|=\sqrt{(b_1-a_1)^2+(\text{❷}-a_2)^2}$

답 ❶ a_1 ❷ b_2

개념 플러스

ㄱ 선분 AB의 중점 M의 위치벡터는 $\dfrac{\vec{a}+\vec{b}}{2}$

▶ 세 점 A, B, C의 위치벡터를 각각 $\vec{a}$, $\vec{b}$, $\vec{c}$라 할 때, 삼각형 ABC의 무게중심의 위치벡터를 $\vec{g}$라 하면 $\vec{g}=\dfrac{\vec{a}+\vec{b}+\vec{c}}{3}$

ㄴ 선분을 1:1로 외분하는 점은 없으므로 외분의 경우에는 $m\neq n$인 조건이 붙는다.

ㄷ 좌표평면 위의 두 점 $E_1(1, 0)$, $E_2(0, 1)$의 위치벡터 $\overrightarrow{OE_1}=\vec{e_1}$, $\overrightarrow{OE_2}=\vec{e_2}$에서 $|\vec{e_1}|=1$, $|\vec{e_2}|=1$이므로 두 벡터 $\vec{e_1}$, $\vec{e_2}$는 모두 단위벡터이다.

ㄹ 벡터 $\vec{a}$를 성분을 이용하여 $\vec{a}=(a_1, a_2)$와 같이 나타낸다.

▶ 평면벡터 $\vec{a}$에 대하여 $\vec{a}=\vec{0}$이면 $a_1=0$, $a_2=0$

1-1 | 위치벡터 |

두 점 A, B의 위치벡터를 각각 $\vec{a}$, $\vec{b}$라 할 때, 다음 위치벡터를 $\vec{a}$, $\vec{b}$로 나타내시오.

(1) 선분 AB를 1 : 2로 내분하는 점 P의 위치벡터 $\vec{p}$

(2) 선분 AB를 2 : 1로 외분하는 점 Q의 위치벡터 $\vec{q}$

(3) 선분 AB의 중점 M의 위치벡터 $\vec{m}$

연구

(1) $\vec{p}=\dfrac{1\times\vec{b}+2\times\vec{a}}{1+\square}=\dfrac{\mathbf{2}}{\square}\vec{a}+\dfrac{\mathbf{1}}{\square}\vec{b}$

(2) $\vec{q}=\dfrac{2\times\square-1\times\square}{2-1}=-\vec{a}+\square\vec{b}$

(3) $\vec{m}=\dfrac{1\times\vec{a}+1\times\vec{b}}{\square+1}=\dfrac{\vec{a}+\vec{b}}{\square}$

1-2 | 따라풀기 |

두 점 A, B의 위치벡터를 각각 $\vec{a}$, $\vec{b}$라 할 때, 다음 위치벡터를 $\vec{a}$, $\vec{b}$로 나타내시오.

(1) 선분 AB를 4 : 5로 내분하는 점 P의 위치벡터 $\vec{p}$

(2) 선분 AB를 3 : 2로 외분하는 점 Q의 위치벡터 $\vec{q}$

(3) 선분 AB의 중점 M의 위치벡터 $\vec{m}$

풀이

2-1 | 평면벡터의 성분에 의한 연산 |

세 벡터 $\vec{a}=(2, 1)$, $\vec{b}=(3, -6)$, $\vec{c}=(-1, 2)$에 대하여 다음 벡터를 성분으로 나타내시오.

(1) $2\vec{a}+\vec{b}$ (2) $2(\vec{a}-\vec{b})+\vec{c}$

연구

(1) $2\vec{a}+\vec{b}=2(2, 1)+(3, -6)$
$=(\square+3, 2-6)$
$=(\square, \mathbf{-4})$

(2) $2(\vec{a}-\vec{b})+\vec{c}=2\vec{a}-2\vec{b}+\vec{c}$
$=2(2, 1)-2(3, -6)+(-1, 2)$
$=(4-6-1, 2+12+\square)$
$=(\mathbf{-3}, \square)$

2-2 | 따라풀기 |

세 벡터 $\vec{a}=(1, 4)$, $\vec{b}=(-2, -3)$, $\vec{c}=(4, -1)$에 대하여 다음 벡터를 성분으로 나타내시오.

(1) $\vec{a}-2\vec{b}$ (2) $-3\vec{c}$

(3) $2(\vec{a}+\vec{b})-(\vec{a}-\vec{b})$ (4) $3\vec{a}+2\vec{b}-4\vec{c}$

풀이

개념 5 평면벡터의 내적

(1) 평면벡터의 내적

영벡터가 아닌 두 평면벡터 $\vec{a}$, $\vec{b}$가 이루는 ㉠각의 크기가 θ일 때, $\vec{a}$와 $\vec{b}$의 ㉡내적을 다음과 같이 정의하고, 기호로 $\vec{a}\cdot\vec{b}$와 같이 나타낸다.

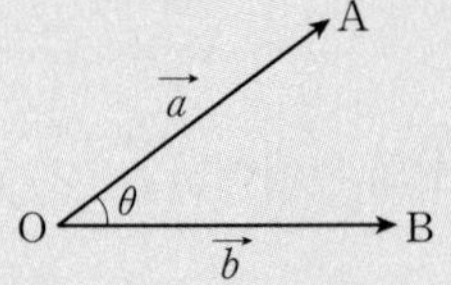

❶ $0^\circ\le\theta\le90^\circ$일 때

$\vec{a}\cdot\vec{b}=|\vec{a}||\vec{b}|\cos\theta$

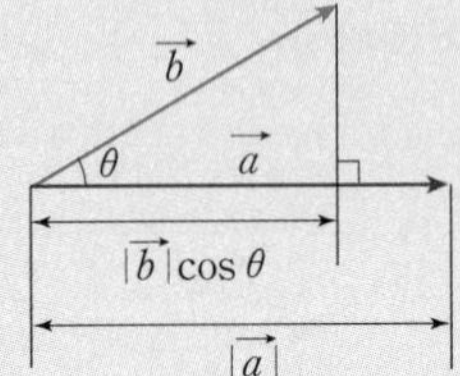

❷ $90^\circ<\theta\le180^\circ$일 때

$\vec{a}\cdot\vec{b}=-|\vec{a}||\vec{b}|\cos(180^\circ-\theta)$

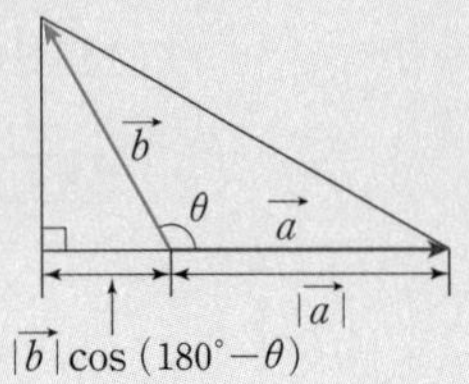

참고 $\vec{a}=\vec{0}$ 또는 $\vec{b}=\vec{0}$일 때는 $\vec{a}\cdot\vec{b}=$ ❶ [ ] 으로 정한다.

(2) 평면벡터의 내적과 성분

$\vec{a}=(a_1, a_2)$, $\vec{b}=(b_1, b_2)$일 때, $\vec{a}\cdot\vec{b}=a_1b_1+$ ❷ [ ]

(3) 평면벡터의 내적의 성질

세 평면벡터 $\vec{a}$, $\vec{b}$, $\vec{c}$와 실수 k에 대하여

❶ $\vec{a}\cdot\vec{b}=\vec{b}\cdot\vec{a}$ (교환법칙)

❷ $\vec{a}\cdot(\vec{b}+\vec{c})=\vec{a}\cdot\vec{b}+$ ❸ [ ] $\cdot\vec{c}$
$(\vec{a}+\vec{b})\cdot\vec{c}=\vec{a}\cdot\vec{c}+\vec{b}\cdot\vec{c}$ (분배법칙)

❸ $(k\vec{a})\cdot\vec{b}=\vec{a}\cdot(k\vec{b})=k(\vec{a}\cdot\vec{b})$ (결합법칙)

답 ❶ 0 ❷ a_2b_2 ❸ $\vec{a}$

개념 플러스

㉠ 영벡터가 아닌 두 평면벡터 $\vec{a}$, $\vec{b}$에 대하여 $\vec{a}=\overrightarrow{OA}$, $\vec{b}=\overrightarrow{OB}$일 때, $\theta=\angle AOB$ $(0^\circ\le\theta\le180^\circ)$를 두 평면벡터 $\vec{a}$, $\vec{b}$가 이루는 각의 크기라 한다.

㉡ $\vec{a}\cdot\vec{b}=|\vec{a}||\vec{b}|\cos\theta$에서 $|\vec{a}|>0$, $|\vec{b}|>0$이므로 θ의 값의 범위에 따른 $\vec{a}\cdot\vec{b}$의 값의 부호는 다음과 같다.
(i) $0^\circ\le\theta\le90^\circ$일 때
⇨ $\vec{a}\cdot\vec{b}\ge0$
(ii) $90^\circ<\theta\le180^\circ$일 때
⇨ $\vec{a}\cdot\vec{b}<0$

▶ 두 벡터 $\vec{a}$, $\vec{b}$의 내적 $\vec{a}\cdot\vec{b}$는 실수이다.

개념 6 두 평면벡터가 이루는 각의 크기

영벡터가 아닌 두 평면벡터 $\vec{a}=(a_1, a_2)$, $\vec{b}=(b_1, b_2)$가 이루는 각의 크기가 θ ($0^\circ\le\theta\le$ ❶ [ ])일 때

❶ $\vec{a}\cdot\vec{b}\ge0$이면 ㉢$\cos\theta=\dfrac{\vec{a}\cdot\vec{b}}{|\vec{a}||\vec{b}|}=\dfrac{❷\ [\ \ ]+a_2b_2}{\sqrt{a_1^2+a_2^2}\sqrt{b_1^2+b_2^2}}$

❷ $\vec{a}\cdot\vec{b}<0$이면 $\cos(180^\circ-\theta)=-\dfrac{\vec{a}\cdot\vec{b}}{|\vec{a}||\vec{b}|}=-\dfrac{a_1b_1+a_2b_2}{\sqrt{a_1^2+a_2^2}\sqrt{b_1^2+b_2^2}}$

답 ❶ 180° ❷ a_1b_1

▶ 임의의 벡터 $\vec{a}$에 대하여
$\vec{a}\cdot\vec{a}=|\vec{a}||\vec{a}|\cos0^\circ$
$=|\vec{a}|^2$

㉢ $\vec{a}\cdot\vec{b}=|\vec{a}||\vec{b}|\cos\theta$이므로
$\cos\theta=\dfrac{\vec{a}\cdot\vec{b}}{|\vec{a}||\vec{b}|}$
이때 $\vec{a}\cdot\vec{b}=a_1b_1+a_2b_2$,
$|\vec{a}|=\sqrt{a_1^2+a_2^2}$,
$|\vec{b}|=\sqrt{b_1^2+b_2^2}$
이므로
$\cos\theta=\dfrac{a_1b_1+a_2b_2}{\sqrt{a_1^2+a_2^2}\sqrt{b_1^2+b_2^2}}$

개념 7 평면벡터의 수직과 평행

영벡터가 아닌 두 평면벡터 $\vec{a}=(a_1, a_2)$, $\vec{b}=(b_1, b_2)$에 대하여

❶ 수직 조건 $\vec{a}\perp\vec{b} \iff \vec{a}\cdot\vec{b}=0 \iff a_1b_1+a_2b_2=$ ❶ [ ]

❷ 평행 조건 $\vec{a}/\!/\vec{b} \iff \vec{a}\cdot\vec{b}=\pm|\vec{a}||\vec{b}|$
$\iff b_1=ka_1,\ b_2=$ ❷ [ ] (단, k는 0이 아닌 실수)

답 ❶ 0 ❷ ka_2

3-1 | 평면벡터의 내적 |

다음 두 벡터 $\vec{a}, \vec{b}$의 내적을 구하시오.

(1) $\vec{a}=(2, -1)$, $\vec{b}=(3, 2)$

(2) $\vec{a}=(-1, 4)$, $\vec{b}=(-1, 3)$

연구

(1) $\vec{a} \cdot \vec{b}=(2, -1) \cdot (3, 2)$

$=2\times \square +(-1)\times 2$

$= \square -2= \square$

(2) $\vec{a} \cdot \vec{b}=(-1, 4) \cdot (-1, 3)$

$=-1\times(-1)+4\times \square$

$=1+ \square = \square$

3-2 | 따라풀기 |

다음 두 벡터 $\vec{a}, \vec{b}$의 내적을 구하시오.

(1) $\vec{a}=(1, 3)$, $\vec{b}=(4, 2)$

(2) $\vec{a}=(0, 2)$, $\vec{b}=(-2, -3)$

풀이

4-1 | 두 평면벡터가 이루는 각의 크기 |

다음 두 벡터 $\vec{a}, \vec{b}$가 이루는 각의 크기 θ를 구하시오.

(단, $0^\circ \le \theta \le 180^\circ$)

(1) $\vec{a}=(3, 1)$, $\vec{b}=(1, 2)$

(2) $\vec{a}=(-1, 2)$, $\vec{b}=(2, 1)$

연구

(1) $\vec{a} \cdot \vec{b}=3\times 1+1\times 2=5>0$이므로

$\cos\theta=\dfrac{\vec{a} \cdot \vec{b}}{|\vec{a}||\vec{b}|}=\dfrac{5}{\sqrt{3^2+1^2}\sqrt{1^2+2^2}}=\dfrac{5}{5\sqrt{2}}=\dfrac{\square}{2}$

$0^\circ \le \theta \le 180^\circ$이므로 $\boldsymbol{\theta=45^\circ}$

(2) $\vec{a} \cdot \vec{b}=-1\times 2+2\times 1=0$이므로

$\cos\theta=\dfrac{\vec{a} \cdot \vec{b}}{|\vec{a}||\vec{b}|}=\dfrac{0}{\sqrt{(-1)^2+2^2}\sqrt{2^2+1^2}}=\square$

$0^\circ \le \theta \le 180^\circ$이므로 $\boldsymbol{\theta=90^\circ}$

4-2 | 따라풀기 |

다음 두 벡터 $\vec{a}, \vec{b}$가 이루는 각의 크기 θ를 구하시오.

(단, $0^\circ \le \theta \le 180^\circ$)

(1) $\vec{a}=(1, 2)$, $\vec{b}=(-1, 3)$

(2) $\vec{a}=(\sqrt{3}, -1)$, $\vec{b}=(0, \sqrt{3})$

풀이

셀파 특강 01 선분의 내분점과 외분점의 위치벡터

A 벡터의 연산에 대한 성질을 이용해서 선분의 내분점과 외분점을 위치벡터로 나타낼 수 있어.

> 선분의 내분점과 외분점의 위치벡터
>
> 선분 AB를 $m:n(m>0,\ n>0)$으로 내분하는 점을 P, 외분하는 점을 Q라 하고, 점 A, B, P, Q의 위치벡터를 각각 $\vec{a},\ \vec{b},\ \vec{p},\ \vec{q}$라 하면
>
> ❶ $\vec{p}=\dfrac{m\vec{b}+n\vec{a}}{m+n}$ ❷ $\vec{q}=\dfrac{m\vec{b}-n\vec{a}}{m-n}$ (단, $m\neq n$)

증명 ❶ $\overrightarrow{AB}=\vec{b}-\vec{a}$, ㉠$\overrightarrow{AP}=\dfrac{m}{m+n}\overrightarrow{AB}$이므로

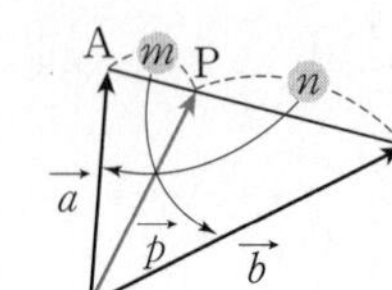
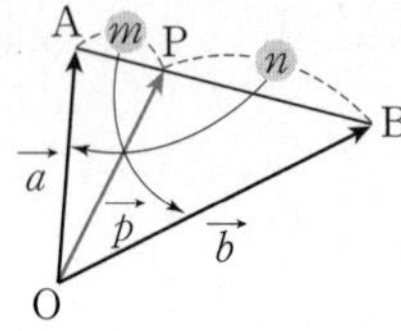

$\overrightarrow{AP}=\dfrac{m}{m+n}(\vec{b}-\vec{a})$

$\overrightarrow{OP}=\overrightarrow{OA}+\overrightarrow{AP}$이므로

$\vec{p}=\vec{a}+\dfrac{m}{m+n}(\vec{b}-\vec{a})=\dfrac{m\vec{b}+n\vec{a}}{m+n}$

❷ $\overrightarrow{AB}=\vec{b}-\vec{a}$이고 $m>n$일 때,

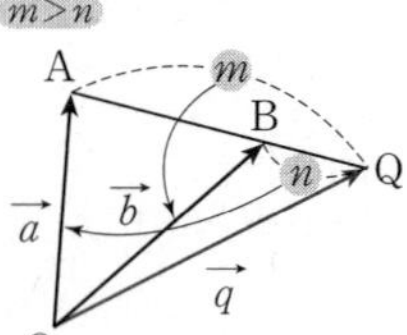

㉡$\overrightarrow{AQ}=\dfrac{m}{m-n}\overrightarrow{AB}$이므로

$\overrightarrow{AQ}=\dfrac{m}{m-n}(\vec{b}-\vec{a})$

$\overrightarrow{OQ}=\overrightarrow{OA}+\overrightarrow{AQ}$이므로

$\vec{q}=\vec{a}+\dfrac{m}{m-n}(\vec{b}-\vec{a})=\dfrac{m\vec{b}-n\vec{a}}{m-n}$

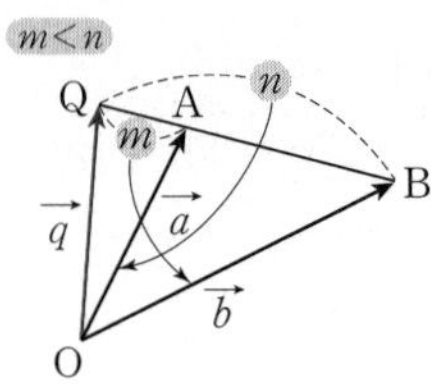

같은 방법으로 $m<n$일 때도

$\vec{q}=\dfrac{m\vec{b}-n\vec{a}}{m-n}$

Q 같은 방법으로 삼각형의 무게중심의 위치벡터도 구할 수 있겠네요.

> 세 점 A, B, C의 위치벡터를 각각 $\vec{a},\ \vec{b},\ \vec{c}$라 하고, 삼각형 ABC의 무게중심 G의 위치벡터를 $\vec{g}$라 하면 $\vec{g}=\dfrac{\vec{a}+\vec{b}+\vec{c}}{3}$

증명 오른쪽 그림과 같이 선분 BC의 중점을 M이라 하면 점 M의 위치벡터 $\vec{m}$은 $\vec{m}=\dfrac{\vec{b}+\vec{c}}{2}$

또 삼각형 ABC의 무게중심 G는 중선 AM을 2 : 1로 내분하는 점이므로

$\vec{g}=\dfrac{2\vec{m}+\vec{a}}{2+1}=\dfrac{2\times\dfrac{\vec{b}+\vec{c}}{2}+\vec{a}}{3}=\dfrac{\vec{a}+\vec{b}+\vec{c}}{3}$

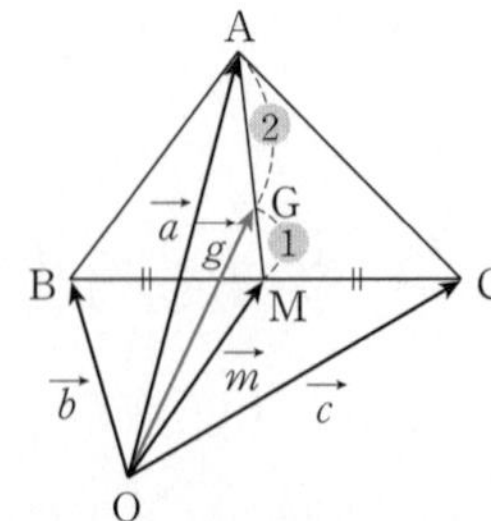

㉠ 세 점 A, P, B가 한 직선 위에 있으므로 $\overrightarrow{AP}$는 $\overrightarrow{AB}$와 방향이 같다.
또한 $\overline{AP}:\overline{AB}=m:(m+n)$이므로
$(m+n)\overrightarrow{AP}=m\overrightarrow{AB}$
$\therefore \overrightarrow{AP}=\dfrac{m}{m+n}\overrightarrow{AB}$

▶ **선분의 중점의 위치벡터**
두 점 A, B의 위치벡터를 각각 $\vec{a}$, $\vec{b}$라 하고, 선분 AB의 중점 M의 위치벡터를 $\vec{m}$이라 하면 점 M은 선분 AB를 1 : 1로 내분하는 점이므로
$\vec{m}=\dfrac{1\times\vec{b}+1\times\vec{a}}{1+1}=\dfrac{\vec{a}+\vec{b}}{2}$

㉡ 세 점 A, B, Q가 한 직선 위에 있으므로 $\overrightarrow{AQ}$는 $\overrightarrow{AB}$와 방향이 같다.
또한 $\overline{AQ}:\overline{AB}=m:(m-n)$이므로
$(m-n)\overrightarrow{AQ}=m\overrightarrow{AB}$
$\therefore \overrightarrow{AQ}=\dfrac{m}{m-n}\overrightarrow{AB}$

해법 01 선분의 내분점과 외분점의 위치벡터

두 점 A, B의 위치벡터를 각각 $\vec{a}$, $\vec{b}$라 할 때, 선분 AB를 $m:n\ (m>0,\ n>0)$으로 내분하는 점 P와 외분하는 점 Q의 위치벡터를 각각 $\vec{p}$, $\vec{q}$라 하면

$$\vec{p}=\frac{m\vec{b}+n\vec{a}}{m+n},\ \vec{q}=\frac{m\vec{b}-n\vec{a}}{m-n}\ (\text{단, } m\neq n)$$

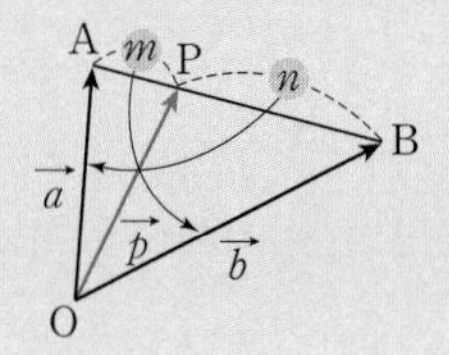

PLUS 세 점 A, B, C의 위치벡터를 각각 $\vec{a}$, $\vec{b}$, $\vec{c}$라 할 때, 삼각형 ABC의 무게중심 G의 위치벡터 $\vec{g}$는

$$\vec{g}=\frac{\vec{a}+\vec{b}+\vec{c}}{3}$$

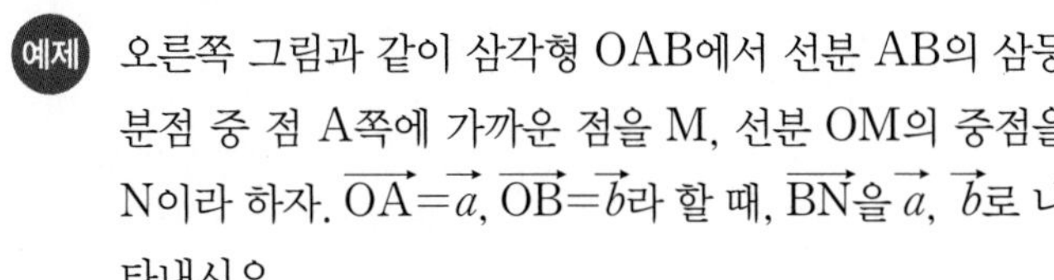

예제 오른쪽 그림과 같이 삼각형 OAB에서 선분 AB의 삼등분점 중 점 A쪽에 가까운 점을 M, 선분 OM의 중점을 N이라 하자. $\overrightarrow{OA}=\vec{a}$, $\overrightarrow{OB}=\vec{b}$라 할 때, $\overrightarrow{BN}$을 $\vec{a}$, $\vec{b}$로 나타내시오.

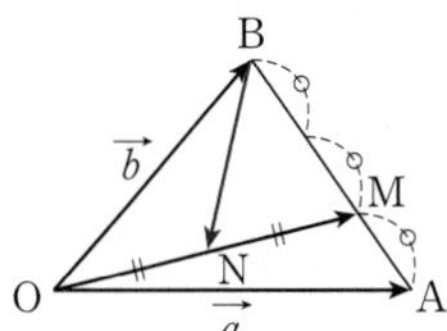

해법 코드
$\overrightarrow{OM}$, $\overrightarrow{ON}$의 위치벡터를 각각 $\vec{a}$, $\vec{b}$로 나타낸 다음
$\overrightarrow{BN}=\overrightarrow{ON}-\overrightarrow{OB}$
를 이용한다.

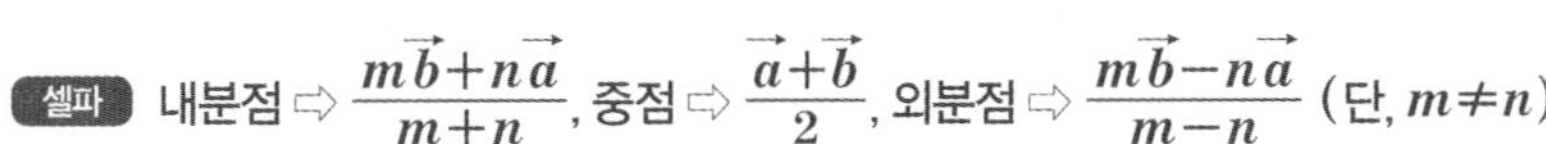

셀파 내분점 ⇨ $\dfrac{m\vec{b}+n\vec{a}}{m+n}$, 중점 ⇨ $\dfrac{\vec{a}+\vec{b}}{2}$, 외분점 ⇨ $\dfrac{m\vec{b}-n\vec{a}}{m-n}$ (단, $m\neq n$)

풀이 점 M은 선분 AB를 1 : 2로 내분하는 점이므로

㉠ $\overrightarrow{OM}=\frac{2}{3}\vec{a}+\frac{1}{3}\vec{b}$

점 N은 선분 OM의 중점이므로

$\overrightarrow{ON}=\frac{1}{2}\overrightarrow{OM}=\frac{1}{2}\left(\frac{2}{3}\vec{a}+\frac{1}{3}\vec{b}\right)=\frac{1}{3}\vec{a}+\frac{1}{6}\vec{b}$

$\therefore\ \overrightarrow{BN}=\overrightarrow{ON}-\overrightarrow{OB}=\left(\frac{1}{3}\vec{a}+\frac{1}{6}\vec{b}\right)-\vec{b}=\mathbf{\frac{1}{3}\vec{a}-\frac{5}{6}\vec{b}}$

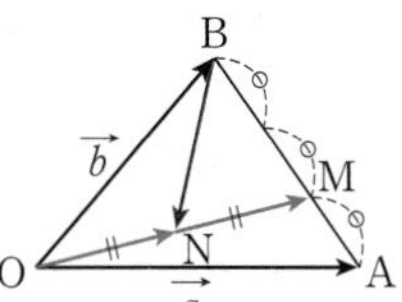

㉠ 점 M은 선분 AB를 1 : 2로 내분하는 점이므로

$\overrightarrow{OM}=\frac{\overrightarrow{OB}+2\overrightarrow{OA}}{1+2}$
$=\frac{2}{3}\overrightarrow{OA}+\frac{1}{3}\overrightarrow{OB}$
$=\frac{2}{3}\vec{a}+\frac{1}{3}\vec{b}$

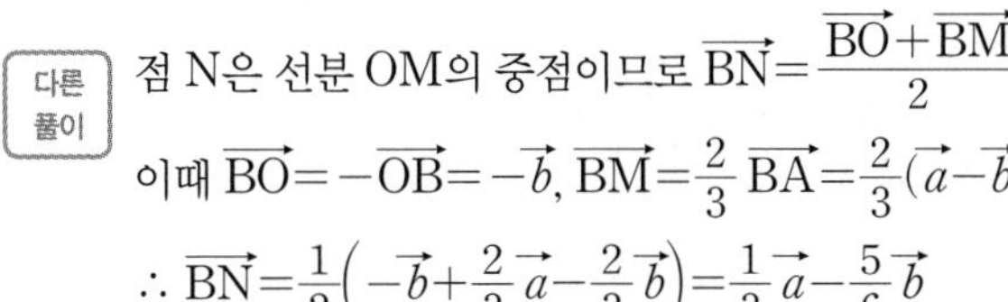

다른 풀이 점 N은 선분 OM의 중점이므로 $\overrightarrow{BN}=\frac{\overrightarrow{BO}+\overrightarrow{BM}}{2}$

이때 $\overrightarrow{BO}=-\overrightarrow{OB}=-\vec{b}$, $\overrightarrow{BM}=\frac{2}{3}\overrightarrow{BA}=\frac{2}{3}(\vec{a}-\vec{b})$

$\therefore\ \overrightarrow{BN}=\frac{1}{2}\left(-\vec{b}+\frac{2}{3}\vec{a}-\frac{2}{3}\vec{b}\right)=\frac{1}{3}\vec{a}-\frac{5}{6}\vec{b}$

확인 문제

정답과 해설 | 52쪽

01-1 (상 중 하) 삼각형 ABC의 무게중심을 G, 선분 AC를 2 : 3으로 내분하는 점을 P라 하자. $\overrightarrow{OA}=\vec{a}$, $\overrightarrow{OB}=\vec{b}$, $\overrightarrow{OC}=\vec{c}$라 할 때, $\overrightarrow{GP}$를 $\vec{a}$, $\vec{b}$, $\vec{c}$로 나타내시오.

01-2 (상 중 하) 평행사변형 ABCD에서 변 CD의 중점을 M, 선분 BM을 2 : 1로 내분하는 점을 P라 하자. $\overrightarrow{AB}=\vec{a}$, $\overrightarrow{AD}=\vec{b}$라 할 때, $\overrightarrow{AP}$를 $\vec{a}$, $\vec{b}$로 나타내시오.

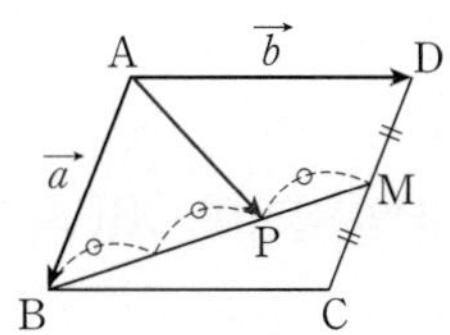

MY 셀파

01-1
삼각형 ABC의 무게중심 G의 위치벡터는
$\overrightarrow{OG}=\frac{\vec{a}+\vec{b}+\vec{c}}{3}$이다.

01-2
$\overrightarrow{AP}=\frac{2\overrightarrow{AM}+\overrightarrow{AB}}{2+1}$

해법 02 삼각형에서 위치벡터의 활용

네 점 A, B, C, P에 대하여

$$l\overrightarrow{PA}+m\overrightarrow{PB}+n\overrightarrow{PC}=p\overrightarrow{BC} \quad \cdots\cdots ㉠$$

로 식이 주어지면 네 점 A, B, C, P의 위치벡터를 각각 $\vec{a}$, $\vec{b}$, $\vec{c}$, $\vec{p}$로 놓고 주어진 식을 위치벡터로 나타내어 정리한다.

PLUS ⊕

$\overrightarrow{BC}=\overrightarrow{PC}-\overrightarrow{PB}$이므로 ㉠의 식을 $\overrightarrow{PA}$, $\overrightarrow{PB}$, $\overrightarrow{PC}$로 나타내어 정리해도 된다. 이때 정리된 식이 $\overrightarrow{PA}=-k\overrightarrow{PB}$이면 점 P는 선분 AB를 k : 1로 내분하는 점이다.

(단, $k>0$)

예제 넓이가 56인 삼각형 ABC의 내부의 한 점 P가

$$2\overrightarrow{PA}+5\overrightarrow{PB}+\overrightarrow{PC}=\overrightarrow{BC}$$

를 만족시킬 때, 다음 물음에 답하시오.

(1) 점 P의 위치를 말하시오.

(2) 삼각형 CPB의 넓이를 구하시오.

해법 코드

(1) 네 점 A, B, C, P의 위치벡터를 각각 $\vec{a}$, $\vec{b}$, $\vec{c}$, $\vec{p}$로 놓고 주어진 식을 위치벡터로 나타낸다.

셀파 네 점 A, B, C, P의 위치벡터를 각각 $\vec{a}$, $\vec{b}$, $\vec{c}$, $\vec{p}$로 놓는다.

풀이 (1) 네 점 A, B, C, P의 위치벡터를 각각 $\vec{a}$, $\vec{b}$, $\vec{c}$, $\vec{p}$라 하면

$2\overrightarrow{PA}+5\overrightarrow{PB}+\overrightarrow{PC}=\overrightarrow{BC}$에서

$2(\vec{a}-\vec{p})+5(\vec{b}-\vec{p})+(\vec{c}-\vec{p})=\vec{c}-\vec{b}$

$2\vec{a}+6\vec{b}=8\vec{p}$, $4\vec{p}=\vec{a}+3\vec{b}$

$\therefore \vec{p}=\dfrac{\vec{a}+3\vec{b}}{4}=\dfrac{1\times\vec{a}+3\times\vec{b}}{1+3}$

따라서 점 P는 위치벡터가 $\vec{a}$, $\vec{b}$인 두 점 A, B에 대하여

선분 AB를 3 : 1로 내분하는 점

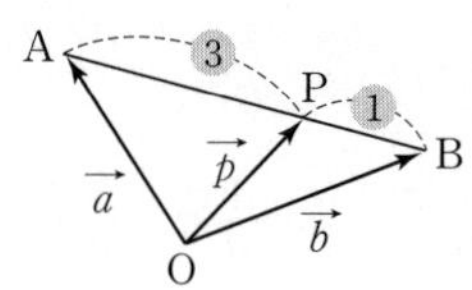

(2) 점 P는 선분 AB를 3 : 1로 내분하는 점이므로

△CAP : △CPB=3 : 1

이때 삼각형 ABC의 넓이가 56이므로

㉠삼각형 CPB의 넓이는

$\dfrac{1}{4}\times 56=\mathbf{14}$

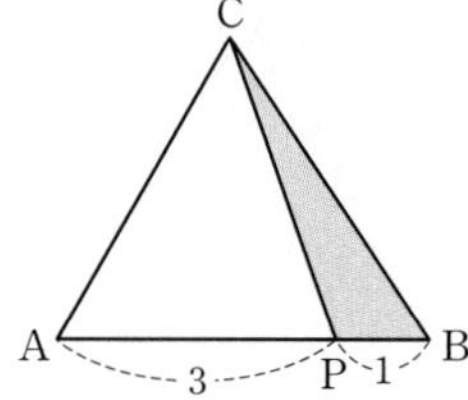

㉠ 높이가 같은 두 삼각형의 넓이의 비는 밑변의 길이의 비와 같다.

$S_1 : S_2=\frac{1}{2}m_1h : \frac{1}{2}m_2h$

$=m_1 : m_2$

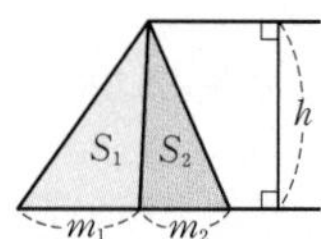

확인 문제

정답과 해설 | 52쪽

02-1 (상 중 하) 삼각형 ABC의 내부의 한 점 P가

$$\overrightarrow{PA}+\overrightarrow{PB}+2\overrightarrow{PC}=\overrightarrow{CB}$$

를 만족시킬 때, 삼각형 ABP와 삼각형 CBP의 넓이의 비를 가장 간단한 자연수의 비로 나타내시오.

MY 셀파

02-1

네 점 A, B, C, P의 위치벡터를 각각 $\vec{a}$, $\vec{b}$, $\vec{c}$, $\vec{p}$로 놓고 주어진 식을 위치벡터로 나타낸다.

셀파 특강 02 성분을 이용한 평면벡터의 연산

A 좌표평면 위의 두 점 $E_1(1, 0)$, $E_2(0, 1)$의 원점 O에 대한 위치벡터 $\overrightarrow{OE_1}$, $\overrightarrow{OE_2}$를 각각 단위벡터 $\vec{e_1}$, $\vec{e_2}$로 나타내. 임의의 평면벡터 $\vec{a}$에 대하여 $\vec{a}=\overrightarrow{OA}$가 되는 점 $A(a_1, a_2)$에서 x축, y축에 내린 수선의 발은 각각 $A_1(a_1, 0)$, $A_2(0, a_2)$이므로

$\overrightarrow{OA_1}=a_1\vec{e_1}$, $\overrightarrow{OA_2}=a_2\vec{e_2}$
$\overrightarrow{OA}=\overrightarrow{OA_1}+\overrightarrow{OA_2}$
⇨ $\vec{a}=a_1\vec{e_1}+a_2\vec{e_2}$

이때 두 실수 a_1, a_2를 벡터 $\vec{a}$의 성분이라 하고, a_1을 벡터 $\vec{a}$의 x성분, a_2를 벡터 $\vec{a}$의 y성분이라 해.

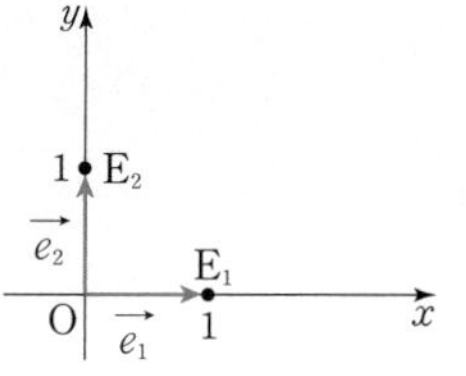

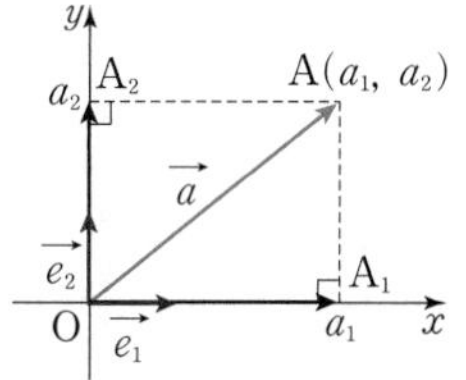

㉠ $\vec{a}=a_1\vec{e_1}+a_2\vec{e_2}$
$=(a_1, a_2)$

예
좌표평면에서 $\vec{a}=2\vec{e_1}+3\vec{e_2}$를 성분으로 나타내면 $\vec{a}=(2, 3)$이다.
또 $\vec{b}=(4, -3)$을 기본벡터 $\vec{e_1}$, $\vec{e_2}$로 나타내면 $\vec{b}=4\vec{e_1}-3\vec{e_2}$이다.

Q 그럼 벡터 $\vec{a}$를 성분을 이용하여 ㉠$\vec{a}=(a_1, a_2)$와 같이 나타내고, $\vec{a}$의 크기는 $|\vec{a}|=\overline{OA}=\sqrt{a_1^2+a_2^2}$이네요.

A 그렇지! 또한 두 평면벡터 $\vec{a}=(a_1, a_2)$, $\vec{b}=(b_1, b_2)$에 대하여 $\vec{a}=a_1\vec{e_1}+a_2\vec{e_2}$, $\vec{b}=b_1\vec{e_1}+b_2\vec{e_2}$이므로 평면벡터의 성분에 의한 연산은 다음과 같아.

❶ $\vec{a}+\vec{b}=(a_1\vec{e_1}+a_2\vec{e_2})+(b_1\vec{e_1}+b_2\vec{e_2})$
$=(a_1+b_1)\vec{e_1}+(a_2+b_2)\vec{e_2}$
$=(a_1+b_1, a_2+b_2)$

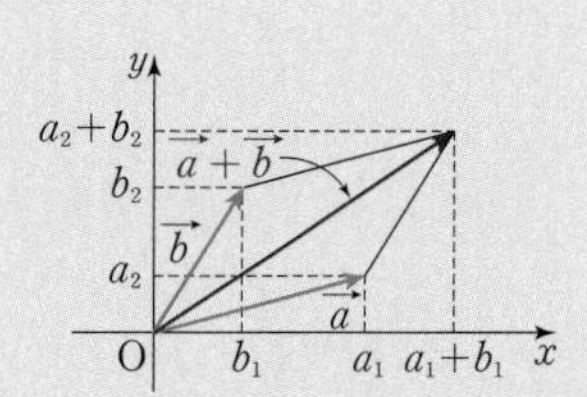

❷ $\vec{a}-\vec{b}=(a_1\vec{e_1}+a_2\vec{e_2})-(b_1\vec{e_1}+b_2\vec{e_2})$
$=(a_1-b_1)\vec{e_1}+(a_2-b_2)\vec{e_2}$
$=(a_1-b_1, a_2-b_2)$

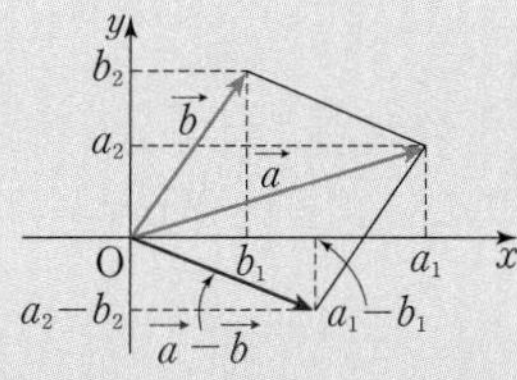

❸ 실수 k에 대하여
$k\vec{a}=k(a_1\vec{e_1}+a_2\vec{e_2})$
$=(ka_1)\vec{e_1}+(ka_2)\vec{e_2}$
$=(ka_1, ka_2)$

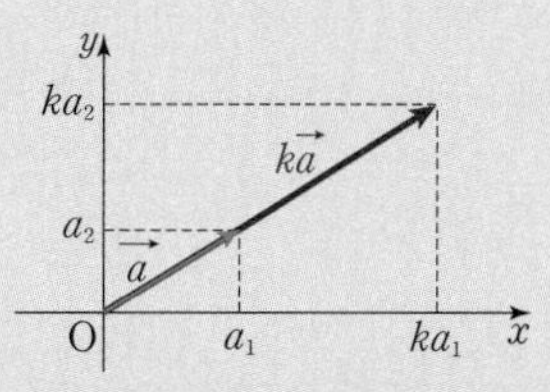

▶ **벡터의 덧셈에 대한 성질**
세 벡터 $\vec{a}$, $\vec{b}$, $\vec{c}$에 대하여
❶ $\vec{a}+\vec{b}=\vec{b}+\vec{a}$
❷ $(\vec{a}+\vec{b})+\vec{c}=\vec{a}+(\vec{b}+\vec{c})$

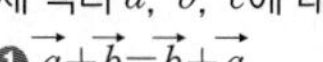

▶ **벡터의 실수배에 대한 성질**
두 실수 k, l과 두 벡터 $\vec{a}$, $\vec{b}$에 대하여
❶ $k(l\vec{a})=(kl)\vec{a}$
❷ $(k+l)\vec{a}=k\vec{a}+l\vec{a}$
$k(\vec{a}+\vec{b})=k\vec{a}+k\vec{b}$

확인 체크 01

정답과 해설 | 52쪽

$\overrightarrow{OA}$, $\overrightarrow{OB}$, $\overrightarrow{OC}$가 다음과 같을 때, $3\overrightarrow{OA}-2\overrightarrow{OB}+\overrightarrow{OC}$를 성분으로 나타내시오.
(단, $\vec{e_1}$, $\vec{e_2}$는 두 점 $E_1(1, 0)$, $E_2(0, 1)$의 위치벡터이다.)

㉡ $\overrightarrow{OA}=-2\vec{e_1}$, $\overrightarrow{OB}=3\vec{e_2}$, $\overrightarrow{OC}=\vec{e_1}-\vec{e_2}$

㉡ $\overrightarrow{OA}=-2\vec{e_1}$
$=-2(1, 0)$
$=(-2, 0)$

해법 03 평면벡터의 성분에 의한 연산

$\vec{a}=(a_1, a_2)$, $\vec{b}=(b_1, b_2)$이고, k가 실수일 때

❶ $\vec{a}+\vec{b}=(a_1+b_1, a_2+b_2)$

❷ $\vec{a}-\vec{b}=(a_1-b_1, a_2-b_2)$

❸ $k\vec{a}=(ka_1, ka_2)$

PLUS

좌표평면 위의 두 점 $A(a_1, a_2)$, $B(b_1, b_2)$에 대하여 $\overrightarrow{AB}$의 성분과 그 크기는 다음과 같다.

❶ $\overrightarrow{AB}=\overrightarrow{OB}-\overrightarrow{OA}=(b_1-a_1, b_2-a_2)$

❷ $|\overrightarrow{AB}|=\sqrt{(b_1-a_1)^2+(b_2-a_2)^2}$

1. $\vec{a}=(1, 5)$, $\vec{b}=(-1, 3)$일 때, $\vec{c}=(4, 4)$를 $p\vec{a}+q\vec{b}$ 꼴로 나타내시오. (단, p, q는 실수)

2. 좌표평면 위에 세 점 $A(0, 2)$, $B(3, 0)$, $C(1, -1)$이 있다. $\overrightarrow{AC}=\overrightarrow{BD}$를 만족시키는 점 D에 대하여 $\overrightarrow{OD}$의 크기를 구하시오. (단, 점 O는 원점이다.)

해법 코드

1. $\vec{c}=p\vec{a}+q\vec{b}$를 성분으로 나타낸다.

2. 점 D의 좌표를 $D(x, y)$로 놓고 $\overrightarrow{AC}$, $\overrightarrow{BD}$를 성분으로 나타낸다.

셀파 $\vec{a}=(a_1, a_2)$, $\vec{b}=(b_1, b_2)$에 대하여 $\vec{a}=\vec{b} \Longleftrightarrow a_1=b_1, a_2=b_2$

풀이 1. $\vec{c}=p\vec{a}+q\vec{b}$이므로

$(4, 4)=p(1, 5)+q(-1, 3)=(p-q, 5p+3q)$

따라서 $p-q=4$, $5p+3q=4$이므로 $p=2$, $q=-2$

$\therefore \boldsymbol{\vec{c}=2\vec{a}-2\vec{b}}$

2. 점 D의 좌표를 $D(x, y)$로 놓으면

$\overrightarrow{AC}=\overrightarrow{OC}-\overrightarrow{OA}=(1, -1)-(0, 2)=(1, -3)$

$\overrightarrow{BD}=\overrightarrow{OD}-\overrightarrow{OB}=(x, y)-(3, 0)=(x-3, y)$

이때 $\overrightarrow{AC}=\overrightarrow{BD}$이므로 $(1, -3)=(x-3, y)$

즉, $1=x-3$, $-3=y$이므로 $x=4$, $y=-3$

따라서 $\overrightarrow{OD}=(4, -3)$이므로 $|\overrightarrow{OD}|=\sqrt{4^2+(-3)^2}=\mathbf{5}$

다른 풀이 2.

$\overrightarrow{AC}=\overrightarrow{BD}$를 만족시키는 점 D에 대하여 사각형 ACDB는 평행사변형이다. 이때 평행사변형의 두 대각선의 중점은 서로 일치하므로 점 D의 좌표를 $D(x, y)$로 놓으면

$\dfrac{\overrightarrow{OA}+\overrightarrow{OD}}{2}=\left(\dfrac{x}{2}, \dfrac{2+y}{2}\right)$

$\dfrac{\overrightarrow{OB}+\overrightarrow{OC}}{2}=\left(2, -\dfrac{1}{2}\right)$

$\dfrac{x}{2}=2$, $\dfrac{2+y}{2}=-\dfrac{1}{2}$

$\therefore x=4, y=-3$

따라서 $\overrightarrow{OD}=(4, -3)$이므로

$|\overrightarrow{OD}|=\sqrt{4^2+(-3)^2}=5$

확인 문제

정답과 해설 | 52쪽

03-1 (상 중 하) $\vec{a}=(1, 2)$, $\vec{b}=(2, -1)$, $\vec{c}=(-1, 8)$일 때, $\vec{c}=p\vec{a}+q\vec{b}$를 만족시키는 실수 p, q의 값을 구하시오.

03-2 (상 중 하) $\vec{a}=(3, 0)$, $\vec{b}=(0, -2)$일 때, $2(\vec{x}-\vec{a})-(3\vec{b}-\vec{x})=\vec{0}$를 만족시키는 벡터 $\vec{x}$를 성분으로 나타내시오.

MY 셀파

03-1

$\vec{c}=p\vec{a}+q\vec{b}$를 성분으로 나타낸다.

03-2

주어진 식을 정리하여 $\vec{x}$를 $\vec{a}$, $\vec{b}$로 나타낸다.

해법 04 평면벡터에서의 도형

조건에 맞는 점 P의 방정식은 다음과 같은 순서로 구한다.

1 조건에 맞는 점 P의 좌표를 $P(x, y)$로 놓기

2 주어진 조건을 이용하여 x, y 사이의 관계식 구하기

PLUS ⊕

$\overrightarrow{PA}$를 성분으로 나타내기 위해서는 위치벡터의 성질을 이용하여 $\overrightarrow{PA}=\overrightarrow{OA}-\overrightarrow{OP}$로 변형한다.

예제 두 점 $A(0, 2)$, $B(2, 0)$에 대하여 좌표평면 위의 점 P가

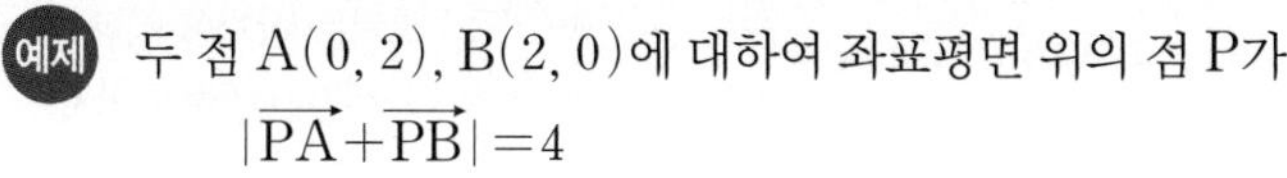

$$|\overrightarrow{PA}+\overrightarrow{PB}|=4$$

를 만족시킬 때, 점 P가 나타내는 도형의 길이를 구하시오.

해법 코드

$\overrightarrow{PA}$와 $\overrightarrow{PB}$를 성분으로 나타낸다.

셀파 점 P의 좌표를 $\mathbf{P}(x, y)$로 놓는다.

풀이 점 P의 좌표를 $P(x, y)$로 놓으면

$\overrightarrow{PA}=\overrightarrow{OA}-\overrightarrow{OP}=(0, 2)-(x, y)=(-x, -y+2)$

$\overrightarrow{PB}=\overrightarrow{OB}-\overrightarrow{OP}=(2, 0)-(x, y)=(-x+2, -y)$

$\overrightarrow{PA}+\overrightarrow{PB}=(-x, -y+2)+(-x+2, -y)$

$=(-2x+2, -2y+2)$

$\therefore |\overrightarrow{PA}+\overrightarrow{PB}|=\sqrt{(-2x+2)^2+(-2y+2)^2}$

$=2\sqrt{(x-1)^2+(y-1)^2}$

이때 $|\overrightarrow{PA}+\overrightarrow{PB}|=4$이므로 $2\sqrt{(x-1)^2+(y-1)^2}=4$

이 식의 양변을 제곱하여 정리하면

$(x-1)^2+(y-1)^2=4$

따라서 점 P가 나타내는 도형은 중심이 $(1, 1)$이고 반지름의 길이가 2인 원이므로

구하는 도형의 길이는

$2\pi\times2=\mathbf{4\pi}$

다른 풀이

$\overrightarrow{PA}+\overrightarrow{PB}$

$=(\overrightarrow{OA}-\overrightarrow{OP})+(\overrightarrow{OB}-\overrightarrow{OP})$

$=\overrightarrow{OA}+\overrightarrow{OB}-2\overrightarrow{OP}$

$=(0, 2)+(2, 0)-2(x, y)$

$=(-2x+2, -2y+2)$

덧셈과 뺄셈은
x성분은 x성분끼리,
y성분은 y성분끼리 계산해.

확인 문제

정답과 해설 | 53쪽

04-1 (상 중 하) 두 점 $A(-2, 0)$, $B(2, 0)$에 대하여 좌표평면 위의 점 P가

$$|\overrightarrow{AP}|+|\overrightarrow{BP}|=6$$

을 만족시킬 때, 점 P가 나타내는 도형의 방정식을 구하시오.

04-2 (상 중 하) 세 점 $A(1, -2)$, $B(0, 3)$, $C(2, 2)$에 대하여 좌표평면 위의 점 P가

$$|\overrightarrow{PA}+\overrightarrow{PB}+\overrightarrow{PC}|=9$$

를 만족시킬 때, 점 P가 나타내는 도형의 넓이를 구하시오.

MY 셀파

04-1
점 P의 좌표를 $P(x, y)$로 놓고 $|\overrightarrow{AP}|+|\overrightarrow{BP}|=6$을 x, y에 대한 식으로 나타낸다.

04-2
점 P의 좌표를 $P(x, y)$로 놓고 $|\overrightarrow{PA}+\overrightarrow{PB}+\overrightarrow{PC}|$를 x, y에 대한 식으로 나타낸다.

셀파 특강 03 평면벡터의 내적의 정의

A 물리학에서 일의 양은 다음과 같이 정의해.

(일의 양)=(물체의 이동 방향으로 작용한 힘의 크기)×(이동 거리)

오른쪽 그림과 같이 수평면에 놓인 상자에 힘 $\overrightarrow{PA}$를 작용하여 상자를 P지점에서 Q지점까지 이동하였어. 힘 $\overrightarrow{PA}$와 수평면이 이루는 각의 크기가 θ일 때, 힘 $\overrightarrow{PA}$가 상자에 대하여 한 일의 양을 생각해 보자.

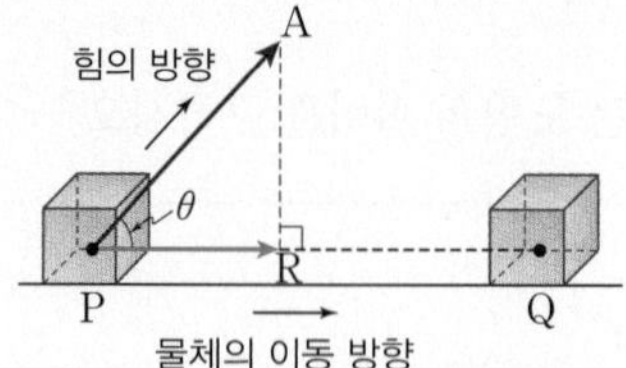

Q 작용한 힘의 방향과 물체의 이동 방향이 다른 경우네요.
상자의 이동 방향으로 작용한 힘 $\overrightarrow{PR}$의 크기는 $|\overrightarrow{PR}|=|\overrightarrow{PA}|\cos\theta$이므로 힘 $\overrightarrow{PA}$가 한 일의 양은 $|\overrightarrow{PA}|\cos\theta\times|\overrightarrow{PQ}|$예요.

A 맞아. 이때 구한 값은 두 벡터 $\overrightarrow{PA}$, $\overrightarrow{PQ}$의 내적, 즉 $\overrightarrow{PA}\cdot\overrightarrow{PQ}=|\overrightarrow{PA}||\overrightarrow{PQ}|\cos\theta$와 같아. $\vec{0}$가 아닌 두 벡터 $\vec{a}$, $\vec{b}$가 이루는 각의 크기가 θ일 때, $|\vec{a}||\vec{b}|\cos\theta$를 두 벡터 $\vec{a}$, $\vec{b}$의 내적이라 하고, 기호로 $\vec{a}\cdot\vec{b}$와 같이 나타내.

Q $0°\le\theta\le90°$일 때와 $90°<\theta\le180°$일 때로 구별해야 해요.

두 평면벡터 $\vec{a}$, $\vec{b}$가 이루는 각의 크기가 $\theta(0°\le\theta\le180°)$일 때,

❶ $0°\le\theta\le90°$
$\vec{a}\cdot\vec{b}=|\vec{a}||\vec{b}|\cos\theta$

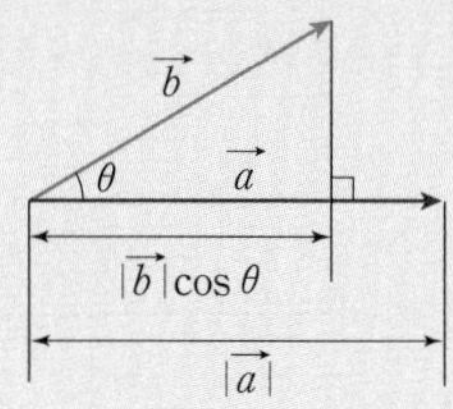

❷ $90°<\theta\le180°$
$\vec{a}\cdot\vec{b}=-|\vec{a}||\vec{b}|\cos(180°-\theta)$

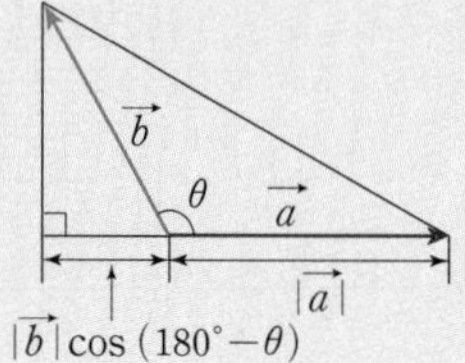

A 그래. 오른쪽 그림과 같이 두 평면벡터 $\vec{a}$, $\vec{b}$가 이루는 각의 크기는 θ로 같으므로 $\vec{a}$와 $\vec{b}$의 내적 $\vec{a}\cdot\vec{b}$는 두 선분의 길이 $|\vec{a}|$와 $|\vec{b}|\cos\theta$의 곱 또는 $|\vec{a}|\cos\theta$와 $|\vec{b}|$의 곱으로 생각할 수 있어.
특히 $\vec{a}=\vec{0}$ 또는 $\vec{b}=\vec{0}$일 때는 $\vec{a}\cdot\vec{b}=0$으로 정해.

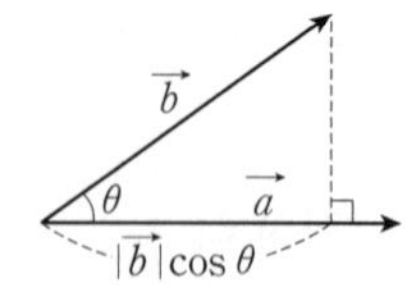

$\vec{a}\cdot\vec{b}$
$=|\vec{a}|\times|\vec{b}|\cos\theta$
$=|\vec{a}||\vec{b}|\cos\theta$

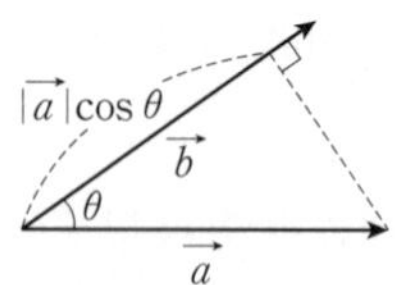

$\vec{a}\cdot\vec{b}$
$=|\vec{b}|\times|\vec{a}|\cos\theta$
$=|\vec{a}||\vec{b}|\cos\theta$

㉠ 왼쪽 그림의 직각삼각형 APR에서 $\overline{PR}=\overline{PA}\cos\theta$
즉, 상자의 이동 방향으로 작용한 힘 $\overrightarrow{PR}$의 크기는 상자에 작용한 힘 $\overrightarrow{PA}$의 크기에 $\cos\theta$를 곱한 값이다.
$\therefore |\overrightarrow{PR}|=|\overrightarrow{PA}|\cos\theta$

㉡

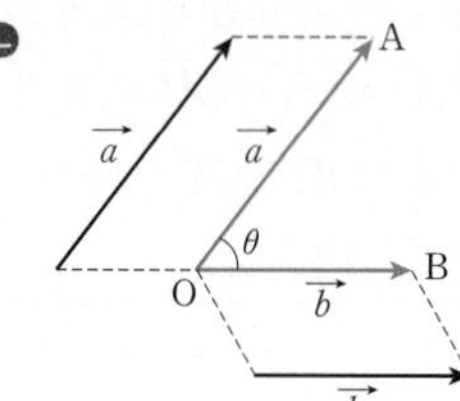

그림과 같이 평면 또는 공간에서 $\vec{0}$가 아닌 두 벡터 $\vec{a}$, $\vec{b}$에 대하여 $\vec{a}$, $\vec{b}$의 시점을 O로 일치시키고 각각의 종점을 A, B라 하면 $\vec{a}=\overrightarrow{OA}$, $\vec{b}=\overrightarrow{OB}$이다. 이때 $\angle AOB=\theta(0°\le\theta\le180°)$를 두 벡터 $\vec{a}$, $\vec{b}$가 이루는 각의 크기라 한다.

㉢ 내적 $\vec{a}\cdot\vec{b}$는 $|\vec{a}|$, $|\vec{b}|$, $\cos\theta$의 곱으로서, 벡터가 아니고 실수이다. 따라서 내적(inner product)을 스칼라곱이라고도 한다.

▶ 내적 $\vec{a}\cdot\vec{b}$를 $\vec{a}\,\vec{b}$ 또는 $\vec{a}\times\vec{b}$로 나타내면 안 된다.

해법 05 평면벡터의 내적

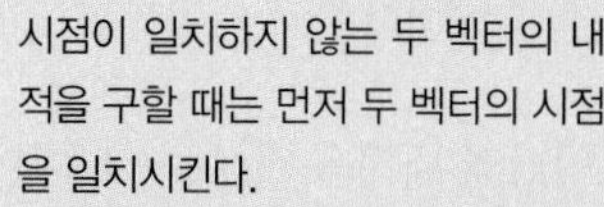

두 평면벡터 $\vec{a}$, $\vec{b}$가 이루는 각의 크기가 θ일 때, 두 벡터 $\vec{a}$, $\vec{b}$의 내적은 $\vec{a}\cdot\vec{b}=|\vec{a}||\vec{b}|\cos\theta$이다. 따라서 도형에서 두 벡터의 내적은 다음 순서로 구한다.

1. 두 벡터의 크기와 두 벡터가 이루는 각의 크기를 구한다.
2. 두 벡터의 내적을 계산한다.

시점이 일치하지 않는 두 벡터의 내적을 구할 때는 먼저 두 벡터의 시점을 일치시킨다.

예제 오른쪽 그림과 같이 한 변의 길이가 2인 정사각형에서 다음 값을 구하시오.

(1) $\overrightarrow{AB}\cdot\overrightarrow{AD}$　　(2) $\overrightarrow{AB}\cdot\overrightarrow{AB}$

(3) $\overrightarrow{AB}\cdot\overrightarrow{AC}$　　(4) $\overrightarrow{AC}\cdot\overrightarrow{BD}$

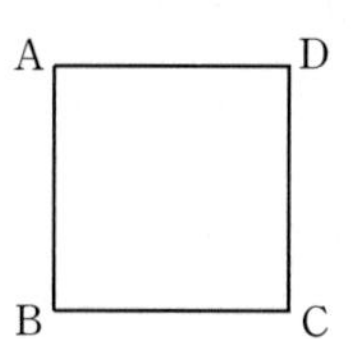

해법 코드
(4) 두 선분 AC, BD는 정사각형의 두 대각선이므로 두 벡터 $\overrightarrow{AC}$, $\overrightarrow{BD}$가 이루는 각의 크기는 $90°$이다.

셀파 두 벡터 $\vec{a}$, $\vec{b}$의 내적 ⇨ $\vec{a}\cdot\vec{b}=|\vec{a}||\vec{b}|\cos\theta$

풀이 (1) $\overrightarrow{AB}\cdot\overrightarrow{AD}=|\overrightarrow{AB}||\overrightarrow{AD}|\cos 90°=2\times2\times0=\mathbf{0}$

(2) $\overrightarrow{AB}\cdot\overrightarrow{AB}=|\overrightarrow{AB}|^2\cos 0°=2^2\times1=\mathbf{4}$

(3) $\overrightarrow{AB}\cdot\overrightarrow{AC}=$ ㉠ $|\overrightarrow{AB}||\overrightarrow{AC}|\cos 45°=2\times2\sqrt{2}\times\frac{1}{\sqrt{2}}=\mathbf{4}$

(4) $\overrightarrow{AC}\cdot\overrightarrow{BD}=$ ㉡ $|\overrightarrow{AC}||\overrightarrow{BD}|\cos 90°=2\sqrt{2}\times2\sqrt{2}\times0=\mathbf{0}$

㉠ $|\overrightarrow{AC}|=2\sqrt{2}$이고, 두 벡터 $\overrightarrow{AB}$, $\overrightarrow{AC}$가 이루는 각의 크기는 $45°$이다.

㉡ 정사각형의 두 대각선은 서로 수직이므로 두 벡터 $\overrightarrow{AC}$, $\overrightarrow{BD}$가 이루는 각의 크기는 $90°$이다.
이런 경우 시점을 일치시키지 않아도 두 벡터가 이루는 각의 크기를 알 수 있다.

확인 문제

정답과 해설 | 53쪽

MY 셀파

05-1 (상중하) 오른쪽 그림과 같이 한 변의 길이가 2인 정삼각형에서 점 M은 선분 OB의 중점일 때, 다음 값을 구하시오.

(1) $\overrightarrow{OA}\cdot\overrightarrow{OM}$　　(2) $\overrightarrow{OA}\cdot\overrightarrow{OA}$

(3) $\overrightarrow{AO}\cdot\overrightarrow{OB}$　　(4) $\overrightarrow{AM}\cdot\overrightarrow{OB}$

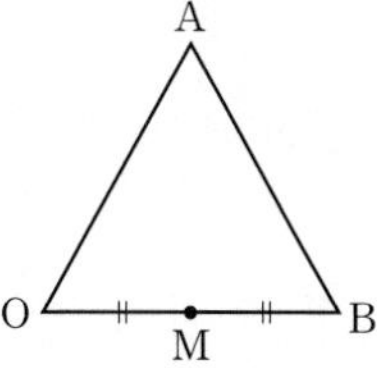

05-1
(2) 두 벡터 $\overrightarrow{OA}$, $\overrightarrow{OA}$가 이루는 각의 크기는 $0°$이다.

05-2 (상중하) 오른쪽 그림과 같이 한 변의 길이가 2인 정삼각형 ABC에서 세 변 AB, BC, CA의 중점을 각각 P, Q, R라 하자. 이때 $\overrightarrow{RQ}\cdot\overrightarrow{QP}$의 값을 구하시오.

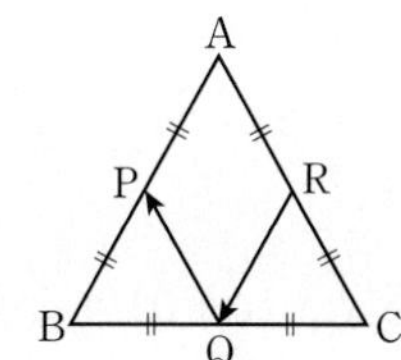

05-2
두 벡터 $\overrightarrow{RQ}$, $\overrightarrow{QP}$의 시점을 일치시켜서 생각한다.

셀파 특강 04 성분을 이용한 평면벡터의 내적

벡터의 내적을 성분을 이용하여 나타내어 보자.

영벡터가 아닌 두 평면벡터

㉠ $\vec{a}=\overrightarrow{OA}=(a_1, a_2), \vec{b}=\overrightarrow{OB}=(b_1, b_2)$

가 이루는 각의 크기를 $\theta(0^\circ<\theta<90^\circ)$라 하자.

점 A에서 직선 OB에 내린 수선의 발을 H라 하면

삼각형 AOH에서

$\overline{AH}=\overline{OA}\sin\theta$, $\overline{OH}=\overline{OA}\cos\theta$이고,

$\overline{BH}=\overline{OB}-\overline{OH}=\overline{OB}-\overline{OA}\cos\theta$

직각삼각형 AHB에서

$$\begin{aligned}\overline{AB}^2&=\overline{AH}^2+\overline{BH}^2\\&=(\overline{OA}\sin\theta)^2+(\overline{OB}-\overline{OA}\cos\theta)^2\\&=\overline{OA}^2(\sin^2\theta+\cos^2\theta)+\overline{OB}^2-2\overline{OA}\times\overline{OB}\cos\theta\\&=\overline{OA}^2+\overline{OB}^2-2\overline{OA}\times\overline{OB}\cos\theta\end{aligned}$$

이 식을 성분으로 나타내면

㉡ $(b_1-a_1)^2+(b_2-a_2)^2=(a_1{}^2+a_2{}^2)+(b_1{}^2+b_2{}^2)-2(\vec{a}\cdot\vec{b})$

이고 이를 정리하면

$\vec{a}\cdot\vec{b}=a_1b_1+a_2b_2$ ……㉠

같은 방법으로 ㉠은 θ가 $90^\circ<\theta<180^\circ$일 때도 성립한다.

일반적으로 ㉠은 θ가 0°, 90°, 180°일 때도 성립하고, $\vec{a}=\vec{0}$ 또는 $\vec{b}=\vec{0}$일 때도 성립한다.

평면벡터의 내적과 성분

두 평면벡터 $\vec{a}=(a_1, a_2), \vec{b}=(b_1, b_2)$에 대하여

$\vec{a}\cdot\vec{b}=a_1b_1+a_2b_2$

㉠ 성분으로 표시된 모든 벡터는 시점이 원점이다.

㉡ $\overrightarrow{AB}=\overrightarrow{OB}-\overrightarrow{OA}$이므로

$\overline{AB}=|\overrightarrow{AB}|=\sqrt{(b_1-a_1)^2+(b_2-a_2)^2}$

▶ 두 평면벡터 $\vec{a}=(a_1, a_2)$, $\vec{b}=(b_1, b_2)$에 대하여 $\vec{a}\cdot\vec{b}=a_1b_1+a_2b_2$에서 $\vec{a}=\vec{0}$ 또는 $\vec{b}=\vec{0}$일 때

(i) $\vec{a}\cdot\vec{b}=0$이다.

(ii) $\vec{a}=\vec{0}$일 경우 $a_1=a_2=0$ 또는 $\vec{b}=\vec{0}$일 경우 $b_1=b_2=0$ 이므로 $a_1b_1+a_2b_2=0$

확인 체크 02

정답과 해설 | 54쪽

다음을 구하시오.

(1) $\vec{a}=(2, 4), \vec{b}=(-3, 1)$일 때, $(\vec{a}-\vec{b})\cdot\vec{b}$의 값을 구하시오.

(2) $\vec{a}=(-1, 1), \vec{b}=(2, -1)$일 때, $\vec{a}\cdot(\vec{a}+\vec{b})$의 값을 구하시오.

해법 06 성분으로 주어진 평면벡터의 내적

두 평면벡터 $\vec{a}=(a_1, a_2)$, $\vec{b}=(b_1, b_2)$에 대하여
$\vec{a}\cdot\vec{b}=a_1b_1+a_2b_2$

PLUS
$\vec{a}+\vec{b}=(a_1+b_1, a_2+b_2)$
$\vec{a}-\vec{b}=(a_1-b_1, a_2-b_2)$
$k\vec{a}=(ka_1, ka_2)$(단, k는 실수)

1. 다음을 구하시오.

(1) $\vec{a}=(-1, 3)$, $\vec{b}=(2, 1)$일 때, $\vec{a}\cdot(\vec{a}+\vec{b})$의 값을 구하시오.

(2) $\vec{a}=(3, -1)$, $\vec{b}=(-2, -1)$일 때, $(\vec{a}+2\vec{b})\cdot(\vec{a}-3\vec{b})$의 값을 구하시오.

2. 두 벡터 $\vec{a}=(3k-4, 1)$, $\vec{b}=(4, k+1)$에 대하여 $|\vec{a}|=\sqrt{5}$일 때, $\vec{a}\cdot\vec{b}$의 값을 구하시오. (단, $k>1$)

해법 코드

1. 벡터의 합, 차, 실수배를 이용하여 내적을 구하려는 두 벡터를 성분으로 나타낸다.

2. $|\vec{a}|=\sqrt{(3k-4)^2+1^2}$을 이용하여 k의 값을 먼저 구한다.

셀파 $\vec{a}=(a_1, a_2)$, $\vec{b}=(b_1, b_2)$일 때 ⇨ $\vec{a}\cdot\vec{b}=a_1b_1+a_2b_2$

풀이 **1.** (1) $\vec{a}+\vec{b}=(-1, 3)+(2, 1)=(1, 4)$이므로
ㄱ $\vec{a}\cdot(\vec{a}+\vec{b})=(-1, 3)\cdot(1, 4)=-1+12=\mathbf{11}$

(2) $\vec{a}+2\vec{b}=(3, -1)+2(-2, -1)=(-1, -3)$
$\vec{a}-3\vec{b}=(3, -1)-3(-2, -1)=(9, 2)$이므로
ㄴ $(\vec{a}+2\vec{b})\cdot(\vec{a}-3\vec{b})=(-1, -3)\cdot(9, 2)=-9-6=\mathbf{-15}$

2. $|\vec{a}|=\sqrt{5}$에서 $\sqrt{(3k-4)^2+1^2}=\sqrt{5}$
이 식의 양변을 제곱하여 정리하면
$3k^2-8k+4=0$, $(3k-2)(k-2)=0$
이때 $k>1$이므로 $k=2$
따라서 $\vec{a}=(2, 1)$, $\vec{b}=(4, 3)$이므로
$\vec{a}\cdot\vec{b}=(2, 1)\cdot(4, 3)=8+3=\mathbf{11}$

ㄱ $\vec{a}\cdot(\vec{a}+\vec{b})=(-1, 3)\cdot(1, 4)$
$=(-1)\times1+3\times4$
$=-1+12=11$

ㄴ $(\vec{a}+2\vec{b})\cdot(\vec{a}-3\vec{b})$
$=(-1, -3)\cdot(9, 2)$
$=-1\times9+(-3)\times2$
$=-9-6$
$=-15$

확인 문제

정답과 해설 | 54쪽

06-1 (상중하) 두 벡터 $\vec{a}=(k-1, 2)$, $\vec{b}=(3, 2k)$에 대하여 $|\vec{a}|=\sqrt{13}$일 때, $\vec{a}\cdot\vec{b}$의 값을 구하시오. (단, $k>0$)

06-2 (상중하) $\vec{a}=(1, 0)$, $\vec{b}=(1, 2)$와 실수 t에 대하여 $t\vec{a}+\vec{b}$와 $\vec{a}+t\vec{b}$의 내적을 $f(t)$라 할 때, $f(t)$를 최소로 하는 t의 값을 구하시오.

MY 셀파

06-1
$|\vec{a}|=\sqrt{(k-1)^2+2^2}=\sqrt{13}$
에서 k의 값을 먼저 구한다.

06-2
두 벡터 $t\vec{a}+\vec{b}$, $\vec{a}+t\vec{b}$를 성분으로 나타낸 다음 $f(t)$를 t에 대한 식으로 나타낸다.

셀파 특강 05 평면벡터의 내적의 성질

1 평면벡터의 내적의 성질

세 평면벡터 $\vec{a}=(a_1, a_2)$, $\vec{b}=(b_1, b_2)$, $\vec{c}=(c_1, c_2)$에 대하여

❶ 벡터의 내적에 대한 교환법칙이 성립한다.

$\vec{a}\cdot\vec{b}=(a_1, a_2)\cdot(b_1, b_2)=a_1b_1+a_2b_2$

$\vec{b}\cdot\vec{a}=(b_1, b_2)\cdot(a_1, a_2)=b_1a_1+b_2a_2$

이때 $a_1b_1+a_2b_2=b_1a_1+b_2a_2$이므로 $\vec{a}\cdot\vec{b}=\vec{b}\cdot\vec{a}$

❷ 벡터의 내적에 대한 분배법칙이 성립한다.

$$\begin{aligned}\vec{a}\cdot(\vec{b}+\vec{c})&=(a_1, a_2)\cdot(b_1+c_1, b_2+c_2)\\&=a_1(b_1+c_1)+a_2(b_2+c_2)\\&=a_1b_1+a_1c_1+a_2b_2+a_2c_2=(a_1b_1+a_2b_2)+(a_1c_1+a_2c_2)\\&=\vec{a}\cdot\vec{b}+\vec{a}\cdot\vec{c}\end{aligned}$$

$\therefore\ \vec{a}\cdot(\vec{b}+\vec{c})=\vec{a}\cdot\vec{b}+\vec{a}\cdot\vec{c}$

❸ 임의의 실수 k에 대하여 벡터의 내적에 대한 결합법칙이 성립한다.

$$\begin{aligned}(k\vec{a})\cdot\vec{b}&=(ka_1, ka_2)\cdot(b_1, b_2)\\&=(ka_1)b_1+(ka_2)b_2\\&=k(a_1b_1+a_2b_2)=k(\vec{a}\cdot\vec{b})\end{aligned}$$

따라서 $(k\vec{a})\cdot\vec{b}=k(\vec{a}\cdot\vec{b})$

같은 방법으로 $\vec{a}\cdot(k\vec{b})=k(\vec{a}\cdot\vec{b})$도 성립한다.

▶ $|k\vec{a}+l\vec{b}|^2$

$$\begin{aligned}&=(k\vec{a}+l\vec{b})\cdot(k\vec{a}+l\vec{b})\\&=k\vec{a}\cdot(k\vec{a}+l\vec{b})+l\vec{b}\cdot(k\vec{a}+l\vec{b})\\&=k\vec{a}\cdot k\vec{a}+k\vec{a}\cdot l\vec{b}+l\vec{b}\cdot k\vec{a}+l\vec{b}\cdot l\vec{b}\\&=k^2\vec{a}\cdot\vec{a}+kl\vec{a}\cdot\vec{b}+kl\vec{b}\cdot\vec{a}+l^2\vec{b}\cdot\vec{b}\\&=k^2|\vec{a}|^2+2kl\,\vec{a}\cdot\vec{b}+l^2|\vec{b}|^2\end{aligned}$$

2 $|\vec{a}|^2=\vec{a}\cdot\vec{a}$

임의의 벡터 $\vec{a}$에 대하여 $\vec{a}\cdot\vec{a}=|\vec{a}||\vec{a}|\cos\theta$

이때 두 벡터 $\vec{a}$, $\vec{a}$가 이루는 각의 크기는 0°이므로

$\vec{a}\cdot\vec{a}=|\vec{a}||\vec{a}|\cos 0^\circ=|\vec{a}|^2$

여기서 $\vec{a}$ 대신 임의의 다른 벡터에 대해서도 성립한다.

❶ $$\begin{aligned}|\vec{a}+\vec{b}|^2&=(\vec{a}+\vec{b})\cdot(\vec{a}+\vec{b})\\&=\vec{a}\cdot(\vec{a}+\vec{b})+\vec{b}\cdot(\vec{a}+\vec{b})\\&=\vec{a}\cdot\vec{a}+\vec{a}\cdot\vec{b}+\vec{b}\cdot\vec{a}+\vec{b}\cdot\vec{b}\\&=|\vec{a}|^2+2\vec{a}\cdot\vec{b}+|\vec{b}|^2\end{aligned}$$

❷ $|\vec{a}-\vec{b}|^2=|\vec{a}|^2-2\vec{a}\cdot\vec{b}+|\vec{b}|^2$

❸ $$\begin{aligned}(\vec{a}+\vec{b})\cdot(\vec{a}-\vec{b})&=\vec{a}\cdot(\vec{a}-\vec{b})+\vec{b}\cdot(\vec{a}-\vec{b})\\&=\vec{a}\cdot\vec{a}-\vec{a}\cdot\vec{b}+\vec{b}\cdot\vec{a}-\vec{b}\cdot\vec{b}\\&=|\vec{a}|^2-|\vec{b}|^2\end{aligned}$$

▶ 벡터의 내적의 성질을 이용하면 다음과 같은 문제를 해결할 수 있다.

❶ 두 벡터 $\vec{a}$, $\vec{b}$의 크기와 두 벡터의 내적 $\vec{a}\cdot\vec{b}$를 알 때, 두 벡터 $\vec{a}$, $\vec{b}$가 이루는 각의 크기 θ

⇨ $\vec{a}\cdot\vec{b}=|\vec{a}||\vec{b}|\cos\theta$이므로

$\cos\theta=\dfrac{\vec{a}\cdot\vec{b}}{|\vec{a}||\vec{b}|}$

❷ 두 벡터 $\vec{a}$, $\vec{b}$의 크기와 두 벡터의 내적 $\vec{a}\cdot\vec{b}$를 알 때, 두 벡터 $\vec{a}$, $\vec{b}$의 실수배의 합, 차로 이루어진 벡터의 크기

⇨ 두 실수 k, l에 대하여

$$\begin{aligned}&|k\vec{a}+l\vec{b}|^2\\&=(k\vec{a}+l\vec{b})\cdot(k\vec{a}+l\vec{b})\\&=k^2|\vec{a}|^2+2kl(\vec{a}\cdot\vec{b})+l^2|\vec{b}|^2\end{aligned}$$

해법 07 평면벡터의 내적의 성질

세 평면벡터 $\vec{a}$, $\vec{b}$, $\vec{c}$와 실수 k에 대하여

❶ $\vec{a}\cdot\vec{b}=\vec{b}\cdot\vec{a}$

❷ $\vec{a}\cdot(\vec{b}+\vec{c})=\vec{a}\cdot\vec{b}+\vec{a}\cdot\vec{c}$, $(\vec{a}+\vec{b})\cdot\vec{c}=\vec{a}\cdot\vec{c}+\vec{b}\cdot\vec{c}$

❸ $(k\vec{a})\cdot\vec{b}=\vec{a}\cdot(k\vec{b})=k(\vec{a}\cdot\vec{b})$

❹ $|\vec{a}|^2=\vec{a}\cdot\vec{a}$

PLUS ⊕

$|\vec{a}+\vec{b}|^2$
$=(\vec{a}+\vec{b})\cdot(\vec{a}+\vec{b})$
$=\vec{a}\cdot(\vec{a}+\vec{b})+\vec{b}\cdot(\vec{a}+\vec{b})$
$=\vec{a}\cdot\vec{a}+\vec{a}\cdot\vec{b}+\vec{b}\cdot\vec{a}+\vec{b}\cdot\vec{b}$
$=|\vec{a}|^2+2\vec{a}\cdot\vec{b}+|\vec{b}|^2$

1. $|\vec{a}|=1$, $|\vec{b}|=2$, $|2\vec{a}-3\vec{b}|=6$일 때, 다음 값을 구하시오.

(1) $\vec{a}\cdot\vec{b}$　　(2) $|\vec{a}+3\vec{b}|$

2. $|\vec{a}|=2$, $|\vec{b}|=3$이고 $\vec{a}$, $\vec{b}$가 이루는 각의 크기가 $60°$일 때, $(2\vec{a}+\vec{b})\cdot(\vec{a}-\vec{b})$의 값을 구하시오.

해법 코드

1. $|k\vec{a}+l\vec{b}|^2$
$=(k\vec{a}+l\vec{b})\cdot(k\vec{a}+l\vec{b})$
$=k^2|\vec{a}|^2+2kl\vec{a}\cdot\vec{b}+l^2|\vec{b}|^2$

셀파 $|\vec{a}|^2=\vec{a}\cdot\vec{a}$, $\vec{a}\cdot\vec{b}=\vec{b}\cdot\vec{a}$를 이용하여 주어진 식을 정리한다.

풀이 1. (1) ㉠ $|2\vec{a}-3\vec{b}|^2=4|\vec{a}|^2-12\vec{a}\cdot\vec{b}+9|\vec{b}|^2$이므로

$36=4-12\vec{a}\cdot\vec{b}+36$, $12\vec{a}\cdot\vec{b}=4$　　$\therefore \vec{a}\cdot\vec{b}=\mathbf{\frac{1}{3}}$

(2) $|\vec{a}+3\vec{b}|^2=|\vec{a}|^2+6\vec{a}\cdot\vec{b}+9|\vec{b}|^2$

$=1+6\times\frac{1}{3}+9\times4=39$

$\therefore |\vec{a}+3\vec{b}|=\boldsymbol{\sqrt{39}}$

2. ㉡ $(2\vec{a}+\vec{b})\cdot(\vec{a}-\vec{b})=2|\vec{a}|^2-\vec{a}\cdot\vec{b}-|\vec{b}|^2$

$=2|\vec{a}|^2-|\vec{a}||\vec{b}|\cos 60°-|\vec{b}|^2$

$=2\times4-2\times3\times\frac{1}{2}-9=\mathbf{-4}$

㉠ $|2\vec{a}-3\vec{b}|^2$
$=(2\vec{a}-3\vec{b})\cdot(2\vec{a}-3\vec{b})$
$=2\vec{a}\cdot(2\vec{a}-3\vec{b})-3\vec{b}\cdot(2\vec{a}-3\vec{b})$
$=2\vec{a}\cdot2\vec{a}-2\vec{a}\cdot3\vec{b}-3\vec{b}\cdot2\vec{a}+3\vec{b}\cdot3\vec{b}$
$=4|\vec{a}|^2-12\vec{a}\cdot\vec{b}+9|\vec{b}|^2$

㉡ $(2\vec{a}+\vec{b})\cdot(\vec{a}-\vec{b})$
$=2\vec{a}\cdot(\vec{a}-\vec{b})+\vec{b}\cdot(\vec{a}-\vec{b})$
$=2\vec{a}\cdot\vec{a}-2\vec{a}\cdot\vec{b}+\vec{b}\cdot\vec{a}-\vec{b}\cdot\vec{b}$
$=2|\vec{a}|^2-\vec{a}\cdot\vec{b}-|\vec{b}|^2$

확인 문제

정답과 해설 | 54쪽

07-1 상 중 하 두 벡터 $\vec{a}$, $\vec{b}$에 대하여 다음 값을 구하시오.

(1) $\vec{a}=(-1, -2)$, $\vec{b}=(1, 1)$일 때, $(2\vec{a}-\vec{b})\cdot(\vec{a}+3\vec{b})$

(2) $|\vec{a}|=1$, $|\vec{b}|=\sqrt{2}$, $|\vec{a}-\vec{b}|=\sqrt{5}$일 때, $\vec{a}\cdot\vec{b}$

07-2 상 중 하 $|\vec{a}|=2$, $|\vec{b}|=3$, $|\vec{a}-\vec{b}|=\sqrt{7}$일 때, $(\vec{a}+\vec{b})\cdot(2\vec{a}-\vec{b})$의 값을 구하시오.

MY 셀파

07-1
(1) $|\vec{a}|$, $|\vec{b}|$, $\vec{a}\cdot\vec{b}$의 값을 구한 다음 내적의 성질을 이용한다.
(2) $|\vec{a}-\vec{b}|^2=(\vec{a}-\vec{b})\cdot(\vec{a}-\vec{b})$를 이용한다.

07-2
$(\vec{a}+\vec{b})\cdot(2\vec{a}-\vec{b})$
$=2|\vec{a}|^2+\vec{a}\cdot\vec{b}-|\vec{b}|^2$

집중 연습 평면벡터의 내적

(1) 평면벡터의 내적

두 평면벡터 $\vec{a}$, $\vec{b}$가 이루는 각의 크기가 θ일 때

❶ $0^\circ \le \theta \le 90^\circ$이면 $\vec{a}\cdot\vec{b}=|\vec{a}||\vec{b}|\cos\theta$

❷ $90^\circ < \theta \le 180^\circ$이면

$\vec{a}\cdot\vec{b}=-|\vec{a}||\vec{b}|\cos(180^\circ-\theta)$

(2) 평면벡터의 내적과 성분

$\vec{a}=(a_1, a_2)$, $\vec{b}=(b_1, b_2)$일 때, $\vec{a}\cdot\vec{b}=a_1b_1+a_2b_2$

(3) 평면벡터의 내적의 성질

세 평면벡터 $\vec{a}$, $\vec{b}$, $\vec{c}$와 실수 k에 대하여

❶ $\vec{a}\cdot\vec{b}=\vec{b}\cdot\vec{a}$ (교환법칙)

❷ $\vec{a}\cdot(\vec{b}+\vec{c})=\vec{a}\cdot\vec{b}+\vec{a}\cdot\vec{c}$

$(\vec{a}+\vec{b})\cdot\vec{c}=\vec{a}\cdot\vec{c}+\vec{b}\cdot\vec{c}$ (분배법칙)

❸ $(k\vec{a})\cdot\vec{b}=\vec{a}\cdot(k\vec{b})=k(\vec{a}\cdot\vec{b})$ (결합법칙)

01 $|\vec{a}|=4$, $|\vec{b}|=5$이고 두 벡터 $\vec{a}$, $\vec{b}$가 이루는 각의 크기가 다음과 같을 때, $\vec{a}\cdot\vec{b}$의 값을 구하시오.

(1) 0°

(2) 60°

(3) 150°

02 다음 값을 구하시오.

(1) $\vec{a}=(1, -3)$, $\vec{b}=(2, 1)$일 때, $\vec{a}\cdot\vec{b}$

(2) $\vec{a}=(2, -1)$, $\vec{b}=(0, 3)$일 때, $\vec{a}\cdot(\vec{a}+\vec{b})$

(3) $\vec{a}=(3, -4)$, $\vec{b}=(5, 3)$일 때, $(\vec{a}-\vec{b})\cdot\vec{b}$

03 다음 값을 구하시오.

(1) $|\vec{a}|=4$, $|\vec{b}|=6$이고 두 벡터 $\vec{a}$, $\vec{b}$가 이루는 각의 크기가 60°일 때, $(3\vec{a}-\vec{b})\cdot(\vec{a}+\vec{b})$

(2) $|\vec{a}|=1$, $|\vec{b}|=3$, $\vec{a}\cdot\vec{b}=3$일 때, $|\vec{a}+2\vec{b}|$

(3) $|\vec{a}|=3$, $|\vec{b}|=2$이고 두 벡터 $\vec{a}$, $\vec{b}$가 이루는 각의 크기가 120°일 때, $|2\vec{a}-3\vec{b}|$

(4) $|\vec{a}|=1$, $|\vec{b}|=3$, $|\vec{a}+\vec{b}|=\sqrt{14}$일 때, $\vec{a}\cdot\vec{b}$

해법 08 평면벡터가 이루는 각의 크기

영벡터가 아닌 두 벡터 $\vec{a}=(a_1, a_2)$, $\vec{b}=(b_1, b_2)$가 이루는 각의 크기가 $\theta(0^\circ \le \theta \le 180^\circ)$일 때

❶ $\vec{a}\cdot\vec{b}\ge 0$이면 $\cos\theta=\dfrac{\vec{a}\cdot\vec{b}}{|\vec{a}||\vec{b}|}=\dfrac{a_1b_1+a_2b_2}{\sqrt{a_1^2+a_2^2}\sqrt{b_1^2+b_2^2}}$

❷ $\vec{a}\cdot\vec{b}<0$이면 $\cos(180^\circ-\theta)=-\dfrac{\vec{a}\cdot\vec{b}}{|\vec{a}||\vec{b}|}=-\dfrac{a_1b_1+a_2b_2}{\sqrt{a_1^2+a_2^2}\sqrt{b_1^2+b_2^2}}$

PLUS ⊕ 두 벡터의 크기 또는 성분이 주어지면 두 벡터가 이루는 각의 코사인 값을 구할 수 있다.

1. $\vec{a}=(2, 1)$, $\vec{b}=(-4, 3)$에 대하여 두 벡터 $\vec{a}+\vec{b}$, $\vec{a}-\vec{b}$가 이루는 각의 크기 θ를 구하시오. (단, $0^\circ\le\theta\le180^\circ$)

2. 영벡터가 아닌 두 벡터 $\vec{a}$, $\vec{b}$에 대하여 $|\vec{a}+\vec{b}|=|\vec{a}-\vec{b}|$가 성립할 때, 두 벡터 $\vec{a}$, $\vec{b}$가 이루는 각의 크기 θ를 구하시오. (단, $0^\circ\le\theta\le180^\circ$)

해법 코드

1. 두 벡터 $\vec{a}+\vec{b}$, $\vec{a}-\vec{b}$를 각각 성분으로 나타낸다.
2. $|\vec{a}+\vec{b}|=|\vec{a}-\vec{b}|$의 양변을 제곱하여 식을 정리한다.

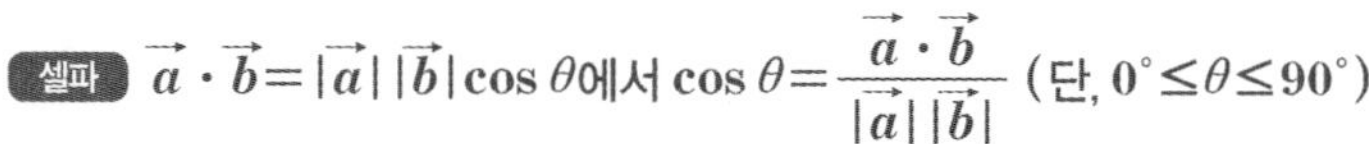

셀파 $\vec{a}\cdot\vec{b}=|\vec{a}||\vec{b}|\cos\theta$에서 $\cos\theta=\dfrac{\vec{a}\cdot\vec{b}}{|\vec{a}||\vec{b}|}$ (단, $0^\circ\le\theta\le90^\circ$)

풀이 **1.** $\vec{a}+\vec{b}=(-2, 4)$, $\vec{a}-\vec{b}=(6, -2)$이므로

$(\vec{a}+\vec{b})\cdot(\vec{a}-\vec{b})=(-2, 4)\cdot(6, -2)=-12-8=-20$

$(\vec{a}+\vec{b})\cdot(\vec{a}-\vec{b})<0$이므로

$\cos(180^\circ-\theta)=-\dfrac{(\vec{a}+\vec{b})\cdot(\vec{a}-\vec{b})}{|\vec{a}+\vec{b}||\vec{a}-\vec{b}|}\underset{㉠}{=}\dfrac{20}{2\sqrt{5}\times2\sqrt{10}}=\dfrac{1}{\sqrt{2}}$

$180^\circ-\theta=45^\circ$ ($\because 0^\circ\le\theta\le180^\circ$) $\therefore$ $\boldsymbol{\theta=135^\circ}$

㉠ $|\vec{a}+\vec{b}|=\sqrt{(-2)^2+4^2}=\sqrt{20}=2\sqrt{5}$
$|\vec{a}-\vec{b}|=\sqrt{6^2+(-2)^2}=\sqrt{40}=2\sqrt{10}$

2. $|\vec{a}+\vec{b}|=|\vec{a}-\vec{b}|$의 양변을 제곱하면

$|\vec{a}|^2+2\vec{a}\cdot\vec{b}+|\vec{b}|^2=|\vec{a}|^2-2\vec{a}\cdot\vec{b}+|\vec{b}|^2$ $\therefore$ $\vec{a}\cdot\vec{b}=0$

$\cos\theta=\dfrac{\vec{a}\cdot\vec{b}}{|\vec{a}||\vec{b}|}=0$ $\therefore$ $\boldsymbol{\theta=90^\circ}$ ($\because 0^\circ\le\theta\le180^\circ$)

확인 문제

정답과 해설 | 55쪽

08-1 (상중하) $|\vec{a}|=3$, $|\vec{b}|=1$이고 $|\vec{a}-\vec{b}|=\sqrt{7}$일 때, 두 벡터 $\vec{a}$, $\vec{b}$가 이루는 각의 크기 θ를 구하시오. (단, $0^\circ\le\theta\le180^\circ$)

08-2 (상중하) 두 벡터 $\vec{a}=(1, k)$와 $\vec{b}=(2, -1)$이 이루는 각의 크기가 45°일 때, 상수 k의 값을 구하시오. (단, $k<0$)

MY 셀파

08-1 $|\vec{a}-\vec{b}|^2=|\vec{a}|^2-2\vec{a}\cdot\vec{b}+|\vec{b}|^2$에서 $\vec{a}\cdot\vec{b}$의 값을 먼저 구한다.

08-2 $\cos45^\circ=\dfrac{\vec{a}\cdot\vec{b}}{|\vec{a}||\vec{b}|}$이다.

해법 09 평면벡터의 수직과 평행 (1)

영벡터가 아닌 두 평면벡터 $\vec{a}=(a_1, a_2)$, $\vec{b}=(b_1, b_2)$에 대하여

❶ $\vec{a}\perp\vec{b} \iff \vec{a}\cdot\vec{b}=0 \iff a_1b_1+a_2b_2=0$

❷ $\vec{a}/\!/\vec{b} \iff \vec{a}\cdot\vec{b}=\pm|\vec{a}||\vec{b}| \iff b_1=ka_1,\ b_2=ka_2$ (단, $k\neq0$)

PLUS

$\vec{a}/\!/\vec{b}$이면 두 벡터가 같은 방향일 때는 $\theta=0°$이므로 $\cos\theta=1$

두 벡터가 반대 방향일 때는 $\theta=180°$이므로 $\cos\theta=-1$

예제 두 벡터 $\vec{a}=(1, -1)$, $\vec{b}=(x, 3)$에 대하여 다음을 만족시키는 실수 x의 값을 구하시오.

(1) $\vec{a}\perp\vec{b}$　　　　(2) $\vec{a}/\!/\vec{b}$

해법 코드

(1) $\vec{a}\cdot\vec{b}=0$이다.

(2) $\vec{a}\cdot\vec{b}=\pm|\vec{a}||\vec{b}|$이다.

셀파 $\vec{a}\perp\vec{b} \iff \vec{a}\cdot\vec{b}=0$, $\vec{a}/\!/\vec{b} \iff \vec{a}\cdot\vec{b}=\pm|\vec{a}||\vec{b}|$

풀이 (1) 두 벡터 $\vec{a}$, $\vec{b}$가 서로 수직이므로 $\vec{a}\cdot\vec{b}=0$

$\vec{a}\cdot\vec{b}=(1, -1)\cdot(x, 3)=0$에서

$x-3=0$　　$\therefore$ $\boldsymbol{x=3}$

(2) 두 벡터 $\vec{a}$, $\vec{b}$가 서로 평행하므로 $\vec{a}\cdot\vec{b}=\pm|\vec{a}||\vec{b}|$

$\vec{a}\cdot\vec{b}=(1, -1)\cdot(x, 3)=x-3$

$\pm|\vec{a}||\vec{b}|=\pm\sqrt{1^2+(-1)^2}\sqrt{x^2+3^2}=\pm\sqrt{2}\sqrt{x^2+9}$

$\therefore$ $x-3=\pm\sqrt{2}\sqrt{x^2+9}$

ㄱ 이 식의 양변을 제곱하여 정리하면

$x^2+6x+9=0$, $(x+3)^2=0$　　$\therefore$ $\boldsymbol{x=-3}$

ㄱ $(x-3)^2=(\pm\sqrt{2}\sqrt{x^2+9})^2$

$x^2-6x+9=2x^2+18$

$x^2+6x+9=0$

다른 풀이 (2)

두 벡터 $\vec{a}$, $\vec{b}$가 서로 평행하므로 $\vec{b}=k\vec{a}$가 성립하는 0이 아닌 실수 k가 존재한다. 즉, $(x, 3)=k(1, -1)$에서 $x=k$, $3=-k$

따라서 $k=-3$이므로 $x=-3$

확인 문제

정답과 해설 | 55쪽

09-1 (상중하) 세 벡터 $\vec{a}=(-2, 1)$, $\vec{b}=(1, 1)$, $\vec{c}=(3, 2)$에 대하여 다음을 만족시키는 실수 x의 값을 구하시오.

(1) $(\vec{a}+x\vec{b})\perp(\vec{b}+\vec{c})$　　　　(2) $(\vec{a}+x\vec{b})/\!/(\vec{b}+\vec{c})$

09-2 (상중하) 세 벡터 $\vec{a}=(4, 3)$, $\vec{b}=(1, 2)$, $\vec{c}=(x, y)$에 대하여 $\vec{b}/\!/\vec{c}$이고 $(\vec{c}-\vec{a})\perp\vec{b}$일 때, 두 실수 x, y의 값을 구하시오.

MY 셀파

09-1

(1) $(\vec{a}+x\vec{b})\cdot(\vec{b}+\vec{c})=0$

(2) $(\vec{a}+x\vec{b})\cdot(\vec{b}+\vec{c})$
$=\pm|\vec{a}+x\vec{b}||\vec{b}+\vec{c}|$

09-2

$\vec{b}\cdot\vec{c}=\pm|\vec{b}||\vec{c}|$이고
$(\vec{c}-\vec{a})\cdot\vec{b}=0$이다.

해법 10 평면벡터의 수직과 평행 (2)

영벡터가 아닌 두 평면벡터 $\vec{a}=(a_1, a_2)$, $\vec{b}=(b_1, b_2)$에 대하여 $\vec{a}$, $\vec{b}$가 서로 수직일 때

$\vec{a}\perp\vec{b} \iff \vec{a}\cdot\vec{b}=0 \iff a_1b_1+a_2b_2=0$

PLUS ⊕

$|\vec{a}|=\sqrt{a_1^2+a_2^2}$

$|\vec{b}|=\sqrt{b_1^2+b_2^2}$

 1. 벡터 $\vec{a}=(3, -4)$에 수직이고 크기가 5인 벡터 $\vec{b}$를 구하시오.

2. 영벡터가 아닌 두 벡터 $\vec{a}$, $\vec{b}$에 대하여 $4|\vec{a}|=3|\vec{b}|$이고, $2\vec{a}+\vec{b}$, $\vec{a}-\vec{b}$가 서로 수직이다. $\vec{a}$, $\vec{b}$가 이루는 각의 크기를 θ라 할 때, $\cos\theta$의 값을 구하시오.

해법 코드

1. $\vec{b}=(x, y)$로 놓으면 $\vec{a}\perp\vec{b}$, $|\vec{b}|=5$임을 이용한다.

2. $(2\vec{a}+\vec{b})\cdot(\vec{a}-\vec{b})=0$

셀파 $\vec{a}\perp\vec{b} \iff \vec{a}\cdot\vec{b}=0$

풀이 1. $\vec{b}=(x, y)$라 하면 두 벡터 $\vec{a}$, $\vec{b}$가 서로 수직이므로 $\vec{a}\cdot\vec{b}=0$

$(3, -4)\cdot(x, y)=0 \quad \therefore 3x-4y=0 \quad \cdots\cdots$ ㉠

또 $|\vec{b}|=5$이므로 $x^2+y^2=25 \quad \cdots\cdots$ ㉡

㉠, ㉡을 연립하여 풀면

$x=4, y=3$ 또는 $x=-4, y=-3$

따라서 구하는 벡터는

$\vec{b}=(4, 3)$ 또는 $\vec{b}=(-4, -3)$

2. $2\vec{a}+\vec{b}$, $\vec{a}-\vec{b}$가 서로 수직이므로 $(2\vec{a}+\vec{b})\cdot(\vec{a}-\vec{b})=0$

$2|\vec{a}|^2-\vec{a}\cdot\vec{b}-|\vec{b}|^2=0$

$2|\vec{a}|^2-|\vec{a}||\vec{b}|\cos\theta-|\vec{b}|^2=0 \quad \cdots\cdots$ ㉠

이때 $4|\vec{a}|=3|\vec{b}|$에서 $|\vec{a}|=\frac{3}{4}|\vec{b}|$

이것을 ㉠에 대입하면

$2\times\left(\frac{3}{4}|\vec{b}|\right)^2-\frac{3}{4}|\vec{b}|\times|\vec{b}|\cos\theta-|\vec{b}|^2=0$

$\frac{9}{8}|\vec{b}|^2-\frac{3}{4}|\vec{b}|^2\cos\theta-|\vec{b}|^2=0$, $9|\vec{b}|^2-6|\vec{b}|^2\cos\theta-8|\vec{b}|^2=0$

$|\vec{b}|^2=6|\vec{b}|^2\cos\theta$, $1=6\cos\theta$ ($\because |\vec{b}|\neq0$) $\quad \therefore$ **$\cos\theta=\frac{1}{6}$**

㉠ 벡터 $\vec{a}$에 수직인 평면벡터 $\vec{b}$는 다음 그림과 같이 두 방향으로 존재하므로 두 가지이며, 각 성분의 부호는 반대이다.

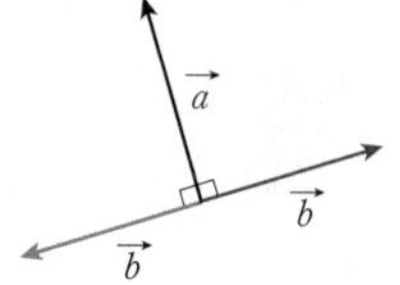

㉡ $(2\vec{a}+\vec{b})\cdot(\vec{a}-\vec{b})$
$=2\vec{a}\cdot\vec{a}-\vec{a}\cdot\vec{b}-\vec{b}\cdot\vec{b}$
$=2|\vec{a}|^2-\vec{a}\cdot\vec{b}-|\vec{b}|^2$

확인 문제

정답과 해설 | 56쪽

10-1 벡터 $\vec{a}=(2, 1)$에 수직이고 크기가 $\sqrt{5}$인 벡터 $\vec{b}$를 구하시오.
상중하

10-2 좌표평면 위에 있는 직각삼각형 ABC에서 $\angle A=90^\circ$이고, $\overrightarrow{AB}=(1, 2)$, $\overrightarrow{BC}=(m^2, m-4)$일 때, 실수 m의 값을 구하시오.
상중하

MY 셀파

10-1
$\vec{a}\perp\vec{b} \iff \vec{a}\cdot\vec{b}=0$
$|\vec{b}|=\sqrt{5}$

10-2
직각삼각형 ABC에서 $\angle A=90^\circ$이므로
$\overrightarrow{AB}\perp\overrightarrow{AC}$

연습 문제 EXERCISE

선분의 내분점과 외분점의 위치벡터

01 삼각형 OAB에서 $\overrightarrow{OA}=\vec{a}$, $\overrightarrow{OB}=\vec{b}$라 하자. 선분 AB의 중점을 M, 선분 OM을 $3:1$로 외분하는 점을 N이라 할 때, $\overrightarrow{ON}=k\vec{a}+l\vec{b}\ (k>0,\ l>0)$이다. 실수 k, l의 값을 구하시오.

선분의 내분점과 외분점의 위치벡터 융합형

02 오른쪽 그림과 같은 삼각형 ABC에서 점 D는 ∠A의 이등분선이 변 BC와 만나는 점이다.

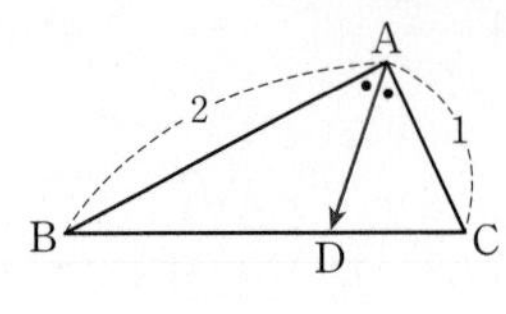

$\overline{AB}=2$, $\overline{AC}=1$일 때, $\overrightarrow{AD}=m\overrightarrow{AB}+n\overrightarrow{AC}$를 만족시키는 실수 m, n의 값을 구하시오.

선분의 내분점과 외분점의 위치벡터

03 $\angle B=90°$인 직각삼각형 ABC에서 $\overline{AB}=4$, $\overline{BC}=10$이다. 점 P가 $2\overrightarrow{PB}+3\overrightarrow{PC}=\vec{0}$를 만족시킬 때, $|\overrightarrow{PA}|^2$의 값을 구하시오.

평면벡터의 성분에 의한 연산

04 네 점 $A(p,\ 2)$, $B(0,\ -1)$, $C(3,\ q)$, $D(8,\ 1)$을 꼭짓점으로 하는 사각형 ABCD에 대하여 대각선 BD의 중점을 M이라 하자. $\overrightarrow{AM}=\overrightarrow{MC}$일 때, 실수 p, q의 값을 구하시오.

평면벡터에서의 도형

05 두 점 $A(3,\ 1)$, $B(-1,\ 4)$에 대하여 좌표평면 위의 점 P가

$$\overrightarrow{OP}=k\overrightarrow{OA}+l\overrightarrow{OB},\ k+l=2$$

를 만족시킬 때, $\overrightarrow{OP}$의 종점 P가 나타내는 도형의 방정식을 구하시오. (단, O는 원점이다.)

평면벡터의 내적

06 오른쪽 그림과 같이 $\overline{AB}=\sqrt{6}$, $\overline{AC}=\sqrt{2}$인 삼각형 ABC가 선분 BC를 지름으로 하는 반원에 내접할 때, $\overrightarrow{AB}\cdot\overrightarrow{BC}$의 값을 구하시오.

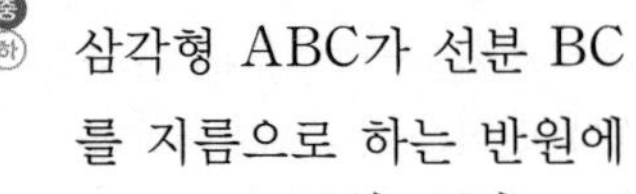

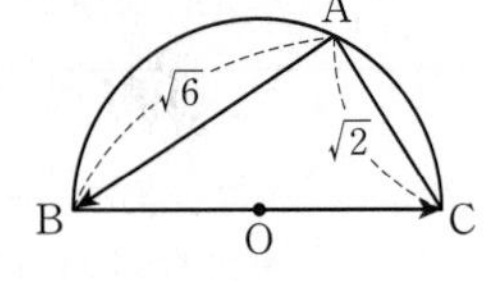

(단, O는 반원의 중심이다.)

평면벡터의 내적

07 다음 그림과 같이 $\angle A=120°$이고 $\overline{AB}=3$, $\overline{AC}=2$인 삼각형 ABC에서 ∠A를 4등분하는 직선이 $\overline{BC}$와 만나는 점을 점 B에 가까운 점부터 차례로 D, E, F라 할 때, $\overrightarrow{AB}\cdot\overrightarrow{AC}$, $\overrightarrow{AB}\cdot\overrightarrow{AD}$, $\overrightarrow{AB}\cdot\overrightarrow{AF}$ 중 그 값이 가장 큰 것을 말하시오.

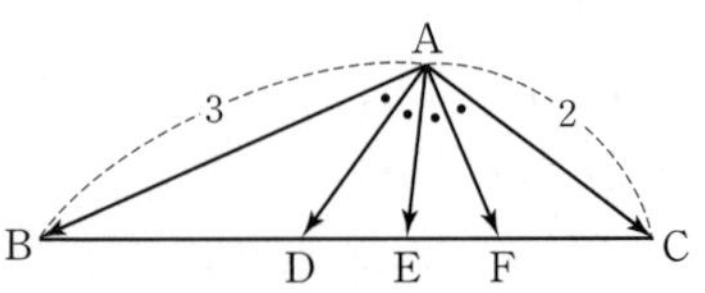

성분으로 주어진 평면벡터의 내적

08 포물선 $y^2=2x$ 위의 서로 다른 두 점 P, Q와 원점 O에 대하여 $\overrightarrow{OP} \cdot \overrightarrow{OQ}$의 최솟값을 구하시오.

평면벡터의 내적의 성질

09 오른쪽 그림과 같이 한 변의 길이가 1인 정육각형 ABCDEF에서 $(\overrightarrow{AB}+\overrightarrow{AF}) \cdot \overrightarrow{AC}$의 값을 구하시오.

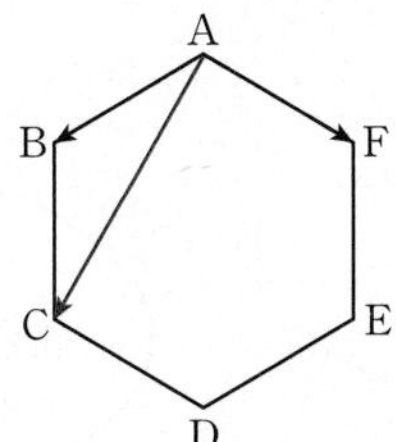

두 평면벡터가 이루는 각의 크기 서술형

10 $|\vec{a}|=1$, $|\vec{b}|=1$이고 두 벡터 $\vec{a}$, $\vec{b}$가 이루는 각의 크기가 60°일 때, $\vec{a}+\vec{b}$와 $\vec{a}-2\vec{b}$가 이루는 각의 크기 θ를 구하시오. (단, $0^\circ \le \theta \le 180^\circ$)

평면벡터의 수직과 평행 융합형

11 두 벡터 $\vec{x}=(t+1,\ t^2)$, $\vec{y}=(t^2+kt+1,\ -t-k)$가 모든 실수 t에 대하여 서로 수직이 되지 않도록 하는 실수 k의 값의 범위를 구하시오.

평면벡터의 수직과 평행

12 세 벡터 $\vec{a}=(4, 1)$, $\vec{b}=(2, 3)$, $\vec{c}=(1, -3)$과 벡터 $\vec{p}$에 대하여 $\vec{p}+\vec{c}$와 $\vec{a}-\vec{b}$가 서로 평행하고 $\vec{p}+\vec{a}$와 $\vec{b}+\vec{c}$가 서로 수직일 때, 벡터 $\vec{p}$를 구하시오.

평면벡터의 수직과 평행 창의·융합

13 윤호와 지은이는 원점 O에서 동시에 출발하여 서로 수직인 방향으로 각각 10 m씩 걸어갔다. 윤호가 있는 지점의 위치벡터를 $\vec{a}=(8, 6)$이라 할 때, 지은이가 있는 지점의 위치벡터 $\vec{b}$를 구하시오.

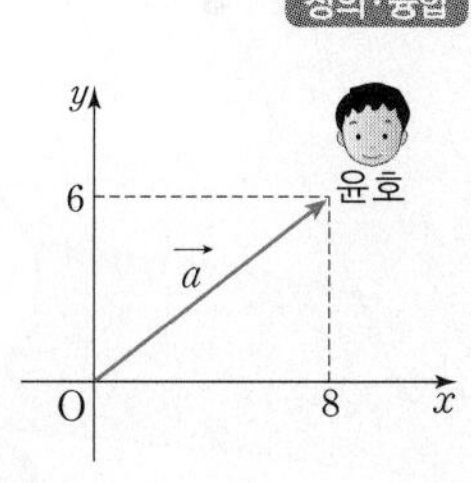

쇼핑몰 광장에서 아이돌 공연행사가 열렸습니다.
와~ 정말 멋진 공연이야.
쇼핑몰 손님들이 여기 다 모여있는 거 같아.
점장님. 행사가 끝나자마자 A, P 매장에서 아이돌 굿즈 판매를 한답니다.
그래? 광장 O에 모인 손님들이 그 두 곳으로 집중적으로 몰릴 거야.
사람들을 유도할 수 있는 직선의 바리케이드를 설치하라고!
사람들의 이동을 예측해서 두 점을 잇는 직선의 바리케이드!
드르륵

7

직선과 원의 방정식

쇼핑몰의 점포 위치를 좌표평면에 나타냈습니다.
A
P
바리케이드
$\vec{a}$
$\vec{p}$
O 광장
보시는 바와 같이 두 점 A, P의 위치벡터를 각각 $\vec{a}$, $\vec{p}$ 라고 하면 $\overrightarrow{OP} = \overrightarrow{OA} + \overrightarrow{AP}$ 이므로…
좋아! 이왕 이렇게 된 거 직선의 방정식까지 쭈욱 가자고!!!

7. 직선과 원의 방정식

개념 1 방향벡터를 이용한 직선의 방정식

(1) 점 A를 지나고 영벡터가 아닌 벡터 $\vec{u}$에 평행한 직선 l 위의 임의의 한 점을 P라 하고 두 점 A, P의 ❶ [ ] 벡터를 각각 $\vec{a}$, $\vec{p}$라 하면

$\vec{p}=\vec{a}+t\vec{u}$ (단, t는 실수)

이때 벡터 $\vec{u}$를 직선 l의 **방향벡터**라 한다.

(2) ㉠ 점 $A(x_1, y_1)$을 지나고 벡터 $\vec{u}=(a, b)$에 평행한 직선의 방정식은

$$\frac{x-x_1}{a}=\frac{y-y_1}{b} \text{ (단, } ab\neq 0)$$

참고 두 점을 지나는 직선의 방정식

㉡ 두 점 $A(x_1, y_1)$, $B(x_2, y_2)$를 지나는 직선의 방정식은

$$\frac{x-x_1}{x_2-x_1}=\frac{y-y_1}{❷\ [\ \ ]} \text{ (단, } x_1\neq x_2,\ y_1\neq y_2)$$

답 ❶ 위치 ❷ y_2-y_1

개념 플러스

㉠ 직선 위에 한 점 $P(x, y)$를 잡고 두 점 A, P의 위치벡터를 각각 $\vec{a}$, $\vec{p}$라 하면 $\vec{p}=\vec{a}+t\vec{u}$

즉, $(x, y)=(x_1, y_1)+t(a, b)$

$\therefore x=x_1+ta,\ y=y_1+tb$

$t=\frac{x-x_1}{a}$, $t=\frac{y-y_1}{b}$이므로

$\frac{x-x_1}{a}=\frac{y-y_1}{b}$ (단, $ab\neq 0$)

㉡ 직선 위에 한 점 $P(x, y)$를 잡으면 $\overrightarrow{AP}=t\overrightarrow{AB}$

$\overrightarrow{OP}-\overrightarrow{OA}=t(\overrightarrow{OB}-\overrightarrow{OA})$

$(x-x_1, y-y_1)=t(x_2-x_1, y_2-y_1)$

$t=\frac{x-x_1}{x_2-x_1}$, $t=\frac{y-y_1}{y_2-y_1}$이므로

$\frac{x-x_1}{x_2-x_1}=\frac{y-y_1}{y_2-y_1}$ (단, $x_1\neq x_2$, $y_1\neq y_2$)

개념 2 법선벡터를 이용한 직선의 방정식

(1) 점 A를 지나고 영벡터가 아닌 벡터 $\vec{n}$에 수직인 직선 l 위의 임의의 한 점을 P라 하고 두 점 A, P의 위치벡터를 각각 $\vec{a}$, $\vec{p}$라 하면

$(\vec{p}-\vec{a})\cdot\vec{n}=0$

이때 벡터 $\vec{n}$을 직선 l의 ❶ [ ] 벡터라 한다.

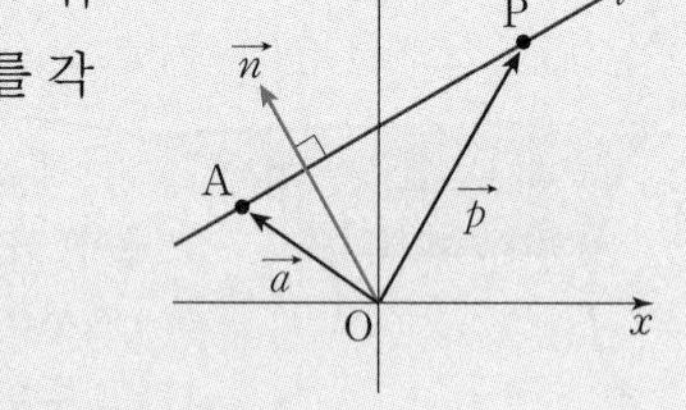

(2) 점 $A(x_1, y_1)$을 지나고 벡터 $\vec{n}=(a, b)$에 수직인 직선의 방정식은

$a(x-x_1)+b(y-y_1)=0$

답 ❶ 법선

㉢ 두 직선 l_1, l_2의 방향벡터 $\vec{u_1}$, $\vec{u_2}$가 이루는 각의 크기를 α라 하면 두 직선 l_1, l_2가 이루는 각의 크기 θ는 α와 $\pi-\alpha$ 중 크지 않은 것과 같다.

개념 3 두 직선이 이루는 각의 크기

방향벡터가 각각 $\vec{u_1}=(a_1, b_1)$, $\vec{u_2}=(a_2, b_2)$인 두 직선 l_1, l_2가 이루는 ❶ [ ] 의 크기를 ㉢ $\theta(0°\leq\theta\leq 90°)$라 하면

$$\cos\theta=\frac{|\vec{u_1}\cdot\vec{u_2}|}{|\vec{u_1}||\vec{u_2}|}=\frac{|a_1a_2+b_1b_2|}{\sqrt{a_1^2+b_1^2}\sqrt{a_2^2+b_2^2}}$$

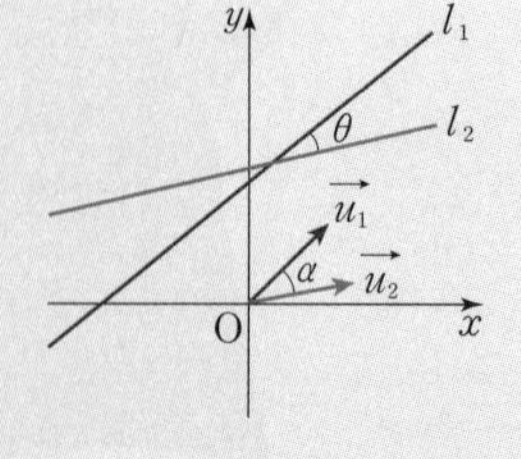

답 ❶ 각

1-1 | 직선의 방정식 |

다음 직선의 방정식을 구하시오.

(1) 점 $A(2, 5)$를 지나고 벡터 $\vec{u}=(3, 4)$에 평행한 직선

(2) 점 $A(2, 5)$를 지나고 벡터 $\vec{n}=(3, 4)$에 수직인 직선

연구

(1) 점 $A(2, 5)$를 지나고 벡터 $\vec{u}=(3, 4)$에 평행한 직선의 방정식은

$\frac{x-2}{3}=\frac{y-5}{\square}$

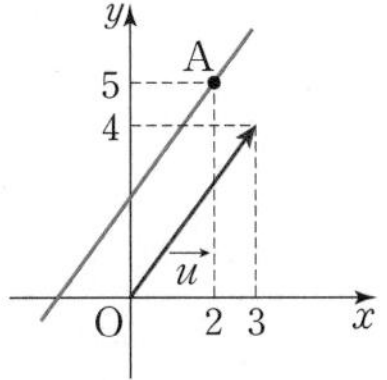

(2) 점 $A(2, 5)$를 지나고 벡터 $\vec{n}=(3, 4)$에 수직인 직선의 방정식은

$3(x-2)+\square(y-5)=0$

$\therefore 3x+4y-26=0$

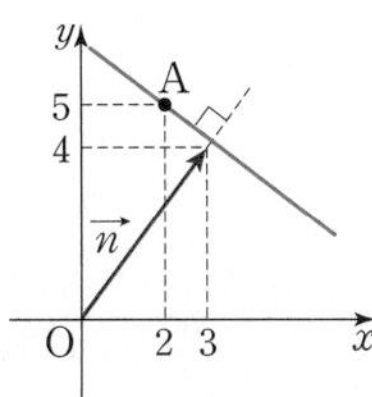

1-2 | 따라풀기 |

다음 직선의 방정식을 구하시오.

(1) 점 $A(3, 2)$를 지나고 벡터 $\vec{u}=(1, 5)$에 평행한 직선

(2) 점 $A(3, 2)$를 지나고 벡터 $\vec{n}=(1, 5)$에 수직인 직선

풀이

2-1 | 두 직선이 이루는 각의 크기 |

방향벡터가 각각 $\vec{u_1}=(1, -3)$, $\vec{u_2}=(1, 2)$인 두 직선 l_1, l_2가 이루는 각의 크기 θ를 구하시오. (단, $0° \leq \theta \leq 90°$)

연구

두 직선 l_1, l_2의 방향벡터가 각각 $\vec{u_1}=(1, -3)$, $\vec{u_2}=(1, 2)$이므로

$$\cos\theta=\frac{|\vec{u_1}\cdot\vec{u_2}|}{|\vec{u_1}||\vec{u_2}|}=\frac{|1\times1+(-3)\times2|}{\sqrt{1^2+(-3)^2}\sqrt{1^2+2^2}}$$

$$=\frac{5}{\sqrt{10}\sqrt{5}}=\frac{\sqrt{2}}{2}$$

이때 $0° \leq \theta \leq 90°$이므로 $\theta=\square$

2-2 | 따라풀기 |

방향벡터가 각각 $\vec{u_1}=(2, 1)$, $\vec{u_2}=(-3, 1)$, $\vec{u_3}=(2, -4)$인 세 직선 l_1, l_2, l_3에 대하여 다음을 구하시오.

(단, $0° \leq \theta_1 \leq 90°$, $0° \leq \theta_2 \leq 90°$)

(1) 두 직선 l_1, l_2가 이루는 각의 크기 θ_1

(2) 두 직선 l_2, l_3이 이루는 각의 크기 θ_2

풀이

개념 4 두 직선의 수직과 평행

두 직선 l_1, l_2의 방향벡터가 각각 $\vec{u_1}=(a_1, b_1)$, $\vec{u_2}=(a_2, b_2)$일 때, 다음이 성립한다.

❶ 두 직선 l_1, l_2가 서로 수직일 때

$\vec{u_1}\perp\vec{u_2} \iff \vec{u_1}\cdot\vec{u_2}=$ ❶ $\iff a_1a_2+b_1b_2=0$

❷ 두 직선 l_1, l_2가 서로 평행할 때

$\vec{u_1}/\!/\vec{u_2} \iff \vec{u_1}=k\vec{u_2}$ (단, $k\neq0$인 실수) $\iff a_1=ka_2$, $b_1=k$ ❷

답 ❶ 0 ❷ b_2

개념 플러스

두 직선 l_1, l_2의 방향벡터가 각각 $\vec{u_1}$, $\vec{u_2}$일 때,
두 직선 l_1, l_2가 수직이면 방향벡터 $\vec{u_1}$, $\vec{u_2}$도 수직이고,
두 직선 l_1, l_2가 평행이면 방향벡터 $\vec{u_1}$, $\vec{u_2}$도 평행이야!

개념 5 ㉠벡터로 나타낸 원의 방정식

(1) 벡터를 이용한 원의 방정식

오른쪽 그림과 같이 중심이 C인 원 위의 임의의 점을 P라 하면 벡터 $\overrightarrow{CP}$의 크기는 r로 일정하므로 $|\overrightarrow{CP}|=r$이다.

이때 두 점 C, P의 위치벡터를 각각 $\vec{c}$, $\vec{p}$라 하면

$\overrightarrow{CP}=\vec{p}-\vec{c}$이므로

$|\vec{p}-\vec{c}|=$ ❶ ……㉠

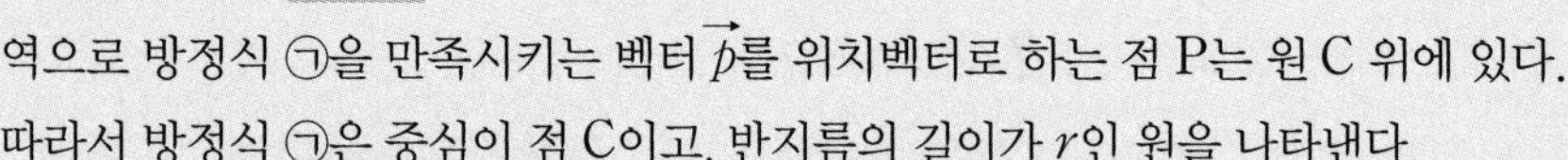

역으로 방정식 ㉠을 만족시키는 벡터 $\vec{p}$를 위치벡터로 하는 점 P는 원 C 위에 있다.

따라서 방정식 ㉠은 중심이 점 C이고, 반지름의 길이가 r인 원을 나타낸다.

(2) 벡터의 성분을 이용한 원의 방정식

좌표평면에서 $\vec{c}=(a, b)$, $\vec{p}=(x, y)$라 할 때, 방정식 ㉠은

$(\vec{p}-\vec{c})\cdot(\vec{p}-\vec{c})=r^2$

이때 $\vec{p}-\vec{c}=(x-a, y-b)$이므로

$(x-a)^2+(y-b)^2=$ ❷

답 ❶ r ❷ r^2

㉠ 벡터의 크기를 이용하여 나타낸 원의 방정식
⇨ $|\vec{p}-\vec{c}|=r$
내적을 이용하여 나타낸 원의 방정식
⇨ $(\vec{p}-\vec{c})\cdot(\vec{p}-\vec{c})=r^2$

㉡ 두 점 $A(x_1, y_1)$, $B(x_2, y_2)$를 지름의 양 끝점으로 하는 원의 방정식은 $\overrightarrow{AP}\perp\overrightarrow{BP}$에서
$\overrightarrow{AP}\cdot\overrightarrow{BP}=0$
이때 $((x, y)-(x_1, y_1))\cdot((x, y)-(x_2, y_2))=0$
$\therefore (x-x_1)(x-x_2)+(y-y_1)(y-y_2)=0$

개념 6 ㉡지름의 양 끝점이 주어졌을 때의 원의 방정식

위치벡터가 각각 $\vec{a}$, $\vec{b}$인 서로 다른 두 점 A, B를 지름의 양 끝점으로 하는 원 위의 임의의 한 점 P의 위치벡터를 $\vec{p}$라 하면

$(\vec{p}-\vec{a})\cdot(\vec{p}-\vec{b})=$ ❶

답 ❶ 0

3-1 | 두 직선의 수직과 평행 |

두 직선 $\frac{x-2}{2}=\frac{y-1}{a}$, $x+1=\frac{y+2}{2}$에 대하여 다음을 구하시오.

(1) 두 직선이 서로 수직일 때, 실수 a의 값

(2) 두 직선이 서로 평행할 때, 실수 a의 값

연구

두 직선의 방향벡터를 각각 $\vec{u_1}$, $\vec{u_2}$라 하면

$\vec{u_1}=(2, a)$, $\vec{u_2}=(1, 2)$

(1) 두 직선이 서로 수직이면 $\vec{u_1}\cdot\vec{u_2}=0$이므로

$(2, a)\cdot(1, 2)=$ ☐

$2+2a=0$ $\therefore$ $\boldsymbol{a=-1}$

(2) 두 직선이 서로 평행하면 $\vec{u_1}=k\vec{u_2}$ ($k\neq0$인 실수)이므로

$(2, a)=k(1, 2)=(k, 2k)$

$k=$ ☐, $a=2k$ $\therefore$ $\boldsymbol{a=4}$

3-2 | 따라풀기 |

두 직선 $\frac{x-3}{a}=\frac{y+1}{2}$, $\frac{x-1}{4}=\frac{3-y}{2}$에 대하여 다음을 구하시오.

(1) 두 직선이 서로 수직일 때, 실수 a의 값

(2) 두 직선이 서로 평행할 때, 실수 a의 값

풀이

4-1 | 벡터로 나타낸 원의 방정식 |

두 점 C$(2, 1)$, P(x, y)의 위치벡터를 각각 $\vec{c}$, $\vec{p}$라 할 때, $|\vec{p}-\vec{c}|=4$를 만족시키는 점 P가 나타내는 도형을 말하시오.

연구

$|\vec{p}-\vec{c}|=4$의 양변을 제곱하여 내적으로 나타내면

$|\vec{p}-\vec{c}|^2=4^2$, $(\vec{p}-\vec{c})\cdot(\vec{p}-\vec{c})=16$

$\vec{p}-\vec{c}=(x-$ ☐ $, y-1)$이므로

$(x-2)^2+(y-1)^2=16$

따라서 점 P가 나타내는 도형은

중심이 C(2, 1)이고 반지름의 길이가 ☐ **인 원**

4-2 | 따라풀기 |

두 점 C$(-3, 2)$, P(x, y)의 위치벡터를 각각 $\vec{c}$, $\vec{p}$라 할 때, 다음을 만족시키는 점 P가 나타내는 도형을 말하시오.

(1) $|\vec{p}-\vec{c}|=3$

(2) $(\vec{p}-\vec{c})\cdot(\vec{p}-\vec{c})=2^2$

풀이

7 직선과 원의 방정식

해법 01 방향벡터를 이용한 직선의 방정식

❶ 점 $A(x_1, y_1)$을 지나고 벡터 $\vec{u}=(a, b)$에 평행한 직선의 방정식

⇨ $\frac{x-x_1}{a}=\frac{y-y_1}{b}$ (단, $ab\neq0$)

❷ 두 점 $A(x_1, y_1)$, $B(x_2, y_2)$를 지나는 직선의 방정식

⇨ $\frac{x-x_1}{x_2-x_1}=\frac{y-y_1}{y_2-y_1}$ (단, $x_1\neq x_2$, $y_1\neq y_2$)

PLUS ⊕

예를 들어 매개변수 t로 나타낸 직선 $\begin{cases} x=at+2 \\ y=bt+3 \end{cases}$의 방향벡터 $\vec{u}$는 t에 대하여 정리한 후 풀면

$\frac{x-2}{a}=\frac{y-3}{b}$

$\therefore \vec{u}=(a, b)$ (단, $ab\neq0$)

예제 다음 직선의 방정식을 구하시오.

(1) 점 $(2, 3)$을 지나고 직선 $\frac{x-1}{2}=\frac{y+2}{3}$에 평행한 직선

(2) 두 점 $A(2, 3)$, $B(4, 2)$를 지나는 직선

해법 코드

(1) 주어진 직선의 방향벡터를 구한다.

(2) $\overrightarrow{AB}=\overrightarrow{OB}-\overrightarrow{OA}$에서 두 점 A, B를 지나는 직선의 방향벡터를 구한다.

셀파 점 $A(x_1, y_1)$을 지나고 방향벡터가 $\vec{u}=(a, b)$인 직선의 방정식

⇨ $\frac{x-x_1}{a}=\frac{y-y_1}{b}$ (단, $ab\neq0$)

풀이 (1) 직선 $\frac{x-1}{2}=\frac{y+2}{3}$의 방향벡터를 $\vec{u}$라 하면 $\vec{u}=(2, 3)$

따라서 점 $(2, 3)$을 지나고 $\vec{u}=(2, 3)$에 평행한 직선의 방정식은

$\mathbf{\frac{x-2}{2}=\frac{y-3}{3}}$

(2) ㉠두 점 A, B를 지나는 직선의 방향벡터 $\overrightarrow{AB}$는 $\overrightarrow{AB}=(2, -1)$

따라서 점 $A(2, 3)$을 지나고 방향벡터가 $\overrightarrow{AB}=(2, -1)$인 직선의 방정식은

$\mathbf{\frac{x-2}{2}=\frac{y-3}{-1}}$

㉠ 두 점 $A(2, 3)$, $B(4, 2)$를 지나는 직선의 방향벡터 $\overrightarrow{AB}$는

$\overrightarrow{AB}=\overrightarrow{OB}-\overrightarrow{OA}$
$=(4, 2)-(2, 3)$
$=(2, -1)$

확인 문제

정답과 해설 | 60쪽

01-1 (상 중 **하**) 두 점 $A(2, 1)$, $B(0, 2)$를 지나는 직선의 방정식을 구하시오.

01-2 (상 **중** 하) 두 점 $A(1, -4)$, $B(5, 4)$에 대하여 선분 AB를 $3:1$로 내분하는 점 P를 지나고 직선 $\frac{x-1}{3}=\frac{4-y}{2}$에 평행한 직선의 방정식을 구하시오.

MY 셀파

01-1
벡터 $\overrightarrow{AB}$는 구하는 직선의 방향벡터이다.

01-2
선분 AB를 $3:1$로 내분하는 점 P의 좌표를 먼저 구한다.

셀파 특강 01 직선의 방정식

1 방향벡터를 이용한 직선의 방정식

점 A를 지나고 영벡터가 아닌 벡터 $\vec{u}$에 평행한 직선 l 위의 임의의 한 점을 P라 하면 $\overrightarrow{AP} /\!/ \vec{u}$이므로 $\overrightarrow{AP}=t\vec{u}$인 실수 t가 존재한다.

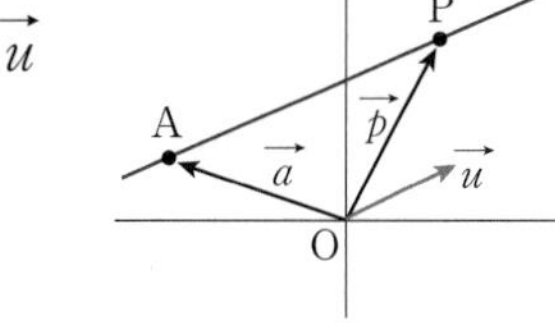

이때 두 점 A, P의 위치벡터를 각각 $\vec{a}$, $\vec{p}$라 하면

$\vec{p}-\vec{a}=t\vec{u}$, 즉 $\vec{p}=\vec{a}+t\vec{u}$ (단, t는 실수) ······㉠

역으로 ㉠이 성립하는 벡터 $\vec{p}$를 위치벡터로 하는 점 P는 직선 l 위에 있다.

따라서 ㉠은 직선 l을 나타낸다.

이때 벡터 $\vec{u}$를 직선 l의 방향벡터라 한다.

> 점 A(x_1, y_1)을 지나고 벡터 $\vec{u}=(a, b)$에 평행한 직선의 방정식은
>
> $$\frac{x-x_1}{a}=\frac{y-y_1}{b} \text{ (단, } ab\neq 0)$$

좌표평면에서 ㉠점 A를 지나고 영벡터가 아닌 벡터 $\vec{n}$에 수직인 직선 l의 방정식을 구하여 보자.

2 법선벡터를 이용한 직선의 방정식

오른쪽 그림과 같이 직선 l 위의 임의의 점을 P라 하면

$\overrightarrow{AP}\perp\vec{n}$이므로 $\overrightarrow{AP}\cdot\vec{n}=0$

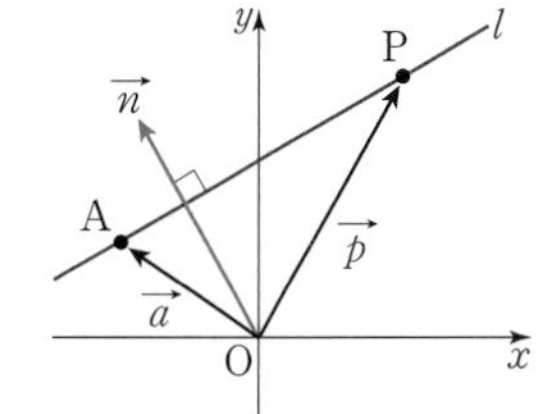

이때 두 점 A, P의 위치벡터를 각각 $\vec{a}$, $\vec{p}$라 하면

$\overrightarrow{AP}=\vec{p}-\vec{a}$이므로

$(\vec{p}-\vec{a})\cdot\vec{n}=0$ ······㉠

역으로 ㉠이 성립하는 벡터 $\vec{p}$를 위치벡터로 하는 점 P는 직선 l 위에 있다. 따라서 ㉠은 직선 l을 나타낸다.

이때 벡터 $\vec{n}$을 직선 l의 법선벡터라 한다.

> 위치벡터가 $\vec{a}$인 점 A를 지나고 벡터 $\vec{n}$에 수직인 직선의 방정식은
>
> $(\vec{p}-\vec{a})\cdot\vec{n}=0$

확인 체크 01 정답과 해설 | 60쪽

점 A$(-2, 1)$을 지나고 ㉡벡터 $\vec{n}=(1, 3)$에 수직인 직선의 방정식을 구하시오.

㉠ 벡터 $\vec{n}$에 수직인 직선은 다음 그림과 같이 무수히 많다. 그러나 점 A를 지나면서 벡터 $\vec{n}$에 수직인 직선은 하나로 정해진다.

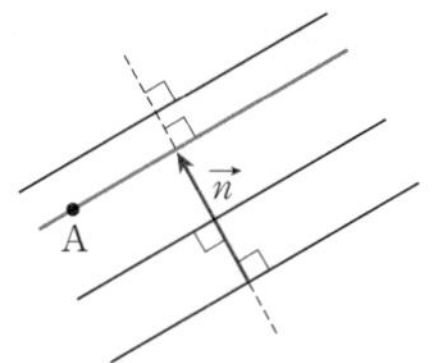

▶ **음함수의 표현**

점 A(x_1, y_1)을 지나고 영벡터가 아닌 벡터 $\vec{n}=(a, b)$에 수직인 직선의 방정식은

$ax+by+c=0$

(단, $c=-ax_1-by_1$)

▶ 직선의 방정식

$a(x-x_1)+b(y-y_1)=0$

에서 $\vec{n}=(a, b)$는 직선의 법선벡터이다.

예를 들어 직선 $2x+3y+5=0$의 법선벡터 $\vec{n}$은

$2(x+1)+3(y+1)=0$에서

$\vec{n}=(2, 3)$이다.

㉡ $\vec{n}=(1, 3)$에 수직인 직선의 기울기는 $-\frac{1}{3}$이다.

이때 점 A$(-2, 1)$을 지나는 직선의 방정식은 다음과 같이 구할 수 있다.

$y-1=-\frac{1}{3}(x+2)$

$\therefore x+3y-1=0$

7 직선과 원의 방정식

해법 02 법선벡터를 이용한 직선의 방정식

❶ 위치벡터가 $\vec{a}$인 점 A를 지나고 벡터 $\vec{n}$에 수직인 직선의 방정식
⇨ $(\vec{p}-\vec{a})\cdot\vec{n}=0$

❷ 점 $A(x_1, y_1)$을 지나고 벡터 $\vec{n}=(a, b)$에 수직인 직선의 방정식
⇨ $a(x-x_1)+b(y-y_1)=0$

PLUS ⊕
직선 l이 벡터 $\vec{n}$에 수직일 때, 벡터 $\vec{n}$을 직선 l의 법선벡터라 한다.

1. 점 $A(2, 4)$를 지나고 직선 $\frac{x-3}{3}=\frac{y+2}{4}$에 수직인 직선의 방정식을 구하시오.

2. 점 $(-2, 3)$을 지나고 방향벡터가 $\vec{u}=(2, 1)$인 직선과 점 $(1, 4)$를 지나고 법선벡터가 $\vec{n}=(2, 3)$인 직선이 한 점 A에서 만날 때, 점 A의 좌표를 구하시오.

해법 코드
1. 점 A를 지나고 법선벡터가 $\vec{n}=(3, 4)$인 직선의 방정식을 구한다.
2. 두 직선의 방정식을 각각 구한 다음 연립하여 교점의 좌표를 구한다.

셀파 직선 $a(x-x_1)+b(y-y_1)=0$의 법선벡터 ⇨ $\vec{n}=(a, b)$

풀이 1. ㉠주어진 직선의 방향벡터를 $\vec{u}$라 하면 $\vec{u}=(3, 4)$
따라서 ㉡점 $A(2, 4)$를 지나고 법선벡터가 $\vec{u}=(3, 4)$인 직선의 방정식은
$3(x-2)+4(y-4)=0$
$\therefore \mathbf{3x+4y-22=0}$

2. 점 $(-2, 3)$을 지나고 방향벡터가 $\vec{u}=(2, 1)$인 직선의 방정식은
$\frac{x-(-2)}{2}=y-3 \quad \therefore x-2y+8=0 \quad \cdots\cdots ㉠$
점 $(1, 4)$를 지나고 법선벡터가 $\vec{n}=(2, 3)$인 직선의 방정식은
$2(x-1)+3(y-4)=0 \quad \therefore 2x+3y-14=0 \quad \cdots\cdots ㉡$
㉠, ㉡을 연립하여 풀면
$x=\frac{4}{7}, y=\frac{30}{7} \quad \therefore \mathbf{A\left(\frac{4}{7}, \frac{30}{7}\right)}$

㉠ $\frac{x-3}{3}=\frac{y+2}{4}$의 방향벡터 $\vec{u}$는 $\vec{u}=(3, 4)$

㉡ 직선 위에 있는 임의의 점을 $P(x, y)$라 할 때, 점 A를 지나고 $\vec{u}$에 수직인 직선의 방정식은
$\overrightarrow{AP}\cdot\vec{u}=0$
$(\overrightarrow{OP}-\overrightarrow{OA})\cdot\vec{u}=0$
$(x-2, y-4)\cdot(3, 4)=0$
$\therefore 3(x-2)+4(y-4)=0$

확인 문제

정답과 해설 | 60쪽

02-1 (상중하) 두 점 $A(1, 2)$, $B(-3, 4)$를 지나는 직선에 수직이고, 선분 AB의 중점을 지나는 직선의 방정식을 구하시오.

02-2 (상중하) 두 벡터 $\vec{a}=(1, 5)$, $\vec{b}=(2, 1)$에 대하여 벡터 $\vec{a}+\vec{b}$에 수직이고, 점 $(3, 2)$를 지나는 직선의 방정식이 $x+my+n=0$일 때, 실수 m, n의 값을 구하시오.

MY 셀파

02-1
구하는 직선의 법선벡터는 $\overrightarrow{AB}=(-4, 2)$이다.

02-2
$\vec{a}+\vec{b}=(3, 6)$이 구하는 직선의 법선벡터이다.

❶ 점 $A(x_1, y_1)$을 지나고 벡터 $\vec{u}=(a, b)$에 평행한 직선의 방정식

⇨ $\dfrac{x-x_1}{a}=\dfrac{y-y_1}{b}$ (단, $ab\neq0$)

❷ 두 점 $A(x_1, y_1)$, $B(x_2, y_2)$를 지나는 직선의 방정식

⇨ $\dfrac{x-x_1}{x_2-x_1}=\dfrac{y-y_1}{y_2-y_1}$ (단, $x_1\neq x_2$, $y_1\neq y_2$)

❸ 위치벡터가 $\vec{a}$인 점 A를 지나고 벡터 $\vec{n}$에 수직인 직선의 방정식 ⇨ $(\vec{p}-\vec{a})\cdot\vec{n}=0$

❹ 점 $A(x_1, y_1)$을 지나고 벡터 $\vec{n}=(a, b)$에 수직인 직선의 방정식

⇨ $a(x-x_1)+b(y-y_1)=0$

01 다음 직선의 방정식을 구하시오.

(1) 방향벡터가 $\vec{u}=(-2, 3)$이고 점 $(0, 3)$을 지나는 직선

(2) 방향벡터가 $\vec{u}=(2, -1)$이고 점 $(5, 3)$을 지나는 직선

02 다음 직선의 방정식을 구하시오.

(1) 점 $(2, 1)$을 지나고 직선 $\dfrac{x-1}{3}=\dfrac{y-2}{2}$에 평행한 직선

(2) 점 $(-3, 5)$를 지나고 직선 $\dfrac{2-x}{5}=\dfrac{y-3}{2}$에 평행한 직선

03 다음 직선의 방정식을 구하시오.

(1) 두 점 $A(1, 4)$, $B(2, 3)$을 지나는 직선

(2) 두 점 $A(1, 2)$, $B(3, -4)$를 지나는 직선

04 다음 직선의 방정식을 구하시오.

(1) 점 $(5, -4)$를 지나고 벡터 $\vec{n}=(3, -2)$에 수직인 직선

(2) 점 $(1, 2)$를 지나고 벡터 $\vec{n}=(2, 3)$에 수직인 직선

해법 03 두 직선이 이루는 각의 크기

방향벡터가 각각

$\vec{u_1}=(a_1, b_1)$, $\vec{u_2}=(a_2, b_2)$

인 두 직선 l_1, l_2가 이루는 각의 크기를 $\theta(0^\circ \le \theta \le 90^\circ)$라 하면

$$\cos\theta=\frac{|\vec{u_1}\cdot\vec{u_2}|}{|\vec{u_1}||\vec{u_2}|}=\frac{|a_1a_2+b_1b_2|}{\sqrt{a_1^2+b_1^2}\sqrt{a_2^2+b_2^2}}$$

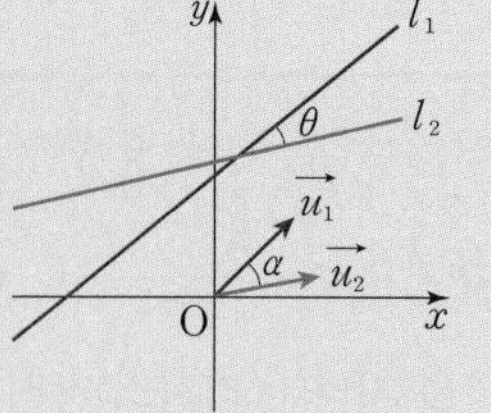

PLUS

왼쪽 그림과 같이 두 직선 l_1, l_2가 이루는 각의 크기 θ는 두 방향벡터 $\vec{u_1}$, $\vec{u_2}$가 이루는 각의 크기 α와 $180^\circ-\alpha$ 중에서 크지 않은 것을 택한다.

예제

1. 두 직선 $\frac{x}{3}=y+1$, $\frac{x-2}{2}=\frac{y-3}{-1}$이 이루는 각의 크기 θ를 구하시오. (단, $0^\circ \le \theta \le 90^\circ$)

2. 두 직선 $\frac{x-1}{k}=3-y$, $\frac{x-3}{9}=\frac{y+2}{3}$가 이루는 각의 크기가 45°일 때, 양수 k의 값을 구하시오.

해법 코드

1. 직선 $\frac{x}{3}=\frac{y+1}{1}$의 방향벡터는 $\vec{u_1}=(3, 1)$

직선 $\frac{x-2}{2}=\frac{y-3}{-1}$의 방향벡터는 $\vec{u_2}=(2, -1)$

셀파 방향벡터가 각각 $\vec{u_1}$, $\vec{u_2}$인 두 직선 l_1, l_2가 이루는 각의 크기가 $\theta(0^\circ \le \theta \le 90^\circ)$일 때

$$\cos\theta=\frac{|\vec{u_1}\cdot\vec{u_2}|}{|\vec{u_1}||\vec{u_2}|}$$

풀이 1. 두 직선의 방향벡터를 각각 $\vec{u_1}$, $\vec{u_2}$라 하면 $\vec{u_1}=(3, 1)$, $\vec{u_2}=(2, -1)$

$$\cos\theta=\frac{|\vec{u_1}\cdot\vec{u_2}|}{|\vec{u_1}||\vec{u_2}|}=\frac{|3\times2+1\times(-1)|}{\sqrt{3^2+1^2}\sqrt{2^2+(-1)^2}}=\frac{5}{\sqrt{10}\sqrt{5}}=\frac{\sqrt{2}}{2}$$

이때 $0^\circ \le \theta \le 90^\circ$이므로 $\boldsymbol{\theta=45^\circ}$

2. 두 직선의 방향벡터를 각각 $\vec{u_1}$, $\vec{u_2}$라 하면 $\vec{u_1}=(k, -1)$, $\vec{u_2}=(9, 3)$

$$\cos 45^\circ=\frac{|\vec{u_1}\cdot\vec{u_2}|}{|\vec{u_1}||\vec{u_2}|},\ \frac{\sqrt{2}}{2}=\frac{|9k-3|}{\sqrt{k^2+(-1)^2}\sqrt{9^2+3^2}}$$

이 식의 양변을 제곱하여 정리하면

$2k^2-3k-2=0$, $(k-2)(2k+1)=0$

$\therefore \boldsymbol{k=2}$ ($\because k>0$)

참고

두 직선의 방향벡터가 이루는 각의 크기 α가 $0^\circ \le \alpha \le 90^\circ$이면 두 직선이 이루는 각의 크기 θ는 $\theta=\alpha$이다.

또 두 직선의 방향벡터가 이루는 각의 크기 α가 $90^\circ < \alpha \le 180^\circ$이면 두 직선이 이루는 각의 크기 θ는 $\theta=180^\circ-\alpha$이다. 이때

$\cos\theta=\cos(180^\circ-\alpha)=-\cos\alpha$

$=|\cos\alpha|$

이므로 $\cos\theta=\frac{|\vec{u_1}\cdot\vec{u_2}|}{|\vec{u_1}||\vec{u_2}|}$

확인 문제

정답과 해설 | 61쪽

03-1 (상중하) 두 직선 $\frac{x+1}{3}=y+2$, $\begin{cases} x=t-3 \\ y=3t-1 \end{cases}$ 이 이루는 각의 크기를 θ라 할 때, $\cos\theta$의 값을 구하시오. (단, $0^\circ \le \theta \le 90^\circ$)

03-2 (상중하) 두 직선 $\frac{x-4}{3}=\frac{y}{-\sqrt{3}}$, $\frac{x+2}{a}=\frac{y-5}{-3}$가 이루는 각의 크기가 30°일 때, 실수 a의 값을 구하시오.

MY 셀파

03-1

$t=x+3$, $t=\frac{y+1}{3}$이므로

$x+3=\frac{y+1}{3}$

03-2

두 직선의 방향벡터가 이루는 각의 크기가 30°이다.

해법 04 두 직선의 수직과 평행

두 직선 l_1, l_2의 방향벡터가 각각 $\vec{u_1}=(a_1, b_1)$, $\vec{u_2}=(a_2, b_2)$일 때

❶ 두 직선 l_1, l_2가 서로 수직
⇨ $\vec{u_1}\perp\vec{u_2} \iff \vec{u_1}\cdot\vec{u_2}=0 \iff a_1a_2+b_1b_2=0$

❷ 두 직선 l_1, l_2가 서로 평행
⇨ $\vec{u_1}/\!/\vec{u_2} \iff \vec{u_1}=k\vec{u_2}$ (단, $k\neq0$인 실수) $\iff a_1=ka_2,\ b_1=kb_2$

PLUS ⊕

두 직선 l_1, l_2의 법선벡터가 각각 $\vec{n_1}=(a_1, b_1)$, $\vec{n_2}=(a_2, b_2)$일 때

❶ $l_1\perp l_2 \iff \vec{n_1}\cdot\vec{n_2}=0$

❷ $l_1/\!/l_2 \iff \vec{n_1}=k\vec{n_2}$

(단, $k\neq0$인 실수)

예제 직선 $\frac{x+1}{2}=\frac{y-3}{a}$이 직선 $x+2=\frac{2-y}{3}$와는 평행하고, 직선 $\frac{x+2}{b}=\frac{y-3}{5}$과는 수직일 때, 실수 a, b의 값을 구하시오.

해법 코드
세 직선의 방향벡터를 각각 구한다.

셀파 두 직선이 서로 수직 ⟺ 두 직선의 방향벡터, 법선벡터도 서로 수직
두 직선이 서로 평행 ⟺ 두 직선의 방향벡터, 법선벡터도 서로 평행

풀이 (i) 두 직선 $\frac{x+1}{2}=\frac{y-3}{a}$, $x+2=\frac{2-y}{3}$의 방향벡터를 각각 $\vec{u_1}$, $\vec{u_2}$라 하면

$\vec{u_1}=(2, a)$, $\vec{u_2}=(1, -3)$

두 직선이 서로 평행하므로

㉠ $(1, -3)=k(2, a)$에서 $1=2k$, $-3=ak$

$k=\frac{1}{2}$이므로 $\boldsymbol{a=-6}$ ……㉠

(ii) 두 직선 $\frac{x+1}{2}=\frac{y-3}{a}$, $\frac{x+2}{b}=\frac{y-3}{5}$의 방향벡터를 각각 $\vec{u_1}$, $\vec{u_3}$라 하면

$\vec{u_1}=(2, a)$, $\vec{u_3}=(b, 5)$

두 직선이 서로 수직이므로

㉡ $(2, a)\cdot(b, 5)=0$에서 $2b+5a=0$

㉠에서 $a=-6$을 대입하면

$2b-30=0$　　$\therefore \boldsymbol{b=15}$

㉠ $\vec{u_1}/\!/\vec{u_2}$이므로
$\vec{u_2}=k\vec{u_1}$ (단, $k\neq0$인 실수)

㉡ $\vec{u_1}\perp\vec{u_3}$이므로
$\vec{u_1}\cdot\vec{u_3}=0$

확인 문제

정답과 해설 | 61쪽

04-1 (상중하) 두 직선 $\frac{x-1}{-3}=\frac{y+1}{5}$, $\frac{x-3}{5}=\frac{y-2}{a}$가 서로 수직일 때, 실수 a의 값을 구하시오.

04-2 (상중하) 직선 $\frac{x-1}{2}=\frac{y-3}{a}$이 직선 $x+1=y-4$와는 평행하고, 직선 $\frac{3-x}{b}=\frac{y}{4}$와는 수직일 때, 실수 a, b의 값을 구하시오.

MY 셀파

04-1
두 직선의 방향벡터는 각각
$\vec{u_1}=(-3, 5)$, $\vec{u_2}=(5, a)$

04-2
$\vec{u_1}=(2, a)$, $\vec{u_2}=(1, 1)$,
$\vec{u_3}=(-b, 4)$일 때,
$\vec{u_1}/\!/\vec{u_2}$, $\vec{u_1}\perp\vec{u_3}$

해법 05 두 직선의 교점

직선 $\frac{x-x_1}{a}=\frac{y-y_1}{b}$ 위의 점의 좌표를 문자 t를 사용하여 나타내면

⇨ $x=x_1+at$, $y=y_1+bt$ (단, t는 실수)

PLUS ⊕
직선 위의 한 점을 H라 하면 $\mathrm{H}(x_1+at, y_1+bt)$로 놓을 수 있다.

예제 **1.** 두 직선 $\frac{x-3}{2}=\frac{y-3}{-1}$, $\frac{x-7}{3}=\frac{y-1}{2}$의 교점의 좌표를 구하시오.

2. 점 $\mathrm{A}(4, -2)$에서 직선 $x+1=\frac{y-3}{3}$에 내린 수선의 발 H의 좌표를 구하시오.

해법 코드

1. 두 직선 위의 점의 좌표를 각각 t, s로 나타내어 x, y를 없앤 다음 t, s의 값을 구한다.

2. 수선의 발 H는 직선 위의 점이다.

셀파 직선의 방정식을 매개변수로 나타낸다.

풀이 **1.** 직선의 방정식 $\frac{x-3}{2}=\frac{y-3}{-1}$을 매개변수 t로 나타내면

$x=2t+3$, $y=-t+3$ (단, t는 실수) ……㉠

직선의 방정식 $\frac{x-7}{3}=\frac{y-1}{2}$을 매개변수 s로 나타내면

$x=3s+7$, $y=2s+1$ (단, s는 실수) ……㉡

㉠, ㉡에서 $2t+3=3s+7$, $-t+3=2s+1$

두 식을 연립하여 풀면 $t=2$, $s=0$이므로 구하는 교점의 좌표는 **(7, 1)**

2. 직선의 방정식 $x+1=\frac{y-3}{3}$을 매개변수 t로 나타내면

$x=t-1$, $y=3t+3$ (t는 실수)이므로 점 H의 좌표는

$\mathrm{H}(t-1, 3t+3)$

$\overrightarrow{\mathrm{AH}}=\overrightarrow{\mathrm{OH}}-\overrightarrow{\mathrm{OA}}=(t-1, 3t+3)-(4, -2)=(t-5, 3t+5)$

직선의 방향벡터를 $\vec{u}$라 하면 $\vec{u}=(1, 3)$

이때 $\overrightarrow{\mathrm{AH}}\perp\vec{u}$이므로 $\overrightarrow{\mathrm{AH}}\cdot\vec{u}=0$에서 $(t-5, 3t+5)\cdot(1, 3)=0$

$t-5+9t+15=0$, $10t+10=0$ $\therefore t=-1$

$\therefore$ **H(−2, 0)**

다른 풀이 **2.**

직선의 방정식 $x+1=\frac{y-3}{3}$을 매개변수 t로 나타내면

$x=t-1$, $y=3t+3$ (t는 실수)

이므로 점 H의 좌표는

$\mathrm{H}(t-1, 3t+3)$

한편 점 $\mathrm{A}(4, -2)$를 지나고 직선 $x+1=\frac{y-3}{3}$에 수직인 직선은

법선벡터가 $\vec{n}=(1, 3)$이므로

$(x-4)+3(y+2)=0$

$\therefore x+3y+2=0$

이때 점 H는 직선 $x+3y+2=0$ 위의 점이므로

$t-1+3(3t+3)+2=0$

$10t+10=0$

$\therefore t=-1$

$\therefore \mathrm{H}(-2, 0)$

확인 문제

정답과 해설 | 62쪽

05-1 (상 중 하) 두 점 $(0, -4)$, $(1, -2)$를 지나는 직선과 직선 $\frac{x+4}{2}=y+3$의 교점의 좌표를 구하시오.

05-2 (상 중 하) 점 $\mathrm{A}(-5, 0)$에서 직선 $\frac{x+1}{3}=\frac{y-2}{-1}$에 내린 수선의 발 H의 좌표를 구하시오.

MY 셀파

05-1
두 직선 위의 점의 좌표를 각각 t, s로 나타낸 다음 t, s의 값을 구한다.

05-2
직선의 방정식을 매개변수 t로 나타내면 $x=3t-1$, $y=-t+2$

해법 06 벡터를 이용한 원의 방정식

PLUS ⊕

❶ 점 C와 원 위의 점 P의 위치벡터를 각각 $\vec{c}$, $\vec{p}$라 할 때, 점 C를 중심으로 하고 반지름의 길이가 $r(r>0)$인 원의 방정식

⇨ $|\vec{p}-\vec{c}|=r$ 또는 $(\vec{p}-\vec{c})\cdot(\vec{p}-\vec{c})=r^2$

❷ 두 점 A, B와 원 위의 임의의 점 P의 위치벡터를 각각 $\vec{a}$, $\vec{b}$, $\vec{p}$라 할 때, 두 점 A, B를 지름의 양 끝점으로 하는 원의 방정식

⇨ $(\vec{p}-\vec{a})\cdot(\vec{p}-\vec{b})=0$

❷에서 $\overrightarrow{AP}\perp\overrightarrow{BP}$이므로 $\overrightarrow{AP}\cdot\overrightarrow{BP}=0$, 즉 $(\vec{p}-\vec{a})\cdot(\vec{p}-\vec{b})=0$

1. 두 점 A$(2, -4)$, P(x, y)의 위치벡터를 각각 $\vec{a}$, $\vec{p}$라 할 때, $|\vec{p}-\vec{a}|=5$를 만족시키는 점 P가 나타내는 도형의 방정식을 구하시오.

2. 두 점 A$(-3, 1)$, B$(1, -3)$과 점 P의 위치벡터를 각각 $\vec{a}$, $\vec{b}$, $\vec{p}$라 할 때, $(\vec{p}-\vec{a})\cdot(\vec{p}-\vec{b})=0$을 만족시키는 점 P가 나타내는 도형의 방정식을 구하시오.

해법 코드

1. $\vec{p}-\vec{a}=(x-2, y+4)$

2. 점 P의 좌표를 P(x, y)로 놓고 주어진 식을 성분으로 나타낸다.

셀파 $|\vec{p}-\vec{c}|=r$ 또는 $(\vec{p}-\vec{c})\cdot(\vec{p}-\vec{c})=r^2$

⇨ 위치벡터가 $\vec{c}$인 점 C를 중심으로 하고, 반지름의 길이가 r인 원의 방정식

풀이 **1.** $|\vec{p}-\vec{a}|=5$의 양변을 제곱하여 내적으로 나타내면

$|\vec{p}-\vec{a}|^2=5^2$, $(\vec{p}-\vec{a})\cdot(\vec{p}-\vec{a})=25$

$\vec{p}-\vec{a}=(x-2, y+4)$이므로 점 P가 나타내는 도형의 방정식은

$\boldsymbol{(x-2)^2+(y+4)^2=25}$

2. $\vec{p}=(x, y)$라 하면 $\vec{a}=(-3, 1)$, $\vec{b}=(1, -3)$이므로

㉠ $(\vec{p}-\vec{a})\cdot(\vec{p}-\vec{b})=0$에서

$(x+3, y-1)\cdot(x-1, y+3)=0$

$(x+3)(x-1)+(y-1)(y+3)=0$, $x^2+2x+y^2+2y-6=0$

$\therefore \boldsymbol{(x+1)^2+(y+1)^2=8}$

참고

두 벡터 (m_1, n_1), (m_2, n_2)에 대하여 $(m_1, n_1)\cdot(m_2, n_2)=m_1m_2+n_1n_2$

㉠ 세 벡터 $\vec{a}=(-3, 1)$, $\vec{b}=(1, -3)$, $\vec{p}=(x, y)$에 대하여

$\vec{p}-\vec{a}=(x+3, y-1)$

$\vec{p}-\vec{b}=(x-1, y+3)$

확인 문제

정답과 해설 | 62쪽

06-1 (상중하) 두 점 A$(1, 2)$, P(x, y)의 위치벡터를 각각 $\vec{a}$, $\vec{p}$라 할 때, $|\vec{p}-2\vec{a}|=4$를 만족시키는 점 P가 나타내는 도형의 방정식을 구하시오.

06-2 (상중하) 두 점 A$(-3, 2)$, B$(1, -2)$에 대하여 $\overrightarrow{AP}\cdot\overrightarrow{BP}=0$을 만족시키는 점 P가 나타내는 도형의 방정식을 구하시오.

MY 셀파

06-1

$|\vec{p}-2\vec{a}|^2=4^2$에서

$(\vec{p}-2\vec{a})\cdot(\vec{p}-2\vec{a})=16$

06-2

점 P의 좌표를 (x, y)라 하면

$\overrightarrow{AP}=(x+3, y-2)$,

$\overrightarrow{BP}=(x-1, y+2)$이다.

셀파 특강 02 지름의 양 끝점이 주어진 원의 방정식

A 벡터를 이용하여 지름의 양 끝점이 주어진 원의 방정식을 구하여 보자.

좌표평면 위의 서로 다른 ㉠두 점 A, B를 지름의 양 끝점으로 하는 원 위의 한 점을 P라 하자.

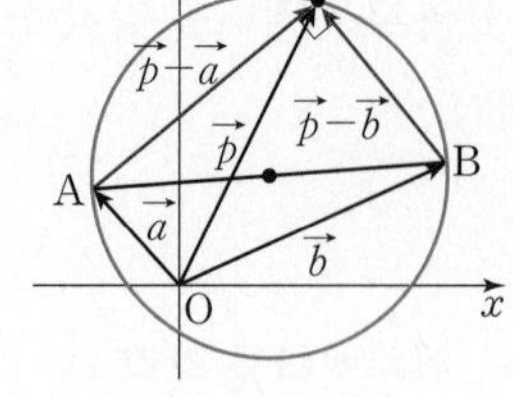

점 P가 점 A, B가 아닐 때 $\overline{AP}\perp\overline{BP}$이므로

$\overrightarrow{AP}\cdot\overrightarrow{BP}=0$이다.

이때 세 점 A, B, P의 위치벡터를 각각 $\vec{a}$, $\vec{b}$, $\vec{p}$라 하면

$\overrightarrow{AP}=\vec{p}-\vec{a}$, $\overrightarrow{BP}=\vec{p}-\vec{b}$이므로

$(\vec{p}-\vec{a})\cdot(\vec{p}-\vec{b})=0$ ……㉠

역으로 ㉠을 만족시키는 벡터 $\vec{p}$를 위치벡터로 하는 점 P는 이 원 위에 있다.

따라서 ㉠은 서로 다른 두 점 A, B를 지름의 양 끝점으로 하는 원이다.

> 위치벡터가 각각 $\vec{a}$, $\vec{b}$인 서로 다른 두 점 A, B를 지름의 양 끝점으로 하는 원 위의 임의의 한 점 P의 위치벡터를 $\vec{p}$라 할 때, 이 원의 벡터방정식은
> $(\vec{p}-\vec{a})\cdot(\vec{p}-\vec{b})=0$

Q 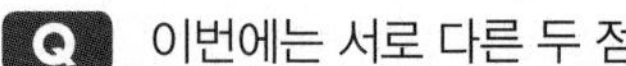이번에는 서로 다른 두 점 $A(x_1, y_1)$, $B(x_2, y_2)$를 지름의 양 끝점으로 하는 원의 방정식을 벡터의 성분을 이용하여 나타내 볼게요.

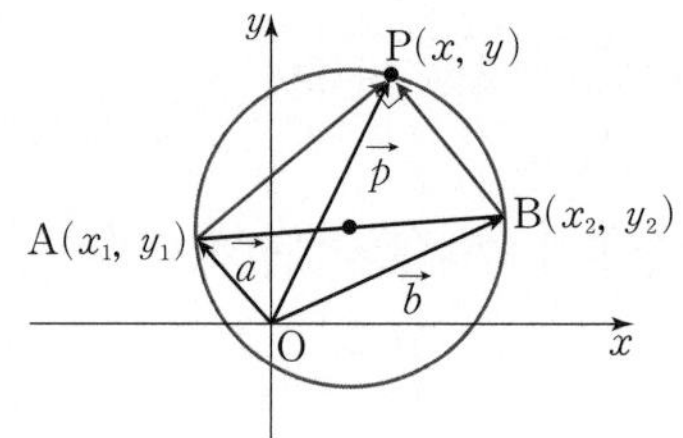

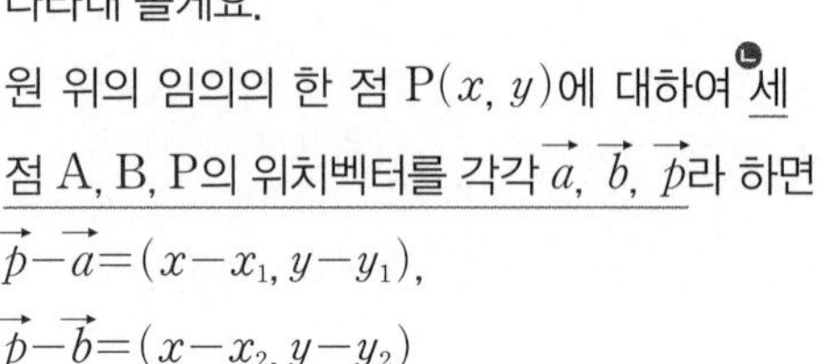

원 위의 임의의 한 점 $P(x, y)$에 대하여 ㉡세 점 A, B, P의 위치벡터를 각각 $\vec{a}$, $\vec{b}$, $\vec{p}$라 하면

$\vec{p}-\vec{a}=(x-x_1, y-y_1)$,

$\vec{p}-\vec{b}=(x-x_2, y-y_2)$

이므로 이것을 ㉠에 대입하면

$(x-x_1, y-y_1)\cdot(x-x_2, y-y_2)=0$

$\therefore (x-x_1)(x-x_2)+(y-y_1)(y-y_2)=0$

> 두 점 $A(x_1, y_1)$, $B(x_2, y_2)$를 지름의 양 끝점으로 하는 원의 방정식은
> $(x-x_1)(x-x_2)+(y-y_1)(y-y_2)=0$

㉠ 서로 다른 두 점 A, B가 한 원의 지름의 양 끝점일 때, 점 A, B가 아닌 원 위의 임의의 한 점 P에 대하여 $\angle APB=90^\circ$

즉, $\overline{AP}\perp\overline{BP}$이다.

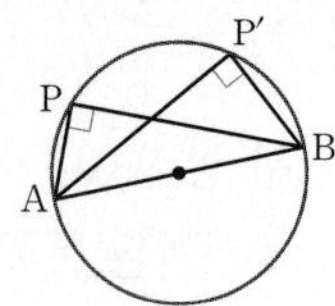

㉡ 세 점 $A(x_1, y_1)$, $B(x_2, y_2)$, $P(x, y)$의 위치벡터가 각각 $\vec{a}$, $\vec{b}$, $\vec{p}$이므로

$\vec{a}=(x_1, y_1)$, $\vec{b}=(x_2, y_2)$, $\vec{p}=(x, y)$

㉢ 원 위의 임의의 점을 P라 하면 $\overline{AP}\perp\overline{BP}$이므로 $\overrightarrow{AP}\cdot\overrightarrow{BP}=0$

확인 체크 02 정답과 해설 | 63쪽

벡터를 이용하여 두 점 A(2, 1), B(4, 3)을 ㉢지름의 양 끝점으로 하는 원의 방정식을 구하시오.

해법 07 원 위의 점에서의 접선의 방정식

PLUS ⊕

점 $\mathrm{C}(a, b)$를 중심으로 하고 반지름의 길이가 r인 원 위의 한 점 $\mathrm{A}(x_1, y_1)$에서 그은 접선 위의 한 점 $\mathrm{P}(x, y)$에 대하여 세 점 C, A, P의 위치벡터를 각각 $\vec{c}$, $\vec{a}$, $\vec{p}$라 할 때, 이 접선의 방정식은

$(\vec{a}-\vec{c})\cdot(\vec{p}-\vec{a})=0$, 즉 $(x_1-a)(x-x_1)+(y_1-b)(y-y_1)=0$ 또는

$(\vec{a}-\vec{c})\cdot(\vec{p}-\vec{c})=r^2$, 즉 $(x_1-a)(x-a)+(y_1-b)(y-b)=r^2$

$\overrightarrow{\mathrm{CA}}\perp\overrightarrow{\mathrm{AP}}$이므로 접선의 법선벡터는 $\overrightarrow{\mathrm{CA}}$이다.

예제 두 점 $\mathrm{C}(-2, 1)$, $\mathrm{P}(x, y)$의 위치벡터를 각각 $\vec{c}$, $\vec{p}$라 할 때, $|\vec{p}-\vec{c}|=4\sqrt{2}$를 만족시키는 점 P가 나타내는 도형 위의 점 $\mathrm{A}(2, 5)$에서의 접선의 방정식을 구하시오.

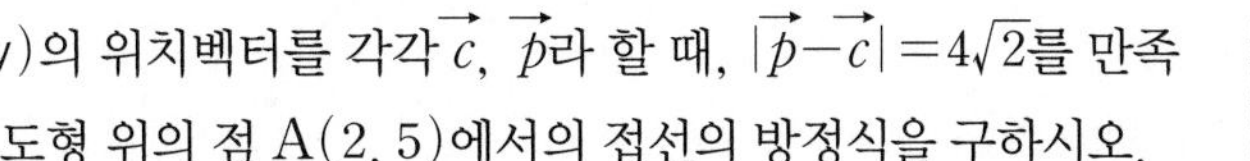

해법 코드
$|\vec{p}-\vec{c}|=4\sqrt{2}$에서
$(\vec{p}-\vec{c})\cdot(\vec{p}-\vec{c})=32$

셀파 원의 중심이 C이고 접점이 H이면 접선과 $\overline{\mathrm{CH}}$는 수직이다.

풀이 $|\vec{p}-\vec{c}|=4\sqrt{2}$의 양변을 제곱하여 내적으로 나타내면

$|\vec{p}-\vec{c}|^2=(4\sqrt{2})^2$, $(\vec{p}-\vec{c})\cdot(\vec{p}-\vec{c})=32$

$\vec{p}-\vec{c}=(x+2, y-1)$이므로

㉠ $(x+2)^2+(y-1)^2=32$

즉, 점 P가 나타내는 도형은 중심이 $\mathrm{C}(-2, 1)$이고 반지름의 길이가 $4\sqrt{2}$인 원이다.

y, A(2, 5), C, 1, −2, O, x

이 원 위의 점 $\mathrm{A}(2, 5)$에서의 접선은 법선벡터가

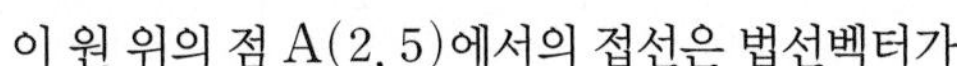

㉡ $\overrightarrow{\mathrm{CA}}=(4, 4)$이고 점 A를 지난다.

따라서 구하는 접선의 방정식은

$4(x-2)+4(y-5)=0$, $4x+4y-28=0$

$\therefore$ $\boldsymbol{x+y-7=0}$

㉠ 점 P가 나타내는 도형은 중심이 $\mathrm{C}(-2, 1)$이고 반지름의 길이가 $4\sqrt{2}$인 원이다.

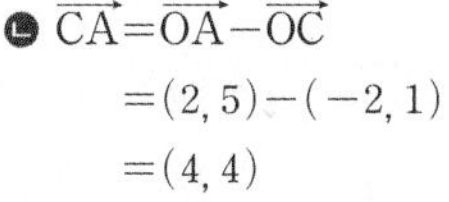

㉡ $\overrightarrow{\mathrm{CA}}=\overrightarrow{\mathrm{OA}}-\overrightarrow{\mathrm{OC}}$
$=(2, 5)-(-2, 1)$
$=(4, 4)$

참고 ❶ 법선벡터가 $\vec{n}=(a, b)$이고 점 $\mathrm{A}(x_1, y_1)$을 지나는 직선의 방정식은

$a(x-x_1)+b(y-y_1)=0$

❷ 방향벡터가 $\vec{u}=(a, b)$이고 점 $\mathrm{A}(x_1, y_1)$을 지나는 직선의 방정식은

$\dfrac{x-x_1}{a}=\dfrac{y-y_1}{b}$ (단, $ab\neq0$)

확인 문제

정답과 해설 | 63쪽

MY 셀파

07-1 (상중하) 두 점 $\mathrm{C}(2, -1)$, $\mathrm{P}(x, y)$의 위치벡터를 각각 $\vec{c}$, $\vec{p}$라 할 때, $|\vec{p}+\vec{c}|=\sqrt{10}$을 만족시키는 점 P가 나타내는 도형 위의 점 $\mathrm{A}(1, 2)$에서의 접선의 방정식을 구하시오.

07-2 (상중하) 좌표평면에서 $\vec{x}=(x, y)$일 때, 원 $|\vec{x}|=2$ 위의 두 점 $\mathrm{A}(-1, \sqrt{3})$, $\mathrm{B}(a, b)$에서 각각 그은 두 접선이 서로 수직이다. 이때 양수 a, b의 값을 구하시오.

07-1
$|\vec{p}+\vec{c}|=\sqrt{10}$에서
$(\vec{p}+\vec{c})\cdot(\vec{p}+\vec{c})=10$

07-2
두 접선의 법선벡터는 각각
$\overrightarrow{\mathrm{OA}}=(-1, \sqrt{3})$, $\overrightarrow{\mathrm{OB}}=(a, b)$
이고, $\overrightarrow{\mathrm{OA}}\perp\overrightarrow{\mathrm{OB}}$이다.

셀파 특강 03 원의 접선의 방정식

A 벡터를 이용하여 원 $(x-a)^2+(y-b)^2=r^2$ 위의 한 점 $\mathrm{A}(x_1, y_1)$에서의 접선의 방정식을 구하여 보자.

Q 접선 위의 임의의 점을 $\mathrm{P}(x, y)$라 하고, 원의 중심을 $\mathrm{C}(a, b)$라 하면 구하는 접선은 점 $\mathrm{A}(x_1, y_1)$을 지나고 벡터 $\overrightarrow{\mathrm{CA}}$에 수직인 직선이에요.

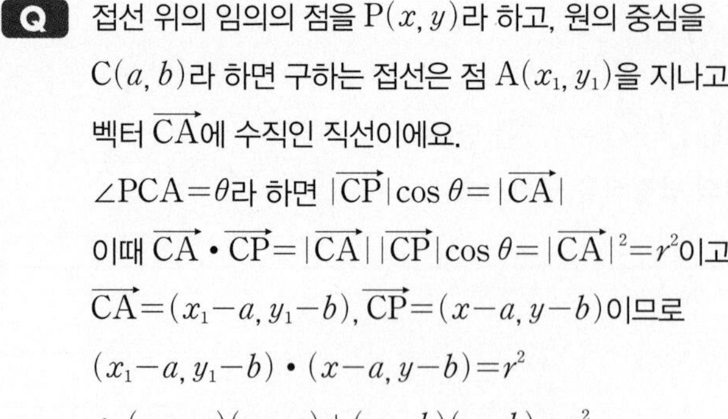

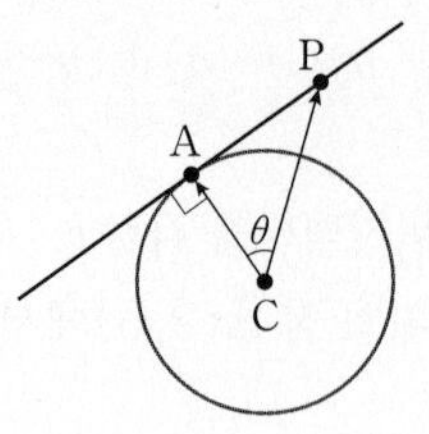

$\angle\mathrm{PCA}=\theta$라 하면 $|\overrightarrow{\mathrm{CP}}|\cos\theta=|\overrightarrow{\mathrm{CA}}|$

이때 $\overrightarrow{\mathrm{CA}}\cdot\overrightarrow{\mathrm{CP}}=|\overrightarrow{\mathrm{CA}}|\,|\overrightarrow{\mathrm{CP}}|\cos\theta=|\overrightarrow{\mathrm{CA}}|^2=r^2$이고

$\overrightarrow{\mathrm{CA}}=(x_1-a, y_1-b)$, $\overrightarrow{\mathrm{CP}}=(x-a, y-b)$이므로

$(x_1-a, y_1-b)\cdot(x-a, y-b)=r^2$

$\therefore (x_1-a)(x-a)+(y_1-b)(y-b)=r^2$

A 잘 했어. 다음 방법으로도 구할 수 있지.

중심 C와 두 점 A, P의 위치벡터를 각각 $\vec{c}$, $\vec{a}$, $\vec{p}$라 하면

$\overrightarrow{\mathrm{CA}}\perp\overrightarrow{\mathrm{AP}}$이므로 $\overrightarrow{\mathrm{CA}}\cdot\overrightarrow{\mathrm{AP}}=0$

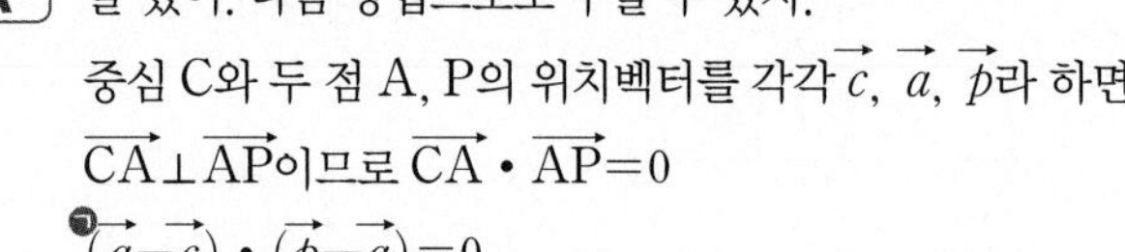

㉠ $(\vec{a}-\vec{c})\cdot(\vec{p}-\vec{a})=0$

$(\vec{a}-\vec{c})\cdot(\vec{p}-\vec{c}+\vec{c}-\vec{a})=0$

$(\vec{a}-\vec{c})\cdot(\vec{p}-\vec{c})-(\vec{a}-\vec{c})\cdot(\vec{a}-\vec{c})=0$

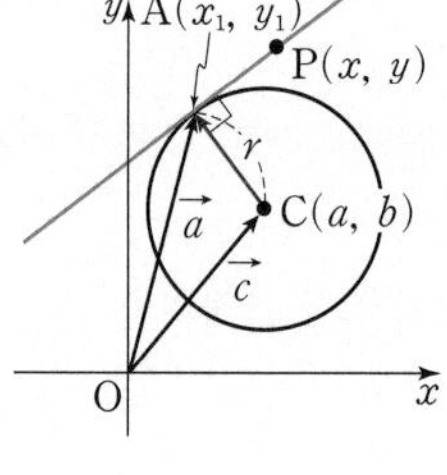

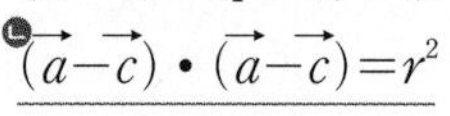

㉡ $(\vec{a}-\vec{c})\cdot(\vec{a}-\vec{c})=r^2$

이므로 구하는 접선의 방정식은

$(\vec{a}-\vec{c})\cdot(\vec{p}-\vec{c})=r^2$ ……㉠

또한 이 접선의 방정식을 벡터의 성분을 이용하여 나타내면

$\vec{p}=(x, y)$, $\vec{c}=(a, b)$, $\vec{a}=(x_1, y_1)$이므로

$\vec{a}-\vec{c}=(x_1-a, y_1-b)$, $\vec{p}-\vec{c}=(x-a, y-b)$

이것을 ㉠에 대입하면

$(x_1-a, y_1-b)\cdot(x-a, y-b)=r^2$

$\therefore$ ㉢ $(x_1-a)(x-a)+(y_1-b)(y-b)=r^2$

확인 체크 03

정답과 해설 | 63쪽

㉣ 벡터를 이용하여 점 $\mathrm{A}(-2, 1)$을 중심으로 하고 반지름의 길이가 5인 원 위의 점 $\mathrm{B}(-6, 4)$에서의 접선의 방정식을 구하시오.

㉠ $\overrightarrow{\mathrm{CA}}=\overrightarrow{\mathrm{OA}}-\overrightarrow{\mathrm{OC}}=\vec{a}-\vec{c}$, $\overrightarrow{\mathrm{AP}}=\overrightarrow{\mathrm{OP}}-\overrightarrow{\mathrm{OA}}=\vec{p}-\vec{a}$ 이므로 $\overrightarrow{\mathrm{CA}}\cdot\overrightarrow{\mathrm{AP}}=0$에서 $(\vec{a}-\vec{c})\cdot(\vec{p}-\vec{a})=0$

㉡ $\overrightarrow{\mathrm{CA}}=\vec{a}-\vec{c}$이고 선분 CA는 반지름이므로 $\overline{\mathrm{CA}}=r$이다. 따라서 $|\overrightarrow{\mathrm{CA}}|=|\vec{a}-\vec{c}|=r$
$|\vec{a}-\vec{c}|^2=r^2$이므로 $(\vec{a}-\vec{c})\cdot(\vec{a}-\vec{c})=r^2$

㉢ 점 (a, b)를 중심으로 하고 반지름의 길이가 r인 원의 방정식 $(x-a)^2+(y-b)^2=r^2$, 즉 $(x-a)(x-a)+(y-b)(y-b)=r^2$에 x, y 대신 접점의 좌표 (x_1, y_1)을 한 번씩 넣은 것과 같다.

㉣ 구하는 접선 위의 임의의 한 점을 $\mathrm{P}(x, y)$라 하고, 세 점 A, B, P의 위치벡터를 각각 $\vec{a}$, $\vec{b}$, $\vec{p}$라 하면 $\vec{a}=(-2, 1)$, $\vec{b}=(-6, 4)$, $\vec{p}=(x, y)$

해법 08 거리의 최댓값, 최솟값

$\overrightarrow{OP}$ 또는 $\vec{p}$가 포함된 식이 주어질 때, 점 P와 관련된 벡터의 크기 문제는 주어진 도형을 그려서 문제의 뜻을 파악한다. 이때 두 점 A, P의 위치벡터를 각각 $\vec{a}$, $\vec{p}$라 하면 $|\vec{p}-\vec{a}|$는 두 점 A, P 사이의 거리임을 이용한다.

PLUS 중심이 C인 원 위의 임의의 점 P와 임의의 점 A에 대하여 $|\overrightarrow{AP}|$의 최댓값 또는 최솟값은 $|\overrightarrow{AC}|$와 반지름의 길이 r를 이용하여 구한다.

예제 두 점 A$(-1, 5)$, B$(3, 2)$와 점 P의 위치벡터를 각각 $\vec{a}$, $\vec{b}$, $\vec{p}$라 할 때, $\vec{p}$는

$$(\vec{p}-\vec{b})\cdot(\vec{p}-\vec{b})=4$$

를 만족시킨다. 이때 $|\vec{p}-\vec{a}|$의 최댓값과 최솟값을 구하시오.

해법 코드 위치벡터가 $\vec{p}$인 점 P는 $(\vec{p}-\vec{b})\cdot(\vec{p}-\vec{b})=4$에서 위치벡터가 $\vec{b}$인 점 $(3, 2)$를 중심으로 하고 반지름의 길이가 2인 원 위에 있다.

셀파 원과 관련된 문제는 원을 그려 생각한다.

풀이 ㉠ $(\vec{p}-\vec{b})\cdot(\vec{p}-\vec{b})=4$에서 $|\vec{p}-\vec{b}|=2$

$\vec{a}=(-1, 5)$, $\vec{b}=(3, 2)$이므로 점 P는 중심이 B$(3, 2)$이고 반지름의 길이가 2인 원 위의 점이다.

이때 ㉡ $|\vec{p}-\vec{a}|$는 두 점 A, P 사이의 거리이므로

$|\vec{p}-\vec{a}|$가 최대일 때 점 P의 위치는 오른쪽 그림의 P_1과 같고, 최소일 때 점 P의 위치는 P_2와 같다.

$\overline{AB}=\sqrt{(3+1)^2+(2-5)^2}=5$

따라서 점 A와 원 위의 점 사이의 거리의

최댓값은 $\overline{AP_1}=\overline{AB}+\overline{BP_1}=5+2=$**7**

최솟값은 $\overline{AP_2}=\overline{AB}-\overline{BP_2}=5-2=$**3**

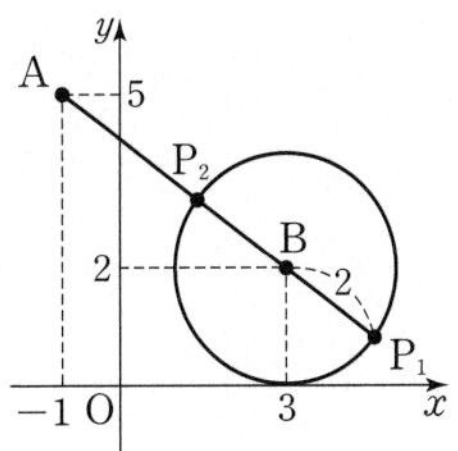

㉠ $(\vec{p}-\vec{b})\cdot(\vec{p}-\vec{b})=4$에서 $|\vec{p}-\vec{b}|^2=2^2$ $\therefore |\vec{p}-\vec{b}|=2$

㉡ $|\vec{p}-\vec{a}|=|\overrightarrow{AP}|$이므로 $|\vec{p}-\vec{a}|$는 두 점 A, P 사이의 거리이다.

확인 문제

정답과 해설 | 63쪽

08-1 (상 **중** 하) 두 점 A$(5, 2)$, B$(3, 4)$와 점 P의 위치벡터를 각각 $\vec{a}$, $\vec{b}$, $\vec{p}$라 할 때, $\vec{p}$는

$$(\vec{a}-\vec{p})\cdot(\vec{b}-\vec{p})=0$$

을 만족시킨다. 이때 $|\vec{p}|$의 최댓값과 최솟값을 구하시오.

08-2 (상 **중** 하) 원점 O와 두 점 A$(1, 2)$, B$(6, 0)$에 대하여

$$(2\overrightarrow{OA}-\overrightarrow{OB}+\overrightarrow{OP})\cdot\overrightarrow{OP}=-4$$

를 만족시키는 점 P가 존재할 때, $|\overrightarrow{OP}|$의 최솟값을 구하시오.

MY 셀파

08-1 점 P의 좌표를 P(x, y)로 놓고 $(\vec{a}-\vec{p})\cdot(\vec{b}-\vec{p})=0$을 성분으로 나타낸다.

08-2 점 P의 좌표를 P(x, y)라 하면 $\overrightarrow{OA}=(1, 2)$, $\overrightarrow{OB}=(6, 0)$, $\overrightarrow{OP}=(x, y)$

연습 문제 EXERCISE

방향벡터를 이용한 직선의 방정식

01 점 $(6, -1)$을 지나고 벡터 $\vec{u}=(3, 4)$에 평행한 직선이 y축과 만나는 점의 y좌표를 구하시오.

상 중 하

방향벡터를 이용한 직선의 방정식

02 두 점 $\mathrm{A}(3, 2)$, $\mathrm{B}(-1, -2)$에 대하여 선분 AB를 $3:2$로 외분하는 점 Q와 점 $\mathrm{C}(1, 2)$를 지나는 직선의 방정식을 구하시오.

상 중 하

법선벡터를 이용한 직선의 방정식

03 점 $(2, 1)$을 지나고 직선 $ax+y+2=0$에 평행한 직선의 방정식이 $(b, 1)\cdot(x, y)=3$일 때, 실수 a, b의 값을 구하시오.

상 중 하

두 직선이 이루는 각의 크기 융합형

04 두 직선 $x+3=\dfrac{y-2}{a}$, $3-x=\dfrac{y+5}{3}$가 이루는 각의 크기가 $45°$일 때, 양수 a의 값을 구하시오.

상 중 하

두 직선이 이루는 각의 크기

05 직선 $\dfrac{x-2}{3}=\dfrac{y+5}{2}$가 x축, y축과 이루는 예각의 크기를 각각 α, β라 할 때, $\cos\alpha\cos\beta$의 값을 구하시오.

상 중 하

두 직선의 수직과 평행

06 두 직선 $3-x=\dfrac{y-2}{k+1}$, $\dfrac{x+1}{k}=\dfrac{4-y}{2}$가 서로 평행하도록 하는 모든 실수 k의 값의 곱을 구하시오.

상 중 하

두 직선의 수직과 평행

07 두 점 $\mathrm{A}(a, 6)$, $\mathrm{B}(5, a)$를 지나는 직선과 직선 $3x+2=2y-11$이 서로 수직일 때, a의 값을 구하시오.

상 중 하

두 직선의 교점

08 점 $\mathrm{A}(-1, 3)$을 지나고 방향벡터가 $\vec{u}=(2, -1)$인 직선과 두 점 $\mathrm{B}(2, 5)$, $\mathrm{C}(1, 2)$를 지나는 직선이 만나는 점의 좌표를 구하시오.

상 중 하

두 직선의 교점

09 점 A(2, -1)을 지나고 방향벡터가 $\vec{u}=(3, 2)$인 직선과 점 B(3, 4) 사이의 거리를 구하시오.

상 중 하

두 직선의 교점 융합형

10 점 A(1, 6)과 직선 $\dfrac{x-1}{\sqrt{3}}=y-2$ 위의 두 점 B, C에 대하여 삼각형 ABC가 정삼각형이 될 때, 삼각형 ABC의 둘레의 길이를 구하시오.

상 중 하

벡터를 이용한 원의 방정식

11 두 점 A(3, 0), B(0, 2)와 점 P의 위치벡터를 각각 $\vec{a}$, $\vec{b}$, $\vec{p}$라 할 때, $(\vec{p}-\vec{a})\cdot(\vec{p}-\vec{b})=0$을 만족시키는 점 P가 나타내는 도형의 둘레의 길이를 구하시오.

상 중 하

벡터를 이용한 원의 방정식

12 세 위치벡터 $\vec{a}=(-1, 3)$, $\vec{b}=(2, 6)$, $\vec{p}=(x, y)$에 대하여 점 P의 위치벡터를 $\vec{p}$라 할 때

$$2|\vec{p}-\vec{a}|=|\vec{p}-\vec{b}|$$

를 만족시키는 점 P가 나타내는 도형의 방정식을 구하시오.

상 중 하

원 위의 점에서의 접선의 방정식

13 방향벡터가 $\vec{u}=(2, 3)$이고 점 A(-1, 1)을 지나는 직선이 중심의 좌표가 점 C(4, 2)인 원에 접할 때, 접점의 좌표를 구하시오.

상 중 하

원 위의 점에서의 접선의 방정식, 거리의 최댓값 서술형

14 평면벡터 $\vec{a}=(1, -2)$이고 점 P(x, y)의 위치벡터 $\vec{p}$에 대하여 $(\vec{p}-\vec{a})\cdot(\vec{p}-\vec{a})=5$가 성립한다. 이때 $|\vec{p}|$가 최대인 점 P에서의 점 P가 나타내는 도형에 접하는 직선의 방정식을 구하시오.

상 중 하

거리의 최댓값, 최솟값 창의력

15 원점 O와 점 A(3, 4)에 대하여 $|\overrightarrow{AP}|=2$를 만족시키는 점 P가 존재할 때, $|\overrightarrow{OP}|$의 최댓값은?

상 중 하

① 3 ② 4 ③ 5
④ 6 ⑤ 7

쇼핑몰을 구경하는데 전에 사귀었던 여자친구를 발견했습니다.

큰일이야!!
마주치면 서로
뻘줌해질거야.

마주치지 않으려면
어떻게 해야 할까?

쇼핑몰 안내 모형을 보고 구조를 파악하기로 합니다.

8

공간도형

상대와 마주치지 않으려면 각자 다니는
통로가 만나지 않으면 됩니다.
그 애가 AD 통로 쪽을 구경한다면...
너는 꼬인 위치에 있는 BF, CG 엘리베이터와 EC 에스컬레이터를 이용하면 돼.
D
A
B
C
H
G
E
F
1층 통로는 EF, FG, GH, EH 2층 통로는 BC를 이용할 수 있지.
그 애가 EC 에스컬레이터를 이용한다면 나는 어디를 갈 수 있지?
너!

8. 공간도형

개념 1 평면의 결정 조건

❶[ㄱ] 한 직선 위에 있지 않은 세 점 ❷ 한 직선과 그 직선 위에 있지 않은 한 ❶

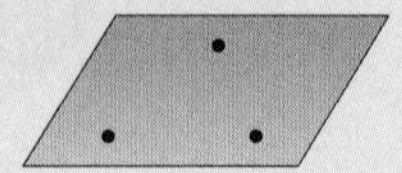
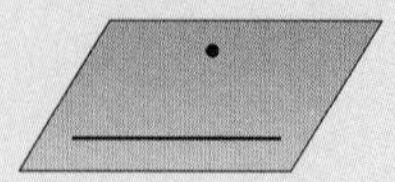

❸ 한 점에서 만나는 ❷ 직선 ❹ 평행한 두 직선

답 ❶ 점 ❷ 두

개념 2 공간에서 직선, 평면의 위치 관계

(1) 두 직선의 위치 관계

❶ 한 점에서 만난다. ❷ ❶ 하다. ❸[ㄴ] 꼬인 위치에 있다.

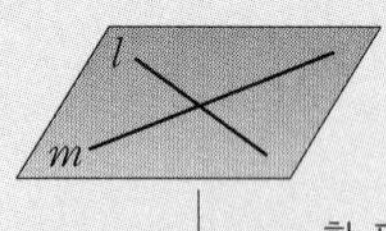

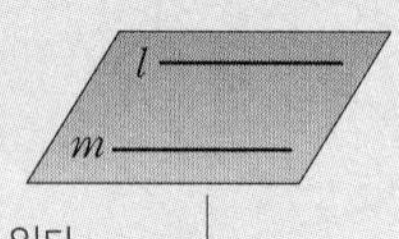

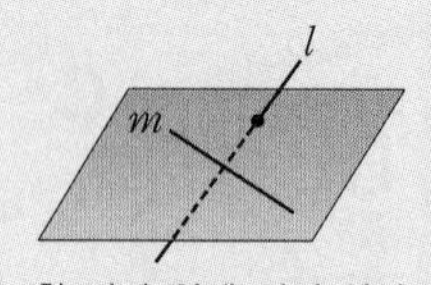

한 평면 위에 있다. 한 평면 위에 있지 않다.

참고 한 평면 위의 두 직선 l, m이 만나지 않을 때, 두 직선 l, m은 서로 평행하다고 하고, 기호로 $l \parallel m$과 같이 나타낸다.

(2) 직선과 평면의 위치 관계

❶ ❷ 된다. ❷ 한 점에서 만난다. ❸ 평행하다.

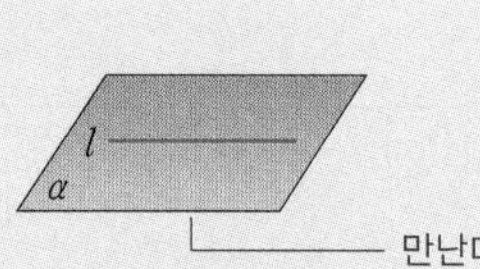

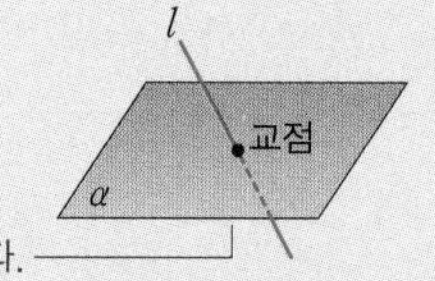

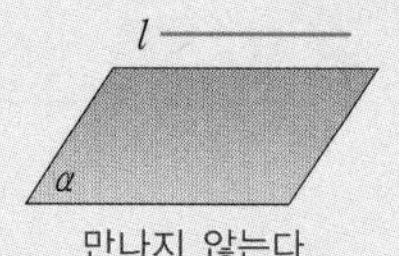

만난다. 만나지 않는다.

참고 공간에서 직선 l이 평면 α와 만나지 않을 때, 직선 l과 평면 α는 서로 평행하다고 하고, 기호로 $l \parallel \alpha$와 같이 나타낸다.

(3) 두 ❸ 의 위치 관계

❶ 만난다. ❷ 평행하다.

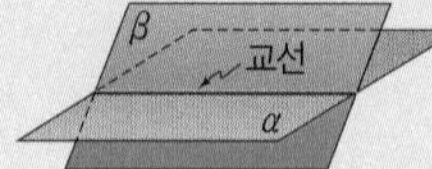

공간에서 서로 다른 두 평면 α, β가 만날 때, 두 평면은 한 직선을 공유한다. 이때 공유하는 직선을 두 평면의 **교선**이라 한다.

답 ❶ 평행 ❷ 포함 ❸ 평면

개념 플러스

▶ 공간도형에서
점은 A, B, C, ⋯,
직선은 l, m, n, ⋯,
평면은 α, β, γ, ⋯
등의 문자로 나타낸다.

ㄱ 서로 다른 두 점 A, B를 지나는 평면은 무수히 많지만 한 직선 위에 있지 않은 세 점 A, B, C를 지나는 평면은 하나뿐이다.

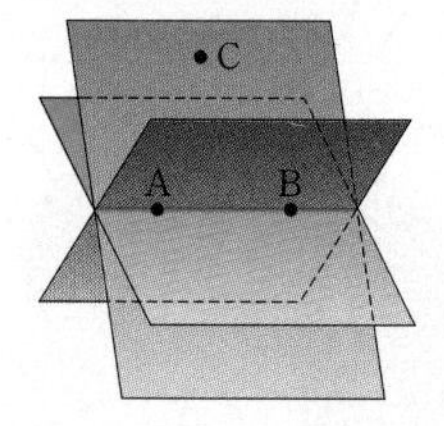

ㄴ 만나지 않는 두 직선이 한 평면 위에 있으면 두 직선은 평행하다. 또 한 평면 위에 있지 않으면 두 직선은 꼬인 위치에 있다.

▶ **두 직선이 이루는 각**
공간의 한 점에서 만나는 두 직선은 한 평면을 결정하므로 그 평면 위에서 두 직선이 이루는 각을 정할 수 있다.

개념 익히기

정답과 해설 | 67쪽

1-1 | 평면의 결정 조건 |

하나의 평면을 결정하는 조건을 다음 | 보기 |에서 모두 고르시오.

| 보기 |
ㄱ. 서로 다른 세 점　　　　ㄴ. 평행한 두 직선
ㄷ. 한 점에서 만나는 두 직선　ㄹ. 수직인 두 직선

연구

ㄱ. 오른쪽 그림과 같이 서로 다른 세 점이 한 직선 위에 있는 경우에는 하나의 평면을 결정하지 못한다.

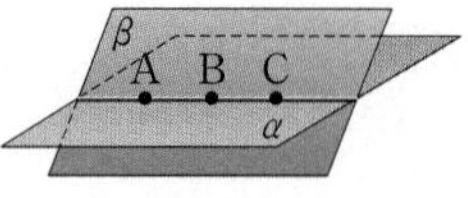

ㄴ. 평행한 두 직선은 하나의 평면을 결정한다.

ㄷ. 한 점에서 만나는 두 직선은 하나의 평면을 결정한다.

ㄹ. 오른쪽 그림처럼 꼬인 위치에 있는 두 직선 CG, EF는 하나의 평면을 결정하지 못한다.

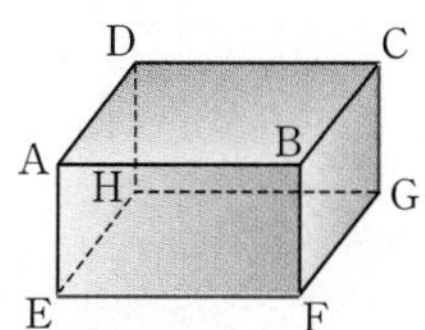

따라서 하나의 평면을 결정하는 조건은 ㄴ, ☐

1-2 | 따라풀기 |

하나의 평면을 결정하는 조건을 다음 | 보기 |에서 모두 고르시오.

| 보기 |
ㄱ. 한 직선과 그 위에 있지 않은 한 점
ㄴ. 꼬인 위치에 있는 두 직선
ㄷ. 한 직선 위에 있지 않은 서로 다른 세 점

풀이

2-1 | 공간에서 직선, 평면의 위치 관계 |

오른쪽 그림과 같은 직육면체에서 다음을 구하시오.

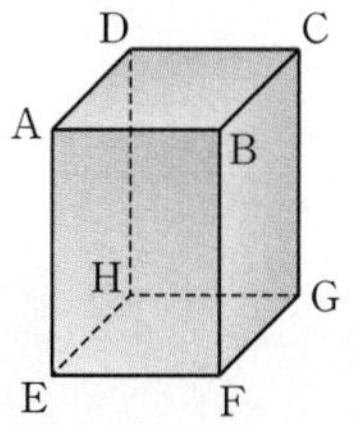

(1) 직선 AB와 한 점에서 만나는 직선
(2) 직선 AB와 평행한 직선
(3) 직선 AB와 꼬인 위치에 있는 직선

연구

(1) 직선 AB와 한 점에서 만나는 직선은 점 A와 만나거나 점 B와 만난다. 즉,
직선 AD, 직선 AE, 직선 BC, 직선 ☐

(2) 직선 AB와 평행한 직선은 **직선 DC, 직선** ☐, **직선 HG**

(3) 직선 AB와 꼬인 위치에 있는 직선은 직선 AB와 만나지도 않고 평행하지도 않다. 즉,
직선 CG, 직선 DH, 직선 EH, 직선 ☐

2-2 | 따라풀기 |

오른쪽 그림과 같은 정사면체에서 다음을 구하시오.

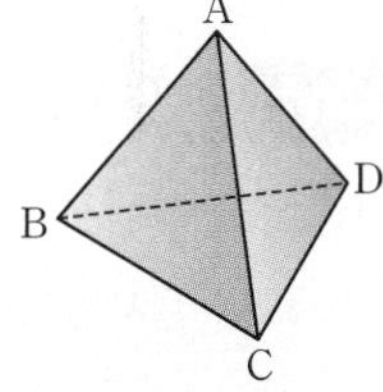

(1) 직선 AB와 꼬인 위치에 있는 직선
(2) 직선 AB를 포함하는 평면
(3) 직선 AB와 한 점에서 만나는 평면

풀이

8 공간도형

개념 3 삼수선의 정리

평면 α 위에 있지 않은 한 점 P, 평면 α 위의 한 점 O, 점 O를 지나지 않고 평면 α 위에 있는 한 직선 l, 직선 l 위의 한 점 H에 대하여 다음이 성립한다. 이를 **삼수선의 정리**라 한다.

❶ $\overline{PO}\perp\alpha$, $\overline{OH}\perp$ ❶ ☐ 이면 $\overline{PH}\perp l$

❷ $\overline{PO}\perp\alpha$, $\overline{PH}\perp l$이면 $\overline{OH}\perp l$

❸ $\overline{PH}\perp l$, $\overline{OH}\perp l$, $\overline{PO}\perp\overline{OH}$이면 ❷ ☐ $\perp\alpha$

❶
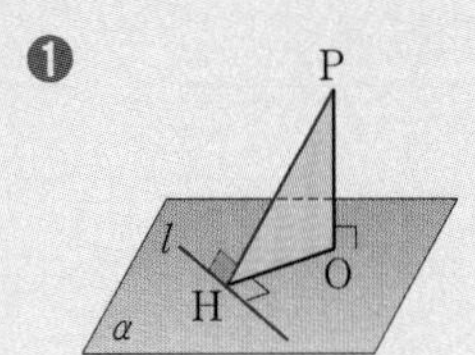

❷
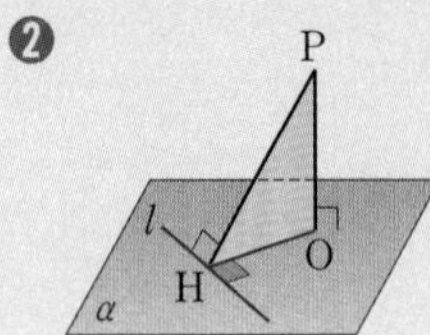

❸
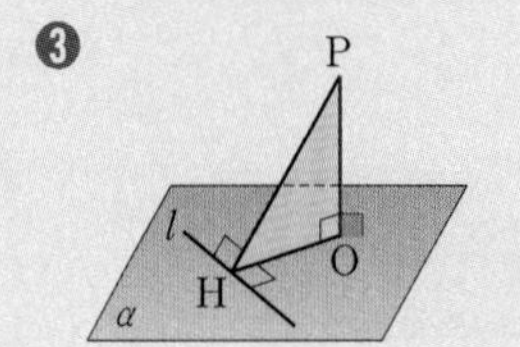

답 ❶ l ❷ $\overline{PO}$

개념 4 이면각

오른쪽 그림과 같이 직선 l을 공유하는 두 ㉠반평면 α, β로 이루어진 도형을 **이면각**이라 한다. 이때 직선 l을 **이면각의 변**, 두 ❶ ☐ α, β를 각각 **이면각의 면**이라 한다.

직선 l 위의 한 점 ❷ ☐ 를 지나고 직선 l에 수직인 두 반직선 OA, OB를 반평면 α, β 위에 각각 그을 때, ㉡$\angle$AOB의 크기를 **이면각의 크기**라 한다.

일반적으로 두 평면이 만나서 생기는 이면각 중에서 그 크기가 크지 않은 쪽의 각을 ㉢두 평면이 이루는 각이라 한다.

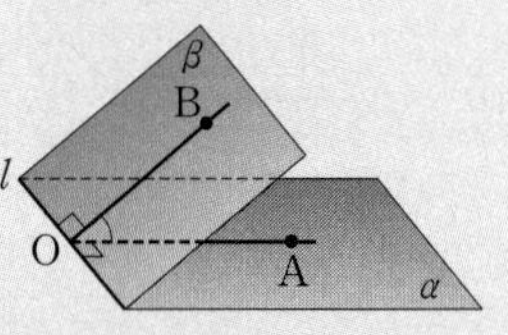

답 ❶ 반평면 ❷ O

개념 5 정사영

(1) 한 점 P에서 평면 α에 내린 수선의 발 P′을 점 P의 평면 α 위로의 ㉣**정사영**이라 한다. 또 도형 F의 각 점의 평면 α 위로의 정사영으로 이루어진 도형 F'을 도형 F의 평면 α 위로의 정사영이라 한다.

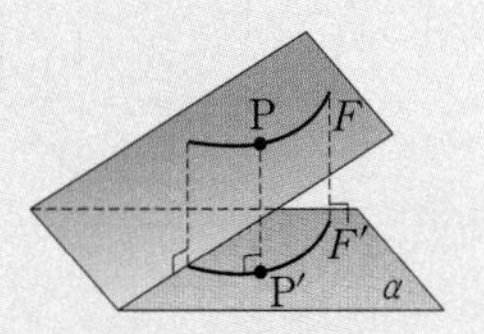

(2) 정사영의 길이

선분 AB의 평면 α 위로의 정사영이 선분 ❶ ☐ 이고, 직선 AB와 평면 α가 이루는 각의 크기가 $\theta(0^\circ\le\theta\le90^\circ)$일 때

$\overline{A'B'}=\overline{AB}\cos\theta$

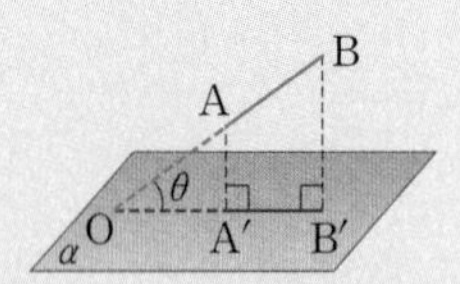
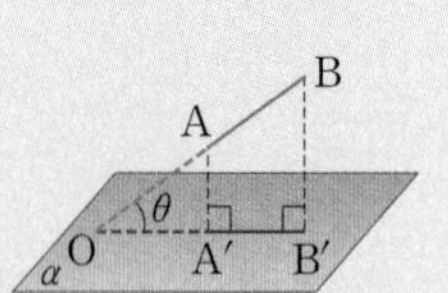

(3) 정사영의 넓이

평면 β 위의 도형의 넓이를 S, 이 도형의 평면 α 위로의 정사영의 넓이를 S'이라 하고, 두 평면 α, β가 이루는 각의 크기가 $\theta(0^\circ\le\theta\le90^\circ)$일 때

$S'=S$ ❷ ☐

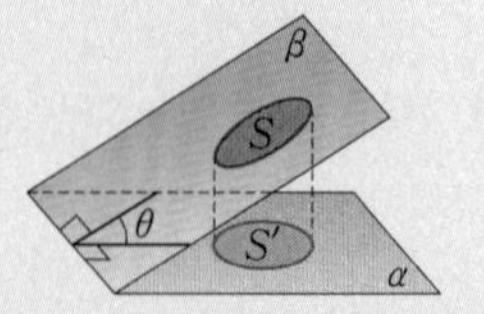

답 ❶ A′B′ ❷ $\cos\theta$

개념 플러스

㉠ 평면 위의 한 직선은 그 평면을 두 부분으로 나누는 데, 그 각각을 반평면이라 한다.

㉡ 이면각의 크기는 점 O의 위치에 관계없이 항상 일정하다.

㉢ 그림과 같이 두 평면 α, β가 이루는 각의 크기는 θ이다.

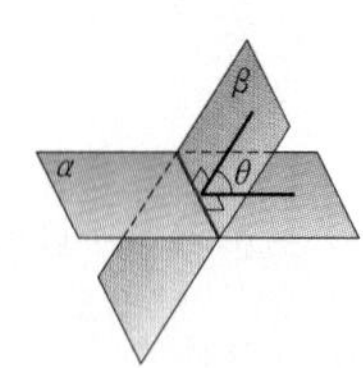

두 평면 α, β가 이루는 각의 크기가 90°일 때, 두 평면 α, β는 수직이라 하며, 기호로 $\alpha\perp\beta$와 같이 나타낸다.

㉣ 정사영(正射影)은 '똑바로 내린 그림자'라는 뜻이다.

3-1 | 삼수선의 정리 |

오른쪽 그림과 같이 평면 α 위에 있지 않은 한 점 P에서 평면 α에 내린 수선의 발을 O, 점 O에서 평면 α 위의 한 직선 l에 내린 수선의 발을 H라 하자. $\overline{PH}=4$, $\overline{QH}=3$일 때, 선분 PQ의 길이를 구하시오.

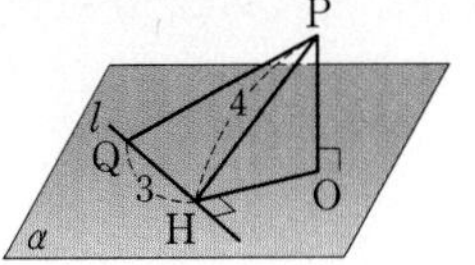

연구

$\overline{PO}\perp\alpha$, $\overline{OH}\perp l$이므로 삼수선의 정리에서 $\overline{PH}\perp$ ☐

따라서 $\triangle$PQH는 직각삼각형이므로

$\overline{PQ}=\sqrt{\overline{PH}^2+\overline{QH}^2}=\sqrt{4^2+3^2}=\mathbf{5}$

3-2 | 따라풀기 |

오른쪽 그림과 같이 평면 α 위에 있지 않은 한 점 P에서 평면 α에 내린 수선의 발을 O, 점 O에서 평면 α 위의 한 직선 l에 내린 수선의 발을 H라 하자. $\overline{PQ}=2$, $\overline{QH}=\sqrt{2}$, $\overline{PO}=1$일 때, 선분 OH의 길이를 구하시오.

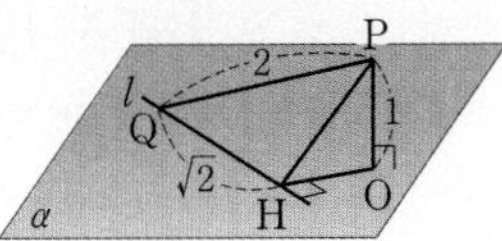

풀이

4-1 | 정사영 |

선분 AB의 평면 α 위로의 정사영이 선분 A′B′이고 직선 AB와 평면 α가 이루는 각의 크기가 θ일 때, 다음을 구하시오.

(1) $\overline{AB}=8$, $\theta=60^\circ$일 때, $\overline{A'B'}$의 길이

(2) $\overline{AB}=6$, $\overline{A'B'}=3\sqrt{3}$일 때, θ의 크기 (단, $0^\circ\le\theta\le90^\circ$)

연구

(1) 선분 AB의 평면 α 위로의 정사영인 선분 A′B′의 길이는

$\overline{A'B'}=\overline{AB}\cos 60^\circ=8\times\dfrac{1}{☐}=$ ☐

(2) 선분 AB의 평면 α 위로의 정사영이 선분 A′B′이므로

$\overline{A'B'}=\overline{AB}\cos\theta$, $3\sqrt{3}=$ ☐ $\cos\theta$

$\cos\theta=\dfrac{\sqrt{3}}{2}$ $\therefore\ \theta=$ ☐ ($\because 0^\circ\le\theta\le90^\circ$)

4-2 | 따라풀기 |

다음을 구하시오.

(1) 선분 AB의 길이가 6이고 선분 AB의 평면 α 위로의 정사영의 길이가 $3\sqrt{2}$일 때, 직선 AB와 평면 α가 이루는 각의 크기 θ (단, $0^\circ\le\theta\le90^\circ$)

(2) 두 평면 α, β가 이루는 각의 크기가 30°이고, 평면 β 위에 있는 넓이가 6인 도형의 평면 α 위로의 정사영의 넓이

풀이

셀파 특강 01 평면의 결정 조건

A 공간에서 한 점 A를 지나는 직선은 [그림 1]처럼 무수히 많이 있지만, 서로 다른 두 점 A, B를 지나는 직선은 [그림 2]처럼 오직 하나만 존재해. 즉, 서로 다른 두 점은 한 직선을 결정하지.

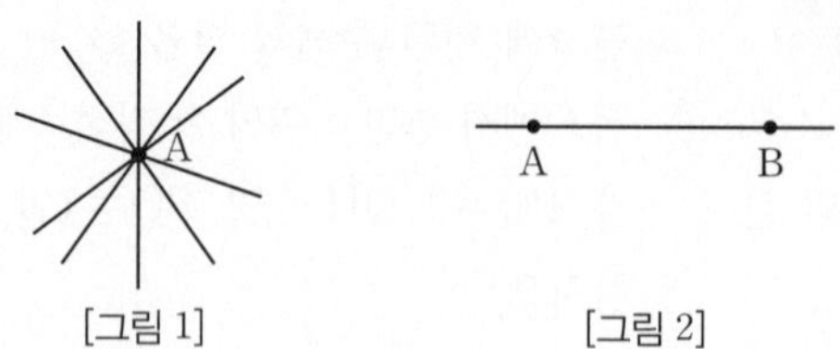

[그림 1] [그림 2]

Q 네, 그러면 같은 방법으로 공간에서 하나의 평면이 결정되는 조건을 생각해 볼게요. 공간에서 서로 다른 두 점 A, B를 지나는 평면은 [그림 3]처럼 무수히 많아요. 하지만 ㉠한 직선 위에 있지 않은 세 점 A, B, C를 지나는 평면은 [그림 4]처럼 오직 하나예요. 따라서 한 직선 위에 있지 않은 서로 다른 세 점은 하나의 평면을 결정하겠네요.

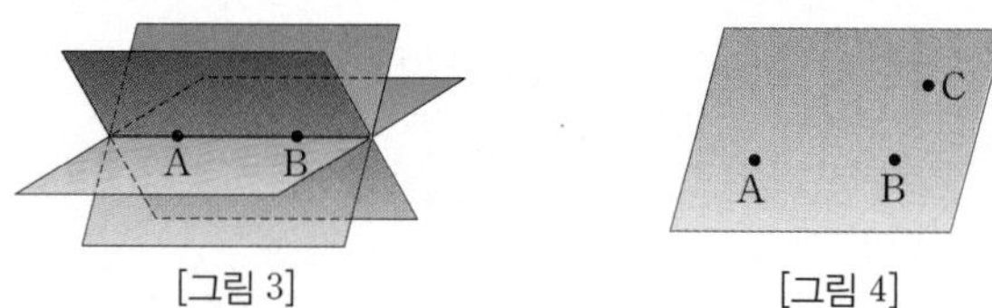

[그림 3] [그림 4]

A 그래! 맞았어. 이때 두 점은 하나의 직선을 결정하므로 한 직선과 그 위에 있지 않은 한 점도 하나의 평면을 결정하지. 또한 ㉡한 점에서 만나는 두 직선, 평행한 두 직선도 각각 하나의 평면을 결정해. 따라서 공간에서 평면의 결정 조건을 정리하면 다음과 같아.

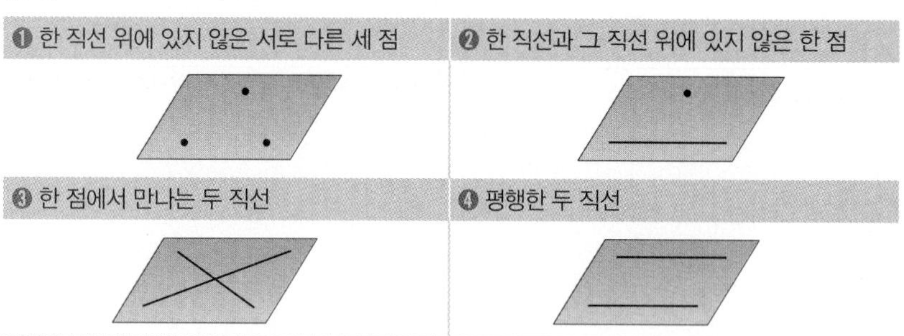

예 오른쪽 그림과 같은 정육면체에서

세 점 A, B, C (❶)
점 A와 직선 BC (❷)
직선 AD와 직선 AB (❸)
직선 AD와 직선 BC (❹)

⇨ 평면 ABCD를 결정

㉠ 한 직선 위에 있지 않은 세 점 A, B, C에 따라 결정되는 평면을 평면 ABC로 나타낸다.

㉡ ❸ 한 점 A에서 만나는 두 직선 l, m은 한 평면을 결정한다.

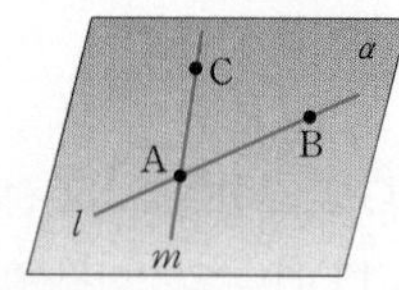

증명
그림과 같이 점 A가 아닌 직선 l 위의 임의의 점을 B라 하고, 직선 m 위의 임의의 점을 C라 하면 세 점 A, B, C는 한 직선 위에 있지 않으므로 한 평면 α를 결정한다.
이때 직선 l 위의 두 점 A, B가 평면 α 위에 있으므로 직선 l은 평면 α에 포함되고, 직선 m 위의 두 점 A, C가 평면 α 위에 있으므로 직선 m은 평면 α에 포함된다.
따라서 한 점 A에서 만나는 두 직선 l, m은 한 평면 α를 결정한다.

❹ 평행한 두 직선 l, m은 한 평면을 결정한다.

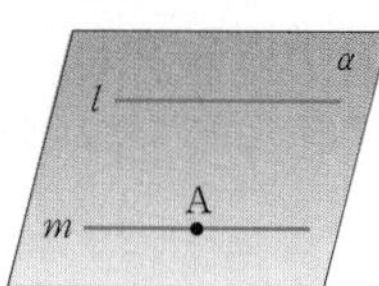

증명
그림과 같이 직선 m 위의 임의의 점을 A라 하면 점 A는 직선 l 위에 있지 않으므로 직선 l과 점 A는 한 평면 α를 결정한다.
한편 두 직선 l, m을 포함하는 평면은 직선 l과 직선 m 위의 점 A를 포함하므로 이 평면은 평면 α와 같다.
따라서 평행한 두 직선 l, m은 한 평면 α를 결정한다.

해법 01 평면의 결정 조건

공간에서 하나의 평면이 결정되는 조건은 다음과 같다.
❶ 한 직선 위에 있지 않은 세 점
❷ 한 직선과 그 위에 있지 않은 한 점
❸ 한 점에서 만나는 두 직선
❹ 평행한 두 직선

PLUS ⊕
한 직선 위에 있는 세 점, 한 직선과 그 위에 있는 한 점, 꼬인 위치에 있는 두 직선은 한 평면을 결정할 수 없다.

예제 오른쪽 그림과 같은 직육면체에서 다음과 같이 주어질 때, 한 평면을 결정할 수 있는 것을 찾고, 평면을 모두 말하시오.

(1) 세 점 D, E, F
(2) 직선 AB와 직선 CG
(3) 세 점 D, E, F와 직선 AB

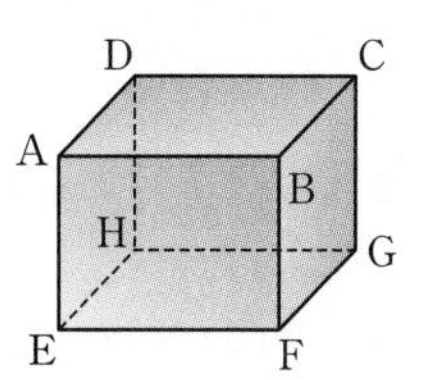
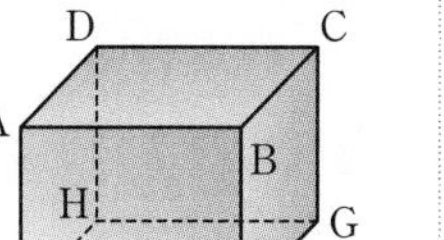

해법 코드
꼬인 위치에 있는 두 직선은 한 평면을 결정할 수 없다. 그러나 한 직선 위에 있지 않은 서로 다른 세 점 또는 한 직선과 그 위에 있지 않은 한 점은 한 평면을 결정할 수 있다.

셀파 주어진 직육면체를 이용하여 평면이 결정되는 경우를 알아본다.

풀이 (1) 세 점 D, E, F로 만들 수 있는 평면은 **평면 DEF**

(2) 직선 AB와 직선 CG는 꼬인 위치에 있으므로 한 **평면을 결정할 수 없다.**

(3) (ⅰ) 세 점 D, E, F로 만들 수 있는 평면은 평면 DEF
(ⅱ) 세 점 D, E, F와 직선 AB로 만들 수 있는 평면은
평면 DAB, 평면 EAB, 평면 FAB
그런데 네 점 A, E, F, B는 한 평면 위에 있다.
즉, 평면 EAB와 평면 FAB는 같은 평면이다.
(ⅰ), (ⅱ)에서 구하는 평면은 **평면 DEF, 평면 DAB, 평면 AEFB**

다른 풀이
(3) 직선 AB와 세 점 D, E, F 중 한 점을 택하여 한 평면을 결정할 수 있다.
이때 직선 AB와 꼭짓점 E로 만든 평면과 직선 AB와 꼭짓점 F로 만든 평면은 서로 같은 평면이고, 세 점 D, E, F로 한 평면을 만들 수 있다.
따라서 구하는 서로 다른 평면은
평면 DEF, 평면 DAB,
평면 AEFB

확인 문제

정답과 해설 | 68쪽

01-1 (상중**하**) 어느 세 점도 한 직선 위에 있지 않고 어느 네 점도 한 평면 위에 있지 않은 공간 위의 서로 다른 5개의 점으로 만들 수 있는 평면의 개수를 구하시오.

01-2 (상**중**하) 오른쪽 그림과 같은 삼각기둥에서 꼭짓점 A, B, D, E, F 중 세 점을 택하여 만들 수 있는 서로 다른 평면의 개수를 구하시오.

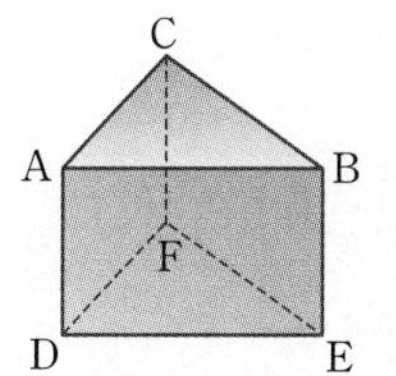

MY 셀파

01-1
한 직선 위에 있지 않은 서로 다른 세 점은 한 평면을 결정한다.

01-2
꼭짓점 A, B, D, E, F 중에서 한 평면 위에 있는 네 점이 있는지 살펴본다.

해법 02 공간에서 직선, 평면의 위치 관계

(1) 두 직선의 위치 관계

❶ 한 점에서 만난다. ❷ 평행하다. ❸ 꼬인 위치에 있다.

(2) 직선과 평면의 위치 관계

❶ 포함된다. ❷ 한 점에서 만난다. ❸ 평행하다(만나지 않는다).

(3) 두 평면의 위치 관계

❶ 만난다. ❷ 평행하다.

PLUS⊕

공간에서의 위치 관계를 입체도형으로 확인할 때는 다면체의 직선과 평면을 연장해서 생각한다.
이때 다면체에서 교점이나 교선이 없어도 직선과 평면을 연장하면 만나는 경우가 있다는 것을 주의한다.

 오른쪽 그림과 같은 직육면체에서 다음을 구하시오.

(1) 직선 AE와 꼬인 위치에 있는 직선

(2) 직선 BC와 평행한 평면

(3) 직선 DC와 한 점에서 만나는 평면

(4) 평면 EFGH와 만나는 평면

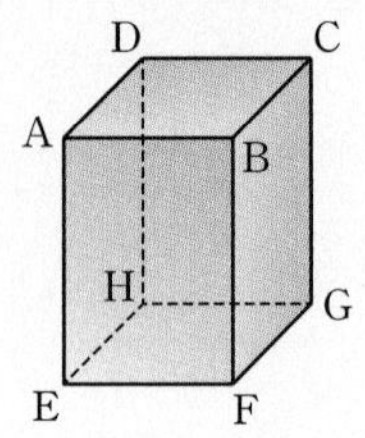

해법 코드

(1) 직선 AE와 만나거나 평행한 직선을 제외한다.

(2) 직선 BC를 포함하거나 직선 BC와 한 점에서 만나는 평면을 제외한다.

(4) 평면 EFGH와 평행한 평면을 제외한다.

셀파 다면체에서는 직선과 평면을 연장해서 생각한다.

풀이 (1) ㉠직선 AE와 꼬인 위치에 있는 직선은

직선 CD, 직선 BC, 직선 FG, 직선 GH

(2) ㉡직선 BC와 평행한 평면은

평면 AEHD, 평면 EFGH

(3) 직선 DC와 한 점에서 만나는 평면은

평면 AEHD, 평면 BFGC

(4) 평면 EFGH와 만나는 평면은

평면 AEFB, 평면 BFGC, 평면 DHGC, 평면 AEHD

㉠ (i) 직선 AE와 만나는 직선
직선 AB, 직선 EF,
직선 AD, 직선 EH
(ii) 직선 AE와 평행한 직선
직선 BF, 직선 CG, 직선 DH
(i), (ii)를 제외한 나머지 직선이다.

㉡ (i) 직선 BC를 포함하는 평면
평면 ABCD, 평면 BFGC
(ii) 직선 BC와 한 점에서 만나는 평면
평면 AEFB, 평면 DHGC
(i), (ii)를 제외한 나머지 평면이다.

확인 문제

정답과 해설 | 68쪽

02-1 상중하

오른쪽 그림과 같은 정팔면체에서 다음을 구하시오.

(1) 직선 AB와 꼬인 위치에 있는 직선

(2) 직선 AC와 평행한 평면

(3) 평면 ABC와 만나는 평면

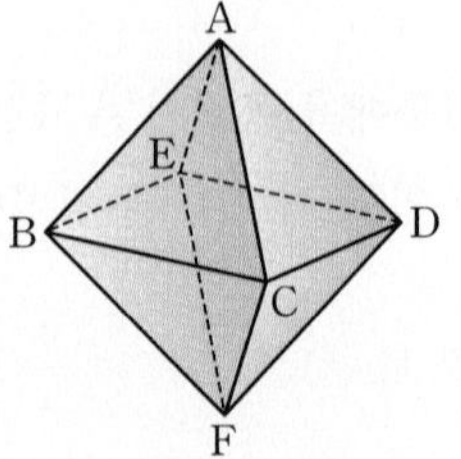

MY 셀파

02-1

(1) 직선 AB와 만나거나 평행한 직선을 제외한다.

(2) 직선 AC를 포함하거나 직선 AC와 만나는 평면을 제외한다.

(3) 평면 ABC와 평행한 평면을 제외한다.

셀파 특강 02 직선과 평면의 평행

❶ 두 직선 l, m이 서로 평행할 때, 직선 l을 포함하고 직선 m은 포함하지 않는 평면 α는 직선 m과 평행하다.

증명 ㉠평행한 두 직선 l, m으로 결정되는 평면을 β라 하자. 평면 α와 직선 m이 평행하지 않고 한 점 P에서 만난다고 가정하면 점 P는 직선 m 위의 점이므로 평면 β 위의 점이다. 따라서 점 P는 두 평면 α, β 위에 있으므로 두 평면의 교선인 직선 l 위에도 있게 된다. 즉, 두 직선 l, m은 점 P에서 만나므로 이는 두 직선 l, m이 평행하다는 가정에 모순이다. $\therefore \alpha /\!/ m$

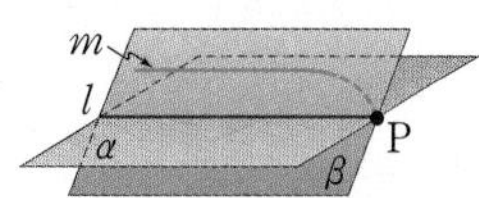

▶공간에서 두 직선이 평행함을 증명하려면 다음 두 가지를 모두 보인다.
❶ 두 직선이 만나지 않는다.
❷ 두 직선이 같은 평면 위에 있다.

㉠ 평행한 두 직선으로 하나의 평면이 결정된다. 즉, 평행한 두 직선 l, m에 따라 결정되는 평면은 오직 하나이다.

❷ 직선 l과 평면 α가 평행할 때, 직선 l을 포함하는 평면 β와 평면 α의 교선을 m이라 하면 두 직선 l, m은 서로 평행하다.

증명 직선 l과 평면 α가 평행하므로 직선 l과 평면 α는 만나지 않는다. 따라서 직선 l은 평면 α 위의 직선 m과도 만나지 않는다. 그런데 ㉡두 직선 l, m은 한 평면 β 위에 있으므로 $l /\!/ m$

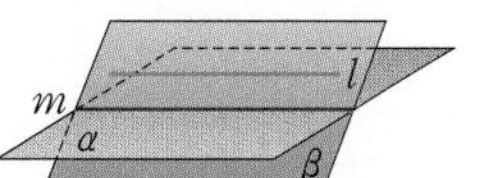

주의
평면 α와 직선 l이 평행하다고 해서 직선 l이 평면 α 위의 모든 직선과 평행한 것은 아니다. 다음 그림과 같이 직선 l은 평면 α 위의 직선 n과 꼬인 위치에 있을 수 있다.

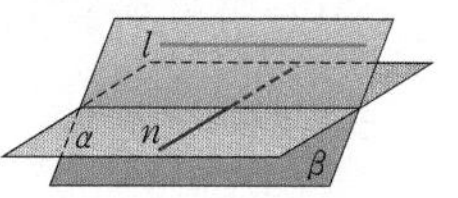

❸ 평행한 두 평면 α, β가 평면 γ와 만날 때 생기는 교선을 각각 l, m이라 하면 두 직선 l, m은 서로 평행하다.

증명 두 평면 α, β는 평행하므로 평면 α에 포함된 직선 l과 평면 β에 포함된 직선 m도 만나지 않는다. 이때 두 직선 l, m은 평면 γ 위에 있으므로 $l /\!/ m$

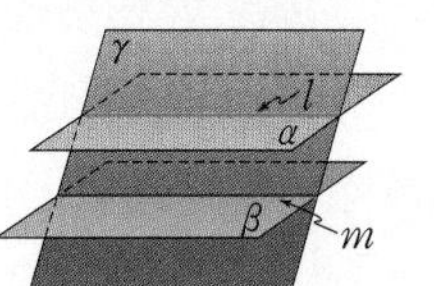

㉡ 한 평면 위에 있는 서로 다른 두 직선은 한 점에서 만나거나 평행하다. 이때 두 직선 l, m은 만나지 않으므로 평행하다.

❹ 평면 α 위에 있지 않은 한 점 P를 지나고 평면 α에 평행한 두 직선 l, m에 의해 결정되는 평면 β는 평면 α와 평행하다.

증명 두 평면 α, β가 평행하지 않다고 가정하면 두 평면 α, β의 교선 n은 평면 α에 포함되고 $l /\!/ \alpha$, $m /\!/ \alpha$이므로 두 직선 l, n과 두 직선 m, n은 만나지 않는다. 또 세 직선 l, m, n은 모두 β에 포함되므로 $l /\!/ n$, $m /\!/ n$이 되어 $l /\!/ m$이다. 이는 두 직선 l, m이 점 P에서 만난다는 가정에 모순이므로 $\alpha /\!/ \beta$

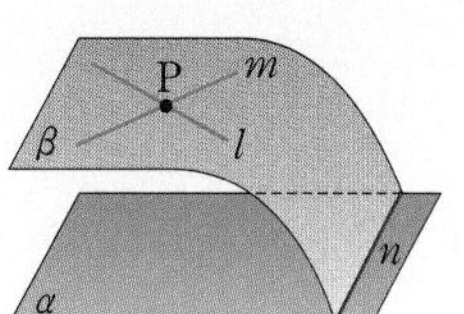

주의
평행한 두 평면 α, β 위에 각각 직선 l, m이 존재한다고 해서 항상 $l /\!/ m$인 것은 아니다. 다음 그림과 같이 두 직선 l, m이 꼬인 위치에 있을 수도 있다.

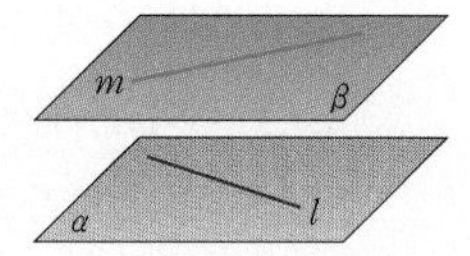

8 공간도형

셀파 특강 03 꼬인 위치에 있는 두 직선이 이루는 각

Q 공간에서 두 직선이 만나면 한 평면을 결정하므로 그 평면 위에서 두 직선이 이루는 각의 크기를 구할 수 있어요. 그런데 두 직선이 꼬인 위치에 있는 경우에는 두 직선이 이루는 각의 크기를 정할 수 없나요?

▶두 직선이 이루는 각의 크기는 보통 크기가 작은 쪽의 각을 택한다.

A 좋은 질문이야. 꼬인 위치에 있는 두 직선 사이의 각의 크기를 정하는 방법이 있어.
공간에서 두 직선 l, m이 꼬인 위치에 있을 때, 직선 l을 직선 m 위의 한 점 O에서 만나도록 평행이동한 직선을 l'이라 하면 두 직선 l', m은 한 평면을 결정해. 이때 이루는 각의 크기는 교점 O의 위치에 관계없이 항상 일정하지.

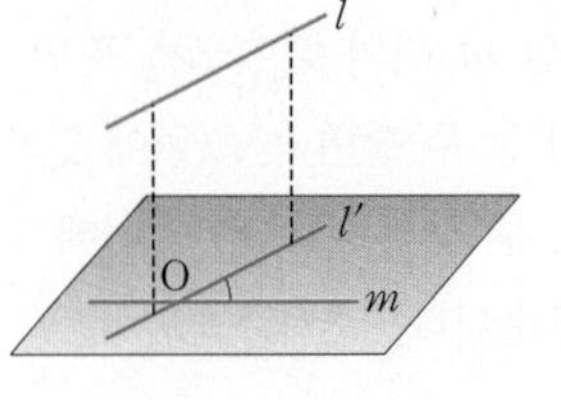

Q 아! 두 직선 l'과 m이 이루는 각의 크기가 바로 직선 l과 직선 m이 이루는 각의 크기와 같겠네요.

A 맞아. 이제 핵심적인 내용을 다시 정리해 보자.

공간에서 두 직선이 이루는 각
꼬인 위치에 있는 두 직선 l, m에 대하여 두 직선이 한 점에서 만나도록 직선 l에 평행한 직선 l'을 그으면 두 직선 l', m은 한 평면을 결정한다. 이때 ㉠두 직선이 이루는 각 θ를 두 직선 l, m이 이루는 각이라 한다.

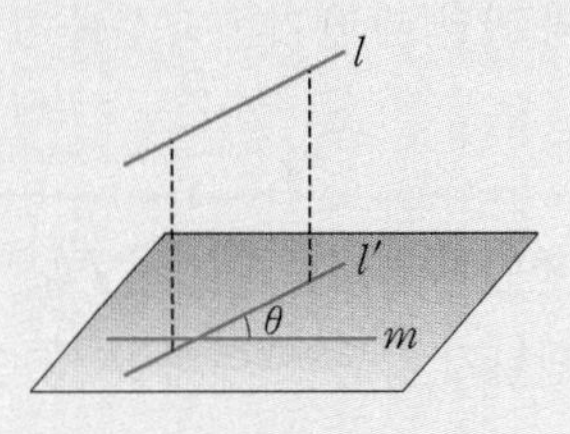

㉠ 특히 두 직선 l', m이 이루는 각이 직각일 때, 두 직선 l, m은 서로 수직이라 하고, 기호로 $l \perp m$과 같이 나타낸다.

보기 오른쪽 그림과 같은 삼각기둥에서 꼬인 위치에 있는 두 직선 AB와 EF, 두 직선 AD와 BC가 이루는 각의 크기를 각각 구하시오.

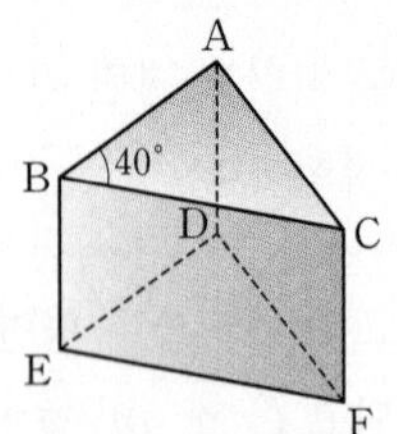

연구 $\overline{BC} /\!/ \overline{EF}$에서 ㉡두 직선 AB와 EF가 이루는 각의 크기는 두 직선 AB와 BC가 이루는 각의 크기와 같으므로 40°
또 $\overline{AD} /\!/ \overline{CF}$에서 ㉢두 직선 AD와 BC가 이루는 각의 크기는 두 직선 CF와 BC가 이루는 각의 크기와 같으므로 90°

㉡ 꼬인 위치에 있는 두 직선 AB와 EF에서 직선 EF를 직선 AB 위의 한 점 B에서 만나도록 평행이동하면 직선 BC가 된다.

㉢ 꼬인 위치에 있는 두 직선 AD와 BC에서 직선 AD를 직선 BC 위의 한 점 C에서 만나도록 평행이동하면 직선 CF가 된다.

해법 03 두 직선이 이루는 각의 크기

꼬인 위치에 있는 두 직선 l, m이 이루는 각의 크기는 두 직선이 한 점에서 만나도록 직선 l을 평행이동한 직선을 l'이라 할 때, 한 점에서 만나는 두 직선 l', m이 이루는 각의 크기와 같다.

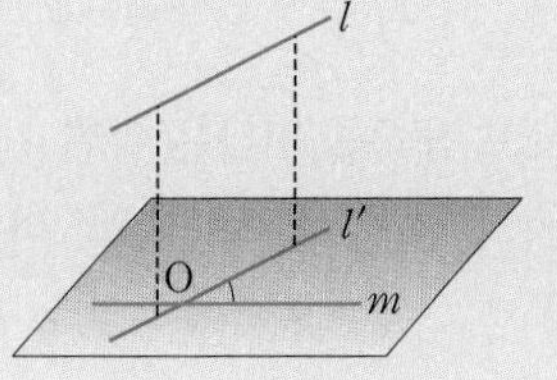

PLUS

한 점에서 만나는 두 직선은 한 평면을 결정하고, 이 평면에서 두 직선이 이루는 각의 크기를 구할 수 있다.

예제 오른쪽 그림과 같은 정육면체에서 다음 두 직선이 이루는 각의 크기를 구하시오.

(1) 직선 BD와 직선 EF

(2) 직선 BE와 직선 CF

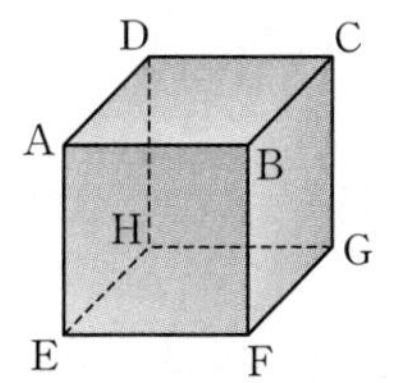

해법 코드

(1) $\overline{EF}$와 평행하면서 $\overline{BD}$와 한 점에서 만나는 선분을 찾는다.

(2) $\overline{CF}$와 평행하면서 $\overline{BE}$와 한 점에서 만나는 선분을 찾는다.

셀파 꼬인 위치에 있는 두 직선이 한 점에서 만나도록 한 직선을 평행이동한다.

풀이 (1) ㉠$\overline{EF} /\!/ \overline{AB}$이므로 두 직선 BD와 EF가 이루는 각의 크기는 두 직선 BD와 AB가 이루는 각의 크기와 같다.
이때 두 직선 BD와 AB가 이루는 각의 크기가 45°이므로 구하는 각의 크기도 **45°**

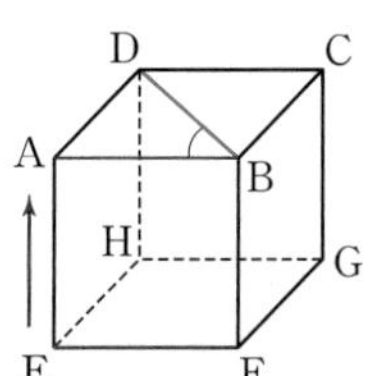

(2) $\overline{CF} /\!/ \overline{DE}$이므로 두 직선 BE와 CF가 이루는 각의 크기는 두 직선 BE와 DE가 이루는 각의 크기와 같다.
이때 ㉡△DEB가 정삼각형이므로 두 직선 BE와 DE가 이루는 각의 크기는 60°이다.
따라서 구하는 각의 크기도 **60°**

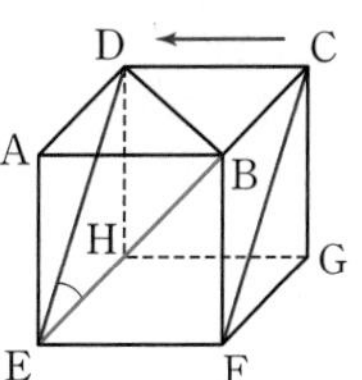

㉠ 직선 BD와 직선 EF는 꼬인 위치에 있으므로 두 직선이 한 점에서 만나도록 직선 EF를 평행이동하여 직선 BD와 한 점 B에서 만나게 하면 직선 AB가 된다.

㉡ $\overline{DE}$, $\overline{BE}$, $\overline{BD}$는 모두 합동인 정사각형의 대각선이므로 길이가 서로 같다.

확인 문제

정답과 해설 | 68쪽

MY 셀파

03-1 (상중하) 오른쪽 그림과 같은 정팔면체에서 다음 두 직선이 이루는 각의 크기를 구하시오.

(1) 직선 AB와 직선 EF

(2) 직선 AE와 직선 CD

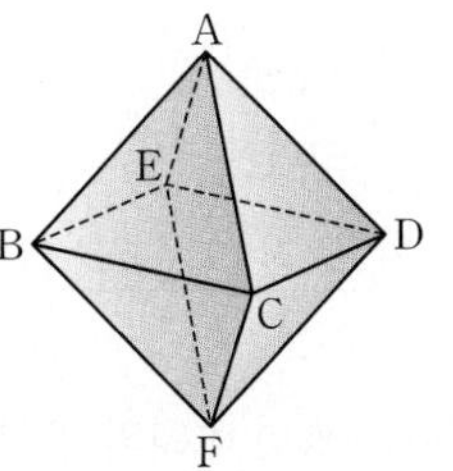

03-1
정팔면체의 모든 면은 합동인 정삼각형이다.

03-2 (상중하) 오른쪽 그림과 같은 직육면체에서 $\overline{AB}=4$, $\overline{AD}=2$, $\overline{AE}=3$이고, 직선 AF와 직선 CG가 이루는 각의 크기가 θ일 때, $\sin\theta$의 값을 구하시오.

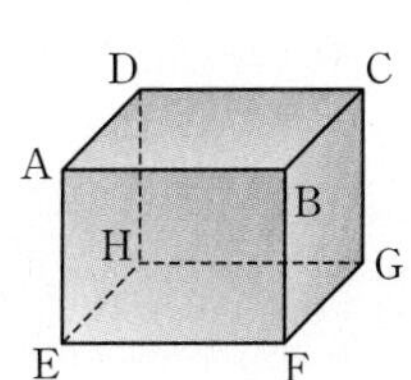

03-2
$\overline{CG}$와 평행하면서 $\overline{AF}$와 한 점에서 만나는 선분을 찾는다.

8 공간도형

셀파 특강 04 직선과 평면의 수직

직선 l이 평면 α와 점 O에서 만나고 점 O를 지나는 평면 α 위의 모든 직선과 수직일 때, 직선 l과 평면 α는 수직이라 하고, 기호로 $l \perp \alpha$와 같이 나타낸다.
이때 직선 l을 평면 α의 수선이라 하며 직선 l과 평면 α가 만나는 점 O를 수선의 발이라 한다.

직선과 평면의 수직 관계에 대해서 다음 정리가 성립한다.

> 직선 l이 평면 α와 점 O에서 만나고, 점 O를 지나는 평면 α 위의 서로 다른 두 직선과 직선 l이 수직이면 직선 l과 평면 α는 수직이다.

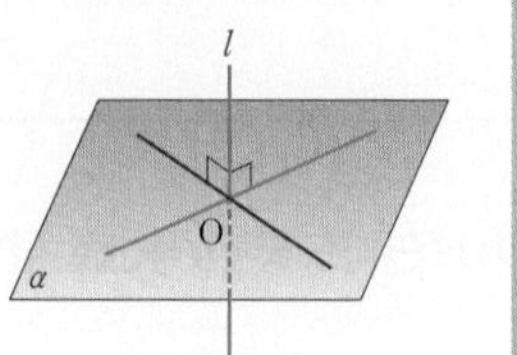

증명 점 O를 지나고 평면 α 위에 있으면서 두 직선 m, n과 서로 다른 ㉠임의의 한 직선을 c라 하고, 평면 α 위에서 세 직선 m, n, c와 점 O 이외의 점에서 만나는 직선을 그어 그 교점을 차례로 A, B, C라 하자.
또 직선 l 위에 $\overline{OP}=\overline{OP'}$인 서로 다른 두 점 P, P′을 잡자.
두 직선 m, n은 모두 $\overline{PP'}$의 수직이등분선이므로
$\overline{AP}=\overline{AP'}$, $\overline{BP}=\overline{BP'}$
또 $\overline{AB}$는 공통이므로 ㉡$\triangle PAB \equiv \triangle P'AB$
$\therefore \angle PAC=\angle P'AC$
또 $\overline{AP}=\overline{AP'}$이고 $\overline{AC}$는 공통이므로
㉢$\triangle PAC \equiv \triangle P'AC$ $\quad \therefore \overline{PC}=\overline{P'C}$
즉, ㉣$\triangle CPP'$은 이등변삼각형이고, 점 O는 $\overline{PP'}$의 중점이므로
$\overline{PP'} \perp \overline{OC}$ $\quad \therefore l \perp c$
따라서 직선 l은 점 O를 지나는 평면 α 위의 임의의 직선과 수직이므로
$l \perp \alpha$

참고 직선 l과 평면 α에 대하여 $l \perp \alpha$임을 보이려면 평면 α 위의 평행하지 않은 서로 다른 두 직선 m, n에 대하여 $l \perp m$, $l \perp n$임을 보이면 된다.

㉠ 평면 α 위에서 점 O를 지나는 임의의 직선 c와 직선 l이 수직임을 보이면 된다.

㉡ 선분 OA는 선분 PP′의 수직이등분선이므로 $\overline{PA}=\overline{P'A}$
선분 OB도 선분 PP′의 수직이등분선이므로 $\overline{PB}=\overline{P'B}$
선분 AB는 공통이다.
따라서 대응하는 세 변의 길이가 각각 같으므로
$\triangle PAB \equiv \triangle P'AB$

㉢ $\triangle PAB \equiv \triangle P'AB$에서
$\angle PAC=\angle P'AC$, $\overline{PA}=\overline{P'A}$
또 선분 AC는 공통이므로
$\triangle PAC \equiv \triangle P'AC$

㉣ 다음 그림과 같이 이등변삼각형의 꼭짓점과 밑변의 중점을 이은 선분, 즉 중선은 밑변에 수직이다.

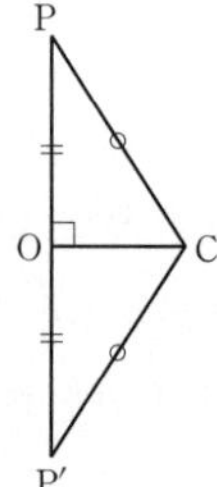

해법 04 직선과 평면의 수직, 평행

(1) 직선과 평면, 평면과 평면의 평행

공간에서 직선 l과 평면 α가 서로 평행하면 교점이 존재하지 않는다.

또 두 평면 α, β가 서로 평행하면 교선이 존재하지 않는다.

(2) 직선과 평면의 수직

공간에서 직선 l과 평면 α 위의 모든 직선이 수직이면 직선 l은 평면 α와 수직이다.

PLUS

직선 l과 평면 α가 서로 평행하지 않으면 직선 l과 평면 α는 교점을 가진다. 또 두 평면 α, β가 서로 평행하지 않으면 두 평면 α, β는 교선을 가진다.

예제 서로 다른 두 직선 l, m과 서로 다른 두 평면 α, β에 대하여 다음 | 보기 | 중에서 옳은 것을 모두 고르시오.

보기

ㄱ. $l \perp \alpha$, $m \perp \alpha$이면 $l /\!/ m$이다.

ㄴ. $l \perp \alpha$, $l \perp \beta$이면 $\alpha /\!/ \beta$이다.

ㄷ. $l /\!/ \alpha$, $l /\!/ \beta$이면 $\alpha /\!/ \beta$이다.

ㄹ. $l /\!/ \alpha$, $m /\!/ \alpha$이면 $l /\!/ m$이다.

해법 코드

직선과 평면의 위치 관계는 직육면체를 이용한다. 이때 직육면체의 모서리는 직선으로, 면은 평면으로 생각하여 주어진 직선과 평면의 평행 관계, 두 평면의 평행 관계 및 수직 관계를 확인한다.

셀파 직선과 평면, 두 평면의 위치 관계는 그림을 그려서 살펴본다.

풀이 ㄱ. $l \perp \alpha$, $m \perp \alpha$이면 $l /\!/ m$이다. (참)

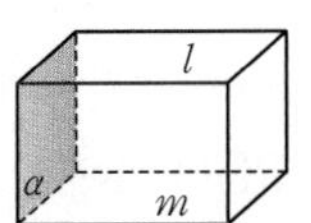

ㄴ. $l \perp \alpha$, $l \perp \beta$이면 $\alpha /\!/ \beta$이다. (참)

ㄷ. [반례] $l /\!/ \alpha$, $l /\!/ \beta$이지만 $\alpha \perp \beta$이다. (거짓)

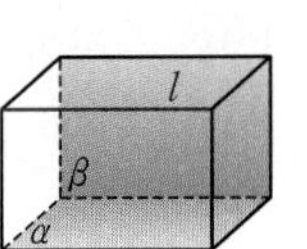

ㄹ. [반례] $l /\!/ \alpha$, $m /\!/ \alpha$이지만 $l \perp m$이다. (거짓)

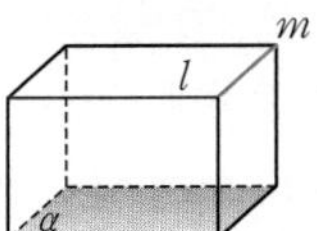

따라서 보기 중 옳은 것은 ㄱ, ㄴ

다른 풀이

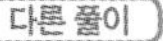

공간에서 직선과 평면을 그려 위치 관계를 확인하면 다음과 같다.

ㄱ.

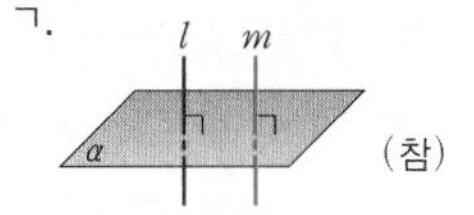

ㄴ.

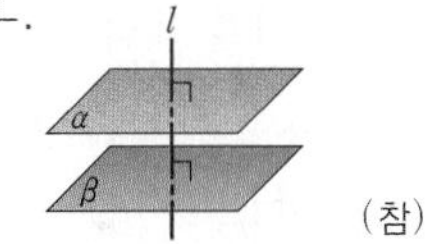

ㄷ. [반례]

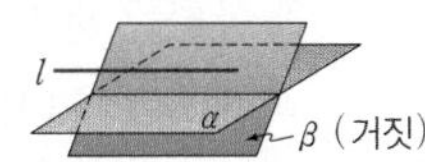

ㄹ. [반례]

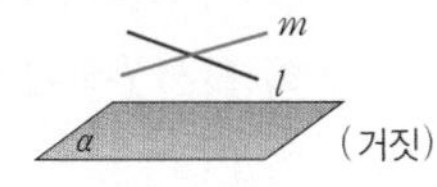

확인 문제

정답과 해설 | 69쪽

04-1 상중하 서로 다른 세 직선 l, m, n과 서로 다른 세 평면 α, β, γ에 대하여 다음 | 보기 | 중에서 옳은 것을 모두 고르시오.

보기

ㄱ. $l \perp m$, $m \perp n$이면 $l /\!/ n$이다.

ㄴ. $l \perp \alpha$, $l /\!/ \beta$이면 $\alpha \perp \beta$이다.

ㄷ. $l /\!/ \alpha$, $\alpha \perp \beta$이면 $l /\!/ \beta$이다.

ㄹ. $\alpha \perp \beta$, $\beta \perp \gamma$이면 $\alpha /\!/ \gamma$이다.

MY 셀파

04-1

직육면체에서 서로 다른 세 모서리를 세 직선 l, m, n으로, 서로 다른 세 면을 세 평면 α, β, γ로 생각하고 위치 관계를 확인한다.

셀파 특강 05 삼수선의 정리

A 평면 α 위에 있지 않은 한 점 P, 평면 α 위의 한 점 O, 점 O를 지나지 않고 평면 α 위에 있는 한 직선 l, 직선 l 위의 한 점 H에 대하여 세 개의 수직 관계

$\overline{PO}\perp\alpha$, $\overline{OH}\perp l$, $\overline{PH}\perp l$

사이에 다음이 성립해. 이를 삼수선의 정리라고 하지.

❶ $\overline{PO}\perp\alpha$, $\overline{OH}\perp l$이면 $\overline{PH}\perp l$

❷ $\overline{PO}\perp\alpha$, $\overline{PH}\perp l$이면 $\overline{OH}\perp l$

❸ $\overline{PH}\perp l$, $\overline{OH}\perp l$, $\overline{PO}\perp\overline{OH}$이면 $\overline{PO}\perp\alpha$

증명 ❶ ㉠$\overline{PO}\perp\alpha$이고, 직선 l은 평면 α 위에 있으므로 $\overline{PO}\perp l$
또 가정에서 $\overline{OH}\perp l$이므로 ㉡직선 l은 두 선분 OH, PO를 포함하는 평면 PHO와 수직이다.
그런데 선분 PH는 평면 PHO 위에 있으므로
$\overline{PH}\perp l$

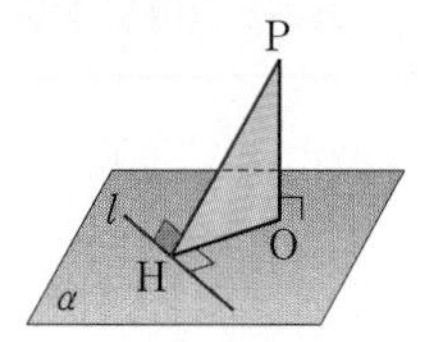

❷ $\overline{PO}\perp\alpha$이고, 직선 l은 평면 α 위에 있으므로 $\overline{PO}\perp l$
또 가정에서 $\overline{PH}\perp l$이므로 직선 l은 두 선분 PO, PH를 포함하는 평면 PHO와 수직이다.
그런데 선분 OH는 평면 PHO 위에 있으므로
$\overline{OH}\perp l$

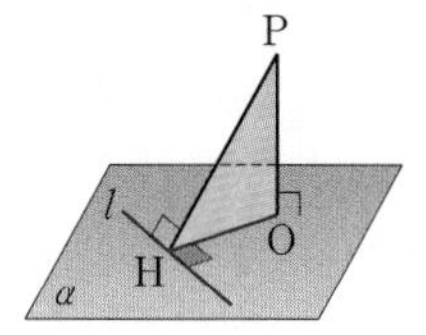

❸ $\overline{PH}\perp l$, $\overline{OH}\perp l$이므로 직선 l은 두 선분 PH, OH를 포함하는 평면 PHO와 수직이다.
이때 선분 PO는 평면 PHO 위에 있으므로
$\overline{PO}\perp l$
또 가정에서 $\overline{PO}\perp\overline{OH}$이므로 선분 PO는 선분 OH와 직선 l을 포함하는 평면 α와 수직이다.
$\therefore \overline{PO}\perp\alpha$

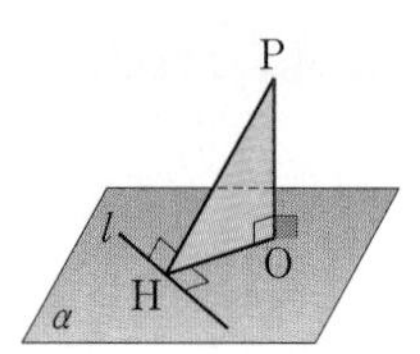

Q 아, 결국 삼수선의 정리는 세 개의 수직 관계 $\overline{PO}\perp\alpha$, $\overline{OH}\perp l$, $\overline{PH}\perp l$ 중에서 두 개의 수직 관계가 성립하면 나머지 한 개의 수직 관계도 성립하는 것을 의미하네요.

A 그렇지. 직선과 직선, 직선과 평면의 수직 조건이 두 개 이상 주어진 경우에 선분의 길이를 구하는 문제는 삼수선의 정리를 이용해.

▶ **직선과 평면의 수직에 대한 정리**

❶ 직선 l이 평면 α 위의 서로 다른 두 직선 m, n의 교점 O를 지나고 두 직선 m, n과 각각 수직이면 $l\perp\alpha$

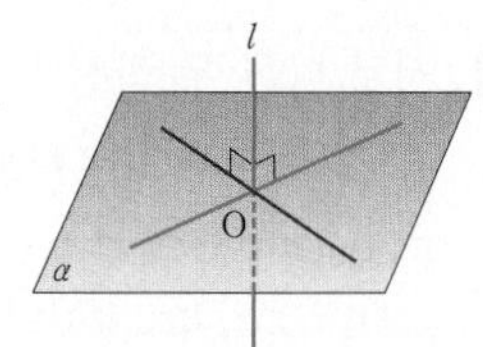

❷ 직선 l이 평면 α와 수직이면 직선 l은 평면 α 위의 모든 직선과 수직이다.

㉠ $\overline{PO}\perp\alpha$이면 직선 PO는 평면 α 위의 모든 직선과 수직이다.

㉡ 직선 l이 평면 PHO 위의 서로 다른 두 직선 PO, OH와 각각 수직이므로 $l\perp$(평면 PHO)이다.

평면 α 위에 있지 않은 한 점 P, 평면 α 위의 한 점 O, 점 O를 지나지 않고 평면 α 위에 있는 한 직선 l, 직선 l 위의 한 점 H에 대하여 다음이 성립한다.

❶	❷	❸
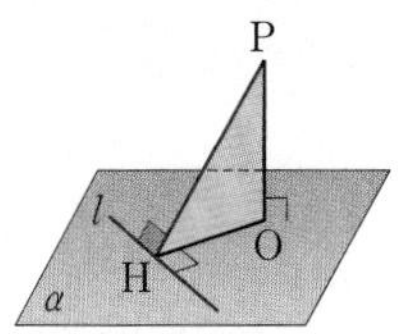	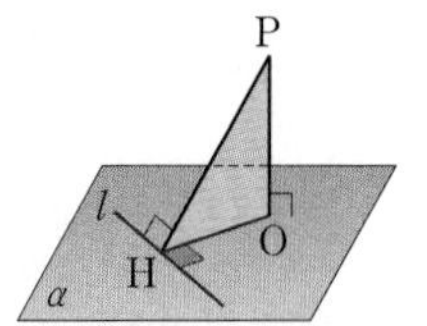	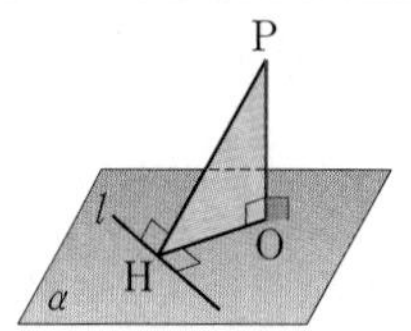
$\overline{PO}\perp\alpha$, $\overline{OH}\perp l$ ⇨ $\overline{PH}\perp l$	$\overline{PO}\perp\alpha$, $\overline{PH}\perp l$ ⇨ $\overline{OH}\perp l$	$\overline{PH}\perp l$, $\overline{OH}\perp l$, $\overline{PO}\perp\overline{OH}$ ⇨ $\overline{PO}\perp\alpha$

01 오른쪽 그림과 같이 평면 α 위에 있지 않은 한 점 P에서 평면 α에 내린 수선의 발을 O, 점 O에서 평면 α 위의 선분 AB에 내린 수선의 발을 H라 하자. $\overline{PO}=3$, $\overline{OH}=4$, $\overline{AH}=\sqrt{11}$일 때, 선분 PA의 길이를 구하시오.

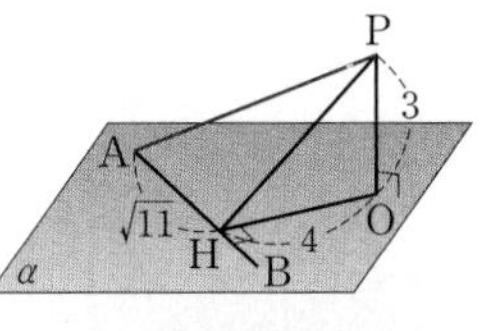

02 오른쪽 그림과 같이 평면 α 위에 있지 않은 한 점 P에서 평면 α에 내린 수선의 발을 O, 점 O에서 평면 α 위의 직선 l에 내린 수선의 발을 H라 할 때, $\overline{PO}=6$, $\overline{OH}=8$이다. 직선 l 위에 있는 점 A에 대하여 $\overline{PA}=12$ 일 때, 선분 AH의 길이를 구하시오.

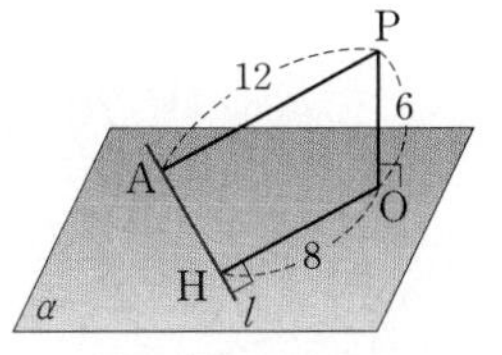

03 오른쪽 그림과 같이 서로 수직으로 만나는 세 선분 OA, OB, OC의 길이가 모두 2이다. 점 C에서 선분 AB에 내린 수선의 발을 H라 할 때, 선분 OH의 길이를 구하시오.

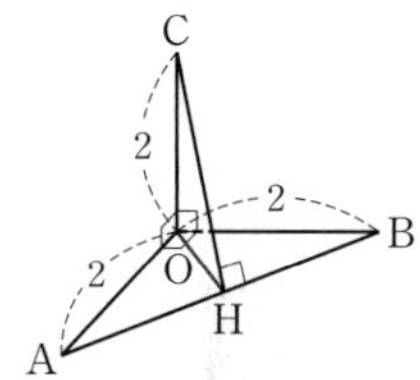

04 오른쪽 그림과 같이 한 모서리의 길이가 1인 정육면체가 있다. 꼭짓점 D에서 선분 EG에 내린 수선의 발을 I라 할 때, 선분 DI의 길이를 구하시오.

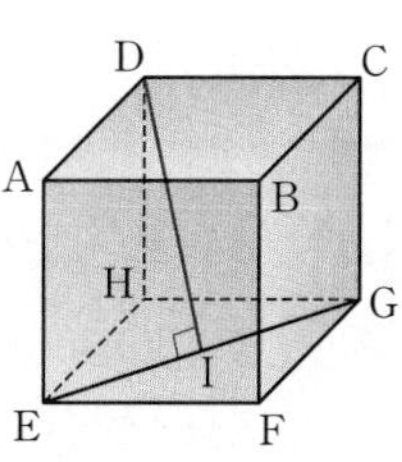

해법 05 삼수선의 정리의 활용

오른쪽 그림과 같은 직육면체에서 면 ABCD의 꼭짓점 A에서 면 EFGH 위에 있는 임의의 직선 l에 내린 수선의 발을 I라 하면 $\overline{AI}\perp l$이고, $\overline{AE}\perp$(평면 EFGH)이므로 삼수선의 정리에서 $\overline{EI}\perp l$이다.

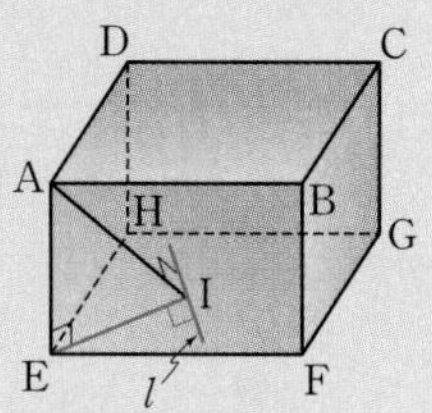

PLUS

삼수선의 정리를 이용할 때는 직각삼각형을 만든다. 이때 피타고라스 정리를 이용하여 직각삼각형의 각 변의 길이를 구한다.

예제 오른쪽 그림과 같은 직육면체에서 $\overline{EF}=4$, $\overline{FG}=3$, $\overline{CG}=2$일 때, 삼각형 DEG의 넓이를 구하시오.

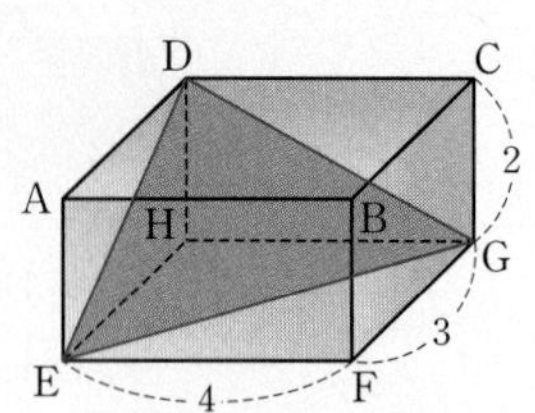

해법 코드

꼭짓점 D에서 선분 EG에 내린 수선의 발을 I라 하면 $\overline{DI}\perp\overline{EG}$이고, $\overline{DH}\perp$(평면 EFGH)이므로 삼수선의 정리에서 $\overline{HI}\perp\overline{EG}$이다.

셀파 삼수선의 정리를 이용할 수 있도록 보조선을 긋는다.

풀이 꼭짓점 D에서 선분 EG에 내린 수선의 발을 I라 하면

$\overline{DI}\perp\overline{EG}$이고, $\overline{DH}\perp$(평면 EFGH)이므로

삼수선의 정리에서 $\overline{HI}\perp\overline{EG}$

직각삼각형 HEG에서 $\overline{EG}=5$, ㉠ $\overline{HI}=\frac{12}{5}$

㉡ △DHI가 직각삼각형이므로 $\overline{DI}=\sqrt{\overline{DH}^2+\overline{HI}^2}=\frac{2\sqrt{61}}{5}$

따라서 구하는 삼각형 DEG의 넓이는

$\frac{1}{2}\times\overline{DI}\times\overline{EG}=\frac{1}{2}\times\frac{2\sqrt{61}}{5}\times5=\boldsymbol{\sqrt{61}}$

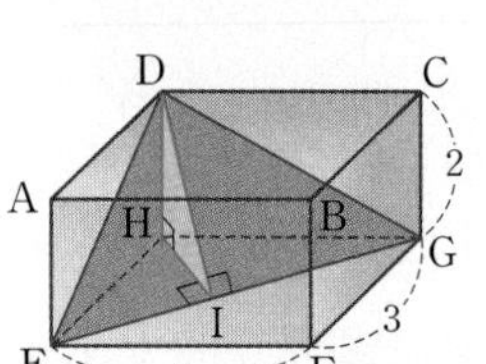

㉠ $\triangle HEG=\frac{1}{2}\times\overline{HE}\times\overline{HG}$
$=\frac{1}{2}\times\overline{EG}\times\overline{HI}$
에서
$\frac{1}{2}\times3\times4=\frac{1}{2}\times5\times\overline{HI}$
$\therefore \overline{HI}=\frac{12}{5}$

㉡ $\overline{DH}\perp$(평면 EFGH)이므로 선분 DH와 평면 EFGH 위에 있는 선분 HI는 수직이다.

확인 문제

정답과 해설 | 70쪽

MY 셀파

05-1 (상 중 하) 오른쪽 그림과 같이 서로 수직으로 만나는 세 선분 OA, OB, OC의 길이가 각각 3, 4, 1일 때, 삼각형 ABC의 넓이를 구하시오.

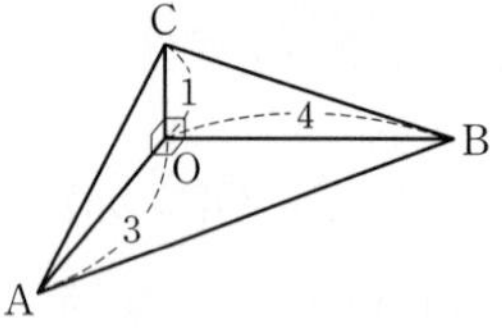

05-1
꼭짓점 C에서 선분 AB에 내린 수선의 발을 H라 하고 삼수선의 정리를 생각한다.

05-2 (상 중 하) 오른쪽 그림과 같이 한 모서리의 길이가 6인 정육면체에서 삼각형 ABD의 무게중심을 I, 점 I에서 선분 HF에 내린 수선의 발을 J라 할 때, 선분 IJ의 길이를 구하시오.

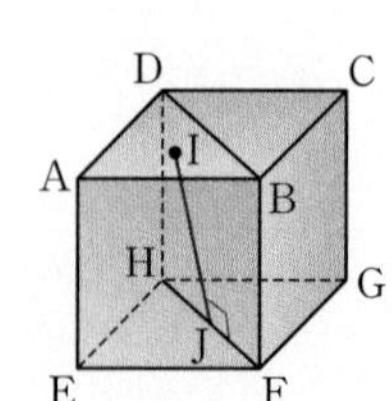

05-2
삼각형 ABD의 무게중심 I에서 면 EFGH에 내린 수선의 발은 삼각형 EFH의 무게중심이다.

오른쪽 그림과 같은 정육면체에서 두 평면 ABGH와 EFGH가 이루는 각의 크기를 구하시오.

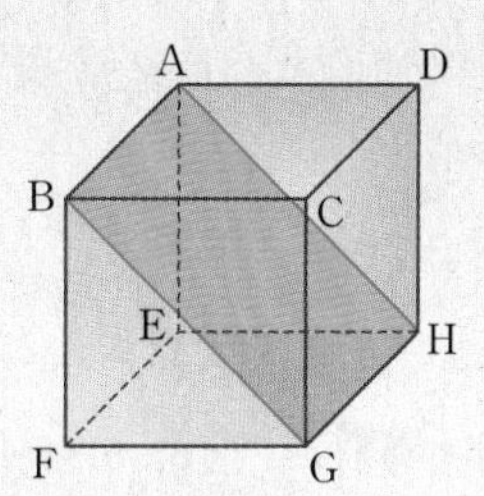

Q 위 문제에서 '두 평면이 이루는 각의 크기'가 무슨 뜻이에요?

A 공간에서 두 평면이 이루는 각에 대해서 알아보자.
평면 위의 한 직선은 그 평면을 두 부분으로 나누는데 그 각각을 반평면이라 하고, 오른쪽 그림과 같이 직선 l에서 만나는 ㉠두 반평면 α, β로 이루어진 도형을 이면각이라고 해. 이때 직선 l을 이면각의 변, 두 반평면 α, β를 각각 이면각의 면이라 하지.

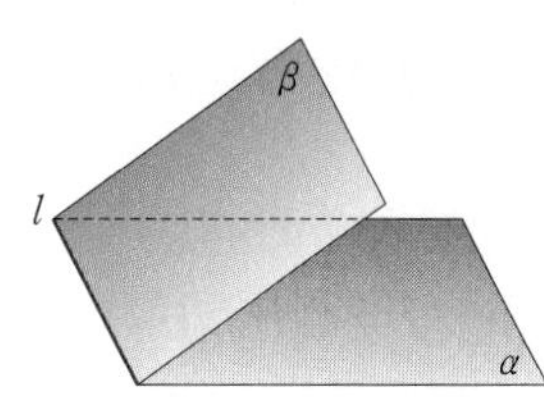

Q 위 문제에서는 두 평면 ABGH와 EFGH로 이루어진 도형은 이면각이 되고 직선 GH는 이면각의 변, 두 평면 ABGH와 EFGH는 각각 이면각의 면이 되겠네요. 그런데 두 평면이 이루는 각의 크기는 어떻게 구해요?

A 이면각의 크기의 정의는 다음과 같아.

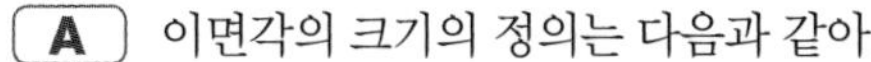

> 두 반평면 α, β의 교선 l 위의 ㉡한 점 O에서 l에 수직이고 각 반평면 α, β에 포함되는 두 반직선 OA, OB를 그을 때, $\angle$AOB의 크기를 이면각의 크기라 한다.

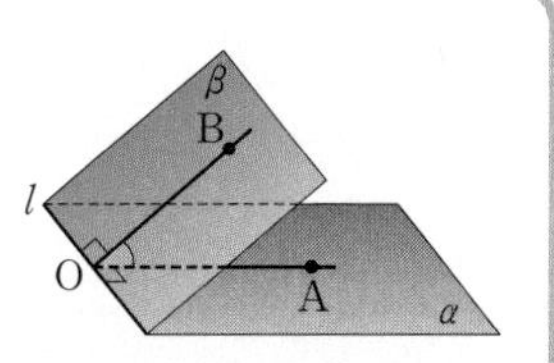

특히 두 평면 α, β가 이루는 각이 직각일 때, 이 두 평면은 수직이라 하고 기호로 $\alpha \perp \beta$와 같이 나타내.

Q 아! 그럼 제가 위 문제를 풀어 볼게요.
㉢두 평면 ABGH, EFGH의 교선 GH에 대하여 $\overline{GB} \perp \overline{GH}$, $\overline{GF} \perp \overline{GH}$이므로 두 평면 ABGH, EFGH가 이루는 각의 크기는 두 선분 GB, GF가 이루는 각의 크기와 같아요. 이때 삼각형 BFG는 $\overline{BF} = \overline{FG}$인 직각이등변삼각형이므로 $\angle BGF = 45°$
따라서 구하는 각의 크기는 **45°**

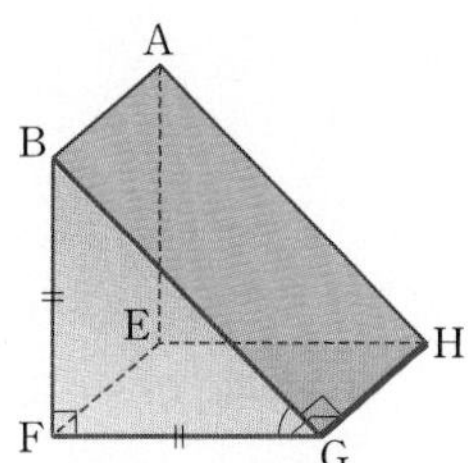

㉠ 두 평면이 만나면 네 개의 이면각이 생기는 데 그 중 한 이면각을 두 평면이 이루는 각이라 한다.
이때 크기가 같은 두 쌍의 이면각이 생기는 데 보통 두 쌍의 이면각의 크기 중 크지 않은 것을 두 평면이 이루는 각으로 생각한다.

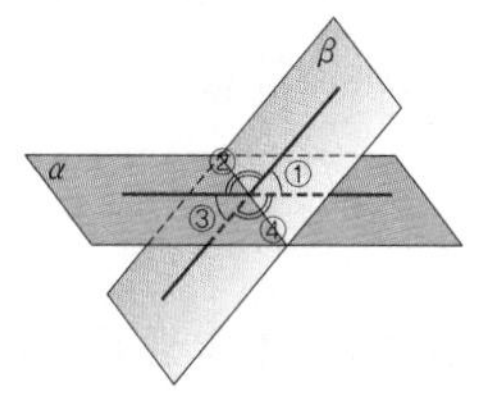

위 그림에서 두 평면 α, β가 만나 ①, ②, ③, ④ 네 개의 이면각이 생긴다. 이때 크기가 같은 이면각 ①=③, ②=④ 중 크지 않은 것 ①=③을 두 평면 α, β가 이루는 각으로 생각한다.

㉡ 한 점 O의 위치에 상관없이 이면각의 크기는 일정하다.

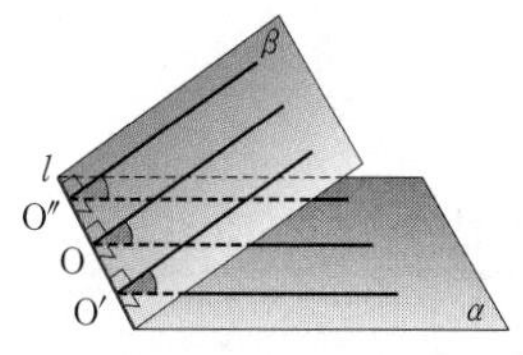

㉢ 두 평면 ABGH, EFGH의 교선 GH 위의 한 점 G에서 선분 GH에 수직이고 평면 ABGH, 평면 EFGH에 포함되는 두 선분 GB, GF를 그었다고 생각하자.
이때 $\angle$BGF의 크기가 두 평면 ABGH와 EFGH가 이루는 각의 크기이다.

해법 06 두 평면이 이루는 각의 크기

두 평면이 이루는 각의 크기는 다음 순서로 구한다.

1. 두 평면 α, β의 교선 l 위의 한 점 O를 잡는다.
2. 점 O를 지나고 직선 l에 수직인 반직선 OA, OB를 두 평면 α, β 위에 각각 긋는다.
3. 두 반직선 OA, OB가 이루는 각의 크기를 구한다.

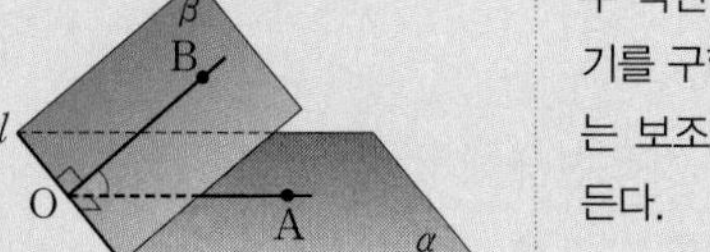

PLUS

두 직선 OA, OB가 이루는 각의 크기를 구할 때는 적당한 수선의 발 또는 보조선을 그어 직각삼각형을 만든다.

예제 한 모서리의 길이가 2인 정사면체에서 두 면이 이루는 각의 크기를 θ라 할 때, $\cos\theta$의 값을 구하시오.

해법 코드
정사면체 ABCD의 꼭짓점 A에서 평면 BCD에 내린 수선의 발은 △BCD의 무게중심이다.

셀파 선분 BC의 중점 M에 대하여 선분 AM과 선분 MD가 이루는 각의 크기를 구한다.

풀이 오른쪽 그림과 같은 정사면체의 꼭짓점 A에서 평면 BCD에 내린 수선의 발을 H라 하고 모서리 BC의 중점을 M이라 하면

$\overline{AM}\perp\overline{BC}$, $\overline{HM}\perp\overline{BC}$

이므로 $\theta=\angle AMH$

이때 ㉠점 H는 △BCD의 무게중심이므로

$\overline{HM}=\frac{1}{3}\overline{DM}=\frac{\sqrt{3}}{3}$

$\overline{AM}=\sqrt{3}$이므로 $\cos\theta=\frac{\overline{HM}}{\overline{AM}}=\mathbf{\frac{1}{3}}$

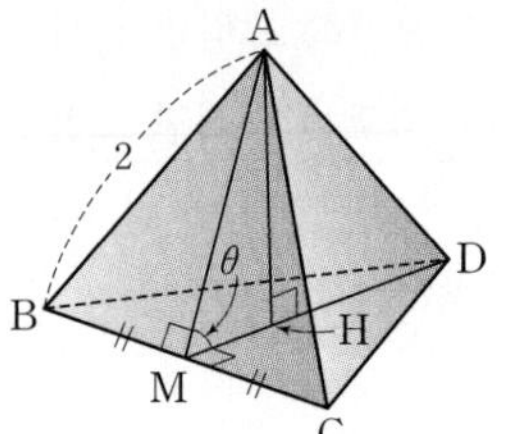

㉠ 점 H가 △BCD의 무게중심이므로 점 H는 $\overline{DM}$을 2 : 1로 내분하는 점이다.

확인 문제

정답과 해설 | 70쪽

MY 셀파

06-1 (상 중 하) 오른쪽 그림과 같이 밑면이 한 변의 길이가 2인 정사각형이고 $\overline{AB}=\overline{AC}=\overline{AD}=\overline{AE}=\sqrt{5}$인 사각뿔에서 평면 ABC와 평면 BCDE가 이루는 각의 크기 θ를 구하시오.

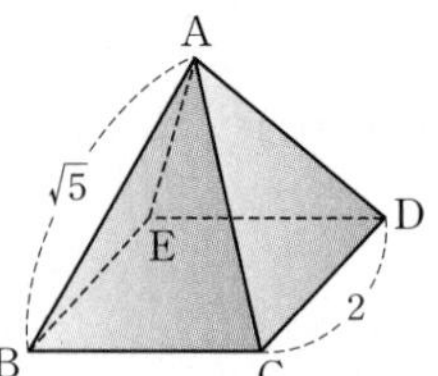

06-1
점 A에서 밑면에 내린 수선의 발을 H라 하고, $\overline{BC}$의 중점을 M이라 하면 $\overline{MH}\perp\overline{BC}$이다.

06-2 (상 중 하) 오른쪽 그림과 같은 정육면체에서 평면 DEG와 평면 EFGH가 이루는 각의 크기를 θ라 할 때, $\cos\theta$의 값을 구하시오.

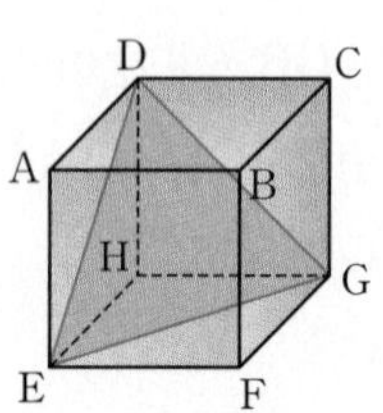

06-2
선분 EG의 중점을 M이라 하면 $\overline{DM}\perp\overline{EG}$, $\overline{HM}\perp\overline{EG}$이다.

셀파 특강 07 정사영의 길이와 넓이

1 정사영의 길이

> 선분 AB의 평면 α 위로의 정사영을 선분 A′B′이라 할 때, 직선 AB와 평면 α가 이루는 각의 크기를 $\theta(0^\circ \le \theta \le 90^\circ)$라 하면
>
> $\overline{\mathrm{A'B'}} = \overline{\mathrm{AB}} \cos\theta$

증명 오른쪽 그림과 같이 선분 AB의 평면 α 위로의 정사영을 선분 A′B′이라 하고, 직선 AB와 평면 α가 이루는 각의 크기를 θ, 두 직선 AB, A′B′의 교점을 O라 하면

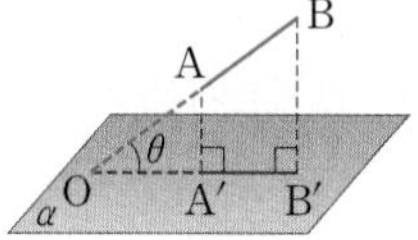

$\overline{\mathrm{OA'}} = \overline{\mathrm{OA}} \cos\theta$, $\overline{\mathrm{OB'}} = \overline{\mathrm{OB}} \cos\theta$

이므로

$\overline{\mathrm{A'B'}} = \overline{\mathrm{OB'}} - \overline{\mathrm{OA'}} = (\overline{\mathrm{OB}} - \overline{\mathrm{OA}}) \cos\theta$

$= \overline{\mathrm{AB}} \cos\theta$

또 이 식은 직선 AB와 평면 α가 서로 평행할 때도 성립한다.

▶직선과 평면이 이루는 각
직선 l과 평면 α가 수직이 아닐 때, 직선 l의 평면 α 위로의 정사영 l'이 이루는 각을 직선 l과 평면 α가 이루는 각이라 한다.

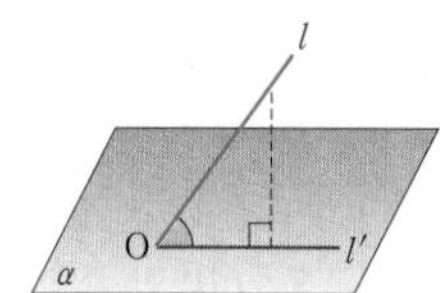

2 정사영의 넓이

> 평면 β 위의 도형의 넓이를 S, 이 도형의 평면 α 위로의 정사영의 넓이를 S'이라 할 때, 두 평면 α, β가 이루는 각의 크기를 $\theta(0^\circ \le \theta \le 90^\circ)$라 하면
>
> $S' = S\cos\theta$

증명 오른쪽 그림과 같이 △ABC의 변 BC와 평면 α가 평행할 때, △ABC의 평면 α 위로의 정사영을 △A′B′C′, 평면 α와 평면 ABC가 이루는 각의 크기를 θ, △ABC와 △A′B′C′의 넓이를 각각 S와 S'이라 하자.

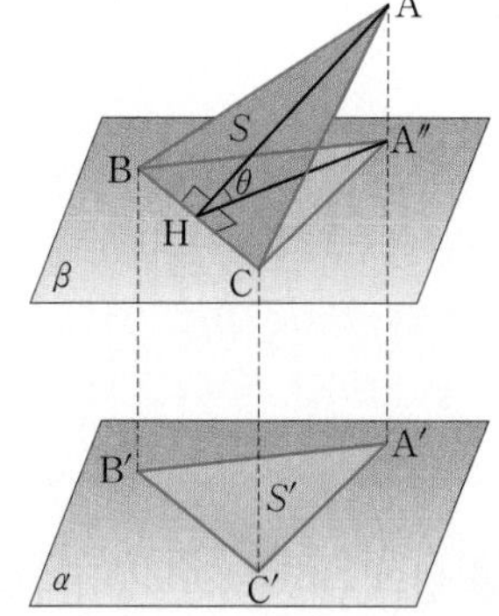

또 변 BC를 포함하고 평면 α에 평행한 평면을 β, 점 A에서 변 BC에 내린 수선의 발을 H, ㉠평면 β와 직선 AA′의 교점을 A″이라 하면 삼수선의 정리에서

$\overline{\mathrm{A''H}} \perp \overline{\mathrm{BC}}$이므로

$S' = \triangle\mathrm{A'B'C'} = \triangle\mathrm{A''BC} = \frac{1}{2} \times \overline{\mathrm{BC}} \times$ ㉡ $\overline{\mathrm{A''H}}$

$= \frac{1}{2} \times \overline{\mathrm{BC}} \times \overline{\mathrm{AH}} \cos\theta = S\cos\theta$

㉠

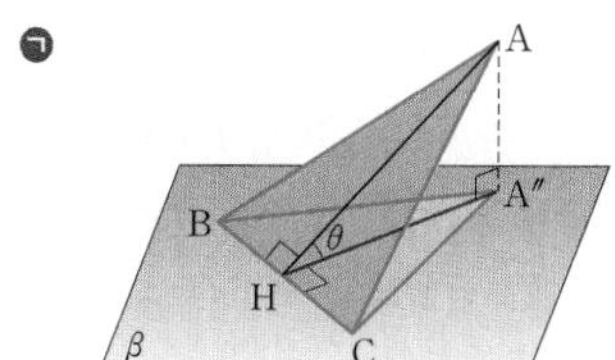

$\overline{\mathrm{AA''}} \perp \beta$이고, $\overline{\mathrm{AH}} \perp \overline{\mathrm{BC}}$이므로 삼수선의 정리에서
$\overline{\mathrm{A''H}} \perp \overline{\mathrm{BC}}$

㉡ 평면 α와 β는 평행하고, 평면 α와 평면 ABC가 이루는 각의 크기가 θ이므로 평면 β와 평면 ABC가 이루는 각의 크기도 θ이다.
이때 $\overline{\mathrm{BC}} \perp \overline{\mathrm{AH}}$이고 $\overline{\mathrm{BC}} \perp \overline{\mathrm{A''H}}$이므로 삼수선의 정리에서
$\overline{\mathrm{AA''}} \perp \beta$, 또 $\angle\mathrm{AHA''} = \theta$
따라서 직각삼각형 A″HA에서
$\overline{\mathrm{A''H}} = \overline{\mathrm{AH}} \cos\theta$

해법 07 정사영의 길이

선분 AB의 평면 α 위로의 정사영이 선분 A'B'이고,
직선 AB와 평면 α가 이루는 각의 크기가 θ $(0° \leq \theta \leq 90°)$일 때

$\overline{A'B'} = \overline{AB}\cos\theta$

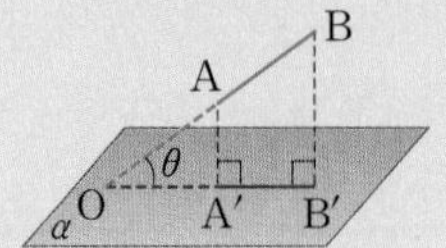

PLUS +

직선 AB와 평면 α가 점 O에서 만나고 점 A의 평면 α 위로의 정사영이 A'일 때, 직선 AB와 평면 α가 이루는 각의 크기를 θ라 하면 $\theta = \angle AOA'$이다.

예제 오른쪽 그림과 같이 한 모서리의 길이가 $\sqrt{2}$인 정육면체에서 다음을 구하시오.

(1) 대각선 DF의 평면 AEHD 위로의 정사영의 길이

(2) 대각선 DF와 평면 AEHD가 이루는 각의 크기를 θ라 할 때, $\cos\theta$의 값

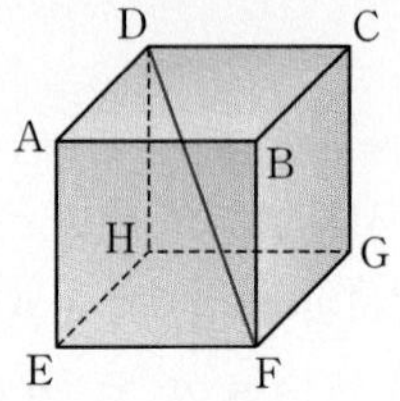

해법 코드

(1) 꼭짓점 F에서 평면 AEHD에 내린 수선의 발은 꼭짓점 E이다.

(2) $\overline{DE} = \overline{DF}\cos\theta$

셀파 선분 AB의 정사영의 길이 ⇨ $\overline{A'B'} = \overline{AB}\cos\theta$

풀이 (1) 꼭짓점 F에서 평면 AEHD에 내린 수선의 발은 꼭짓점 E이므로 대각선 DF의 평면 AEHD 위로의 정사영은 대각선 DE이다.
직각삼각형 DEH에서
$\overline{DE} = \sqrt{\overline{DH}^2 + \overline{EH}^2} = \sqrt{(\sqrt{2})^2 + (\sqrt{2})^2} = \mathbf{2}$

(2) 대각선 DF와 평면 AEHD가 이루는 각의 크기 θ는 두 선분 DE, DF가 이루는 각의 크기와 같으므로 $\theta = \angle FDE$
이때 $\overline{DE} = \overline{DF}\cos\theta$이고, $\overline{DE} = 2$, $\overline{DF} = \sqrt{6}$이므로
$\cos\theta = \dfrac{\overline{DE}}{\overline{DF}} = \dfrac{2}{\sqrt{6}} = \mathbf{\dfrac{\sqrt{6}}{3}}$

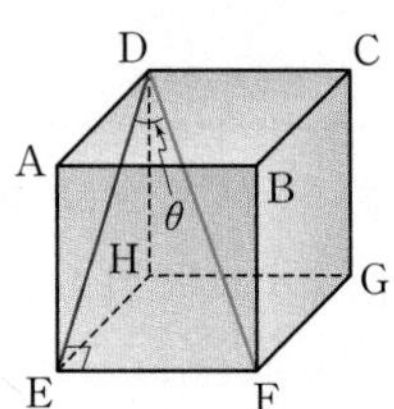

참고

(2) 정사영의 길이를 이용하여 $\cos\theta$의 값을 구할 수도 있다.
대각선 DF의 평면 AEHD 위로의 정사영이 선분 DE이므로
$\overline{DE} = \overline{DF}\cos\theta$
이때 $\overline{DF} = \sqrt{6}$, $\overline{DE} = 2$이므로
$\cos\theta = \dfrac{\overline{DE}}{\overline{DF}} = \dfrac{2}{\sqrt{6}} = \dfrac{\sqrt{6}}{3}$

확인 문제

정답과 해설 | 71쪽

07-1 상중하

오른쪽 그림과 같이 밑면은 한 변의 길이가 2인 정삼각형이고 높이가 $\sqrt{6}$인 삼각기둥에서 선분 BC의 중점이 M일 때, 다음을 구하시오.

(1) 선분 DM의 평면 DEF 위로의 정사영의 길이

(2) 선분 DM과 평면 DEF가 이루는 각의 크기를 θ라 할 때, $\cos\theta$의 값

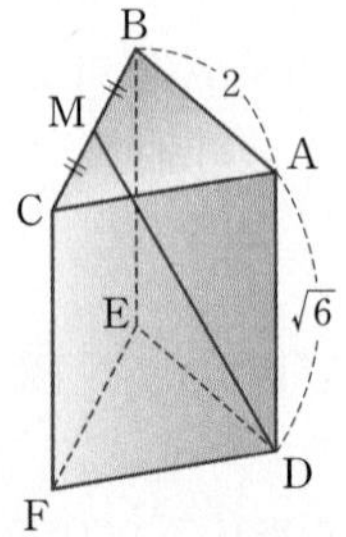

MY 셀파

07-1
점 M에서 평면 DEF에 수선의 발을 내린다. 이때 수선의 발은 선분 EF의 중점이다.

해법 08 정사영의 넓이

평면 β 위에 있는 도형의 넓이를 S, 이 도형의 평면 α 위로의 정사영의 넓이를 S'이라 하고, 두 평면 α, β가 이루는 각의 크기가 $\theta\ (0^\circ \le \theta \le 90^\circ)$일 때

$S' = S\cos\theta$

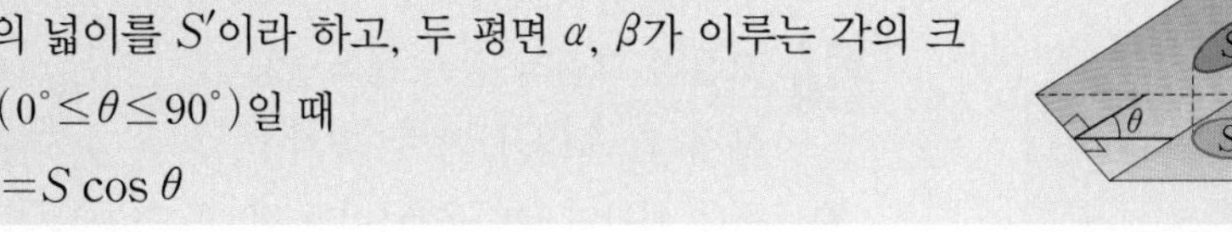

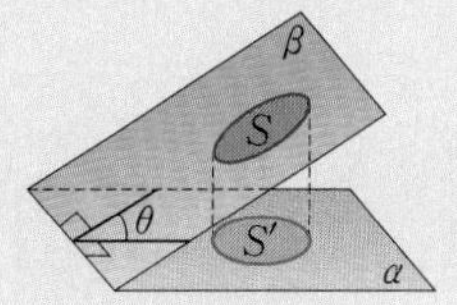

PLUS ⊕

$0^\circ \le \theta \le 90^\circ$일 때 $0 \le \cos\theta \le 1$이다. 즉, 어떤 도형의 정사영의 넓이는 그 도형의 넓이보다 작거나 같다.

예제 오른쪽 그림과 같은 직육면체에서 $\overline{AB}=\overline{AD}=4$, $\overline{AE}=2$일 때, 삼각형 GHF의 평면 CHF 위로의 정사영의 넓이를 구하시오.

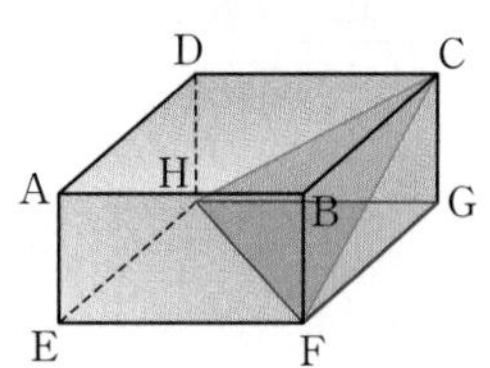

해법 코드
삼각형 CHF는 이등변삼각형이고 이 삼각형의 평면 HEFG 위로의 정사영도 이등변삼각형이다.

셀파 넓이가 S인 도형의 정사영의 넓이 ⇨ $S' = S\cos\theta$

풀이 두 평면 GHF, CHF가 이루는 각의 크기를 θ라 하고, 대각선 HF의 중점을 M이라 하면 $\triangle$CHF, $\triangle$GHF는 모두 이등변삼각형이므로 $\overline{HF}\perp\overline{CM}$, $\overline{HF}\perp\overline{GM}$이다.

따라서 두 선분 CM, GM이 이루는 각의 크기는 두 평면 CHF, GHF가 이루는 각의 크기와 같으므로 $\theta = \angle$CMG이다.

㉠ $\overline{CM}\cos\theta = \overline{GM}$에서

$\cos\theta = \dfrac{\overline{GM}}{\overline{CM}} = \dfrac{2\sqrt{2}}{2\sqrt{3}} = \dfrac{\sqrt{6}}{3}$

따라서 삼각형 GHF의 평면 CHF 위로의 정사영의 넓이는

$\triangle GHF\cos\theta = 8\times\dfrac{\sqrt{6}}{3} = \mathbf{\dfrac{8\sqrt{6}}{3}}$

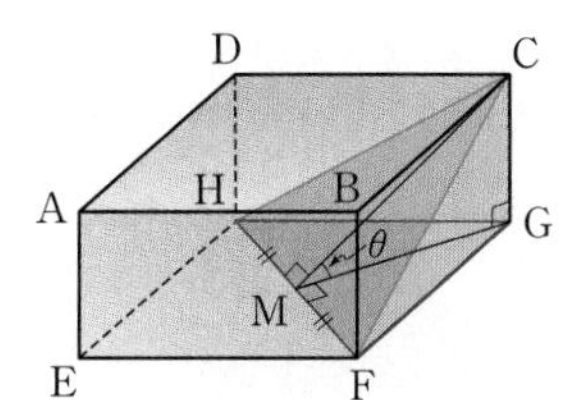

㉠ 정사각형의 두 대각선은 서로 다른 대각선을 수직이등분한다.
이때 $\overline{GE}=4\sqrt{2}$에서
$\overline{GM}=\dfrac{1}{2}\overline{GE}=2\sqrt{2}$
직각삼각형 CMG에서
$\overline{CM}=\sqrt{\overline{CG}^2+\overline{GM}^2}$
$=\sqrt{2^2+(2\sqrt{2})^2}$
$=2\sqrt{3}$

확인 문제

정답과 해설 | 71쪽

08-1 상중하 밑면의 반지름의 길이가 2인 원기둥이 있다. 이 원기둥의 밑면과 만나지 않으면서 밑면과 30°의 각을 이루는 평면으로 자른 단면의 넓이를 구하시오.

08-2 상중하 밑면의 반지름의 길이가 5, 높이가 24인 원기둥 모양의 유리컵을 바르게 세워 물을 가득 채웠다. 오른쪽 그림과 같이 유리컵을 기울여서 물의 양이 반이 되었을 때, 수면의 넓이를 구하시오.

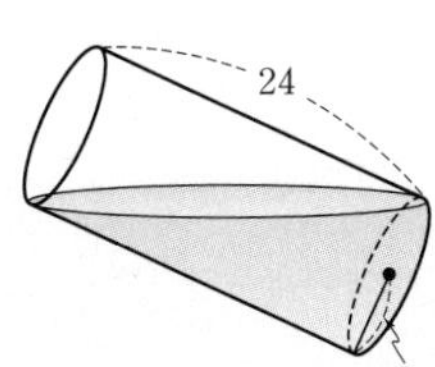

MY 셀파

08-1
밑면과 θ의 각을 이루는 평면으로 자른 단면의 넓이를 S, 밑면의 넓이를 S'이라 하면
$S' = S\cos\theta$

08-2
유리컵의 밑면과 수면이 이루는 각의 크기를 θ, 수면의 넓이를 S, 밑면의 넓이를 S'이라 하면
$S' = S\cos\theta$

연습 문제 EXERCISE

평면의 결정 조건

01 오른쪽 그림과 같은 직육면체에서 세 꼭짓점에 의하여 결정되는 평면 중 직선 AC를 포함하는 서로 다른 평면의 개수를 구하시오.

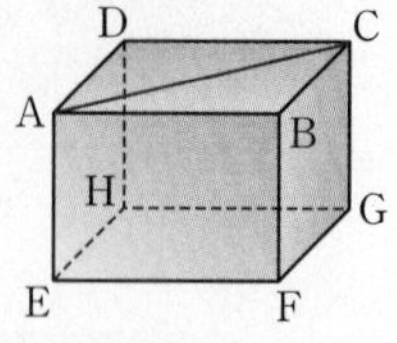

공간에서 직선, 평면의 위치 관계

02 오른쪽 그림과 같이 두 밑면 ABCD, EFGH는 정사각형이고, 옆면은 모두 등변사다리꼴인 사각뿔대가 있다. 이때 직선 AE와 꼬인 위치에 있는 직선의 개수를 a, 직선 BC와 평행한 평면의 개수를 b, 평면 AEFB와 만나는 평면의 개수를 c라 할 때, $a+b+c$의 값을 구하시오.

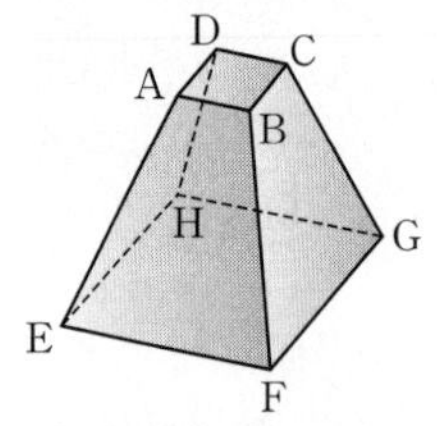

두 직선이 이루는 각의 크기 융합형

03 오른쪽 그림과 같은 정육면체에서 두 직선 AC, DF가 이루는 각의 크기가 θ일 때, $\cos\theta$의 값을 구하시오.

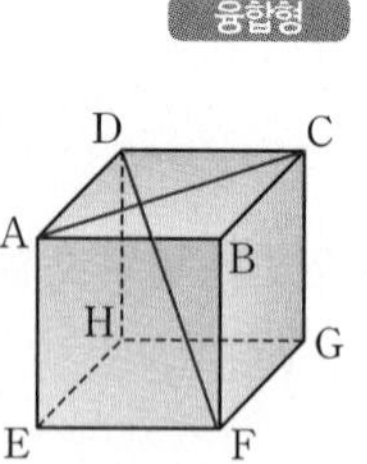

두 직선이 이루는 각의 크기

04 오른쪽 그림과 같은 정육면체에서 면 ABCD의 두 대각선 AC, BD의 교점을 M이라 할 때, 두 직선 FH와 EM이 이루는 각의 크기를 구하시오.

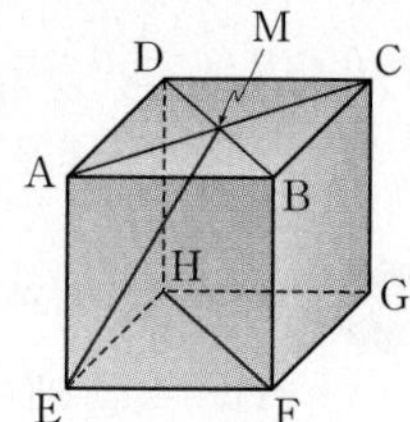

직선과 평면의 수직, 평행

05 오른쪽 그림과 같은 사면체에서 $\overline{AD}\perp\overline{BD}$, $\overline{AD}\perp\overline{CD}$일 때, 직선 AD와 직선 BC가 이루는 각의 크기를 구하시오.

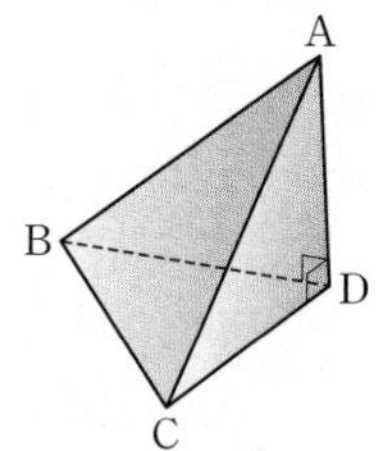

삼수선의 정리 서술형

06 오른쪽 그림과 같이 평면 α 위에 있지 않은 점 P에서 평면 α 및 평면 α 위의 두 직선 l, m에 내린 수선의 발을 각각 H, A, B라 하자. $\overline{PH}=4$, $\overline{PA}=8$, $\overline{PB}=5$이고, 두 직선 l, m은 점 O에서 $30°$의 각도로 만날 때, 선분 AB의 길이를 구하시오.

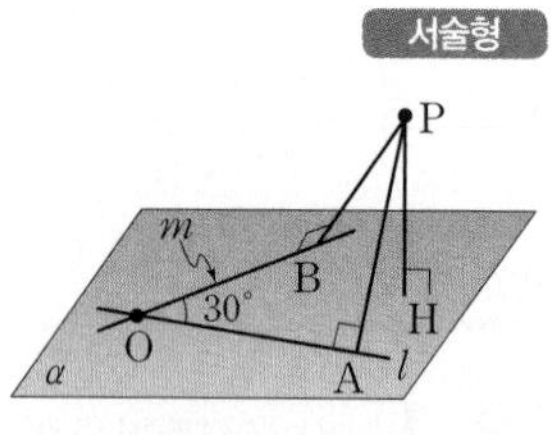

삼수선의 정리의 활용

07 (상)(중)(하) 오른쪽 그림과 같이 높이가 6인 원기둥의 한 밑면의 원주 위의 점 P에서 다른 밑면의 원주 위에 내린 수선의 발을 H, 점 H에서 밑면의 지름 AB에 내린 수선의 발을 Q라 하자. $\overline{HQ}=2$, $\overline{AP}=\sqrt{41}$일 때, 선분 AB의 길이를 구하시오.

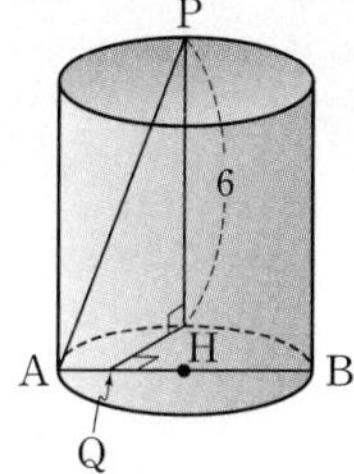

삼수선의 정리의 활용

08 (상)(중)(하) 오른쪽 그림과 같이 한 모서리의 길이가 12인 정육면체에서 $\overline{EA}=4$, $\overline{EB}=8$일 때, 삼각형 ABC의 넓이를 구하시오.

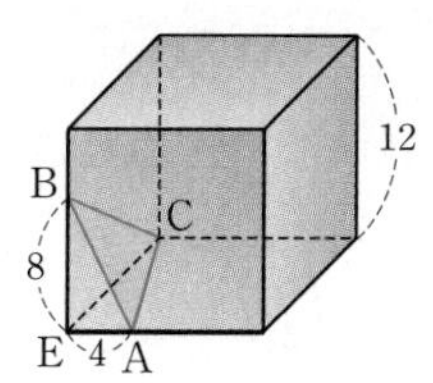

두 평면이 이루는 각의 크기

09 (상)(중)(하) 오른쪽 그림과 같이 평면 α 위의 직선 l과 평면 β 위의 직선 m이 두 평면의 교선 PQ 위의 점 P에서 만나고 있다. 두 평면 α, β는 서로 수직이고, 직선 l, m이 교선 PQ와 이루는 각의 크기는 각각 60°, 45°이다. 두 직선 l, m에 의하여 결정되는 평면과 평면 α가 이루는 각의 크기를 θ라 할 때, $\cos\theta$의 값을 구하시오.

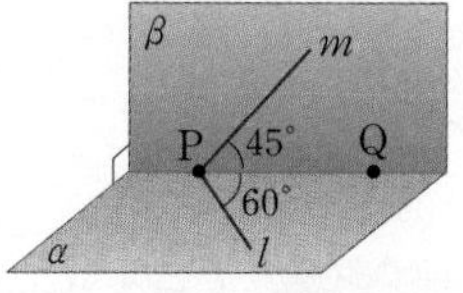

정사영의 길이 융합형

10 (상)(중)(하) 오른쪽 그림과 같이 밑면의 반지름의 길이가 5인 원기둥을 밑면과 30°의 각을 이루는 평면으로 잘랐을 때, 잘린 단면인 타원의 두 초점 사이의 거리를 구하시오.

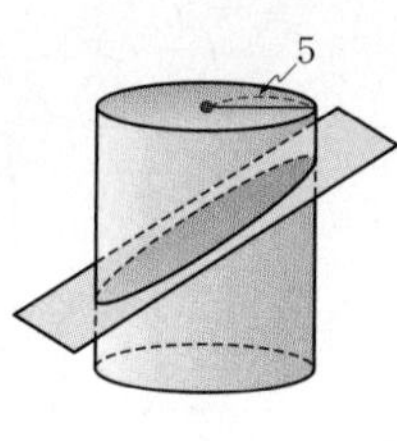

정사영의 넓이

11 (상)(중)(하) 오른쪽 그림은 한 변의 길이가 2인 정삼각형을 밑면으로 하는 삼각기둥을 $\overline{AD}=2$, $\overline{BE}=1$, $\overline{CF}=3$이 되도록 세 점 A, B, C를 지나는 평면으로 잘라낸 입체도형이다. 평면 ABC와 평면 DEF가 이루는 각의 크기를 θ라 할 때, $\cos\theta$의 값을 구하시오.

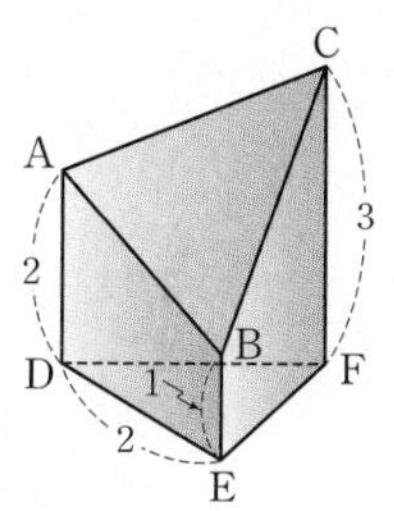

정사영의 넓이 창의·융합

12 (상)(중)(하) 다음 그림과 같이 구 모양의 애드벌룬이 하늘에 떠 있고, 지면과 45°의 각도로 햇빛이 비추고 있다. 지면 위에 생기는 애드벌룬의 그림자의 넓이가 $9\sqrt{2}\pi$일 때, 애드벌룬의 반지름의 길이를 구하시오.

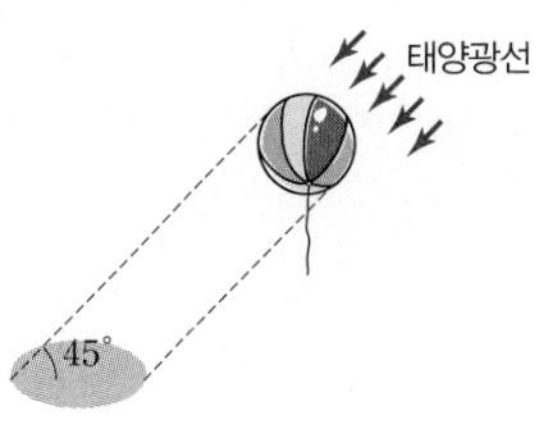

열기구를 탔습니다.
우와~
굉장하네~
너무 긴장했더니
배가 고프네요.
긴장해서
배고프다니,
특이하네.
짜장면
시켜 먹을래?
꼬르륵
그게 가능해요?
365호 짜장면 셋
탕수육 하나
빨리 배달해줘요.
지금 위치가...

9

공간좌표

공간좌표를 입력한 짜장드론이 떴습니다.

- 개념 1 공간좌표
- 개념 2 공간에서 점의 좌표
- 개념 3 좌표공간에서 두 점 사이의 거리
- 개념 4 좌표공간에서 선분의 내분점과 외분점, 삼각형의 무게중심
- 개념 5 구의 방정식

9. 공간좌표

개념 1 공간좌표

(1) 좌표축과 좌표공간

오른쪽 그림과 같이 공간의 한 점 O에서 서로 직교하는 세 수직선을 그었을 때, 점 O를 원점, 각각의 수직선을 x축, y축, z축이라 하고, 이들을 좌표축이라 한다. 또

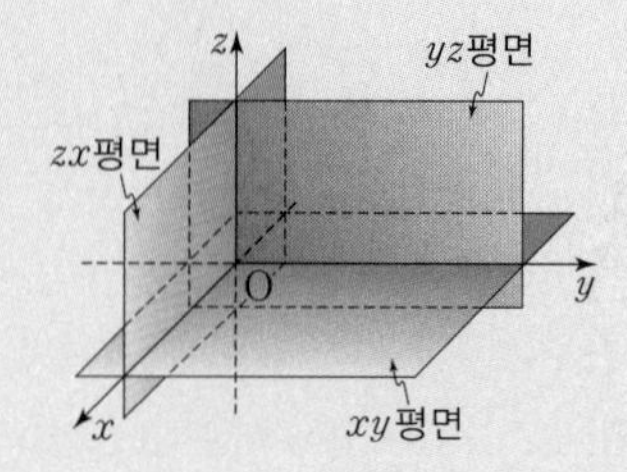

x축과 y축에 의해 결정되는 평면을㉠ xy평면,
y축과 z축에 의해 결정되는 평면을 yz평면,
z축과 x축에 의해 결정되는 평면을 ❶ ____ 평면
이라 하고, 이들을 좌표평면이라 한다.
이처럼 좌표축과 좌표평면이 정해진 공간을 **좌표공간**이라 한다.

(2) 공간좌표

오른쪽 그림과 같이 좌표공간의 한 점 P를 지나고 yz평면, zx평면, xy평면과 각각 평행한 세 평면이 x축, y축, z축과 만나는 점을 차례로 A, B, C라 하자.
이들 세 점의 x축, y축, z축 위에서의 ❷ ____ 를 각각 a, b, c라 하면㉡ 점 P에 대응하는 세 실수의 순서쌍 (a, b, c)를 점 P의 좌표 또는 **공간좌표**라 하고, 기호로 $\mathbf{P}(\boldsymbol{a}, \boldsymbol{b}, \boldsymbol{c})$와 같이 나타낸다.

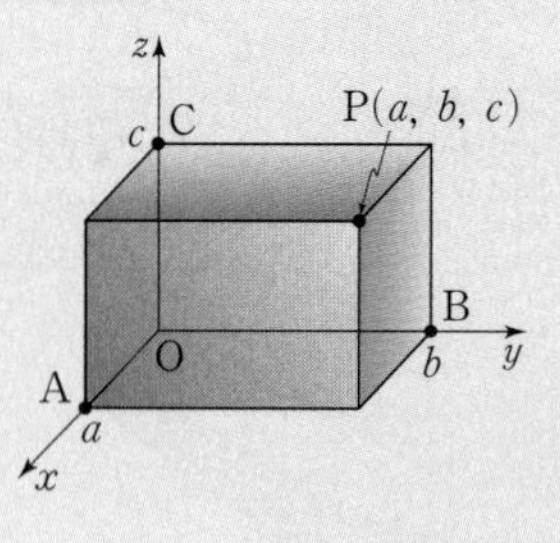

답 ❶ zx ❷ 좌표

개념 플러스

㉠ xy평면은 z축과 수직이다. 마찬가지로 생각하면 yz평면은 x축과 수직, zx평면은 y축과 수직이다.

㉡ 세 실수의 순서쌍 (a, b, c)가 주어지면 x축, y축, z축 위에 각각 a, b, c를 좌표로 하는 세 점 A, B, C가 정해진다. 이때 세 점 A, B, C를 지나고 각각 x축, y축, z축에 수직인 세 평면의 교점 P도 정해진다.
따라서 공간의 점 P와 세 실수의 순서쌍 (a, b, c) 사이에는 일대일 대응 관계가 있다.

▶ 좌표평면에서 x축, y축은 평면을 4개의 부분으로 나누지만, 좌표공간에서 xy평면, yz평면, zx평면은 공간을 8개의 부분으로 나눈다.

개념 2 공간에서 점의 좌표

(1) 대칭인 점의 좌표 : 좌표공간의 점 $P(a, b, c)$에 대하여

❶ x축, y축, z축에 대하여 대칭인 점을 각각 A, B, C라 하면
⇨ $A(a, -b, -c)$, $B(-a, b, -c)$, $C(-a, -b,$ ❶ ____ $)$

❷ xy평면, yz평면, zx평면에 대하여 대칭인 점을 각각 A, B, C라 하면
⇨ $A(a, b, -c)$, $B(-a, b, c)$, $C(a,$ ❷ ____ $, c)$

❸ 원점에 대하여 대칭인 점을 A라 하면
⇨ $A(-a, -b, -c)$

(2) 수선의 발의 좌표 : 좌표공간의 점 $P(a, b, c)$에 대하여

❶ x축, y축, z축에 내린 수선의 발을 각각 A, B, C라 하면
⇨ $A(a, 0,$ ❸ ____ $)$, $B(0, b, 0)$, $C(0, 0, c)$

❷ xy평면, yz평면, zx평면에 내린 수선의 발을 각각 A, B, C라 하면
⇨ $A(a, b, 0)$, $B(0, b, c)$, $C(a, 0, c)$

답 ❶ c ❷ $-b$ ❸ 0

참고

좌표축 또는 좌표평면 위의 점의 좌표는 다음과 같이 나타낸다.
x축 위의 점 $A(a, 0, 0)$
y축 위의 점 $B(0, b, 0)$
z축 위의 점 $C(0, 0, c)$
xy평면 위의 점 $D(a, b, 0)$
yz평면 위의 점 $E(0, b, c)$
zx평면 위의 점 $F(a, 0, c)$

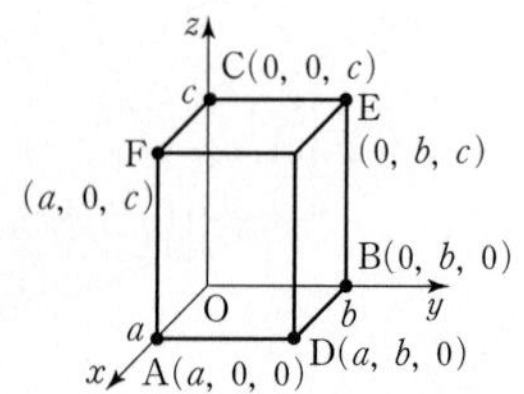

1-1 | 공간좌표 |

오른쪽 그림과 같은 직육면체에서 다음을 구하시오.

(1) 세 점 A, C, G의 좌표

(2) 세 점 B, F, D의 좌표

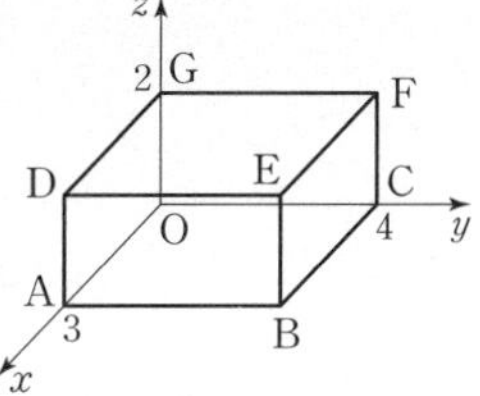

연구

(1) 세 점 A, C, G는 각각 x축, y축, z축 위의 점이므로
A(3, 0, 0), C(0, □, 0), G(0, 0, 2)

(2) 세 점 B, F, D는 각각 xy평면, yz평면, zx평면 위의 점이므로
B(□, 4, 0), F(0, 4, 2), D(3, 0, □)

2-1 | 공간에서 점의 좌표 |

오른쪽 그림과 같은 직육면체에서 꼭짓점 P의 좌표가 P(1, 2, 3)일 때, 다음 점의 좌표를 구하시오.

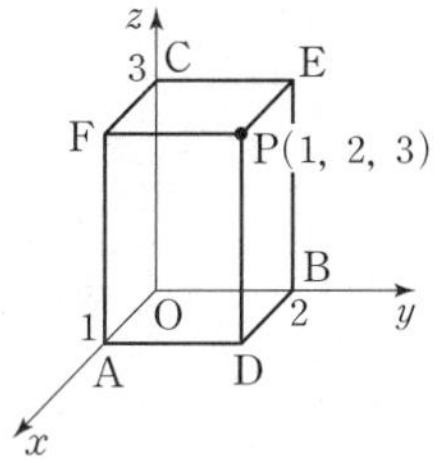

(1) 점 P에서 xy평면에 내린 수선의 발

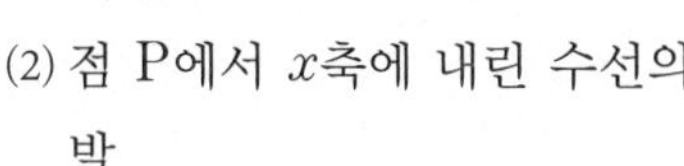

(2) 점 P에서 x축에 내린 수선의 발

(3) 점 P와 yz평면에 대하여 대칭인 점

연구

(1) 점 P에서 xy평면에 내린 수선의 발은 점 D이므로
(1, 2, □)

(2) 점 P에서 x축에 내린 수선의 발은 점 □이므로 **(1, 0, 0)**

(3) 점 P와 yz평면에 대하여 대칭인 점은 점 P와 y좌표, z좌표는 서로 같고, x좌표는 절댓값은 같고 부호는 반대인 점 E′이므로

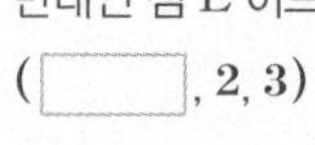
(□, 2, 3)

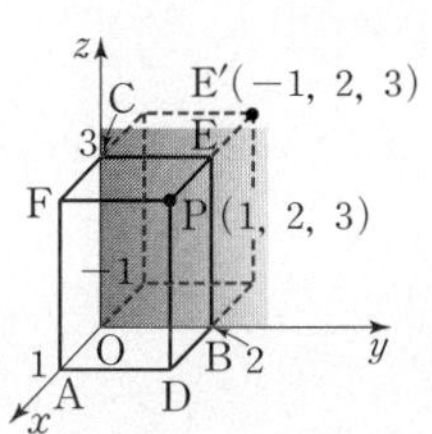

1-2 | 따라풀기 |

오른쪽 그림과 같은 직육면체에서 다음을 구하시오.

(1) 세 점 A, C, D의 좌표

(2) 세 점 B, E, G의 좌표

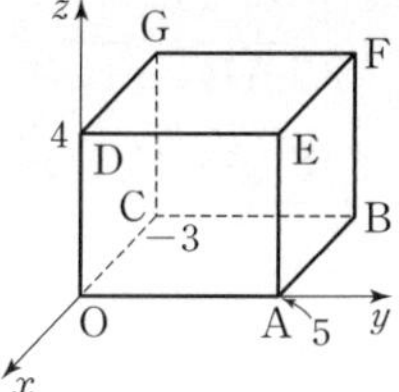

풀이

2-2 | 따라풀기 |

오른쪽 그림과 같은 직육면체에서 꼭짓점 P의 좌표가 P(2, 3, −4)일 때, 다음 점의 좌표를 구하시오.

(1) 점 P에서 xy평면에 내린 수선의 발

(2) 점 P에서 z축에 내린 수선의 발

(3) 점 P와 zx평면에 대하여 대칭인 점

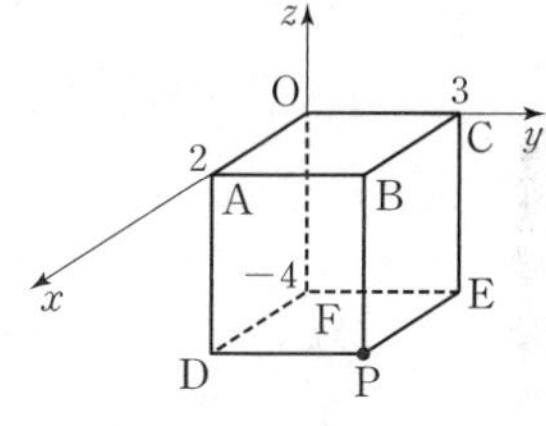

풀이

9 공간좌표

개념 3 좌표공간에서 두 점 사이의 거리

좌표공간에서 두 점 $\mathrm{A}(x_1, y_1, z_1)$, $\mathrm{B}(x_2, y_2, z_2)$ 사이의 거리는

$$\overline{\mathrm{AB}}=\sqrt{(x_2-x_1)^2+(y_2-y_1)^2+(z_2-z_1)^2}$$

특히 원점 O와 점 $\mathrm{A}(x_1, y_1, z_1)$ 사이의 거리는 $\overline{\mathrm{OA}}=\sqrt{x_1^2+❶\square+z_1^2}$

답 ❶ y_1^2

개념 플러스

▶ 두 점 사이의 거리

❶ 좌표평면 위의 두 점 $\mathrm{A}(x_1, y_1)$, $\mathrm{B}(x_2, y_2)$ 사이의 거리
$\overline{\mathrm{AB}}=\sqrt{(x_2-x_1)^2+(y_2-y_1)^2}$

❷ 수직선 위의 두 점 $\mathrm{A}(x_1)$, $\mathrm{B}(x_2)$ 사이의 거리
$\overline{\mathrm{AB}}=|x_2-x_1|$

개념 4 좌표공간에서 선분의 내분점과 외분점, 삼각형의 무게중심

(1) 좌표공간에서 두 점 $\mathrm{A}(x_1, y_1, z_1)$, $\mathrm{B}(x_2, y_2, z_2)$를 이은 선분 AB를

❶ $m : n\,(m>0, n>0)$으로 내분하는 점 P의 좌표는

$$\left(\frac{mx_2+nx_1}{m+n}, \frac{my_2+ny_1}{m+n}, \frac{mz_2+nz_1}{m+n}\right)$$

❷ $m : n\,(m>0, n>0, m\neq n)$으로 외분하는 점 Q의 좌표는

$$\left(\frac{mx_2-nx_1}{m-n}, \frac{my_2-ny_1}{m-n}, \frac{❶\square-nz_1}{m-n}\right)$$

특히 선분 AB의 중점 M의 좌표는 $\left(\frac{x_1+x_2}{2}, \frac{y_1+y_2}{2}, \frac{z_1+z_2}{2}\right)$

(2) 좌표공간에서 세 점 $\mathrm{A}(x_1, y_1, z_1)$, $\mathrm{B}(x_2, y_2, z_2)$, $\mathrm{C}(x_3, y_3, z_3)$을 꼭짓점으로 하는 삼각형 ABC의 무게중심 G의 좌표는

$$\mathrm{G}\left(\frac{x_1+x_2+x_3}{3}, \frac{y_1+y_2+y_3}{3}, \frac{z_1+z_2+z_3}{❷\square}\right)$$

답 ❶ mz_2 ❷ 3

개념 5 ㉠구의 방정식

(1) 구의 방정식

㉡중심이 $\mathrm{C}(a, b, c)$이고 반지름의 길이가 r인 구의 방정식은

$$(x-a)^2+(y-b)^2+(z-c)^2=❶\square$$

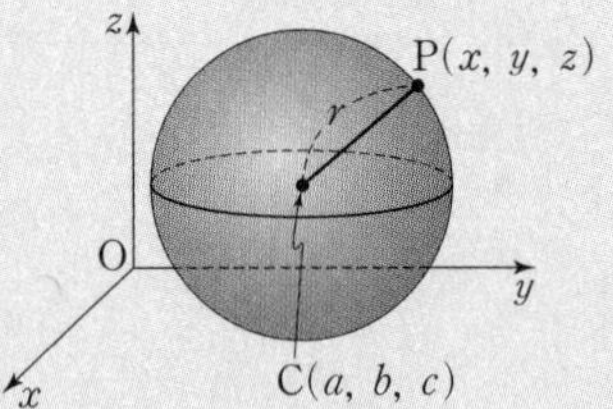

(2) 방정식 $x^2+y^2+z^2+Ax+By+Cz+D=0$이 나타내는 도형

$x^2+y^2+z^2+Ax+By+Cz+D=0$ (㉢$A^2+B^2+C^2-4D>0$)이면

중심의 좌표가 $\left(-\frac{A}{2}, -\frac{B}{2}, -\frac{C}{2}\right)$,

반지름의 길이가 $\frac{\sqrt{A^2+B^2+C^2-❷\square}}{2}$

인 구를 나타낸다.

답 ❶ r^2 ❷ $4D$

㉠ 공간에서 한 정점(구의 중심)으로부터 일정한 거리(구의 반지름의 길이)에 있는 점의 집합을 구라 한다.

㉡ 중심이 원점이고 반지름의 길이가 r인 구의 방정식은 $x^2+y^2+z^2=r^2$

㉢ $A^2+B^2+C^2-4D=0$이면 주어진 방정식은 한 점을 나타내고, $A^2+B^2+C^2-4D<0$이면 주어진 방정식을 만족시키는 점 (x, y, z)는 없으므로 좌표공간에 나타낼 수 없다.

3-1 | 좌표공간에서 두 점 사이의 거리 |

다음 두 점 사이의 거리를 구하시오.

(1) $\mathrm{O}(0, 0, 0)$, $\mathrm{P}(3, -2, 1)$

(2) $\mathrm{P}(2, 1, 3)$, $\mathrm{Q}(-2, 4, 1)$

(3) $\mathrm{P}(4, -1, -2)$, $\mathrm{Q}(3, -2, 0)$

연구

(1) $\overline{\mathrm{OP}}=\sqrt{3^2+(-2)^2+1^2}$
$=\sqrt{9+4+1}=\square$

(2) $\overline{\mathrm{PQ}}=\sqrt{(-2-2)^2+(4-1)^2+(1-3)^2}$
$=\sqrt{16+9+4}=\square$

(3) $\overline{\mathrm{PQ}}=\sqrt{(3-4)^2+\{-2-(-1)\}^2+\{0-(-2)\}^2}$
$=\sqrt{1+\square+4}=\square$

3-2 | 따라풀기 |

다음 두 점 사이의 거리를 구하시오.

(1) $\mathrm{O}(0, 0, 0)$, $\mathrm{P}(2, -2, -1)$

(2) $\mathrm{P}(3, -2, 5)$, $\mathrm{Q}(2, 3, -1)$

(3) $\mathrm{P}(2, 0, 7)$, $\mathrm{Q}(5, -3, -2)$

풀이

4-1 | 선분의 내분점과 외분점, 삼각형의 무게중심 |

두 점 $\mathrm{A}(2, -1, -3)$, $\mathrm{B}(-4, 5, 3)$에 대하여 다음 점의 좌표를 구하시오.

(1) 선분 AB를 $2:1$로 내분하는 점 P

(2) 선분 AB를 $2:1$로 외분하는 점 Q

(3) 선분 AB의 중점 M

연구

(1) 선분 AB를 $2:1$로 내분하는 점 P의 좌표는

$$\left(\frac{2\times(-4)+1\times2}{2+1}, \frac{2\times5+1\times(-1)}{2+1}, \frac{2\times3+1\times(-3)}{2+1}\right)$$

$\therefore$ **P($\square$, 3, 1)**

(2) 선분 AB를 $2:1$로 외분하는 점 Q의 좌표는

$$\left(\frac{2\times(-4)-1\times2}{2-1}, \frac{2\times5-1\times(-1)}{2-1}, \frac{2\times3-1\times(-3)}{2-1}\right)$$

$\therefore$ **Q(-10, 11, $\square$)**

(3) 선분 AB의 중점 M의 좌표는

$$\left(\frac{2+(-4)}{2}, \frac{-1+\square}{2}, \frac{-3+3}{2}\right)$$

$\therefore$ **M(-1, $\square$, 0)**

4-2 | 따라풀기 |

두 점 $\mathrm{A}(2, 5, 7)$, $\mathrm{B}(1, 2, 5)$에 대하여 다음 점의 좌표를 구하시오.

(1) 선분 AB를 $2:3$으로 내분하는 점 P

(2) 선분 AB를 $2:3$으로 외분하는 점 Q

(3) 선분 AB의 중점 M

풀이

해법 01 공간에서 점의 좌표

좌표공간의 점 $P(a, b, c)$에 대하여

(1) 축과 평면에 대하여 대칭인 점의 좌표

❶ x축 ⇨ $(a, -b, -c)$, y축 ⇨ $(-a, b, -c)$

z축 ⇨ $(-a, -b, c)$, 원점 ⇨ $(-a, -b, -c)$

❷ xy평면 ⇨ $(a, b, -c)$, yz평면 ⇨ $(-a, b, c)$, zx평면 ⇨ $(a, -b, c)$

(2) 축과 평면에 내린 수선의 발의 좌표

❶ x축 ⇨ $(a, 0, 0)$, y축 ⇨ $(0, b, 0)$, z축 ⇨ $(0, 0, c)$

❷ xy평면 ⇨ $(a, b, 0)$, yz평면 ⇨ $(0, b, c)$, zx평면 ⇨ $(a, 0, c)$

PLUS

좌표평면 위의 점 $P(a, b)$와 x축에 대하여 대칭인 점의 좌표는 $(a, -b)$
y축에 대하여 대칭인 점의 좌표는 $(-a, b)$
원점에 대하여 대칭인 점의 좌표는 $(-a, -b)$

1. 점 $A(a, b, 3)$과 x축에 대하여 대칭인 점이 $B(a, 2, c)$, 점 B와 y축에 대하여 대칭인 점이 $C(4, 2, 3)$일 때, a, b, c의 값을 구하시오.

2. 점 $A(a, -3, 4)$와 점 $B(7, b, 4)$가 yz평면에 대하여 대칭이고, 점 A와 점 $C(-7, -3, -c)$가 xy평면에 대하여 대칭일 때, a, b, c의 값을 구하시오.

해법 코드

1. x축에 대하여 대칭인 점의 좌표는 y좌표와 z좌표의 부호를 바꾸고, y축에 대하여 대칭인 점의 좌표는 z좌표와 x좌표의 부호를 바꾼다.

셀파 x축에 대하여 대칭 ⇨ y좌표, z좌표의 부호를 바꾼다.

풀이 **1.** 점 $A(a, b, 3)$과 x축에 대하여 대칭인 점의 좌표는 $(a, -b, -3)$이므로

ㄱ $-b=2, -3=c$ $\quad \therefore \boldsymbol{b=-2, c=-3}$

또 점 $B(a, 2, -3)$과 y축에 대하여 대칭인 점의 좌표는 $(-a, 2, 3)$이므로

$-a=4$ $\quad \therefore \boldsymbol{a=-4}$

2. 점 $A(a, -3, 4)$와 yz평면에 대하여 대칭인 점의 좌표는 $(-a, -3, 4)$이므로

$-a=7, -3=b$ $\quad \therefore \boldsymbol{a=-7, b=-3}$

이때 점 $A(-7, -3, 4)$와 xy평면에 대하여 대칭인 점의 좌표는 $(-7, -3, -4)$이므로

$-4=-c$ $\quad \therefore \boldsymbol{c=4}$

ㄱ 점 $P(x_1, y_1, z_1)$과 점 $Q(x_2, y_2, z_2)$가 같은 점이면 $x_1=x_2, y_1=y_2, z_1=z_2$이다.

확인 문제

정답과 해설 | 75쪽

01-1 (상중하) 점 $A(a, 3, b)$와 x축에 대하여 대칭인 점이 $P(a, c, -4)$, 점 P와 z축에 대하여 대칭인 점이 $Q(-2, 3, -4)$일 때, a, b, c의 값을 구하시오.

01-2 (상중하) 점 $A(3, -4, -7)$에서 xy평면에 내린 수선의 발을 B, 점 B와 yz평면에 대하여 대칭인 점을 C라 할 때, 두 점 B, C의 좌표를 구하시오.

MY 셀파

01-1
점 P의 좌표를 구한 다음 점 Q의 좌표를 구한다.

01-2
점 B의 좌표를 구한 다음 점 C의 좌표를 구한다.

좌표공간의 점 $P(a, b, c)$에 대하여 다음이 성립한다.

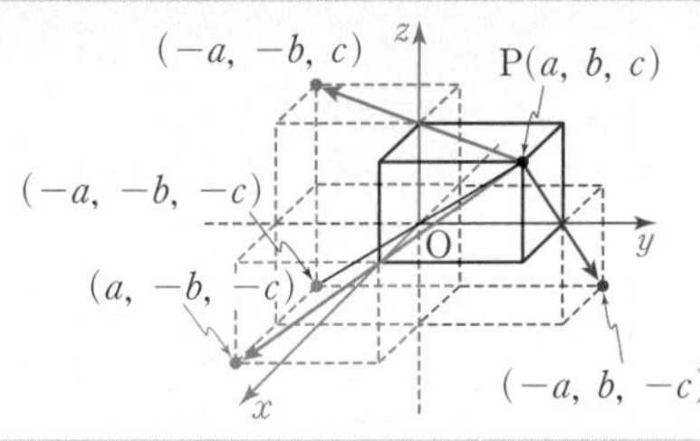		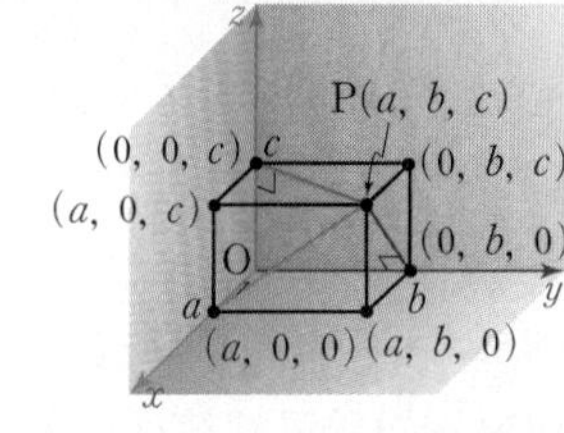
점 $P(a, b, c)$와 x축에 대하여 대칭인 점 ⇨ $(a, -b, -c)$ y축에 대하여 대칭인 점 ⇨ $(-a, b, -c)$ z축에 대하여 대칭인 점 ⇨ $(-a, -b, c)$ 원점에 대하여 대칭인 점 ⇨ $(-a, -b, -c)$	점 $P(a, b, c)$와 xy평면에 대하여 대칭인 점 ⇨ $(a, b, -c)$ yz평면에 대하여 대칭인 점 ⇨ $(-a, b, c)$ zx평면에 대하여 대칭인 점 ⇨ $(a, -b, c)$	점 $P(a, b, c)$에서 좌표축, 평면에 내린 수선의 발 x축 ⇨ $(a, 0, 0)$, y축 ⇨ $(0, b, 0)$ z축 ⇨ $(0, 0, c)$, xy평면 ⇨ $(a, b, 0)$ yz평면 ⇨ $(0, b, c)$, zx평면 ⇨ $(a, 0, c)$

01 좌표공간의 다음 점과 x축, y축, z축 및 원점에 대하여 대칭인 점의 좌표를 구하시오.

(1) $A(6, 4, 2)$

(2) $B(-2, 1, -5)$

02 좌표공간의 다음 점과 xy평면, yz평면, zx평면에 대하여 대칭인 점의 좌표를 구하시오.

(1) $P(3, 6, 2)$

(2) $Q(8, -1, -3)$

03 좌표공간의 다음 점에서 x축, y축, z축 및 xy평면, yz평면, zx평면에 내린 수선의 발의 좌표를 구하시오.

(1) $P(-5, 3, 4)$

(2) $Q(2, 4, -1)$

04 점 $A(2, 1, a)$와 y축에 대하여 대칭인 점이 $B(b, c, 3)$일 때, a, b, c의 값을 구하시오.

05 점 $A(a, 1, -2)$와 yz평면에 대하여 대칭인 점이 $B(3, b, c)$일 때, a, b, c의 값을 구하시오.

06 좌표공간의 점 P에서 xy평면, yz평면에 내린 수선의 발이 각각 $A(3, 1, 0)$, $B(0, 1, 5)$일 때, 점 P와 zx평면에 대하여 대칭인 점의 좌표를 구하시오.

해법 02 두 점 사이의 거리

❶ 좌표공간에서 두 점 $A(x_1, y_1, z_1)$, $B(x_2, y_2, z_2)$ 사이의 거리
⇨ $\overline{AB}=\sqrt{(x_2-x_1)^2+(y_2-y_1)^2+(z_2-z_1)^2}$

❷ 원점 $O(0, 0, 0)$과 점 $A(x_1, y_1, z_1)$ 사이의 거리 ⇨ $\overline{OA}=\sqrt{x_1^2+y_1^2+z_1^2}$

PLUS ⊕
좌표평면 위의 두 점 $A(x_1, y_1)$, $B(x_2, y_2)$ 사이의 거리
$\overline{AB}=\sqrt{(x_2-x_1)^2+(y_2-y_1)^2}$

예제 1. 두 점 $A(4, 1, 5)$, $B(a, 7, -3)$에 대하여 $\overline{AB}=10$일 때, a의 값을 구하시오.

2. 세 점 $A(3, 4, 2)$, $B(3, 2, -4)$, $C(2, 1, 3)$을 꼭짓점으로 하는 삼각형 ABC는 어떤 삼각형인지 말하시오.

해법 코드
1. 공식을 이용하여 두 점 사이의 거리를 구한다.
2. 삼각형의 세 변의 길이 사이의 관계로부터 어떤 삼각형인지 판단할 수 있다.

셀파 두 점 $A(x_1, y_1, z_1)$, $B(x_2, y_2, z_2)$에 대하여
$\overline{AB}=\sqrt{(x_2-x_1)^2+(y_2-y_1)^2+(z_2-z_1)^2}$

풀이 1. 두 점 $A(4, 1, 5)$, $B(a, 7, -3)$에 대하여
$\overline{AB}=\sqrt{(a-4)^2+(7-1)^2+(-3-5)^2}=\sqrt{a^2-8a+116}$
$\overline{AB}=10$에서 $\sqrt{a^2-8a+116}=10$
양변을 제곱하여 정리하면
$a^2-8a+16=0$, $(a-4)^2=0$ $\quad\therefore$ $\boldsymbol{a=4}$

2. 세 점 $A(3, 4, 2)$, $B(3, 2, -4)$, $C(2, 1, 3)$에 대하여
$\overline{AB}=\sqrt{(3-3)^2+(2-4)^2+(-4-2)^2}=\sqrt{40}$
$\overline{BC}=\sqrt{(2-3)^2+(1-2)^2+\{3-(-4)\}^2}=\sqrt{51}$
$\overline{CA}=\sqrt{(3-2)^2+(4-1)^2+(2-3)^2}=\sqrt{11}$
이때 $\overline{AB}^2+\overline{CA}^2=\overline{BC}^2$이므로 삼각형 ABC는 **$\angle A=90°$인 직각삼각형**이다.

$\overline{AB}^2+\overline{CA}^2=\overline{BC}^2$을 만족시키는 삼각형은 $\angle A=90°$인 직각삼각형이야.

확인 문제

정답과 해설 | 76쪽

02-1 (하) 두 점 $A(2, 3, a)$, $B(3, 1, -2)$에 대하여 $\overline{AB}=3$일 때, a의 값을 구하시오.

02-2 (중) 세 점 $A(2, -1, 1)$, $B(3, 0, 4)$, $C(2, -2, 5)$를 꼭짓점으로 하는 삼각형 ABC의 넓이를 구하시오.

MY 셀파

02-1
공식을 이용하여 두 점 사이의 거리를 구한다.

02-2
먼저 삼각형의 세 변의 길이를 각각 구하여 삼각형 ABC가 어떤 삼각형인지 파악한다.

해법 03 같은 거리에 있는 점

좌표공간에서 임의의 점의 좌표를 정할 때

❶ x축, y축, z축 위에 있는 점의 좌표는 각각 $(a, 0, 0)$, $(0, b, 0)$, $(0, 0, c)$로 놓는다.

❷ xy평면, yz평면, zx평면 위에 있는 점의 좌표는 각각 $(a, b, 0)$, $(0, b, c)$, $(a, 0, c)$로 놓는다.

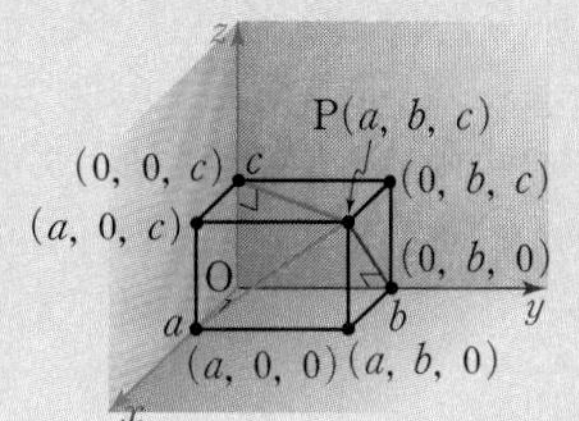

PLUS

두 점 A, B에서 같은 거리에 있는 점 P
⇨ $\overline{PA}=\overline{PB}$를 이용

세 점 A, B, C에서 같은 거리에 있는 점 P
⇨ $\overline{PA}=\overline{PB}=\overline{PC}$를 이용

예제

1. 두 점 $A(2, 1, 5)$, $B(-1, -2, 1)$에서 같은 거리에 있는 x축 위의 점 P의 좌표를 구하시오.

2. 세 점 $A(1, -1, 0)$, $B(2, 0, -1)$, $C(3, 2, 1)$에서 같은 거리에 있는 xy평면 위의 점 P의 좌표를 구하시오.

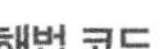

해법 코드

1. 점 P가 x축 위의 점이므로 $P(a, 0, 0)$으로 놓는다.

2. 점 P가 xy평면 위의 점이므로 $P(a, b, 0)$으로 놓는다.

셀파 x축 위의 점은 $(a, 0, 0)$, xy평면 위의 점은 $(a, b, 0)$으로 놓는다.

풀이 **1.** x축 위의 점 P의 좌표를 $P(a, 0, 0)$으로 놓으면

$\overline{AP}=\overline{BP}$에서 ㉠ $\overline{AP}^2=\overline{BP}^2$이므로

$a^2-4a+30=a^2+2a+6$, $6a=24$ $\quad\therefore a=4$

따라서 점 P의 좌표는 $\mathbf{P(4, 0, 0)}$

2. xy평면 위의 점 P의 좌표를 $P(a, b, 0)$으로 놓으면

$\overline{AP}=\overline{BP}=\overline{CP}$에서 ㉡ $\overline{AP}^2=\overline{BP}^2$, $\overline{BP}^2=\overline{CP}^2$이므로

$a^2+b^2-2a+2b+2=a^2+b^2-4a+5 \quad \therefore 2a+2b=3 \quad \cdots\cdots ㉠$

$a^2+b^2-4a+5=a^2+b^2-6a-4b+14 \quad \therefore 2a+4b=9 \quad \cdots\cdots ㉡$

㉠, ㉡을 연립하여 풀면 $a=-\dfrac{3}{2}$, $b=3$

따라서 점 P의 좌표는 $\mathbf{P\left(-\dfrac{3}{2}, 3, 0\right)}$

㉠ $\overline{AP}^2$
$=(a-2)^2+(0-1)^2+(0-5)^2$
$=a^2-4a+30$
$\overline{BP}^2$
$=(a+1)^2+(0+2)^2+(0-1)^2$
$=a^2+2a+6$

㉡ $\overline{AP}^2=(a-1)^2+(b+1)^2$
$=a^2+b^2-2a+2b+2$
$\overline{BP}^2=(a-2)^2+b^2+1^2$
$=a^2+b^2-4a+5$
$\overline{CP}^2=(a-3)^2+(b-2)^2+(-1)^2$
$=a^2+b^2-6a-4b+14$

9 공간좌표

확인 문제

정답과 해설 | 77쪽

03-1 (상중하) 두 점 $A(0, 1, 1)$, $B(-1, -3, -2)$에서 같은 거리에 있는 z축 위의 점 P의 좌표를 구하시오.

03-2 (상중하) 두 점 $A(2, 1, -1)$, $B(3, 2, 1)$과 xy평면 위의 점 C에 대하여 삼각형 ABC가 정삼각형이 되도록 하는 점 C의 좌표를 구하시오.

MY 셀파

03-1
z축 위의 점은 x좌표와 y좌표가 모두 0이다. 따라서 점 P의 좌표를 $P(0, 0, c)$로 놓는다.

03-2
점 C의 좌표를 $C(a, b, 0)$으로 놓고, $\overline{AB}=\overline{BC}=\overline{CA}$임을 이용한다.

셀파 특강 01 선분의 길이의 합의 최솟값

A 좌표평면 위의 두 점 A, B와 x축 위의 임의의 점 P 사이의 거리의 합, 즉 $\overline{AP}+\overline{PB}$의 최솟값을 어떻게 구했는지 기억나니?

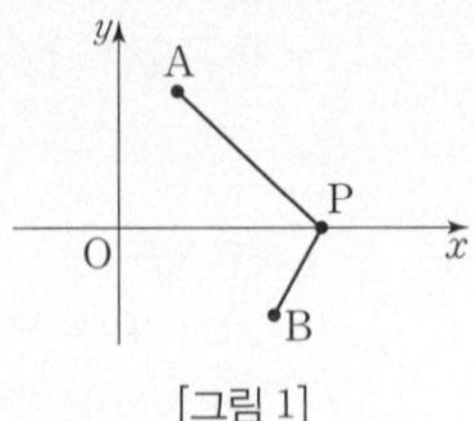

[그림 1]

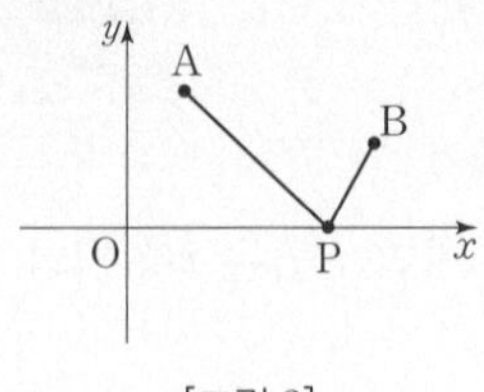

[그림 2]

Q 그럼요. [그림 1]처럼 두 점 A, B가 x축을 기준으로 서로 다른 쪽에 위치하고 있다면 $\overline{AP}+\overline{PB}$의 최솟값은 두 점 A, B를 잇는 선분 AB의 길이를 구하면 돼요.
또 ㉠[그림 2]처럼 두 점 A, B가 x축을 기준으로 같은 쪽에 있으면 대칭을 이용했어요. 즉, 두 점 중 한 점과 x축에 대하여 대칭인 점을 구하고, $\overline{AP}+\overline{PB}$의 최솟값은 대칭인 점과 나머지 한 점을 잇는 선분의 길이임을 이용하는 거죠.

A 잘 알고 있구나. 좌표공간에서도 같은 원리로 선분의 길이의 합의 최솟값을 구할 수 있어. 두 점 A, B와 xy평면 위의 임의의 점 P 사이의 거리의 합, 즉 $\overline{AP}+\overline{PB}$에 대하여 다음이 성립해.

❶ 두 점 A, B가 xy평면의 서로 ㉡다른 쪽에 위치
⇨ $\overline{AP}+\overline{PB}\geq\overline{AB}$

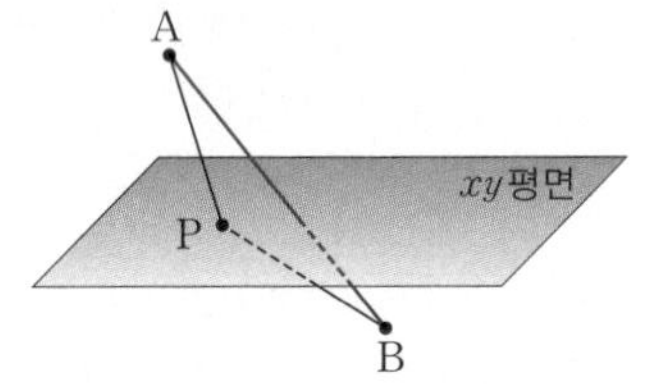

❷ 두 점 A, B가 xy평면의 ㉢같은 쪽에 위치
⇨ 점 B와 xy평면에 대하여 대칭인 점 B′에 대하여
⇨ $\overline{AP}+\overline{PB}=\overline{AP}+\overline{PB'}\geq\overline{AB'}$

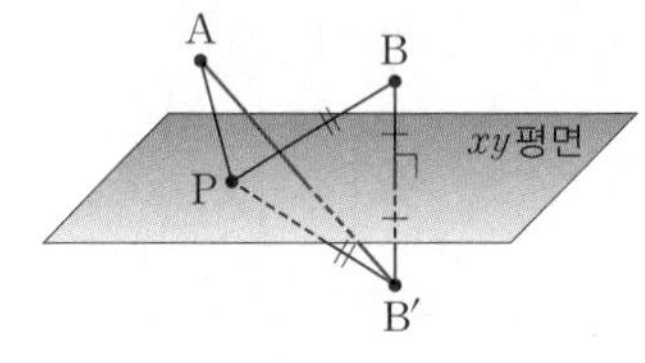

Q 네, 결국 ❶처럼 두 점 A, B가 좌표평면의 서로 다른 쪽에 위치하고 있다면 두 점 A, B를 잇는 선분 AB의 길이가 $\overline{AP}+\overline{PB}$의 최솟값이네요. 또 두 점 A, B가 ❷처럼 좌표평면의 같은 쪽에 위치하고 있다면 두 점 중 한 점과 좌표평면에 대하여 대칭인 점을 구한 다음 ❶과 같은 방법으로 구하면 되고요.

A 맞아. 마찬가지로 두 점 A, B와 x축이나 y축 또는 z축 위의 점 P 사이의 거리의 합 $\overline{AP}+\overline{PB}$의 최솟값도 대칭을 이용해서 구할 수 있어.

㉠ 두 점 A, B가 모두 x축 위쪽에 있다고 하고, 점 B와 x축에 대하여 대칭인 점을 B′이라 하자.

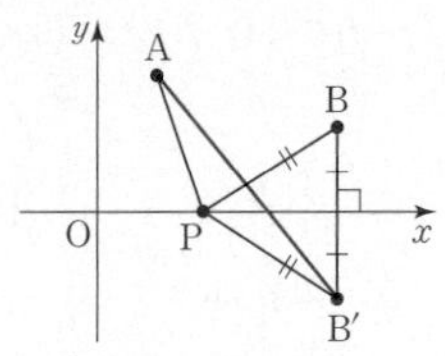

$\overline{PB}=\overline{PB'}$이므로
$\overline{AP}+\overline{PB}=\overline{AP}+\overline{PB'}$
$\geq\overline{AB'}$
즉, $\overline{AP}+\overline{PB}$의 최솟값은 선분 AB′의 길이와 같다.

㉡ 점 P가 위치하는 좌표평면을 기준으로 두 점 A, B가 서로 다른 쪽에 있는 경우에 $\overline{AP}+\overline{PB}$의 최솟값은 선분 AB의 길이이다.
좌표평면을 기준으로 두 점이 서로 다른 쪽에 있는지, 같은 쪽에 있는지는 기준이 되는 좌표평면 이외의 좌표의 부호를 보고 판단한다.
즉, xy평면이 기준일 때는 두 점의 z좌표의 부호가 같으면 같은 쪽, 다르면 서로 다른 쪽에 있다.

㉢ 점 P가 xy평면 위의 임의의 점이므로 $\overline{PB}=\overline{PB'}$에서
$\overline{AP}+\overline{PB}=\overline{AP}+\overline{PB'}$
$\geq\overline{AB'}$
즉, $\overline{AP}+\overline{PB}$의 최솟값은 선분 AB′의 길이와 같다.

해법 04 선분의 길이의 합의 최솟값

좌표공간의 두 점 A, B와 좌표평면 위의 임의의 점 P에 대하여 $\overline{AP}+\overline{PB}$의 최솟값을 구할 때, 두 점 A, B가 주어진 좌표평면을 기준으로 같은 쪽에 있는 경우 좌표평면에 대하여 점 B와 대칭인 점을 생각한다. 이 점을 B′이라 하면 $\overline{AP}+\overline{PB}$의 최솟값은 선분 AB′의 길이와 같다.

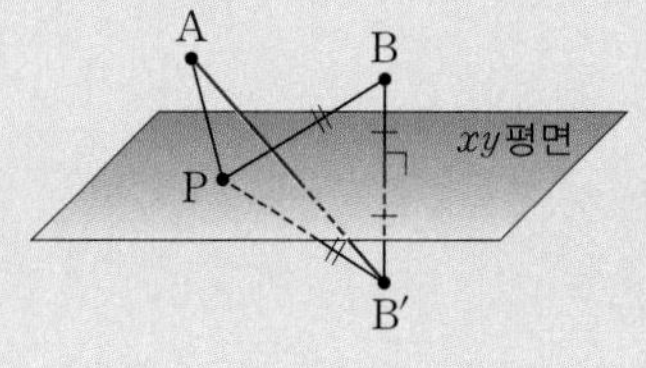

PLUS

좌표공간의 점 (a, b, c)와
❶ xy평면에 대하여 대칭인 점 ⇨ $(a, b, -c)$
❷ yz평면에 대하여 대칭인 점 ⇨ $(-a, b, c)$
❸ zx평면에 대하여 대칭인 점 ⇨ $(a, -b, c)$

예제

1. 두 점 A$(0, 1, 2)$, B$(2, -1, 3)$과 xy평면 위의 임의의 점 P에 대하여 $\overline{AP}+\overline{PB}$의 최솟값을 구하시오.

2. 두 점 C$(2, 1, 3)$, D$(4, 4, -3)$과 yz평면 위의 임의의 점 Q에 대하여 삼각형 CDQ의 둘레의 길이의 최솟값을 구하시오.

해법 코드

1. 점 B와 xy평면에 대하여 대칭인 점을 생각한다.

2. 점 D와 yz평면에 대하여 대칭인 점을 생각한다.

셀파 선분의 길이의 합의 최솟값 ⇨ 대칭인 점을 이용

풀이 **1.** xy평면에 대하여 점 B와 대칭인 점을 B′이라 하면 B′$(2, -1, -3)$이고, $\overline{PB}=\overline{PB'}$이므로

$$\overline{AP}+\overline{PB}=\overline{AP}+\overline{PB'}\geq\overline{AB'}$$
$$=\sqrt{2^2+(-2)^2+(-5)^2}$$
$$=\sqrt{33}$$

따라서 $\overline{AP}+\overline{PB}$의 최솟값은 $\sqrt{\mathbf{33}}$

참고 두 점 A$(0, 1, 2)$, B$(2, -1, 3)$의 z좌표의 부호가 모두 양이므로 두 점 A, B는 xy평면을 기준으로 같은 쪽에 있다.

2. yz평면에 대하여 점 D와 대칭인 점을 D′이라 하면 D′$(-4, 4, -3)$이고, $\overline{QD}=\overline{QD'}$이므로

$$\overline{CQ}+\overline{QD}=\overline{CQ}+\overline{QD'}\geq\overline{CD'}$$
$$=\sqrt{(-6)^2+3^2+(-6)^2}=9$$

또한 $\overline{CD}=\sqrt{2^2+3^2+(-6)^2}=7$

따라서 삼각형 CDQ의 둘레의 길이의 최솟값은 $9+7=\mathbf{16}$

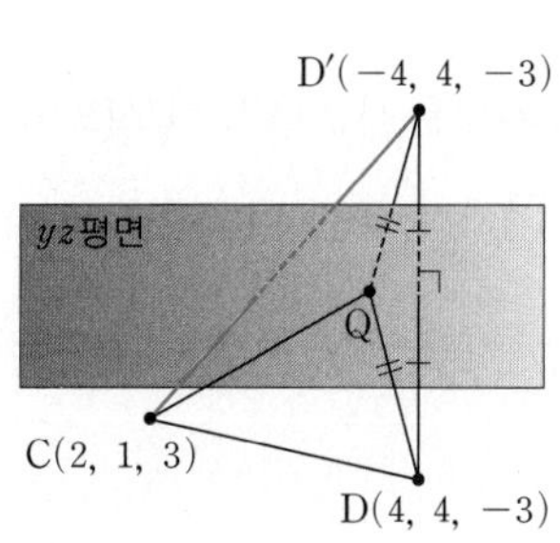

참고 두 점 C$(2, 1, 3)$, D$(4, 4, -3)$의 x좌표의 부호가 모두 양이므로 두 점 C, D는 yz평면을 기준으로 같은 쪽에 있다.

9 공간좌표

확인 문제

정답과 해설 | 77쪽

04-1 (상중하) 두 점 A$(1, -2, 3)$, B$(-2, -3, 5)$에 대하여 다음을 구하시오.

(1) yz평면 위의 임의의 점 Q에 대하여 $\overline{AQ}+\overline{BQ}$의 최솟값

(2) zx평면 위의 임의의 점 R에 대하여 $\overline{AR}+\overline{BR}$의 최솟값

MY 셀파

04-1
두 점 A, B가 yz평면, zx평면을 기준으로 서로 같은 쪽에 있는지 다른 쪽에 있는지 확인한다.

해법 05 두 점 사이의 거리의 활용 (직선과 평면이 이루는 각)

(1) 좌표공간의 점 $P(a, b, c)$의
❶ xy평면 위로의 정사영 ⇨ $(a, b, 0)$
❷ yz평면 위로의 정사영 ⇨ $(0, b, c)$
❸ zx평면 위로의 정사영 ⇨ $(a, 0, c)$

(2) 좌표공간의 두 점 A, B의 좌표평면 위로의 정사영이 각각 A′, B′일 때, 선분 AB의 좌표평면 위로의 정사영은 선분 A′B′이다.

PLUS
선분 AB의 xy평면 위로의 정사영이 선분 A′B′이고, 선분 AB와 xy평면이 이루는 각의 크기가 θ일 때
$\overline{A'B'}=\overline{AB}\cos\theta$ (단, $0° \le \theta \le 90°$)

1. 두 점 $A(2, 1, 3)$, $B(5, 5, 8)$을 지나는 직선이 xy평면과 이루는 각의 크기 θ를 구하시오. (단, $0° \le \theta \le 90°$)

2. 두 점 $A(1, \sqrt{2}, a)$, $B(4, 0, 2)$를 지나는 직선이 yz평면과 이루는 각의 크기가 $60°$일 때, a의 값을 구하시오.

해법 코드
1. 두 점 A, B의 xy평면 위로의 정사영을 구한다.
2. 두 점 A, B의 yz평면 위로의 정사영을 각각 A′, B′이라 하면 $\overline{A'B'}=\overline{AB}\cos 60°$이다.

셀파 두 점 A, B의 좌표평면 위로의 정사영이 각각 A′, B′일 때, $\overline{A'B'}=\overline{AB}\cos\theta$

풀이 **1.** 두 점 A, B의 xy평면 위로의 정사영을 각각 A′, B′이라 하면
$A'(2, 1, 0)$, $B'(5, 5, 0)$
선분 AB의 xy평면 위로의 정사영은 선분 A′B′이므로 ㉠ $\overline{AB}\cos\theta=\overline{A'B'}$
$5\sqrt{2}\cos\theta=5$, $\cos\theta=\dfrac{1}{\sqrt{2}}$ $\quad\therefore$ **$\theta=45°$**

2. 두 점 A, B의 yz평면 위로의 정사영을 각각 A′, B′이라 하면
$A'(0, \sqrt{2}, a)$, $B'(0, 0, 2)$
선분 AB의 yz평면 위로의 정사영은 선분 A′B′이므로 ㉡ $\overline{AB}\cos 60°=\overline{A'B'}$
$\sqrt{a^2-4a+6}=\dfrac{1}{2}\sqrt{a^2-4a+15}$, $4(a^2-4a+6)=a^2-4a+15$
$a^2-4a+3=0$, $(a-1)(a-3)=0$ $\quad\therefore$ **$a=1$ 또는 $a=3$**

좌표공간의 한 점을 좌표평면 위로 정사영한 점의 좌표는 주어진 점에서 좌표평면에 내린 수선의 발의 좌표와 같아.

㉠ $\overline{AB}=\sqrt{3^2+4^2+5^2}=5\sqrt{2}$
$\overline{A'B'}=\sqrt{3^2+4^2}=\sqrt{25}=5$

㉡ $\overline{AB}=\sqrt{3^2+(-\sqrt{2})^2+(2-a)^2}$
$=\sqrt{a^2-4a+15}$
$\overline{A'B'}=\sqrt{(-\sqrt{2})^2+(2-a)^2}$
$=\sqrt{a^2-4a+6}$

확인 문제

정답과 해설 | 77쪽

05-1 (상중하) 두 점 $A(1, 3, 2)$, $B(1, -3, 4)$에 대하여 선분 AB의 xy평면 위로의 정사영의 길이를 구하시오.

05-2 (상중하) 두 점 $A(\sqrt{2}, 1, 3)$, $B(0, 4, 2)$를 지나는 직선이 zx평면과 이루는 각의 크기 θ를 구하시오. (단, $0° \le \theta \le 90°$)

MY 셀파

05-1
점 A의 xy평면 위로의 정사영을 A′이라 하면 $A'(1, 3, 0)$

05-2
직선 AB와 zx평면이 이루는 각의 크기는 선분 AB와 선분 AB의 zx평면 위로의 정사영이 이루는 각의 크기와 같다.

셀파 특강 02 선분의 내분점과 외분점, 중점

A 좌표공간은 좌표평면에 z축이 추가된 거라 생각할 수 있어. 따라서 좌표공간에서 선분의 내분점과 외분점, 중점의 좌표도 좌표평면에서 선분의 내분점과 외분점, 중점의 좌표를 구하는 공식에 z좌표만 추가하면 되지.

좌표공간에서 두 점 $\mathrm{A}(x_1, y_1, z_1)$, $\mathrm{B}(x_2, y_2, z_2)$에 대하여

❶ 선분 AB를 $m : n$ $(m>0, n>0)$으로 내분하는 점 P의 좌표

⇨ $\mathrm{P}\left(\dfrac{mx_2+nx_1}{m+n}, \dfrac{my_2+ny_1}{m+n}, \dfrac{mz_2+nz_1}{m+n}\right)$

❷ 선분 AB를 $m : n$ $(m>0, n>0, m\neq n)$으로 외분하는 점 Q의 좌표

⇨ $\mathrm{Q}\left(\dfrac{mx_2-nx_1}{m-n}, \dfrac{my_2-ny_1}{m-n}, \dfrac{mz_2-nz_1}{m-n}\right)$

❸ 선분 AB의 중점 M의 좌표

⇨ $\mathrm{M}\left(\dfrac{x_1+x_2}{2}, \dfrac{y_1+y_2}{2}, \dfrac{z_1+z_2}{2}\right)$

▶ 좌표평면 위의 두 점 $\mathrm{A}(x_1, y_1)$, $\mathrm{B}(x_2, y_2)$에 대하여 선분 AB를 $m : n$ $(m>0, n>0)$으로 내분하는 점을 P, 외분하는 점을 Q라 하면

$\mathrm{P}\left(\dfrac{mx_2+nx_1}{m+n}, \dfrac{my_2+ny_1}{m+n}\right)$

$\mathrm{Q}\left(\dfrac{mx_2-nx_1}{m-n}, \dfrac{my_2-ny_1}{m-n}\right)$

(단, $m\neq n$)

선분 AB를 $m : n$으로 내분하는 점 P가 선분 AB의 중점일 때는 $m=n$일 때이다.
따라서 선분 AB의 중점을 M이라 하면

$\mathrm{M}\left(\dfrac{x_1+x_2}{2}, \dfrac{y_1+y_2}{2}\right)$

증명

❶ 다음 그림과 같이 세 점 A, P, B의 xy평면 위로의 정사영을 각각 A′, P′, B′이라 하면 $\mathrm{A}'(x_1, y_1, 0)$, $\mathrm{P}'(x, y, 0)$, $\mathrm{B}'(x_2, y_2, 0)$이고,

$\overline{\mathrm{AP}} : \overline{\mathrm{PB}} = \overline{\mathrm{A'P'}} : \overline{\mathrm{P'B'}} = m : n$

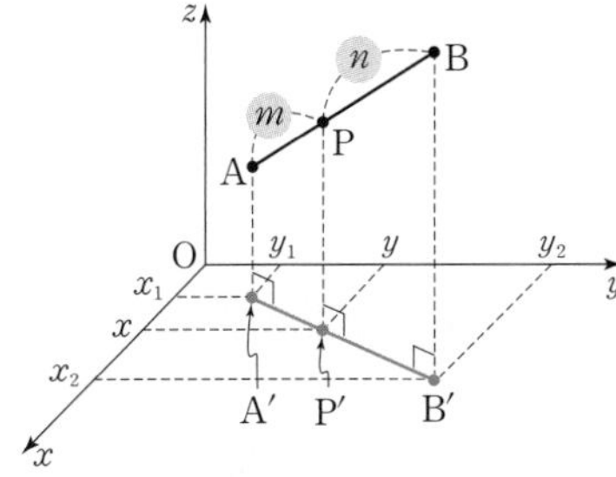

이때 점 P′은 ㉠ xy평면 위에서 선분 A′B′을 $m : n$으로 내분하는 점이므로

$x=\dfrac{mx_2+nx_1}{m+n}$, $y=\dfrac{my_2+ny_1}{m+n}$

같은 방법으로 세 점 A, P, B의 yz평면(또는 zx평면) 위로의 정사영을 이용하여 $z=\dfrac{mz_2+nz_1}{m+n}$을 구할 수 있다.

❷ ㉡ ❶과 같은 방법으로 외분하는 점 Q의 좌표도 구할 수 있다.

❸ ㉢ ❶에 $m=1$, $n=1$을 대입하여 중점 M의 좌표도 구할 수 있다.

㉠ xy평면 위에서 선분의 내분점을 구하는 것이므로 z좌표를 생각하지 않으면 좌표평면에서 선분의 내분점을 구하는 공식과 같이 구할 수 있다.

㉡ 좌표평면에서 외분점의 좌표를 구하는 공식과 같이 좌표공간에서도 외분점의 좌표를 구하는 공식은 내분점의 좌표를 구하는 공식에서 n을 $-n$으로 바꾸면 된다.

㉢ 선분 AB의 중점은 선분 AB를 $1 : 1$로 내분하는 점이다.

확인 체크 01 정답과 해설 | 78쪽

두 점 $\mathrm{A}(-2, 1, 3)$, $\mathrm{B}(4, -5, 0)$을 이은 선분 AB를 $2 : 1$로 내분하는 점을 P, $2 : 3$으로 외분하는 점을 Q라 할 때, 선분 PQ의 중점 M의 좌표를 구하시오.

해법 06 선분의 내분점과 외분점

좌표공간에서 두 점을 이은 선분의 내분점과 외분점에 대한 문제는 공식을 이용한다. 이때 선분이 좌표평면에 의하여 내분 또는 외분되는 경우에는 그 내분점 또는 외분점이 주어진 좌표평면 위에 있다는 것을 이용하여 내분점과 외분점의 x좌표, y좌표, z좌표 중 0이 되는 것을 찾는다.

PLUS ⊕

평행사변형의 두 대각선은 서로 다른 것을 이등분하므로 두 대각선의 중점은 일치한다.

1. 두 점 A(2, 3, −6), B(−1, 3, −3)을 이은 선분 AB를 2 : 1로 내분하는 점 P와 2 : 1로 외분하는 점 Q 사이의 거리를 구하시오.

2. 세 점 A(1, 2, 1), B(3, 2, 1), C(5, −6, 3)과 점 D를 꼭짓점으로 하는 사각형 ABCD가 평행사변형일 때, 점 D의 좌표를 구하시오.

해법 코드

2. 평행사변형 ABCD의 두 대각선 AC, BD의 중점이 일치한다.

셀파 좌표공간에서 선분의 내분점, 외분점의 좌표는 공식을 이용해서 구한다.

풀이 **1.** 선분 AB를 2 : 1로 내분하는 점 P의 좌표는

$$\left(\frac{2\times(-1)+1\times2}{2+1}, \frac{2\times3+1\times3}{2+1}, \frac{2\times(-3)+1\times(-6)}{2+1}\right)$$

$\therefore$ P(0, 3, −4)

선분 AB를 2 : 1로 외분하는 점 Q의 좌표는

$$\left(\frac{2\times(-1)-1\times2}{2-1}, \frac{2\times3-1\times3}{2-1}, \frac{2\times(-3)-1\times(-6)}{2-1}\right)$$

$\therefore$ Q(−4, 3, 0)

따라서 두 점 P, Q 사이의 거리는 $\overline{PQ}=\sqrt{(-4)^2+4^2}=\mathbf{4\sqrt{2}}$

2. 점 D의 좌표를 D(a, b, c)로 놓으면 ㉠두 대각선 AC, BD의 중점이 일치하므로

$3=\frac{3+a}{2}$, $-2=\frac{2+b}{2}$, $2=\frac{1+c}{2}$

$\therefore a=3, b=-6, c=3$

따라서 점 D의 좌표는 **D(3, −6, 3)**

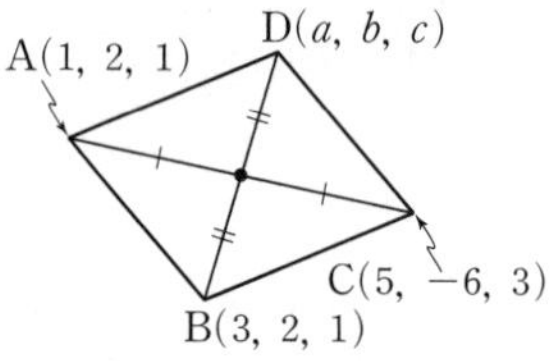

㉠ 선분 AC의 중점의 좌표는 $\left(\frac{1+5}{2}, \frac{2-6}{2}, \frac{1+3}{2}\right)$, 즉 (3, −2, 2)

선분 BD의 중점의 좌표는 $\left(\frac{3+a}{2}, \frac{2+b}{2}, \frac{1+c}{2}\right)$

확인 문제

정답과 해설 | 78쪽

06-1 (상)(중)(하) 두 점 A(1, 0, −3), B(−4, 5, 2)를 이은 선분 AB를 2 : 3으로 내분하는 점 P와 2 : 1로 외분하는 점 Q 사이의 거리를 구하시오.

06-2 (상)(중)(하) 평행사변형 ABCD에서 A(−2, −3, −4), B(−1, −2, 5)이고, 두 대각선의 교점의 좌표가 M(0, 2, −3)일 때, 두 점 C, D의 좌표를 구하시오.

MY 셀파

06-1

선분의 내분점과 외분점을 구하는 공식을 이용한다.

06-2

평행사변형 ABCD의 두 대각선 AC, BD의 교점 M은 $\overline{AC}$의 중점이면서 $\overline{BD}$의 중점이다.

해법 07 삼각형의 무게중심

좌표공간에서 세 점 $A(x_1, y_1, z_1)$, $B(x_2, y_2, z_2)$, $C(x_3, y_3, z_3)$을 꼭짓점으로 하는 삼각형 ABC의 무게중심 G의 좌표는

$$G\left(\frac{x_1+x_2+x_3}{3}, \frac{y_1+y_2+y_3}{3}, \frac{z_1+z_2+z_3}{3}\right)$$

PLUS ⊕
무게중심 G는 점 A와 변 BC의 중점을 이은 선분을 2 : 1로 내분하는 점이다.

예제 **1.** 좌표공간의 점 A(1, 2, 3)과 xy평면에 대하여 대칭인 점을 P, 원점에 대하여 대칭인 점을 Q, x축에 대하여 대칭인 점을 R라 할 때, 삼각형 PQR의 무게중심 G의 좌표를 구하시오.

2. 두 점 A(−1, 2, 3), B(1, 4, −5)와 yz평면 위의 점 C를 꼭짓점으로 하는 삼각형 ABC의 무게중심이 G(a, 1, 2)일 때, 점 C의 좌표를 구하시오.

해법 코드

1. 세 점 P, Q, R의 좌표를 구한 다음 삼각형의 무게중심의 좌표를 구하는 공식에 대입한다.
2. 점 C가 yz평면 위의 점이므로 점 C의 좌표를 C(0, b, c)로 놓는다.

셀파 삼각형의 무게중심의 좌표 ⇨ $\left(\frac{x_1+x_2+x_3}{3}, \frac{y_1+y_2+y_3}{3}, \frac{z_1+z_2+z_3}{3}\right)$

풀이 **1.** ㉠ P(1, 2, −3), Q(−1, −2, −3), R(1, −2, −3)
이므로 삼각형 PQR의 무게중심 G의 좌표는

$$\left(\frac{1-1+1}{3}, \frac{2-2-2}{3}, \frac{-3-3-3}{3}\right) \quad \therefore \mathbf{G\left(\frac{1}{3}, -\frac{2}{3}, -3\right)}$$

2. yz평면 위의 점 C의 좌표를 C(0, b, c)로 놓으면
삼각형 ABC의 무게중심 G의 좌표는

$$\left(\frac{-1+1+0}{3}, \frac{2+4+b}{3}, \frac{3+(-5)+c}{3}\right), \text{ 즉 } \left(0, \frac{6+b}{3}, \frac{-2+c}{3}\right)$$

이 점이 점 G(a, 1, 2)와 일치하므로

$0=a$, $\frac{6+b}{3}=1$, $\frac{-2+c}{3}=2$에서 $a=0$, $b=-3$, $c=8$ $\quad\therefore$ **C(0, −3, 8)**

㉠ 점 A(1, 2, 3)과
❶ xy평면에 대하여 대칭인 점 P의 좌표는 z좌표의 부호만 바뀌므로 P(1, 2, −3)
❷ 원점에 대하여 대칭인 점 Q의 좌표는 모든 좌표의 부호가 바뀌므로 Q(−1, −2, −3)
❸ x축에 대하여 대칭인 점 R의 좌표는 y좌표와 z좌표의 부호가 바뀌므로 R(1, −2, −3)

확인 문제

정답과 해설 | 78쪽

07-1 (상 중 하) 좌표공간의 점 A(−3, 2, 1)과 xy평면에 대하여 대칭인 점을 P, 점 B(−1, 0, 2)와 원점에 대하여 대칭인 점을 Q라 하자. 삼각형 PQR의 무게중심의 좌표가 점 C(0, 1, −2)일 때, 점 R의 좌표를 구하시오.

07-2 (상 중 하) 세 점 A(−1, 0, 1), B(3, 4, −2), C(1, 2, −5)를 꼭짓점으로 하는 삼각형 ABC의 세 변 AB, BC, CA를 2 : 1로 내분하는 점을 각각 P, Q, R라 할 때, 삼각형 PQR의 무게중심의 좌표를 구하시오.

MY 셀파

07-1
점 R의 좌표를 R(a, b, c)로 놓는다.

07-2
세 점 P, Q, R가 삼각형 ABC의 세 변을 각각 2 : 1로 내분하는 점이므로 삼각형 PQR의 무게중심과 삼각형 ABC의 무게중심은 일치한다.

셀파 특강 03 방정식 $x^2+y^2+z^2+Ax+By+Cz+D=0$이 나타내는 도형

Q 원의 방정식과 마찬가지로 구의 방정식도 이차방정식 꼴로 나타낼 수 있겠지요?

구의 방정식 $(x-a)^2+(y-b)^2+(z-c)^2=r^2$을 전개하여 정리하면
$x^2+y^2+z^2-2ax-2by-2cz+a^2+b^2+c^2-r^2=0$
이때 $-2a=A$, $-2b=B$, $-2c=C$, $a^2+b^2+c^2-r^2=D$라 하면
구의 방정식은
$x^2+y^2+z^2+Ax+By+Cz+D=0$ ……㉠
꼴로 나타낼 수 있다.
역으로 방정식 ㉠을 변형하면
$$\left(x+\frac{A}{2}\right)^2+\left(y+\frac{B}{2}\right)^2+\left(z+\frac{C}{2}\right)^2=\frac{A^2+B^2+C^2-4D}{4}$$
이므로❶ $A^2+B^2+C^2-4D>0$이면 방정식 ㉠은
중심의 좌표가 $\left(-\frac{A}{2}, -\frac{B}{2}, -\frac{C}{2}\right)$이고 반지름의 길이가
$\frac{\sqrt{A^2+B^2+C^2-4D}}{2}$인 구를 나타낸다.

❶ $A^2+B^2+C^2-4D\leq0$이면 반지름의 길이가 0 또는 허수가 되므로 구가 될 수 없다.

A 잘했어. 즉, 구의 방정식은 x^2, y^2, z^2의 계수가 모두 같고,
xy항, yz항, zx항, xyz항이 없는 x, y, z에 대한 이차방정식으로 나타낼 수 있어.

구의 방정식
$x^2+y^2+z^2+Ax+By+Cz+D=0$ (단, $A^2+B^2+C^2-4D>0$)
❶ 중심의 좌표 : $\left(-\frac{A}{2}, -\frac{B}{2}, -\frac{C}{2}\right)$
❷ 반지름의 길이 : $\frac{\sqrt{A^2+B^2+C^2-4D}}{2}$

참고
구가 지나는 네 점을 알 때 구의 방정식을 구하는 문제는 구의 방정식을 $x^2+y^2+z^2+Ax+By+Cz+D=0$으로 놓고 네 점의 좌표를 대입하여 상수 A, B, C, D의 값을 구한다.

예
네 점 $(0, 0, 0)$, $(0, 0, 1)$, $(0, 2, 0)$, $(3, 0, 0)$을 지나는 구의 방정식은
구의 방정식을
$x^2+y^2+z^2+Ax+By+Cz+D=0$
으로 놓고
점 $(0, 0, 0)$ 대입
⇨ $D=0$ ……㉠
점 $(0, 0, 1)$ 대입
⇨ $1+C+D=0$ ……㉡
점 $(0, 2, 0)$ 대입
⇨ $4+2B+D=0$ ……㉢
점 $(3, 0, 0)$ 대입
⇨ $9+3A+D=0$ ……㉣
㉠, ㉡, ㉢, ㉣에서
$A=-3$, $B=-2$, $C=-1$, $D=0$
$\therefore x^2+y^2+z^2-3x-2y-z=0$

확인 체크 02 정답과 해설 | 79쪽

다음 방정식이 나타내는 구의 중심의 좌표와 반지름의 길이를 구하시오.

(1) $x^2+y^2+z^2-2x-6y+9=0$

(2) $x^2+y^2+z^2-4x+6y-2z+5=0$

해법 08 구의 방정식

❶ 중심의 좌표 (a, b, c)와 반지름의 길이 r가 주어질 때

⇨ $(x-a)^2+(y-b)^2+(z-c)^2=r^2$

❷ 구가 지나는 네 점의 좌표가 주어질 때

⇨ $x^2+y^2+z^2+Ax+By+Cz+D=0$

PLUS ⊕

두 점을 지름의 양 끝점으로 하는 구의 방정식을 구할 때는 두 점을 이은 선분의 중점을 구의 중심으로 하고, 구의 중심과 두 점 중 한 점 사이의 거리를 구의 반지름의 길이로 한다.

예제 1. 두 점 A$(3, 0, 5)$, B$(-1, 4, 1)$을 지름의 양 끝점으로 하는 구의 방정식을 구하시오.

2. 네 점 $(0, 0, 0)$, $(0, -2, 0)$, $(1, -1, 0)$, $(3, 0, 1)$을 지나는 구의 방정식을 구하시오.

해법 코드

1. 구의 중심의 좌표와 반지름의 길이를 구한다.
2. 구의 방정식을 이차방정식 꼴로 나타낸다.

셀파 두 점 A, B가 지름의 양 끝점 ⇨ 선분 AB의 중점이 구의 중심

풀이 1. 구하는 구의 중심을 C(a, b, c)라 하면 ㉠점 C는 선분 AB의 중점이므로

$a=\frac{3+(-1)}{2}=1$, $b=\frac{0+4}{2}=2$, $c=\frac{5+1}{2}=3$

$\therefore$ C$(1, 2, 3)$

반지름의 길이는 선분 AC의 길이와 같으므로

$\overline{\text{AC}}=\sqrt{(-2)^2+2^2+(-2)^2}=2\sqrt{3}$

따라서 구하는 구의 방정식은 $\boldsymbol{(x-1)^2+(y-2)^2+(z-3)^2=12}$

㉠

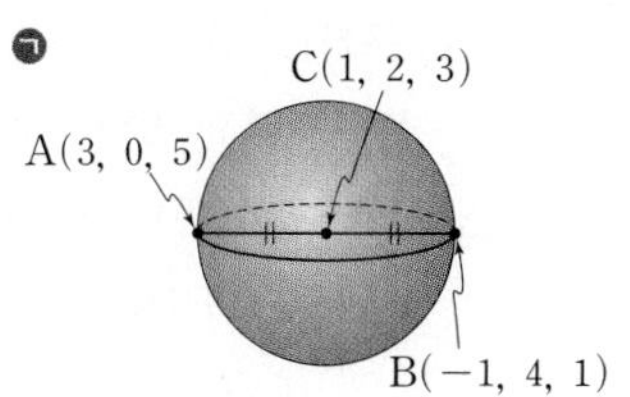

2. 구의 방정식을 $x^2+y^2+z^2+Ax+By+Cz+D=0$으로 놓고

네 점의 좌표를 각각 대입하면

$D=0$, $4-2B+D=0$, $2+A-B+D=0$, $10+3A+C+D=0$

㉡네 식에서 $A=0$, $B=2$, $C=-10$, $D=0$

따라서 구하는 구의 방정식은 $\boldsymbol{x^2+y^2+z^2+2y-10z=0}$

㉡ $D=0$이므로

$4-2B=0$ $\quad\therefore B=2$

$2+A-2=0$ $\quad\therefore A=0$

$10+C=0$ $\quad\therefore C=-10$

확인 문제

정답과 해설 | 79쪽

MY 셀파

08-1  두 점 A$(-2, 1, 2)$, B$(4, 3, -4)$를 지름의 양 끝점으로 하는 구의 방정식을 구하시오.

08-1 구의 중심의 좌표와 반지름의 길이를 구한다.

08-2 상중하 네 점 $(1, 1, 1)$, $(2, 0, 1)$, $(3, 1, 1)$, $(3, 4, 0)$을 지나는 구의 중심의 좌표와 반지름의 길이를 구하시오.

08-2 네 점을 구의 방정식에 대입한다.

해법 09 좌표평면에 접하는 구의 방정식

❶ 중심이 $\mathrm{C}(a, b, c)$이고 좌표평면에 접하는 구의 반지름의 길이 r는 다음과 같다.
xy평면에 접할 때 ⇨ $r=|c|$, yz평면에 접할 때 ⇨ $r=|a|$
zx평면에 접할 때 ⇨ $r=|b|$

❷ 중심이 $\mathrm{C}(a, b, c)$이고 한 좌표축에 접하는 구의 반지름의 길이는 구의 중심과 그 좌표축에 내린 수선의 발 사이의 거리와 같다.

구가 xy평면에 접할 때

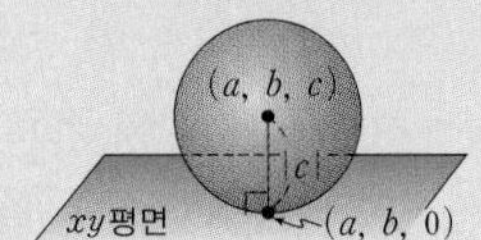

예제 1. 중심의 좌표가 $(-1, 2, 4)$이고 zx평면에 접하는 구의 방정식을 구하시오.

2. 구 $x^2+y^2+z^2-2ax+4y-4bz+20=0$이 xy평면과 yz평면에 모두 접할 때, 양수 a, b의 값을 구하시오.

해법 코드
2. 중심의 좌표가 (a, b, c)이고 xy평면, yz평면에 모두 접하는 구의 반지름의 길이가 r이면 $|c|=r$, $|a|=r$이다.

셀파 구가 zx평면에 접하면 구의 반지름의 길이는 구의 중심의 y좌표의 절댓값과 같다.

풀이 1. 구가 zx평면에 접하므로 구의 반지름의 길이는 구의 중심의 y좌표의 절댓값 2와 같다.
따라서 구하는 구의 방정식은
$\boldsymbol{(x+1)^2+(y-2)^2+(z-4)^2=4}$

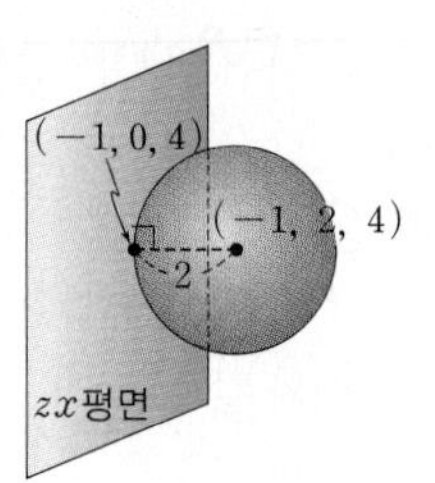

2. 주어진 구의 방정식을 변형하면
$(x-a)^2+(y+2)^2+(z-2b)^2=a^2+4b^2-16$
따라서 구의 중심의 좌표는 $(a, -2, 2b)$, 반지름의 길이는 $\sqrt{a^2+4b^2-16}$
이때 ㉠구가 xy평면에 접하므로
$2b=\sqrt{a^2+4b^2-16}$, $a^2=16$ $\quad\therefore$ $\boldsymbol{a=4}$ $(\because a>0)$
또 ㉡구가 yz평면에 접하므로
$a=\sqrt{a^2+4b^2-16}$, $b^2=4$ $\quad\therefore$ $\boldsymbol{b=2}$ $(\because b>0)$

㉠ 구가 xy평면과 접하므로 구의 반지름의 길이는 중심의 z좌표의 절댓값 $|2b|$와 같다.
이때 $b>0$이므로
$2b=\sqrt{a^2+4b^2-16}$

㉡ 구가 yz평면에 접하므로 구의 반지름의 길이는 구의 중심의 x좌표의 절댓값 $|a|$와 같다.
이때 $a>0$이므로
$a=\sqrt{a^2+4b^2-16}$

확인 문제

정답과 해설 | 79쪽

09-1 (상중하) 구 $(x-3)^2+(y+1)^2+(z+2)^2=r^2$이 x축에 접할 때, 상수 r의 값을 구하시오. (단, $r>0$)

09-2 (상중하) xy평면, yz평면, zx평면에 모두 접하면서 점 $(-5, 1, 4)$를 지나는 두 구의 반지름의 길이의 합을 구하시오.

MY 셀파

09-1
구의 중심의 좌표와 구와 x축과의 접점의 좌표를 구한다.

09-2
구의 중심을 $(-r, r, r)$ $(r>0)$로 놓는다.

셀파 특강 04 구와 좌표평면의 교선, 구와 좌표축의 교점

A 예를 들어 구 $(x-1)^2+(y-2)^2+(z-3)^2=17$과 x축의 교점은 x축 위에 있는 점이니 y좌표, z좌표는 0이겠지? 이때 구의 방정식에 $y=0$, $z=0$을 대입하여 얻은 이차방정식 $x^2-2x-3=0$의 두 근이 -1, 3이므로 구와 x축의 두 교점의 좌표는 $(-1, 0, 0)$, $(3, 0, 0)$이야. 구와 y축, z축이 만나는 경우도 같은 원리로 생각하면 다음과 같이 정리할 수 있어.

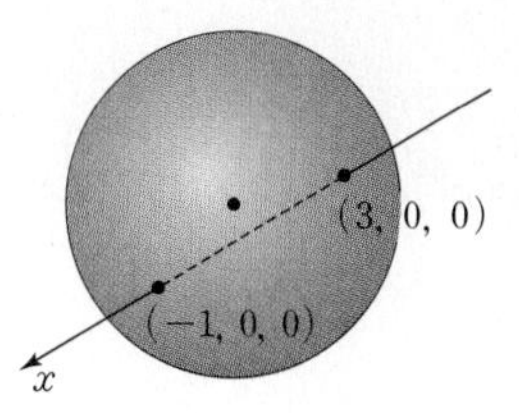

> **구와 축의 교점**
>
> ❶ 구와 x축의 교점 ⇨ 구의 방정식에 $y=0$, $z=0$을 대입
>
> ❷ ㉠구와 y축의 교점 ⇨ 구의 방정식에 $x=0$, $z=0$을 대입
>
> ❸ ㉡구와 z축의 교점 ⇨ 구의 방정식에 $x=0$, $y=0$을 대입
>
> 하여 얻은 이차방정식을 풀어 두 교점의 좌표를 구한다.

㉠ 구와 y축의 교점
⇨ 구의 방정식에 $x=0$, $z=0$을 대입하여 얻은 이차방정식의 근이 교점의 y좌표이다.

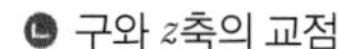

㉡ 구와 z축의 교점
⇨ 구의 방정식에 $x=0$, $y=0$을 대입하여 얻은 이차방정식의 근이 교점의 z좌표이다.

Q 그럼 구와 좌표평면이 만날 때는 어떤가요?

A ㉢구와 좌표평면이 만날 때 생기는 교선은 원이야. 구 $(x-a)^2+(y-b)^2+(z-c)^2=r^2$ $(r^2>c^2)$과 xy평면이 만나면 그 교선인 원은 오른쪽 그림과 같이 xy평면 위에 존재하지. 이때 xy평면 위의 점은 z좌표가 0이므로 구의 방정식에 $z=0$을 대입하여 구와 좌표평면의 교선의 방정식 $(x-a)^2+(y-b)^2=r^2-c^2$을 구할 수 있어. 즉, 교선은 중심이 구의 중심의 x, y좌표와 같은 원이 되지. ㉣구와 yz평면, zx평면이 만나는 경우도 같은 원리로 생각하면 다음과 같이 정리할 수 있어.

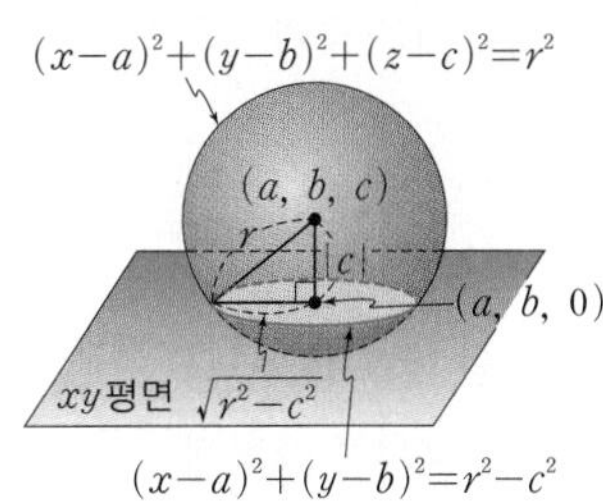

㉢

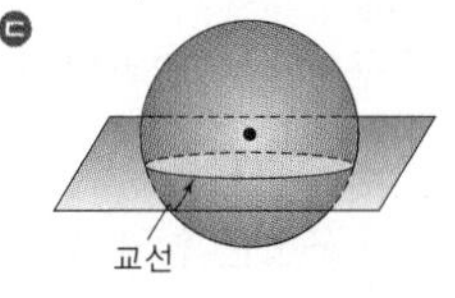

> **구와 좌표평면의 교선의 방정식**
>
> 구 $(x-a)^2+(y-b)^2+(z-c)^2=r^2$과
>
> ❶ xy평면의 교선의 방정식 ⇨ $(x-a)^2+(y-b)^2=r^2-c^2$ (단, $r^2>c^2$)
>
> ❷ yz평면의 교선의 방정식 ⇨ $(y-b)^2+(z-c)^2=r^2-a^2$ (단, $r^2>a^2$)
>
> ❸ zx평면의 교선의 방정식 ⇨ $(x-a)^2+(z-c)^2=r^2-b^2$ (단, $r^2>b^2$)

㉣ 구와 yz평면의 교선의 방정식
⇨ 구의 방정식에 $x=0$을 대입
구와 zx평면의 교선의 방정식
⇨ 구의 방정식에 $y=0$을 대입

확인 체크 03 정답과 해설 | 80쪽

다음을 구하시오.

(1) 구 $(x-2)^2+(y-6)^2+(z-8)^2=89$와 ㉤$z$축이 서로 다른 두 점 P, Q에서 만날 때, 선분 PQ의 길이

(2) 구 $(x-1)^2+(y-2)^2+(z-3)^2=25$와 xy평면이 만나서 생기는 교선의 길이

㉤ 구의 방정식에 $x=0$, $y=0$을 대입하여 두 점 P, Q의 좌표를 구한다.

해법 10 구와 좌표평면의 교선

구 $(x-a)^2+(y-b)^2+(z-c)^2=r^2$ ……㉠과

❶ xy평면의 교선의 방정식 (단, $r^2>c^2$)

⇨ $(x-a)^2+(y-b)^2=r^2-c^2$ ← ㉠에 $z=0$을 대입

❷ yz평면의 교선의 방정식 (단, $r^2>a^2$)

⇨ $(y-b)^2+(z-c)^2=r^2-a^2$ ← ㉠에 $x=0$을 대입

❸ zx평면의 교선의 방정식 (단, $r^2>b^2$)

⇨ $(x-a)^2+(z-c)^2=r^2-b^2$ ← ㉠에 $y=0$을 대입

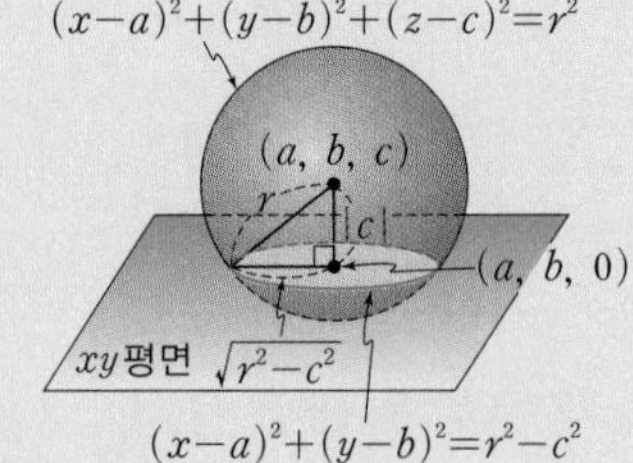

PLUS ⊕

구와 xy평면이 만날 때 xy평면 위의 모든 점의 z좌표는 0이므로 구의 방정식에 $z=0$을 대입하여 교선의 방정식을 구한다.
이때 구의 중심과 xy평면 사이의 거리는 중심의 z좌표의 절댓값과 같다.
또 교선인 원의 중심은 구의 중심과 x, y좌표가 같다.

예제 중심이 $\mathrm{C}(-2, 5, 1)$이고 점 $\mathrm{A}(1, 2, 4)$를 지나는 구가 xy평면과 만나서 생기는 원의 넓이를 구하시오.

해법 코드
구의 방정식을 구한 후 $z=0$을 대입하여 원의 방정식을 구한다.

셀파 구와 xy평면이 만날 때는 구의 방정식에 $z=0$을 대입한다.

풀이 반지름의 길이는 $\overline{\mathrm{CA}}=\sqrt{(1+2)^2+(2-5)^2+(4-1)^2}=3\sqrt{3}$이므로
중심이 $\mathrm{C}(-2, 5, 1)$이고, 점 A를 지나는 구의 방정식은
$(x+2)^2+(y-5)^2+(z-1)^2=27$
이때 구와 xy평면과의 교선인 원의 방정식은 구의 방정식에 $z=0$을 대입하면
$(x+2)^2+(y-5)^2=26$
따라서 구하는 원의 넓이는 $\mathbf{26\pi}$

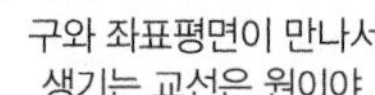

다른 풀이 구의 중심 C에서 xy평면에 내린 수선의 발을 H, 구와 xy평면의 교선 위의 한 점을 B라 하면 오른쪽 그림에서
$\overline{\mathrm{BC}}=\overline{\mathrm{AC}}=\sqrt{(1+2)^2+(2-5)^2+(4-1)^2}=3\sqrt{3}$,
$\overline{\mathrm{CH}}=1$
직각삼각형 CHB에서 $\overline{\mathrm{BH}}=\sqrt{(3\sqrt{3})^2-1^2}=\sqrt{26}$
따라서 주어진 구와 xy평면의 교선은 반지름의 길이가 $\sqrt{26}$인 원이므로 구하는 넓이는
26π

확인 문제

정답과 해설 | 80쪽

10-1 (상중**하**) 구 $x^2+y^2+z^2-4x+4y-6z+7=0$이 zx평면과 만나서 생기는 원의 넓이를 구하시오.

10-2 (상**중**하) 구 $x^2+y^2+z^2+2x-4y+6z+k=0$이 yz평면과 만나서 생기는 원의 반지름의 길이가 3일 때, 상수 k의 값을 구하시오.

MY 셀파

10-1
주어진 구의 방정식에 $y=0$을 대입한다.

10-2
주어진 구의 방정식에 $x=0$을 대입한다.

해법 11 구 밖의 한 점에서 구에 그은 접선의 길이

구 밖의 한 점에서 구에 그은 접선의 길이는 다음 순서로 구한다.

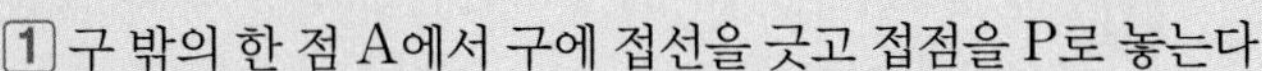

1. 구 밖의 한 점 A에서 구에 접선을 긋고 접점을 P로 놓는다.
2. 구 밖의 한 점 A와 구의 중심 C 사이의 거리를 구한다.
3. 구의 중심 C와 접점 P를 잇는 반지름이 접선과 수직이므로 직각삼각형 CPA에서 피타고라스 정리를 이용하여 접선 AP의 길이를 구한다.

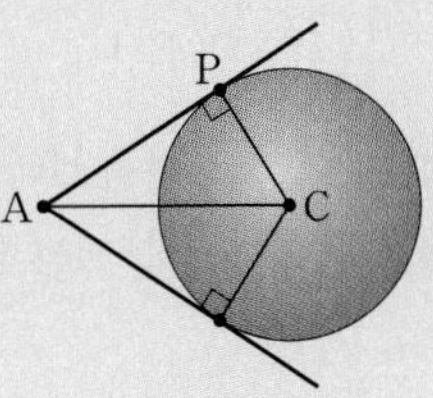

PLUS

구 밖의 점과 구 위의 점 사이의 거리의 최댓값과 최솟값은 구 밖의 점과 구의 중심을 이은 직선 위의 점에서 생각한다.

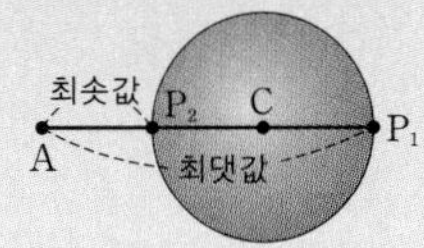

예제 1. 점 $A(-2, 0, -1)$에서 구 $x^2+y^2+z^2-4x+6y-2z=0$에 그은 접선의 길이를 구하시오.

2. 구 $(x-4)^2+(y+3)^2+z^2=9$ 위의 점 P와 점 O 사이의 거리의 최댓값과 최솟값을 구하시오. (단, O는 원점)

해법 코드

1. 구의 중심을 C, 접점을 P라 하면 삼각형 PAC는 $\angle P=90°$인 직각삼각형이다.

셀파 구 밖의 한 점과 구의 중심 사이의 거리를 구하고 피타고라스 정리를 이용한다.

풀이 1. $x^2+y^2+z^2-4x+6y-2z=0$에서

$(x-2)^2+(y+3)^2+(z-1)^2=14$

이 구의 중심이 $C(2, -3, 1)$이므로 $\overline{AC}=\sqrt{29}$

오른쪽 그림과 같이 점 A에서 구에 그은 접선의 접점을 P라 하면 구하는 접선의 길이는

$\overline{AP}=\sqrt{\overline{AC}^2-\overline{PC}^2}=\sqrt{29-14}=\boldsymbol{\sqrt{15}}$

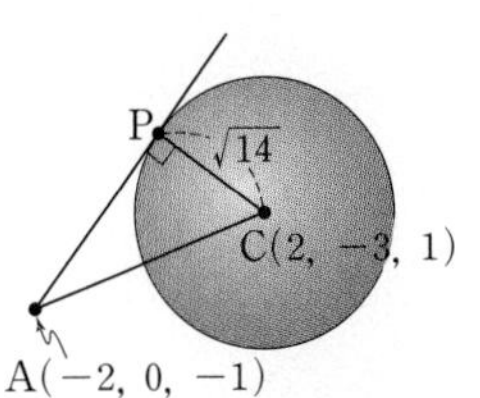

2. 구의 중심은 $C(4, -3, 0)$이므로 $\overline{OC}=5$

이때 ㉠원점 O는 구 밖의 점이므로

$\overline{OP}$의 **최댓값**은 $\overline{OC}+\overline{CP_1}=5+3=\mathbf{8}$

$\overline{OP}$의 **최솟값**은 $\overline{OC}-\overline{CP_2}=5-3=\mathbf{2}$

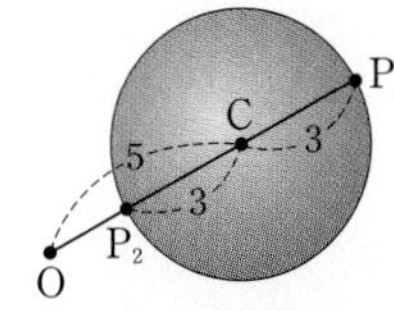

㉠ 원점 $O(0, 0, 0)$의 좌표를 주어진 구의 방정식에 대입하면 $25\neq9$로 방정식이 성립하지 않는다. 이때 $\overline{OC}=5>3=$(반지름의 길이) 따라서 원점 O는 주어진 구 밖의 점이다.

확인 문제

정답과 해설 | 81쪽

11-1 (상 **중** 하) 점 $A(-1, 0, 2)$에서 구 $x^2+y^2+z^2-4x-6y-10z+36=0$에 그은 접선의 길이를 구하시오.

11-2 (상 **중** 하) 구 $(x-2)^2+(y-3)^2+(z-5)^2=4$ 위의 점과 xy평면 사이의 거리의 최댓값과 최솟값을 구하시오.

MY 셀파

11-1
구의 중심을 C, 점 A에서 이 구에 그은 접선의 접점을 P라 하면 직각삼각형 CAP에서 피타고라스 정리를 이용한다.

11-2
구의 중심에서 xy평면에 수선의 발을 내려 본다.

대칭인 점

01 점 A(2, −1, 3)과 x축에 대하여 대칭인 점을 B라 하고, yz평면에 대하여 대칭인 점을 C라 할 때, 선분 BC의 중점의 좌표를 구하시오.

상 중 하

두 점 사이의 거리 융합형

02 다음 그림과 같이 $\overline{\text{CD}}$의 길이가 100 m이고 옆면이 모두 정삼각형인 사각뿔 모양의 피라미드가 있다. 지면을 xy평면, 점 B를 원점에 놓으면 두 점 C, E의 좌표가 각각 C(100, 0, 0), E(0, 100, 0)일 때, 꼭짓점 A의 좌표를 구하시오.

상 중 하

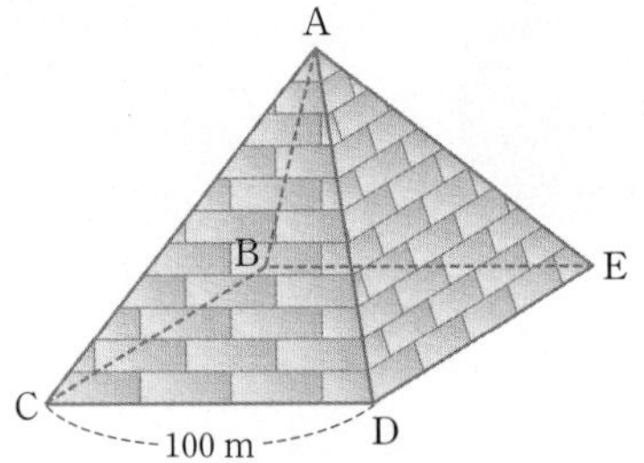

같은 거리에 있는 점

03 세 점 O(0, 0, 0), A(1, 2, 1), B(−1, 0, 1)로부터 같은 거리에 있는 yz평면 위의 점 P의 좌표를 구하시오.

상 중 하

선분의 길이의 합의 최솟값

04 세 점 A(3, 5, 1), B(2, 3, 1), C(4, 3, 4)와 xy평면 위의 임의의 점 P, zx평면 위의 임의의 점 Q에 대하여 $\overline{\text{AP}}+\overline{\text{PB}}+\overline{\text{BQ}}+\overline{\text{QC}}$의 최솟값을 구하시오.

상 중 하

두 점 사이의 거리의 활용

05 두 점 A(1, 4, 5), B(3, 2, 9)를 지나는 직선이 xy평면과 이루는 각의 크기를 θ라 할 때, $\cos\theta$의 값을 구하시오. (단, $0^\circ \le \theta \le 90^\circ$)

상 중 하

선분의 내분점, 외분점

06 점 A(3, −9, 8)과 점 B에 대하여 선분 AB가 xy평면에 의하여 2 : 1로 내분되고, z축에 의하여 3 : 2로 외분될 때, 점 B의 좌표를 구하시오.

상 중 하

삼각형의 무게중심 서술형

07 세 점 A(a, −2, −1), B(−2, 2a, −b), C(2b, b−5, −6a)를 꼭짓점으로 하는 삼각형 ABC의 무게중심 G가 x축 위에 있을 때, 점 G의 좌표를 구하시오.

상 중 하

구의 방정식

08 두 점 A(1, 0, 4), B(−2, 3, −5)에 대하여 선분 AB를 1 : 2로 내분하는 점과 외분하는 점을 지름의 양 끝점으로 하는 구의 방정식을 구하시오.

상 중 하

구의 방정식

09 x, y, z에 대한 방정식 $x^2+y^2+z^2+6x+ky+10=0$이 구의 방정식이 되도록 하는 실수 k의 값의 범위를 구하시오.

상 중 하

좌표축에 접하는 구의 방정식

10 반지름의 길이가 2이고, x축, y축, z축에 모두 접하는 구의 방정식을 구하시오.

(단, 구의 중심의 x, y, z좌표는 모두 양수이다.)

상 중 하

구와 좌표축의 교점

11 중심의 좌표가 (1, −3, 0)이고 점 (3, 1, 5)를 지나는 구와 x축은 서로 다른 두 점 P, Q에서 만난다. 이때 선분 PQ의 길이를 구하시오.

상 중 하

구와 좌표평면의 교선

12 구 $x^2+y^2+z^2-4x-6ky-2z=0$이 xy평면, yz평면과 만나서 생기는 두 원의 넓이의 비가 5 : 2일 때, 양수 k의 값을 구하시오.

상 중 하

구와 좌표평면의 교선

13 반지름의 길이가 10인 구를 xy평면, yz평면, zx평면으로 자른 단면이 모두 원이고, 각 원의 반지름의 길이가 각각 6, 8, $\sqrt{31}$일 때, 원점과 구의 중심 사이의 거리를 구하시오.

상 중 하

구 밖의 한 점에서 구에 그은 접선의 길이

14 구 $x^2+y^2+z^2-6x-8y-6z+30=0$ 위의 점과 x축 사이의 거리의 최솟값을 구하시오.

상 중 하

구 밖의 한 점에서 구에 그은 접선의 길이

15 좌표공간의 점 P(7, 5, 4)와 구 $(x-3)^2+(y-2)^2+(z-1)^2=10$이 xy평면과 만나는 교선 위의 임의의 점 사이의 거리의 최솟값을 구하시오.

상 중 하

memo

memo

memo

2015 개정 교육과정 반영

누구나 수학을 잘 할 수 있다

자기주도 해결책
고등 셀파 해법수학

고등 **셀파 해법수학**

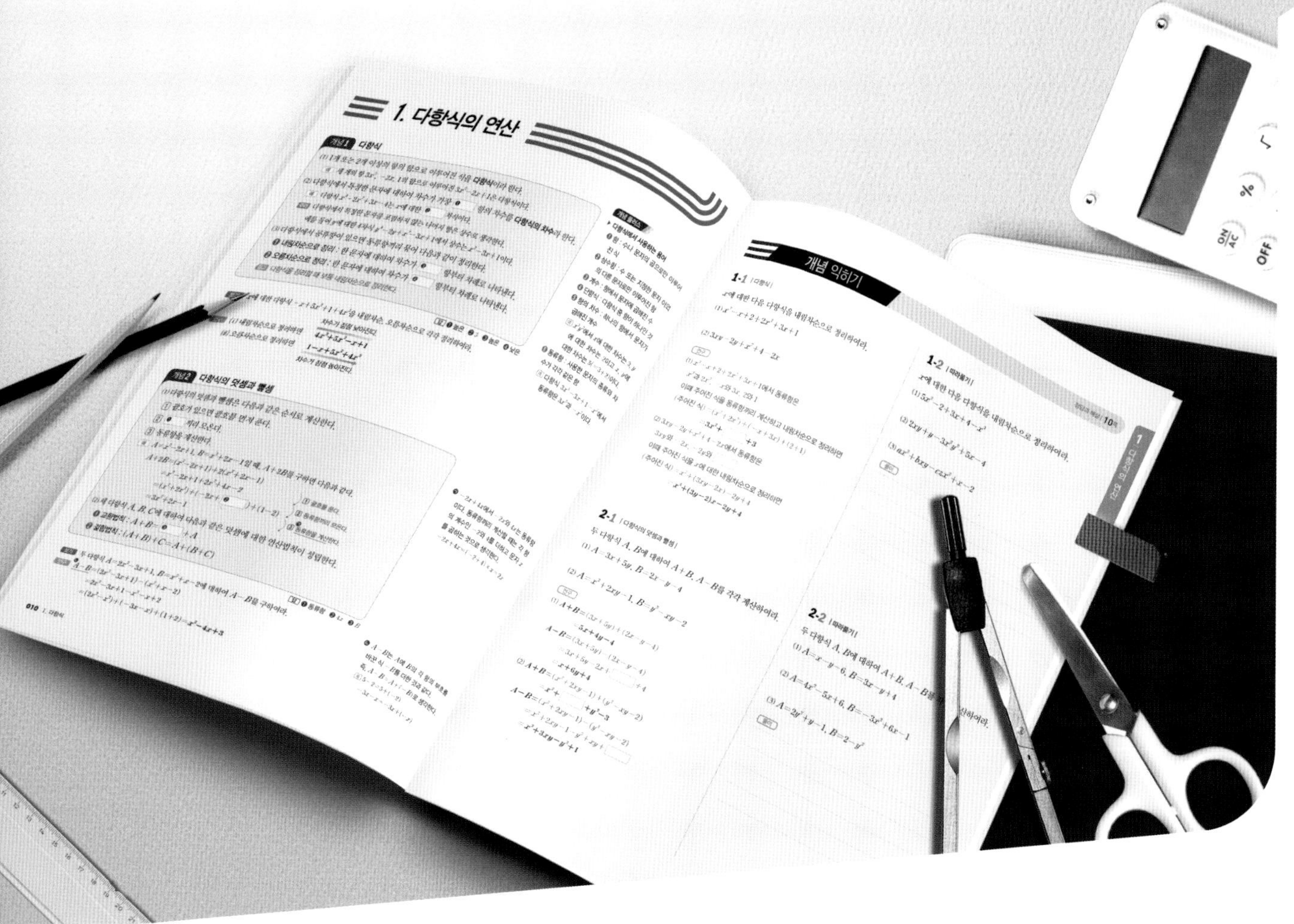

고등 **셀파** 해법수학

내신 · 수능 기초를 다지는 기본서

고등 셀파 해법수학 수학 상, 수학 하, 수학 I, 수학 II, 미적분, 확률과 통계, 기하

- 가장 명확하게 정리한 고등 수학의 모든 개념
- 반드시 알아야 할 문제 해결의 기초력 다지기
- 실력을 키우는 다양한 연습 문제
- 차원이 다른 친절한 해설

셀파

해 법 수 학

고등 기하

자기주도 **해결책!**
sherpa

고등 기하

정답과 해설

 천재교육

거북목을 예방하는 스트레칭

책상에 앉아 열심히 책을 보다 보면
가끔 목이 뻐근해질 때가 있어요.
이를 계속 방치하면 심각한 문제가 생길 수 있답니다.
꾸준한 스트레칭으로 목 건강을 챙겨 보세요.

❶ 어깨에 힘을 빼고 위로 올렸다 아래로 떨어뜨려 주세요.

❷ 척추를 바르게 펴고, 고개를 왼쪽으로 젖혀 줍니다.
10초 정도 유지한 다음 오른쪽도 똑같이 반복해 주세요.

❸ 고개를 천천히 뒤로 젖혀 줍니다. 10초 동안 유지합니다.

❹ 두 손으로 깍지를 끼고, 목을 앞으로 굽힌 후
뒷목을 지그시 눌러 주세요.

❺ 목이 아플 때마다 스트레칭을 반복해 줍니다.

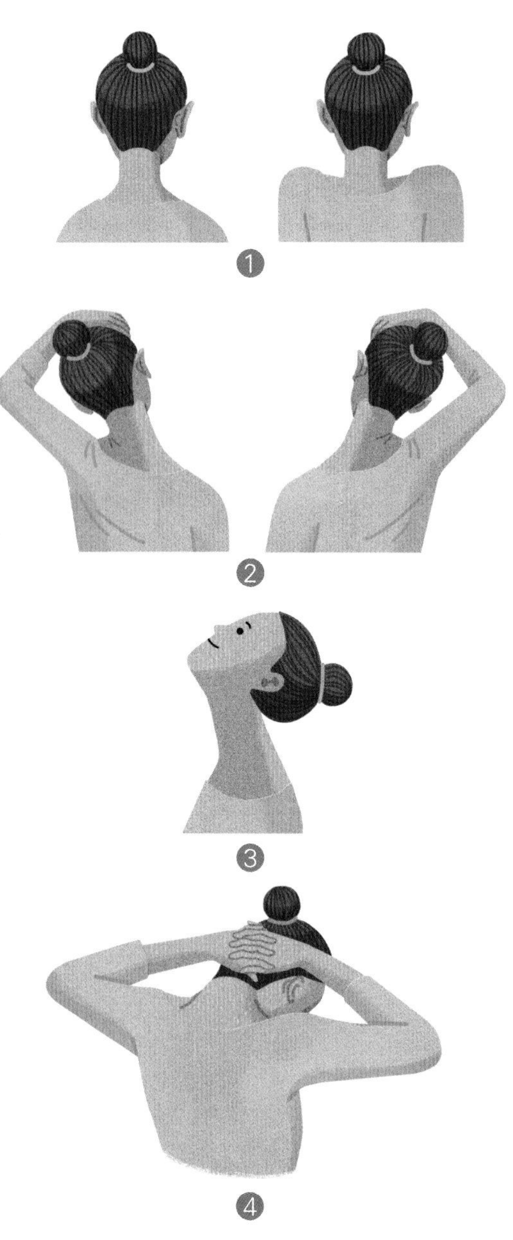

정답과 해설

빠른 정답

1. 포물선

개념 익히기 본문 | 11 쪽

1-1 (1) 3 (2) $-2, 2$

1-2 (1) 초점의 좌표 : $(-1, 0)$
준선의 방정식 : $x=1$

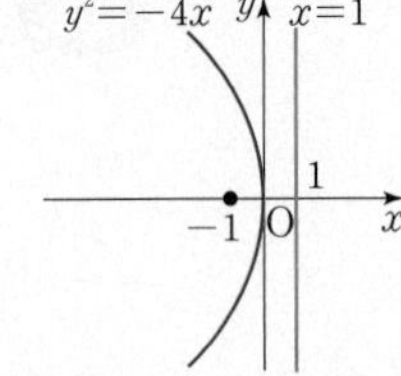

(2) 초점의 좌표 : $(0, 3)$
준선의 방정식 : $y=-3$

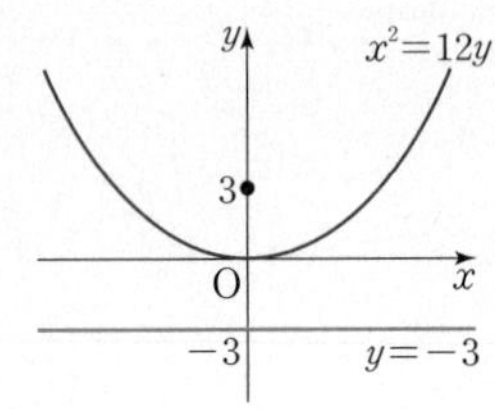

2-1 0

2-2 (1) $(y+1)^2=8(x-2)$, $(4, -1)$, $x=0$
(2) $(x-2)^2=-8(y+1)$, $(2, -3)$, $y=1$

확인 문제 본문 | 14~20 쪽

01-1 (1) $y^2=16x$ (2) $x^2=-4y$

02-1 6 **02-2** 13

03-1 (1) $y^2=12(x-1)$ (2) $(x-2)^2=-8(y-1)$

04-1 (1) 2 (2) -4 또는 4

04-2 $x^2-x-3y-6=0$

집중 연습 본문 | 19 쪽

01 (1) $(y-2)^2=x+1$ (2) $(y-2)^2=2(x+1)$
(3) $y^2-3x-2y-4=0$ (4) $(x+1)^2=4(y-2)$

02 (1) 초점의 좌표 : $(-6, 0)$
준선의 방정식 : $x=0$
(2) 초점의 좌표 : $(-1, 1)$
준선의 방정식 : $y=-1$
(3) 초점의 좌표 : $\left(\frac{3}{2}, -2\right)$
준선의 방정식 : $x=\frac{1}{2}$
(4) 초점의 좌표 : $(3, -3)$
준선의 방정식 : $y=1$

05-1 (1) 초점의 좌표 : $\left(\frac{3}{4}, -2\right)$
준선의 방정식 : $x=\frac{5}{4}$
(2) 초점의 좌표 : $(-1, 4)$
준선의 방정식 : $y=0$

05-2 -3

셀파 특강 **확인 체크 01** $\frac{3}{2}$

연습 문제 본문 | 22~23 쪽

01 $x^2=8y$ **02** 6

03 $12\sqrt{2}$ **04** $\frac{7}{2}$

05 6 **06** 6

07 $\frac{\sqrt{3}}{3}$ **08** 점 C

09 -1 **10** $-\frac{1}{3}$

11 $a=4$, $b=4$ **12** 2

13 $-\frac{5}{4}$ **14** 2

2. 타원

개념 익히기 본문 | 27 쪽

1-1 (1) 8, 16 (2) $\sqrt{2}$, 2, 4

1-2 (1) 초점의 좌표 : $(2\sqrt{2}, 0)$, $(-2\sqrt{2}, 0)$
장축의 길이 : 8
단축의 길이 : $4\sqrt{2}$
(2) 초점의 좌표 : $(0, \sqrt{7})$, $(0, -\sqrt{7})$
장축의 길이 : $4\sqrt{3}$
단축의 길이 : $2\sqrt{5}$

2-1 4, 5, 10

2-2 (1) $\frac{(x+1)^2}{9}+\frac{(y-3)^2}{4}=1$

초점의 좌표 : $(\sqrt{5}-1,\ 3)$, $(-\sqrt{5}-1,\ 3)$

장축의 길이 : 6

단축의 길이 : 4

(2) $\frac{(x+1)^2}{8}+\frac{(y-3)^2}{9}=1$

초점의 좌표 : $(-1,\ 4)$, $(-1,\ 2)$

장축의 길이 : 6

단축의 길이 : $4\sqrt{2}$

확인 문제 본문 | 30~39 쪽

01-1 (1) $\frac{x^2}{9}+\frac{y^2}{4}=1$ (2) $\frac{x^2}{12}+\frac{y^2}{16}=1$

02-1 $-\frac{3}{4}$

02-2 18

03-1 $a=2\sqrt{5},\ b=6$

03-2 $\sqrt{35}$

04-1 $\frac{(x+1)^2}{12}+\frac{(y-2)^2}{16}=1$

04-2 $(x-2)^2+\frac{(y-1)^2}{4}=1$

05-1 초점의 좌표 : $(2,\ 3+\sqrt{3})$, $(2,\ 3-\sqrt{3})$

장축의 길이 : 4

단축의 길이 : 2

05-2 $A=20,\ B=-54,\ C=56$

집중 연습 본문 | 36 쪽

01 (1) 초점의 좌표 : $(1+\sqrt{7},\ -2)$, $(1-\sqrt{7},\ -2)$

꼭짓점의 좌표 : $(5,\ -2)$, $(-3,\ -2)$, $(1,\ 1)$, $(1,\ -5)$

(2) 초점의 좌표 : $(-1,\ 2+\sqrt{21})$, $(-1,\ 2-\sqrt{21})$

꼭짓점의 좌표 : $(1,\ 2)$, $(-3,\ 2)$, $(-1,\ 7)$, $(-1,\ -3)$

(3) 초점의 좌표 : $(2,\ 3)$, $(-4,\ 3)$

꼭짓점의 좌표 : $(4,\ 3)$, $(-6,\ 3)$, $(-1,\ 7)$, $(-1,\ -1)$

02 (1) 초점의 좌표 : $(4,\ 0)$, $(-4,\ 0)$

장축의 길이 : 10

단축의 길이 : 6

(2) 초점의 좌표 : $(2+2\sqrt{3},\ 3)$, $(2-2\sqrt{3},\ 3)$

장축의 길이 : 8

단축의 길이 : 4

(3) 초점의 좌표 : $(1,\ -3+4\sqrt{3})$, $(1,\ -3-4\sqrt{3})$

장축의 길이 : 16

단축의 길이 : 8

06-1 $50\sqrt{3}$

07-1 4 AU

연습 문제 본문 | 40~41 쪽

01 $\frac{x^2}{34}+\frac{y^2}{25}=1$

02 8

03 15

04 16

05 $4\sqrt{3}$

06 24

07 20

08 4

09 $(1,\ -1)$, $(1,\ -5)$

10 $\frac{(x-2)^2}{25}+\frac{y^2}{16}=1$

11 $A=42,\ B=-64,\ C=15$

12 $a=2\sqrt{2},\ b=3\sqrt{2}$

13 8 m

14 $20\sqrt{3}$

3. 쌍곡선

개념 익히기 본문 | 45 쪽

1-1 $\sqrt{13}$

1-2 (1) 초점의 좌표 : $(5,\ 0)$, $(-5,\ 0)$

꼭짓점의 좌표 : $(3,\ 0)$, $(-3,\ 0)$

주축의 길이 : 6

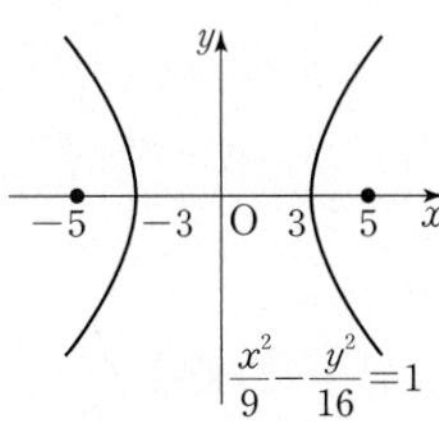

(2) 초점의 좌표 : $(0,\ 2\sqrt{3})$, $(0,\ -2\sqrt{3})$

꼭짓점의 좌표 : $(0,\ 2)$, $(0,\ -2)$

주축의 길이 : 4

2-1 1, 1, 2

2-2 (1) $\frac{(x+1)^2}{16}-\frac{(y-2)^2}{9}=1$

초점의 좌표 : $(4, 2)$, $(-6, 2)$

꼭짓점의 좌표 : $(3, 2)$, $(-5, 2)$

주축의 길이 : 8

(2) $(x+1)^2-\frac{(y-2)^2}{4}=-1$

초점의 좌표 : $(-1, 2+\sqrt{5})$, $(-1, 2-\sqrt{5})$

꼭짓점의 좌표 : $(-1, 4)$, $(-1, 0)$

주축의 길이 : 4

확인 문제 본문 | 48~56 쪽

01-1 $\frac{x^2}{16}-\frac{y^2}{9}=-1$ **01-2** $\frac{x^2}{9}-\frac{y^2}{7}=1$

02-1 160

확인 체크 01 (1) 점근선의 방정식 : $y=\pm\frac{1}{2}x$

꼭짓점의 좌표 : $(2\sqrt{3}, 0)$, $(-2\sqrt{3}, 0)$

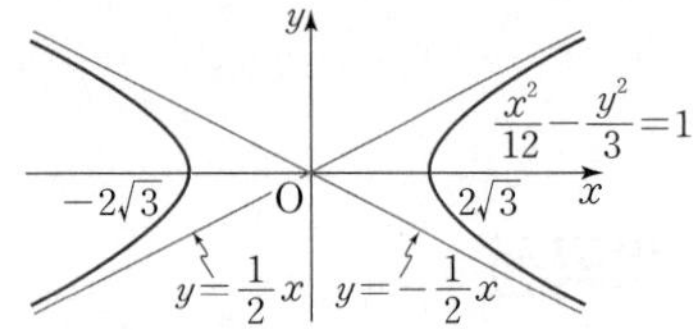

(2) 점근선의 방정식 : $y=\pm\frac{1}{2}x$

꼭짓점의 좌표 : $(0, \sqrt{3})$, $(0, -\sqrt{3})$

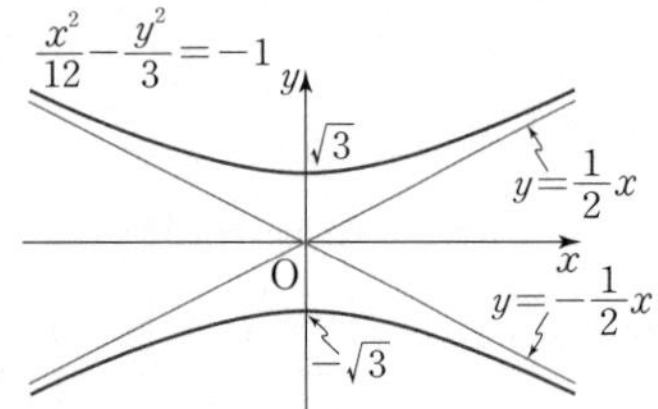

03-1 2 **03-2** $\frac{75}{2}$

집중 연습 본문 | 52 쪽

01 (1) $\frac{x^2}{64}-\frac{y^2}{36}=1$ (2) $\frac{x^2}{4}-y^2=1$

(3) $\frac{x^2}{12}-\frac{y^2}{4}=-1$ (4) $x^2-\frac{y^2}{9}=-1$

02 (1) $\frac{x^2}{36}-\frac{y^2}{108}=1$ (2) $x^2-\frac{y^2}{8}=1$

(3) $\frac{x^2}{3}-\frac{y^2}{6}=-1$ (4) $\frac{x^2}{3}-y^2=-1$

04-1 (1) $\frac{(x+1)^2}{3}-(y-1)^2=-1$

(2) $\frac{(x-4)^2}{4}-\frac{(y+1)^2}{12}=1$

05-1 중심의 좌표 : $(2, -3)$

꼭짓점의 좌표 : $(2, -2)$, $(2, -4)$

초점의 좌표 : $(2, 0)$, $(2, -6)$

05-2 12 **06-1** 8

연습 문제 본문 | 58~59 쪽

01 $\frac{x^2}{12}-\frac{y^2}{4}=-1$ **02** 1

03 $2\sqrt{5}$ **04** 28

05 48 **06** 11

07 $2+\sqrt{14}$ **08** 13

09 $\sqrt{6}$ **10** $(-2, 8)$

11 20 **12** $\frac{x^2}{1600}-\frac{y^2}{900}=1$

13 $k<-1$ **14** (1) 포물선 (2) 타원

4. 이차곡선의 접선의 방정식

개념 익히기 본문 | 63 쪽

1-1 4, 한

1-2 (1) $-\sqrt{3}<k<\sqrt{3}$일 때 서로 다른 두 점에서 만난다.

$k=-\sqrt{3}$ 또는 $k=\sqrt{3}$일 때 한 점에서 만난다. (접한다.)

$k<-\sqrt{3}$ 또는 $k>\sqrt{3}$일 때 만나지 않는다.

(2) $k<-\sqrt{2}$ 또는 $k>\sqrt{2}$일 때 서로 다른 두 점에서 만난다.

$k=-\sqrt{2}$ 또는 $k=\sqrt{2}$일 때 한 점에서 만난다. (접한다.)

$-\sqrt{2}<k<\sqrt{2}$일 때 만나지 않는다.

2-1 (1) 1 (2) 2, 2

2-2 (1) $y=\frac{1}{2}x+1$ (2) $y=-x+1$

확인 문제 본문 | 64~81 쪽

01-1 $-\sqrt{2}<k<\sqrt{2}$　　**01-2** $\frac{19}{4}$

셀파 특강 **확인 체크 01** (1) $y=\frac{1}{2}x-1$
(2) $y=-\frac{3}{2}x-\frac{27}{8}$

02-1 $y=\sqrt{3}x-15$　　**02-2** $\frac{9}{2}$

03-1 $45°$　　**03-2** 40

04-1 $y=-3x-1$ 또는 $y=x+3$

04-2 -2

05-1 (1) $m<-2\sqrt{3}$ 또는 $m>2\sqrt{3}$
(2) $m=\pm2\sqrt{3}$
(3) $-2\sqrt{3}<m<2\sqrt{3}$

셀파 특강 **확인 체크 02** (1) $y=\frac{1}{2}x\pm3$
(2) $y=\frac{1}{2}x+7$ 또는 $y=\frac{1}{2}x+1$

06-1 $3\sqrt{2}$　　**06-2** $\frac{\sqrt{6}+\sqrt{2}}{2}$

07-1 $\frac{\sqrt{2}}{2}$　　**07-2** 9

08-1 $y=-\frac{2}{3}x+3$ 또는 $x=3$

09-1 (1) $k<-1$ 또는 $k>1$
(2) $k=\pm1$
(3) $-1<k<1$

셀파 특강 **확인 체크 03** (1) $y=-x\pm2$
(2) $y=-x-3$ 또는 $y=-x+1$

10-1 $y=-x-2$ 또는 $y=-x+2$

10-2 $\frac{8\sqrt{5}}{5}$　　**11-1** 4

11-2 5　　**12-1** $y=3x-5$ 또는 $y=x-1$

12-2 12

연습 문제 본문 | 82~83 쪽

01 $-\frac{5}{2}$　　**02** 5

03 $\frac{1}{4}$　　**04** $a=-1,\ b=-2$

05 $y=x+\frac{1}{2}$　　**06** 4

07 $\mathrm{P}\left(\frac{3}{2}, \sqrt{3}\right)$　　**08** $\frac{2}{3}$

09 $\frac{1}{4}$　　**10** 4

11 $2\sqrt{5}$　　**12** $y=4x-\frac{3}{4}$

13 32　　**14** 17

5. 벡터의 연산

개념 익히기 본문 | 87, 89 쪽

1-1 (1) $2\sqrt{2}$　(2) $3,\ 3$　(3) $2,\ \sqrt{5},\ \sqrt{5}$

1-2 (1) $\sqrt{13}$　(2) $\sqrt{10}$
(3) $\sqrt{5}$　(4) 3

2-1 (1) $\vec{e}$　(2) $\vec{e}$

2-2 (1) $\vec{b}$　(2) $\vec{c}$

3-1 (1) 2　(2) $\vec{c}$

3-2 (1) $\vec{a}+4\vec{b}$　(2) $18\vec{a}-17\vec{b}-6\vec{c}$

4-1 $2,\ 6$

4-2 (1) -3　(2) -15

확인 문제 본문 | 91~103 쪽

01-1 (1) $\overrightarrow{\mathrm{DC}}$　(2) $\overrightarrow{\mathrm{CB}},\ \overrightarrow{\mathrm{DA}}$

01-2 (1) $\vec{a}$　(2) $\vec{c}$
(3) $-\vec{b}$　(4) $-\vec{c}$

셀파 특강 **확인 체크 01** (1)

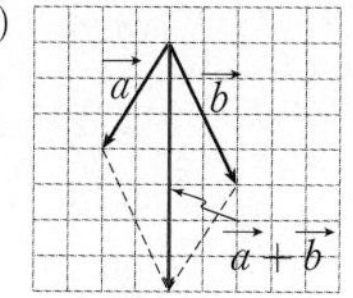

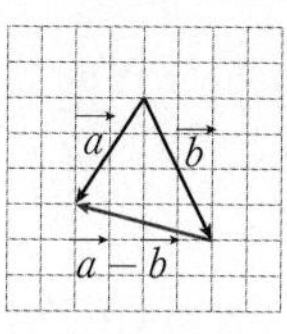

(2)

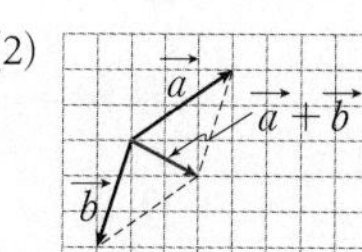

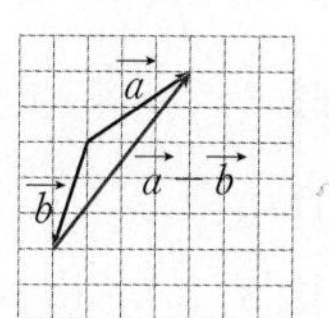

02-1 (1) $\vec{0}$ (2) $\overrightarrow{CB}$

02-2 풀이 참조

03-1 (1) $\vec{b}-\vec{a}$ (2) $-\vec{a}-\vec{b}$

04-1 $-\frac{2}{5}\vec{a}+\frac{14}{5}\vec{b}$ **04-2** $-8\vec{x}-5\vec{y}$

집중 연습 본문 | 98 쪽

01 (1) $\overrightarrow{AD}$ (2) $\overrightarrow{AE}$
(3) $\overrightarrow{CA}$ (4) $\overrightarrow{AC}$
(5) $\vec{0}$ (6) $\overrightarrow{BD}$

02 (1) $5\vec{a}+5\vec{b}$ (2) $7\vec{a}+5\vec{b}-10\vec{c}$
(3) $4\vec{a}-5\vec{b}+8\vec{c}$

03 (1) $-\vec{a}+5\vec{b}$ (2) $\frac{3}{2}\vec{a}+\frac{1}{2}\vec{b}$
(3) $-5\vec{a}+10\vec{b}$

05-1 $m=1, n=1$ **05-2** $m=2, n=-3$

셀파 특강 **확인 체크 02** $-\frac{9}{2}$

06-1 $\frac{9}{2}$ **06-2** 4

셀파 특강 **확인 체크 03** 풀이 참조

07-1 2 **07-2** 점 C, 점 E

연습 문제 본문 | 104~105 쪽

01 6 **02** ⑤
03 $-2\vec{a}+2\vec{b}$ **04** $2+2\sqrt{2}$
05 6 **06** 3
07 $m=1, n=-4$ **08** $\sqrt{5}$
09 3 **10** $m=\frac{7}{8}, n=\frac{5}{8}$
11 ① **12** 3
13 3

6. 평면벡터의 성분과 내적

개념 익히기 본문 | 109, 111 쪽

1-1 (1) 2, 3, 3 (2) $\vec{b}, \vec{a}$, 2 (3) 1, 2

1-2 (1) $\frac{5}{9}\vec{a}+\frac{4}{9}\vec{b}$ (2) $-2\vec{a}+3\vec{b}$ (3) $\frac{\vec{a}+\vec{b}}{2}$

2-1 (1) 4, 7 (2) 2, 16

2-2 (1) $(5, 10)$ (2) $(-12, 3)$
(3) $(-5, -5)$ (4) $(-17, 10)$

3-1 (1) 3, 6, 4 (2) 3, 12, 13

3-2 (1) 10 (2) -6

4-1 (1) $\sqrt{2}$ (2) 0

4-2 (1) 45° (2) 120°

확인 문제 본문 | 113~127 쪽

01-1 $\frac{4}{15}\vec{a}-\frac{1}{3}\vec{b}+\frac{1}{15}\vec{c}$

01-2 $\frac{2}{3}\vec{a}+\frac{2}{3}\vec{b}$

02-1 3 : 1

셀파 특강 **확인 체크 01** $(-5, -7)$

03-1 $p=3, q=-2$ **03-2** $(2, -2)$

04-1 $\frac{x^2}{9}+\frac{y^2}{5}=1$ **04-2** 9π

05-1 (1) 1 (2) 4
(3) -2 (4) 0

05-2 $-\frac{1}{2}$

셀파 특강 **확인 체크 02** (1) -12 (2) -1

06-1 25 **06-2** -3

07-1 (1) -11 (2) -1

07-2 2

집중 연습 본문 | 124쪽

01 (1) 20 (2) 10 (3) $-10\sqrt{3}$

02 (1) -1 (2) 2 (3) -31

03 (1) 36 (2) 7 (3) $6\sqrt{3}$ (4) 2

08-1 $60°$ 08-2 -3

09-1 (1) $\frac{5}{7}$ (2) -10

09-2 $x=2$, $y=4$

10-1 $(1, -2)$ 또는 $(-1, 2)$

10-2 -3 또는 1

연습 문제 본문 | 128~129쪽

01 $k=\frac{3}{4}$, $l=\frac{3}{4}$ 02 $m=\frac{1}{3}$, $n=\frac{2}{3}$

03 52 04 $p=5$, $q=-2$

05 $3x+4y=26$ 06 -6

07 $\overrightarrow{AB}\cdot\overrightarrow{AD}$ 08 -1

09 $\frac{3}{2}$ 10 $120°$

11 $-3<k<1$ 12 $(-4, 6)$

13 $(6, -8)$ 또는 $(-6, 8)$

7. 직선과 원의 방정식

개념 익히기 본문 | 133, 135쪽

1-1 (1) 4 (2) 4

1-2 (1) $x-3=\frac{y-2}{5}$ (2) $x+5y-13=0$

2-1 $45°$

2-2 (1) $45°$ (2) $45°$

3-1 (1) 0 (2) 2

3-2 (1) 1 (2) -4

4-1 2, 4

4-2 (1) 중심이 $C(-3, 2)$이고 반지름의 길이가 3인 원
(2) 중심이 $C(-3, 2)$이고 반지름의 길이가 2인 원

확인 문제 본문 | 136~147쪽

01-1 $\frac{x-2}{-2}=y-1$ 01-2 $\frac{x-4}{3}=\frac{y-2}{-2}$

셀파 특강 확인 체크 01 $x+3y-1=0$

02-1 $2x-y+5=0$ 02-2 $m=2$, $n=-7$

집중 연습 본문 | 139쪽

01 (1) $\frac{x}{-2}=\frac{y-3}{3}$ (2) $\frac{x-5}{2}=\frac{y-3}{-1}$

02 (1) $\frac{x-2}{3}=\frac{y-1}{2}$ (2) $\frac{x+3}{-5}=\frac{y-5}{2}$

03 (1) $x-1=\frac{y-4}{-1}$ (2) $\frac{x-1}{2}=\frac{y-2}{-6}$

04 (1) $3x-2y-23=0$ (2) $2x+3y-8=0$

03-1 $\frac{3}{5}$ 03-2 $\sqrt{3}$

04-1 3 04-2 $a=2$, $b=4$

05-1 $(2, 0)$ 05-2 $H(-4, 3)$

06-1 $(x-2)^2+(y-4)^2=16$ 06-2 $(x+1)^2+y^2=8$

셀파 특강 확인 체크 02 $(x-3)^2+(y-2)^2=2$

07-1 $3x+y-5=0$

07-2 $a=\sqrt{3}$, $b=1$

셀파 특강 **확인 체크 03** $4x-3y+36=0$

08-1 최댓값 : $5+\sqrt{2}$, 최솟값 : $5-\sqrt{2}$

08-2 $2\sqrt{2}-2$

연습 문제 본문 | 148~149 쪽

01 -9

02 $\frac{x+9}{10}=\frac{y+10}{12}$

03 $a=1$, $b=1$

04 2

05 $\frac{6}{13}$

06 -2

07 8

08 $(1, 2)$

09 $\sqrt{13}$

10 12

11 $\sqrt{13}\pi$

12 $(x+2)^2+(y-2)^2=8$

13 $(1, 4)$

14 $x-2y-10=0$

15 ⑤

8. 공간도형

개념 익히기 본문 | 153, 155 쪽

1-1 ㄷ

1-2 ㄱ, ㄷ

2-1 (1) BF (2) EF (3) FG

2-2 (1) 직선 CD
(2) 평면 ABC, 평면 ABD
(3) 평면 ACD, 평면 BCD

3-1 l

3-2 1

4-1 (1) 2, 4 (2) 6, 30°

4-2 (1) 45° (2) $3\sqrt{3}$

확인 문제 본문 | 157~171 쪽

01-1 10

01-2 7

02-1 (1) 직선 CD, 직선 DE, 직선 EF, 직선 CF
(2) 평면 BEF, 평면 DEF
(3) 평면 ABE, 평면 AED, 평면 ACD, 평면 BEF, 평면 BFC, 평면 CFD

03-1 (1) 60° (2) 60°

03-2 $\frac{4}{5}$

04-1 ㄴ

집중 연습 본문 | 165 쪽

01 6

02 $2\sqrt{11}$

03 $\sqrt{2}$

04 $\frac{\sqrt{6}}{2}$

05-1 $\frac{13}{2}$

05-2 $\sqrt{38}$

06-1 60°

06-2 $\frac{\sqrt{3}}{3}$

07-1 (1) $\sqrt{3}$ (2) $\frac{\sqrt{3}}{3}$

08-1 $\frac{8\sqrt{3}}{3}\pi$

08-2 65π

연습 문제 본문 | 172~173 쪽

01 4

02 11

03 0

04 90°

05 90°

06 $\sqrt{93}$

07 5

08 56

09 $\frac{\sqrt{21}}{7}$

10 $\frac{10\sqrt{3}}{3}$

11 $\frac{\sqrt{2}}{2}$

12 3

9. 공간좌표

개념 익히기 본문 | 177, 179쪽

1-1 (1) 4 (2) 3, 2

1-2 (1) $A(0, 5, 0)$, $C(-3, 0, 0)$, $D(0, 0, 4)$
(2) $B(-3, 5, 0)$, $E(0, 5, 4)$, $G(-3, 0, 4)$

2-1 (1) 0 (2) A (3) -1

2-2 (1) $(2, 3, 0)$
(2) $(0, 0, -4)$
(3) $(2, -3, -4)$

3-1 (1) $\sqrt{14}$ (2) $\sqrt{29}$ (3) $1, \sqrt{6}$

3-2 (1) 3 (2) $\sqrt{62}$ (3) $3\sqrt{11}$

4-1 (1) -2 (2) 9 (3) 5, 2

4-2 (1) $P\left(\frac{8}{5}, \frac{19}{5}, \frac{31}{5}\right)$
(2) $Q(4, 11, 11)$
(3) $M\left(\frac{3}{2}, \frac{7}{2}, 6\right)$

확인 문제 본문 | 180~195쪽

01-1 $a=2, b=4, c=-3$

01-2 $B(3, -4, 0)$, $C(-3, -4, 0)$

집중 연습 본문 | 181쪽

01 (1) $(6, -4, -2)$, $(-6, 4, -2)$, $(-6, -4, 2)$, $(-6, -4, -2)$
(2) $(-2, -1, 5)$, $(2, 1, 5)$, $(2, -1, -5)$, $(2, -1, 5)$

02 (1) $(3, 6, -2)$, $(-3, 6, 2)$, $(3, -6, 2)$
(2) $(8, -1, 3)$, $(-8, -1, -3)$, $(8, 1, -3)$

03 (1) $(-5, 0, 0)$, $(0, 3, 0)$, $(0, 0, 4)$, $(-5, 3, 0)$, $(0, 3, 4)$, $(-5, 0, 4)$
(2) $(2, 0, 0)$, $(0, 4, 0)$, $(0, 0, -1)$, $(2, 4, 0)$, $(0, 4, -1)$, $(2, 0, -1)$

04 $a=-3, b=-2, c=1$

05 $a=-3, b=1, c=-2$

06 $(3, -1, 5)$

02-1 -4 또는 0 **02-2** $\frac{\sqrt{66}}{2}$

03-1 $P(0, 0, -2)$

03-2 $C(1, 3, 0)$ 또는 $C(4, 0, 0)$

04-1 (1) $\sqrt{14}$ (2) $\sqrt{38}$

05-1 6 **05-2** 60°

셀파 특강 **확인 체크 01** $M(-6, 5, 5)$

06-1 $8\sqrt{3}$

06-2 $C(2, 7, -2)$, $D(1, 6, -11)$

07-1 $R(2, 1, -3)$ **07-2** $(1, 2, -2)$

셀파 특강 **확인 체크 02** (1) 중심의 좌표 : $(1, 3, 0)$
반지름의 길이 : 1
(2) 중심의 좌표 : $(2, -3, 1)$
반지름의 길이 : 3

08-1 $(x-1)^2+(y-2)^2+(z+1)^2=19$

08-2 중심의 좌표 : $(2, 1, -4)$
반지름의 길이 : $\sqrt{26}$

09-1 $\sqrt{5}$ **09-2** 10

셀파 특강 **확인 체크 03** (1) 14 (2) 8π

10-1 6π **10-2** 4

11-1 5

11-2 최댓값 : 7, 최솟값 : 3

연습 문제 본문 | 196~197쪽

01 $(0, 0, 0)$ **02** $A(50, 50, 50\sqrt{2})$

03 $P(0, 1, 1)$ **04** 10

05 $\frac{\sqrt{3}}{3}$ **06** $B(2, -6, -4)$

07 $G(6, 0, 0)$

08 $(x-2)^2+(y+1)^2+(z-7)^2=44$

09 $k<-2$ 또는 $k>2$

10 $(x-\sqrt{2})^2+(y-\sqrt{2})^2+(z-\sqrt{2})^2=4$

11 12 **12** $\frac{1}{3}$

13 13 **14** 3

15 $2\sqrt{5}$

1. 포물선

개념 익히기 　본문 | 11쪽

1-1 (1) $y^2=12x=4\times3\times x$

이므로 $p=3$

초점의 좌표는 (3 , 0)

준선의 방정식은 $x=-3$

또 그래프는 오른쪽 그림과 같다.

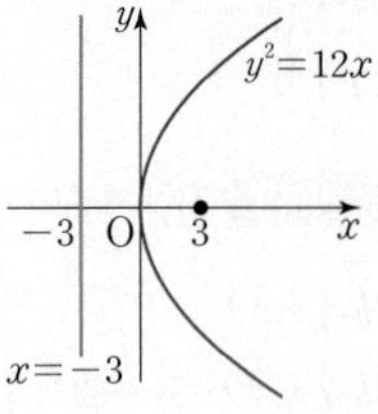

(2) $x^2=-8y=4\times(-2)\times y$

이므로 $p=-2$

초점의 좌표는 (0, -2)

준선의 방정식은 $y=$ 2

또 그래프는 오른쪽 그림과 같다.

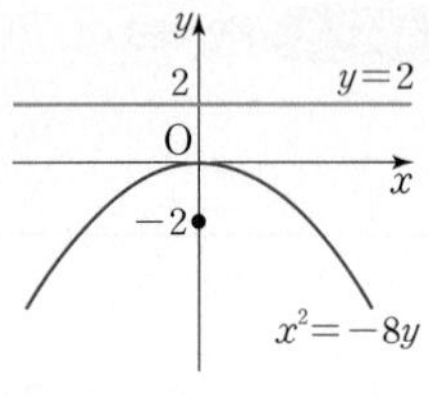

1-2 (1) $y^2=-4x=4\times(-1)\times x$

이므로 $p=-1$

초점의 좌표는 $(-1, 0)$

준선의 방정식은 $x=1$

또 그래프는 오른쪽 그림과 같다.

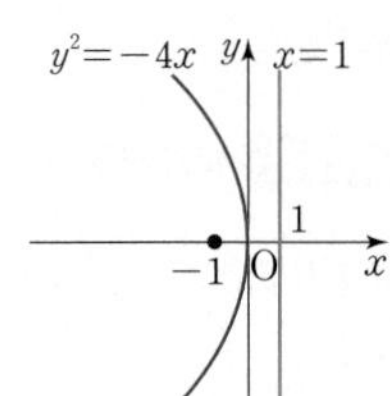

(2) $x^2=12y=4\times3\times y$

이므로 $p=3$

초점의 좌표는 $(0, 3)$

준선의 방정식은 $y=-3$

또 그래프는 오른쪽 그림과 같다.

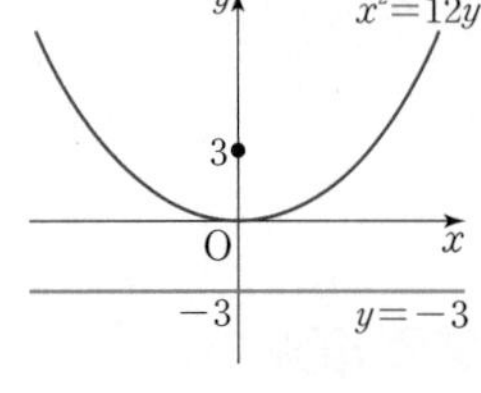

2-1

포물선	x축의 방향으로 1만큼 평행이동 y축의 방향으로 2만큼	포물선
$y^2=4x$		$\mathbf{(y-2)^2=4(x-1)}$
$(1, 0)$	초점의 좌표	$\mathbf{(2, 2)}$
$x=-1$	준선의 방정식	$x=$ 0

2-2 (1)

포물선	x축의 방향으로 2만큼 평행이동 y축의 방향으로 -1만큼	포물선
$y^2=8x$		$\mathbf{(y+1)^2=8(x-2)}$
$(2, 0)$	초점의 좌표	$\mathbf{(4, -1)}$
$x=-2$	준선의 방정식	$\mathbf{x=0}$

(2)

포물선	x축의 방향으로 2만큼 평행이동 y축의 방향으로 -1만큼	포물선
$x^2=-8y$		$\mathbf{(x-2)^2=-8(y+1)}$
$(0, -2)$	초점의 좌표	$\mathbf{(2, -3)}$
$y=2$	준선의 방정식	$\mathbf{y=1}$

확인 문제 　본문 | 14~20쪽

01-1 셀파 포물선 위의 점을 $\mathrm{P}(x, y)$로 놓고 점 P에서 주어진 직선에 내린 수선의 발을 H라 하면 $\overline{\mathrm{PF}}=\overline{\mathrm{PH}}$이다.

(1) 포물선 위의 점을 $\mathrm{P}(x, y)$로 놓고 점 P에서 직선 $x=-4$에 내린 수선의 발을 $\mathrm{H}(-4, y)$라 하면

$\overline{\mathrm{PF}}=\sqrt{(x-4)^2+y^2}$

$\overline{\mathrm{PH}}=|x+4|$

$\overline{\mathrm{PF}}=\overline{\mathrm{PH}}$에서

$\sqrt{(x-4)^2+y^2}=|x+4|$

이 식의 양변을 제곱하여 정리하면

$\mathbf{y^2=16x}$

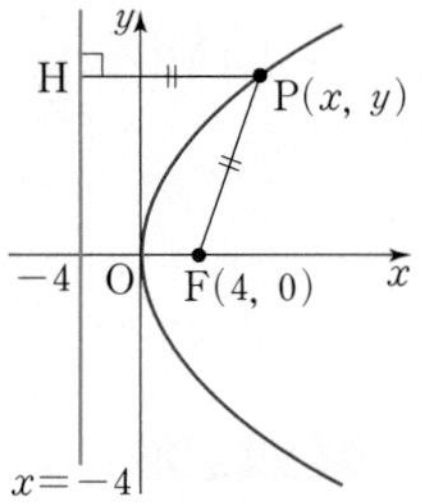

(2) 포물선 위의 점을 $\mathrm{P}(x, y)$로 놓고 점 P에서 직선 $y=1$에 내린 수선의 발을 $\mathrm{H}(x, 1)$이라 하면

$\overline{\mathrm{PF}}=\sqrt{x^2+(y+1)^2}$

$\overline{\mathrm{PH}}=|y-1|$

$\overline{\mathrm{PF}}=\overline{\mathrm{PH}}$에서

$\sqrt{x^2+(y+1)^2}=|y-1|$

이 식의 양변을 제곱하여 정리하면

$\mathbf{x^2=-4y}$

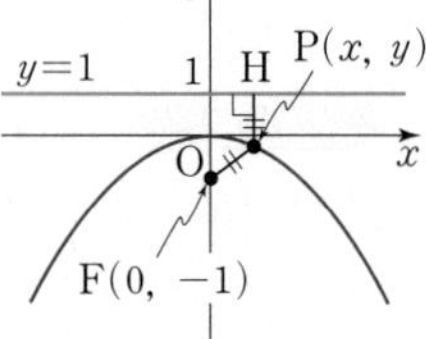

| 다른 풀이 |

(1) 초점의 좌표가 $\mathrm{F}(4, 0)$이고, 준선의 방정식이 $x=-4$인 포물선이므로

$p=4$

$y^2=4\times4\times x$ 　$\therefore y^2=16x$

(2) 초점의 좌표가 $\mathrm{F}(0, -1)$이고, 준선의 방정식이 $y=1$인 포물선이므로

$p=-1$

$x^2=4\times(-1)\times y$ 　$\therefore x^2=-4y$

02-1 셀파 세 점 A, B, C에서 초점과 준선에 이르는 거리가 같다.

포물선 $y^2=4x$의 초점은 $F(1, 0)$, 준선은 $x=-1$이다.
이때 세 점 A, B, C의 x좌표를 각각 x_1, x_2, x_3으로 놓으면 삼각형 ABC의 무게중심의 x좌표가 1이므로

$\frac{x_1+x_2+x_3}{3}=1$

$\therefore x_1+x_2+x_3=3$

세 점 A, B, C에서 초점까지의 거리와 준선까지의 거리가 같으므로 세 점 A, B, C에서 준선 $x=-1$에 내린 수선의 발을 각각 H_1, H_2, H_3이라 하면 오른쪽 그림에서

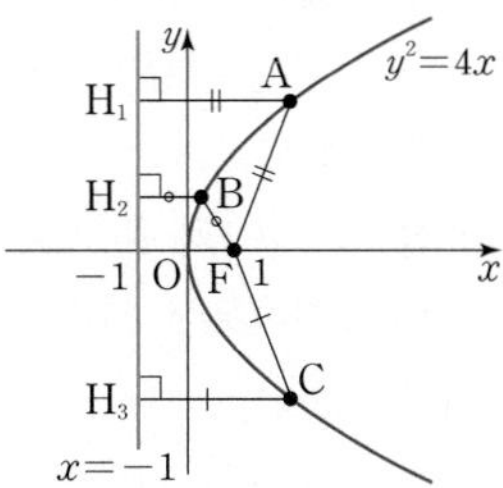

$\overline{AF}+\overline{BF}+\overline{CF}$
$=\overline{AH_1}+\overline{BH_2}+\overline{CH_3}$
$=(x_1+1)+(x_2+1)+(x_3+1)$
$=(x_1+x_2+x_3)+3$
$=3+3=$**6**

02-2 셀파 포물선 위의 점 P에서 초점과 준선에 이르는 거리는 같다.

포물선 $x^2=8y$의 초점의 좌표가 $(0, 2)$이므로 점 A는 주어진 포물선의 초점이고, 포물선의 준선은 $y=-2$이다.
이때 포물선 위의 임의의 점 $P(x, y)$에서 포물선의 준선에 내린 수선의 발을 H라 하면 포물선의 정의에서 $\overline{PA}=\overline{PH}$이다.
점 B에서 포물선의 준선에 내린 수선의 발을 H′이라 하고 선분 BH′과 포물선의 교점을 P′이라 할 때

$\overline{AP}+\overline{BP}=\overline{PH}+\overline{BP}$
$\overline{AP'}+\overline{BP'}=\overline{P'H'}+\overline{BP'}$

즉, 삼각형 APB의 둘레의 길이는 오른쪽 그림과 같이 점 P가 P′의 위치에 있을 때 최소이므로

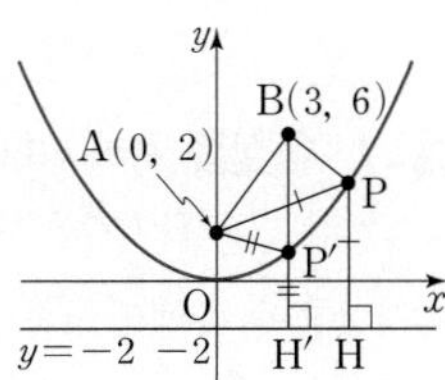

$\overline{AB}+\overline{BP}+\overline{PA}$
$=\overline{AB}+\overline{BP}+\overline{PH}$
$\geq\overline{AB}+\overline{BP'}+\overline{P'H'}=\overline{AB}+\overline{BH'}$
$=\sqrt{(3-0)^2+(6-2)^2}+8=13$

따라서 삼각형 APB의 둘레의 길이의 최솟값은 **13**

03-1 셀파 포물선 위의 점을 $P(x, y)$로 놓고 점 P에서 주어진 직선에 내린 수선의 발을 H라 하면 $\overline{PF}=\overline{PH}$이다.

(1) 포물선 위의 점을 $P(x, y)$로 놓고 점 P에서 직선 $x=-2$에 내린 수선의 발을 $H(-2, y)$라 하면

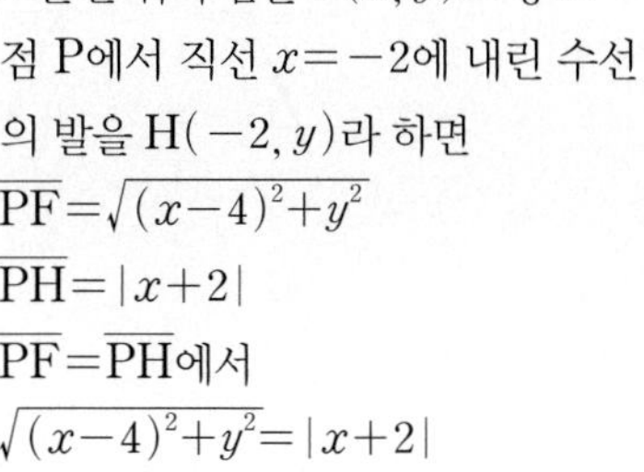

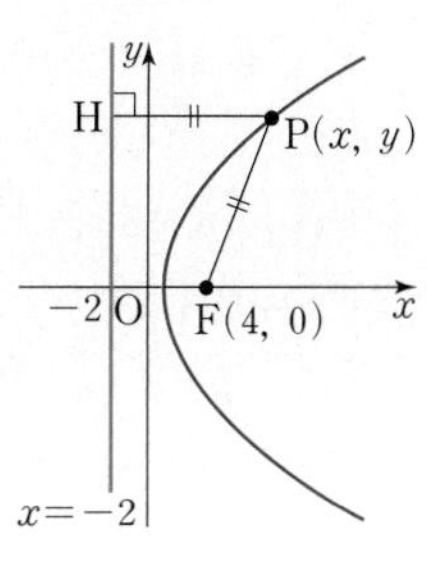

$\overline{PF}=\sqrt{(x-4)^2+y^2}$
$\overline{PH}=|x+2|$
$\overline{PF}=\overline{PH}$에서
$\sqrt{(x-4)^2+y^2}=|x+2|$
이 식의 양변을 제곱하여 정리하면
$\boldsymbol{y^2=12(x-1)}$

(2) 포물선 위의 점을 $P(x, y)$로 놓고 점 P에서 직선 $y=3$에 내린 수선의 발을 $H(x, 3)$이라 하면

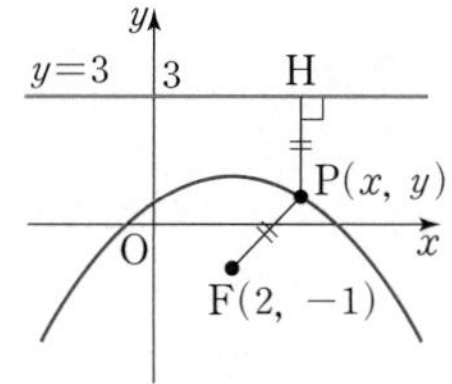

$\overline{PF}=\sqrt{(x-2)^2+(y+1)^2}$
$\overline{PH}=|y-3|$
$\overline{PF}=\overline{PH}$에서
$\sqrt{(x-2)^2+(y+1)^2}=|y-3|$
이 식의 양변을 제곱하여 정리하면
$\boldsymbol{(x-2)^2=-8(y-1)}$

04-1 셀파 포물선 위의 점에서 초점 F와 준선에 이르는 거리가 같음을 이용한다.

(1) 포물선 위의 점을 $P(x, y)$로 놓고 점 P에서 준선 $x=4$에 내린 수선의 발을 $H(4, y)$라 하면

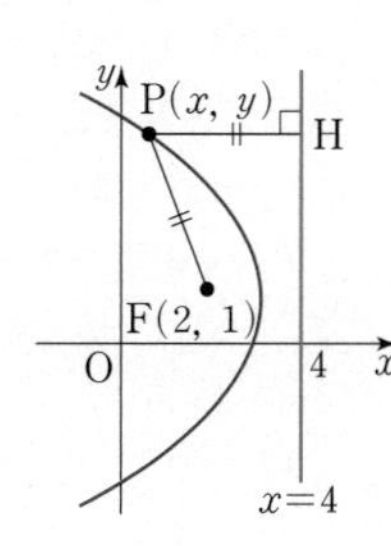

$\overline{PF}=\sqrt{(x-2)^2+(y-1)^2}$
$\overline{PH}=|x-4|$
$\overline{PF}=\overline{PH}$에서
$\sqrt{(x-2)^2+(y-1)^2}=|x-4|$
이 식의 양변을 제곱하여 정리하면
$(y-1)^2=-4(x-3)$
이 포물선이 점 $(k, 3)$을 지나므로
$4=-4(k-3)$, $4k=8$
$\therefore$ $\boldsymbol{k=2}$

(2) 포물선 위의 점을 $P(x, y)$로 놓고 점 P에서 준선 $y=5$에 내린 수선의 발을 $H(x, 5)$라 하면

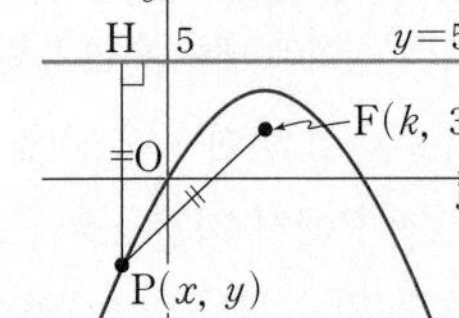

$\overline{PF}=\sqrt{(x-k)^2+(y-3)^2}$

$\overline{PH}=|y-5|$

$\overline{PF}=\overline{PH}$에서

$\sqrt{(x-k)^2+(y-3)^2}=|y-5|$

이 식의 양변을 제곱하여 정리하면

$(x-k)^2=-4(y-4)$

이 포물선이 원점 $(0, 0)$을 지나므로

$k^2=16$, $(k+4)(k-4)=0$

$\therefore$ $\boldsymbol{k=-4}$ **또는** $\boldsymbol{k=4}$

| 다른 풀이 |

(1) 주어진 포물선은 준선이 y축에 평행하므로 포물선 $y^2=4px$를 평행이동한 것이다. 이때 포물선의 방정식을

$(y-n)^2=4p(x-m)$

으로 놓으면 이 포물선의

초점의 좌표는 $(p+m, n)$, 준선의 방정식은 $x=-p+m$

주어진 포물선의 초점의 좌표가 $(2, 1)$, 준선의 방정식이 $x=4$이므로

$p+m=2$, $n=1$, $-p+m=4$

$\therefore p=-1$, $m=3$, $n=1$

따라서 주어진 포물선의 방정식은

$(y-1)^2=-4(x-3)$

이 포물선이 점 $(k, 3)$을 지나므로

$4=-4(k-3)$ $\qquad\therefore k=2$

(2) 주어진 포물선은 준선이 x축에 평행하므로 포물선 $x^2=4py$를 평행이동한 것이다. 이때 포물선의 방정식을

$(x-m)^2=4p(y-n)$

으로 놓으면 이 포물선의

초점의 좌표는 $(m, p+n)$, 준선의 방정식은 $y=-p+n$

주어진 포물선의 초점의 좌표가 $(k, 3)$, 준선의 방정식이 $y=5$이므로

$m=k$, $p+n=3$, $-p+n=5$

$\therefore m=k$, $n=4$, $p=-1$

따라서 주어진 포물선의 방정식은

$(x-k)^2=-4(y-4)$

이 포물선이 원점 $(0, 0)$을 지나므로

$k^2=16$, $(k+4)(k-4)=0$

$\therefore k=-4$ 또는 $k=4$

셀파 세미나 꼭짓점이 원점이 아닌 포물선의 방정식 구하기

꼭짓점이 원점인 포물선의 방정식은 $y^2=4px$, $x^2=4py$를 이용하면 바로 구할 수 있다. 그러나 꼭짓점이 원점이 아닌 경우에는

(i) 포물선 위의 한 점에서 초점에 이르는 거리와 준선에 이르는 거리가 같다.

임을 이용하거나

(ii) 포물선을 평행이동한 식

을 이용한다.

초점 (x_1, y_1)과 준선 $x=k$(또는 $y=k$)가 주어지고 (ii) 포물선을 평행이동한 식을 이용할 때, 포물선의 방정식은 다음 순서로 구한다.

1 준선의 방정식을 이용하여 포물선의 꼴을 결정한다.

❶ 준선의 방정식이 $x=k$ 꼴

⇨ 구하는 포물선은 포물선 $y^2=4px$를 평행이동한 것이므로 포물선의 방정식을 $(y-n)^2=4p(x-m)$으로 놓는다.

❷ 준선의 방정식이 $y=k$ 꼴

⇨ 구하는 포물선은 포물선 $x^2=4py$를 평행이동한 것이므로 포물선의 방정식을 $(x-m)^2=4p(y-n)$으로 놓는다.

2 주어진 초점의 좌표 (x_1, y_1)과 준선의 방정식 $x=k$(또는 $y=k$)를 이용하여 상수 m, n, p의 값을 구한다.

❶ 포물선 $(y-n)^2=4p(x-m)$의

초점의 좌표는 $(p+m, n)$,

준선의 방정식은 $x=-p+m$

이므로 $p+m=x_1$, $n=y_1$, $-p+m=k$

❷ 포물선 $(x-m)^2=4p(y-n)$의

초점의 좌표는 $(m, p+n)$,

준선의 방정식은 $y=-p+n$

이므로 $m=x_1$, $p+n=y_1$, $-p+n=k$

04-2 셀파 **축이 y축에 평행하므로 구하는 포물선의 방정식은 $x^2+Ax+By+C=0(B\neq0)$ 꼴이다.**

축이 y축에 평행하므로 구하는 포물선의 방정식을

$x^2+Ax+By+C=0(B\neq0)$으로 놓으면

이 포물선이 세 점 $(0, -2)$, $(-3, 2)$, $(-2, 0)$을 지나므로

$-2B+C=0$, $9-3A+2B+C=0$, $4-2A+C=0$

세 식에서 $A=-1$, $B=-3$, $C=-6$

따라서 구하는 포물선의 방정식은

$\boldsymbol{x^2-x-3y-6=0}$

집중 연습 본문 | 19 쪽

01 x 대신 $x-(-1)=x+1$, y 대신 $y-2$를 대입한다.

(1) $\boldsymbol{(y-2)^2=x+1}$

(2) $(y-2)^2-2(x+1)=0$ $\quad\therefore$ $\boldsymbol{(y-2)^2=2(x+1)}$

(3) $(y-2)^2-3(x+1)+2(y-2)-1=0$

$\therefore$ $\boldsymbol{y^2-3x-2y-4=0}$

(4) $\boldsymbol{(x+1)^2=4(y-2)}$

02 (1) 주어진 포물선은 포물선 $y^2=-12x$를 x축의 방향으로 -3만큼 평행이동한 것이다.

이때 포물선 $y^2=-12x=4\times(-3)\times x$

의 초점의 좌표는 $(-3, 0)$, 준선의 방정식은 $x=3$

이므로 구하는 포물선의

초점의 좌표는 $(-3-3, 0)$, 즉 $\boldsymbol{(-6, 0)}$

준선의 방정식은 $x=3-3$, 즉 $\boldsymbol{x=0}$

(2) 주어진 포물선은 포물선 $x^2=4y$를 x축의 방향으로 -1만큼 평행이동한 것이다.

이때 포물선 $x^2=4y=4\times1\times y$

의 초점의 좌표는 $(0, 1)$, 준선의 방정식은 $y=-1$

이므로 구하는 포물선의

초점의 좌표는 $(0-1, 1)$, 즉 $\boldsymbol{(-1, 1)}$

준선의 방정식은 $\boldsymbol{y=-1}$

(3) 주어진 포물선은 포물선 $y^2=2x$를 x축의 방향으로 1만큼, y축의 방향으로 -2만큼 평행이동한 것이다.

이때 포물선 $y^2=2x=4\times\frac{1}{2}\times x$

의 초점의 좌표는 $\left(\frac{1}{2}, 0\right)$, 준선의 방정식은 $x=-\frac{1}{2}$

이므로 구하는 포물선의

초점의 좌표는 $\left(\frac{1}{2}+1, -2\right)$, 즉 $\boldsymbol{\left(\frac{3}{2}, -2\right)}$

준선의 방정식은 $x=-\frac{1}{2}+1=\frac{1}{2}$, 즉 $\boldsymbol{x=\frac{1}{2}}$

(4) 주어진 포물선은 포물선 $x^2=-8y$를 x축의 방향으로 3만큼, y축의 방향으로 -1만큼 평행이동한 것이다.

이때 포물선 $x^2=-8y=4\times(-2)\times y$

의 초점의 좌표는 $(0, -2)$, 준선의 방정식은 $y=2$

이므로 구하는 포물선의

초점의 좌표는 $(3, -2-1)$, 즉 $\boldsymbol{(3, -3)}$

준선의 방정식은 $y=2-1$, 즉 $\boldsymbol{y=1}$

05-1 셀파 **(1) $(y-n)^2=4p(x-m)$ 꼴로 변형한다.**
(2) $(x-m)^2=4p(y-n)$ 꼴로 변형한다.

(1) $y^2+x+4y+3=0$에서 $y^2+4y+4=-x+1$

$\therefore$ $(y+2)^2=-(x-1)$

주어진 포물선은 포물선 $y^2=-x$를 x축의 방향으로 1만큼, y축의 방향으로 -2만큼 평행이동한 것이다.

이때 포물선 $y^2=-x=4\times\left(-\frac{1}{4}\right)\times x$

의 초점의 좌표는 $\left(-\frac{1}{4}, 0\right)$, 준선의 방정식은 $x=\frac{1}{4}$

이므로 주어진 포물선의

초점의 좌표는 $\boldsymbol{\left(\frac{3}{4}, -2\right)}$, **준선의 방정식**은 $\boldsymbol{x=\frac{5}{4}}$

(2) $x^2-8y+2x+17=0$에서 $x^2+2x+1=8y-16$

$\therefore$ $(x+1)^2=8(y-2)$

주어진 포물선은 포물선 $x^2=8y$를 x축의 방향으로 -1만큼, y축의 방향으로 2만큼 평행이동한 것이다.

이때 포물선 $x^2=8y=4\times2\times y$

의 초점의 좌표는 $(0, 2)$, 준선의 방정식은 $y=-2$

이므로 주어진 포물선의

초점의 좌표는 $\boldsymbol{(-1, 4)}$, **준선의 방정식**은 $\boldsymbol{y=0}$

05-2 셀파 **포물선 $y^2=4(x-a)$는 포물선 $y^2=4x$를 x축의 방향으로 a만큼 평행이동한 것이다.**

포물선 $y^2=4x$에서 초점의 좌표는 $(1, 0)$이므로 포물선 $y^2=4(x-a)$의 초점의 좌표는 $(a+1, 0)$

또 포물선 $y^2=-8x=4\times(-2)\times x$의 초점의 좌표는 $(-2, 0)$

두 포물선의 초점이 같으므로

$a+1=-2$ $\quad\therefore$ $\boldsymbol{a=-3}$

셀파 특강 **확인 체크 01**

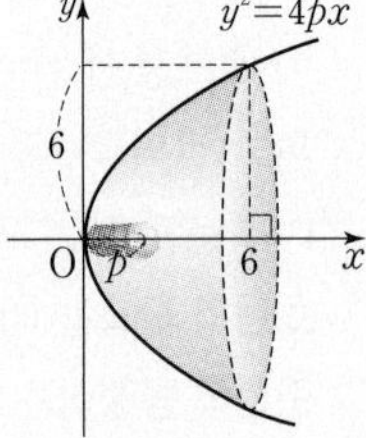

오른쪽 그림과 같이 포물선의 꼭짓점을 원점에 오도록 놓고 포물선의 방정식을 $y^2=4px\ (p>0)$라 하면

이 포물선이 점 $(6, 6)$을 지나므로

$6^2=4\times p\times 6$

$\therefore\ \boldsymbol{p=\frac{3}{2}}$

| 참고 |

포물선의 방정식을 실생활에서 활용하는 문제는 좌표평면을 도입하여 해결한다. 이때 문제에 주어진 포물선의 초점과 준선을 파악하여 포물선의 꼭짓점이 좌표평면의 원점이 되도록 좌표평면을 도입한다.

연습 문제

본문 | 22~23쪽

01 셀파 **초점이 $F(0, p)$이고 준선의 방정식이 $y=-p$인 포물선의 방정식은 $x^2=4py$(단, $p\neq 0$)**

초점이 $F(0, 2)$이고 준선의 방정식이 $y=-2$인 포물선의 방정식은 $x^2=4py$에서 $p=2$이므로

$\boldsymbol{x^2=8y}$

02 셀파 **포물선의 정의를 생각한다.**

$y^2=8x=4\times 2\times x$에서 초점의 좌표는 $F(2, 0)$이고

준선의 방정식은 $x=-2$

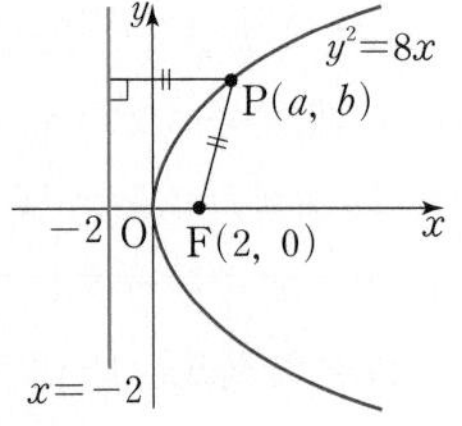

포물선의 정의에 의하여 포물선 위의 점 P에서 초점 F와 준선 $x=-2$에 이르는 거리가 같고 점 P와 초점 사이의 거리가 4이므로

$a+2=4\ (\because\ a\geq 0)$

$\therefore\ a=2$

또 점 $P(a, b)$는 포물선 위의 점이므로

$b^2=8a=16$

이때 $ab>0$에서 $b>0$이므로

$b=4$

$\therefore\ a+b=\boldsymbol{6}$

03 셀파 **점 P에서 준선과 x축에 내린 수선의 발의 좌표를 구한다.**

$y^2=12x=4\times 3\times x$에서 초점의 좌표는 $F(3, 0)$이고

준선의 방정식은 $x=-3$

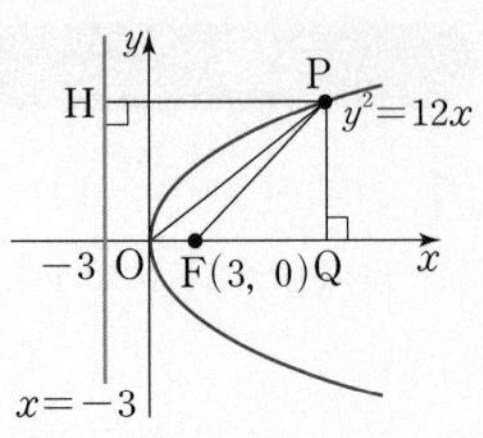

점 P에서 준선에 내린 수선의 발을 H, x축에 내린 수선의 발을 Q라 하면 포물선의 정의에 의하여

$\overline{PF}=\overline{PH}$이고 $\overline{PF}=5\overline{OF}=15$

이므로 $Q(12, 0)$

이때 점 P는 포물선 $y^2=12x$ 위의 점이므로

$y^2=12\times 12=144\qquad \therefore\ y=\pm 12$

따라서 $P(12, 12)$ 또는 $P(12, -12)$이므로

$\overline{OP}=\sqrt{12^2+12^2}=\boldsymbol{12\sqrt{2}}$

04 셀파 **점 P, Q에서 x축에 내린 수선의 발의 좌표를 구한다.**

$y^2=6x=4\times\frac{3}{2}\times x$에서 초점의 좌표는 $F\left(\frac{3}{2}, 0\right)$이고

준선의 방정식은 $x=-\frac{3}{2}$

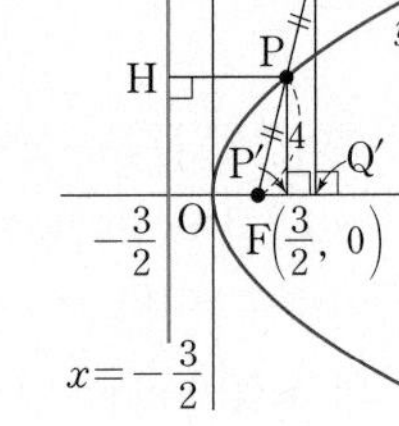

점 P에서 준선에 내린 수선의 발을 H라 하고 점 P, Q에서 x축에 내린 수선의 발을 각각 P′, Q′이라 하면 포물선의 정의에 의하여

$\overline{PF}=\overline{PH}$에서 $\overline{PH}=4$이므로

$P'\left(\frac{5}{2}, 0\right)$

$\overline{FP'}=\overline{P'Q'}$이므로 $Q'\left(\frac{7}{2}, 0\right)$

따라서 점 Q의 x좌표는 $\boldsymbol{\frac{7}{2}}$

05 셀파 **직선 $y=mx-m$이 m의 값에 관계없이 점 $(1, 0)$을 지난다.**

$y^2=4x=4\times 1\times x$에서 초점의 좌표는 $F(1, 0)$이고

준선의 방정식은 $x=-1$

두 점 P, Q의 x좌표를 각각 x_1, x_2라 하면 선분 PQ의 중점 R의 x좌표가 2이므로

$\frac{x_1+x_2}{2}=2\qquad \therefore\ x_1+x_2=4$

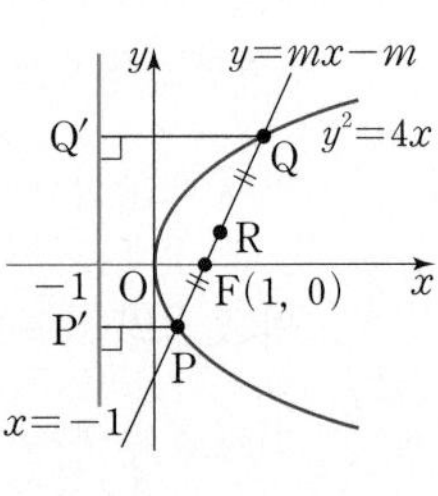

직선 $y=mx-m=m(x-1)$이므로 m의 값에 관계없이 초점을 지나는 직선이다. 오른쪽 그림과 같이 두 점 P, Q에서 준선 $x=-1$에 내린 수선의 발을 각각 P′, Q′이라 하면 포물선의 정의에 의하여

$\overline{PF}=\overline{PP'}$, $\overline{QF}=\overline{QQ'}$

$\therefore\ \overline{PQ}=\overline{PF}+\overline{QF}=\overline{PP'}+\overline{QQ'}$

$\quad=(x_1+1)+(x_2+1)=x_1+x_2+2=\boldsymbol{6}$

06 셀파 포물선의 정의를 생각한다.

$y^2=4x=4\times1\times x$에서 초점의 좌표는 $\mathrm{A}(1, 0)$이고

준선의 방정식은 $x=-1$

다음 그림과 같이 포물선 위의 점 P에서 준선 $x=-1$에 내린 수선의 발을 H라 하면 포물선의 정의에 의하여 $\overline{\mathrm{PA}}=\overline{\mathrm{PH}}$이므로

$\overline{\mathrm{PA}}+\overline{\mathrm{PB}}=\overline{\mathrm{PH}}+\overline{\mathrm{PB}}$

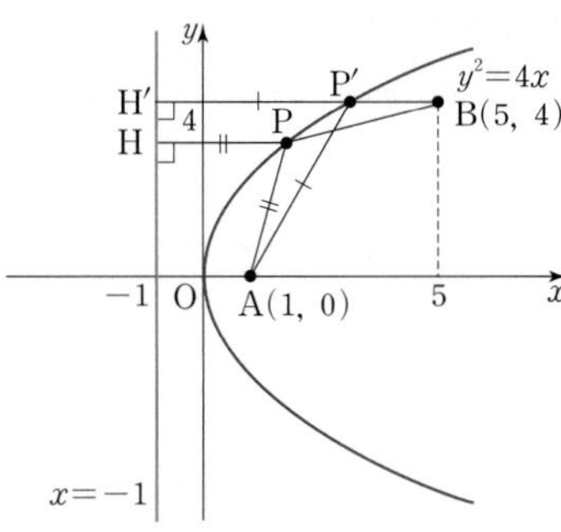

점 B에서 포물선의 준선에 내린 수선의 발을 H′이라 하고, 선분 BH′과 포물선의 교점을 P′이라 하면 점 P가 P′의 위치에 있을 때 $\overline{\mathrm{PH}}+\overline{\mathrm{PB}}$의 값이 최소이므로

$\overline{\mathrm{PA}}+\overline{\mathrm{PB}}=\overline{\mathrm{PH}}+\overline{\mathrm{PB}}\ge\overline{\mathrm{P'H'}}+\overline{\mathrm{P'B}}=\overline{\mathrm{BH'}}=6$

따라서 $\overline{\mathrm{PA}}+\overline{\mathrm{PB}}$의 최솟값은 **6**

07 셀파 두 점 A, B에서 준선에 내린 수선의 발을 각각 A′, B′으로 놓는다.

$x^2=4y$에서 초점의 좌표는 $\mathrm{F}(0, 1)$이고

준선의 방정식은 $y=-1$

다음 그림과 같이 두 점 A, B에서 준선 $y=-1$에 내린 수선의 발을 각각 A′, B′이라 하고, 점 A에서 $\overline{\mathrm{BB'}}$의 연장선 위에 내린 수선의 발을 G라 하자.

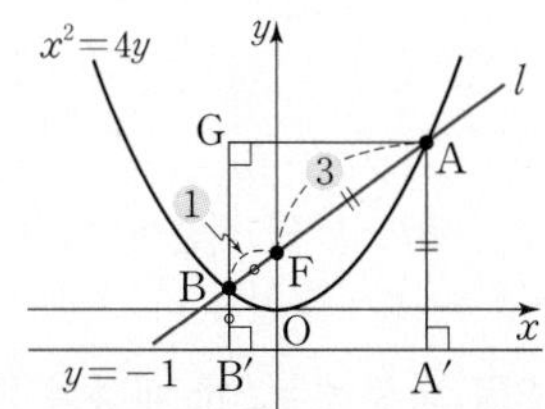

이때 $\overline{\mathrm{AF}}:\overline{\mathrm{BF}}=3:1$이므로 $\overline{\mathrm{AF}}=3k$, $\overline{\mathrm{BF}}=k(k>0)$라 하면 포물선의 정의에 의하여

$\overline{\mathrm{BF}}=\overline{\mathrm{BB'}}=k$, $\overline{\mathrm{AF}}=\overline{\mathrm{AA'}}=3k$

$\overline{\mathrm{BG}}=\overline{\mathrm{B'G}}-\overline{\mathrm{BB'}}=\overline{\mathrm{AA'}}-\overline{\mathrm{BB'}}=3k-k=2k$

직각삼각형 ABG에서 $\overline{\mathrm{AG}}=\sqrt{(4k)^2-(2k)^2}=2\sqrt{3}k$

따라서 구하는 직선 l의 기울기는

$\dfrac{\overline{\mathrm{BG}}}{\overline{\mathrm{AG}}}=\dfrac{2k}{2\sqrt{3}k}=\boldsymbol{\dfrac{\sqrt{3}}{3}}$

08 셀파 포물선의 꼭짓점 E가 좌표평면의 원점에 오도록 좌표평면을 그린다.

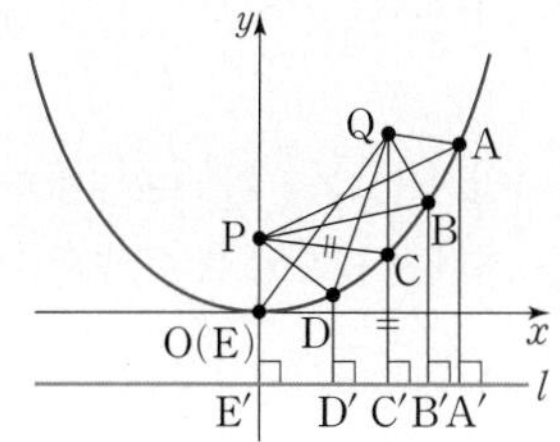

위의 그림과 같이 포물선의 꼭짓점 E가 좌표평면의 원점에 오도록 놓고 준선을 l이라 하자.

포물선 위의 점 A, B, C, D, E에서 준선 l에 내린 수선의 발을 각각 A′, B′, C′, D′, E′이라 하면 포물선의 정의에 의하여

$\overline{\mathrm{PA}}+\overline{\mathrm{AQ}}=\overline{\mathrm{AA'}}+\overline{\mathrm{AQ}}$

$\overline{\mathrm{PB}}+\overline{\mathrm{BQ}}=\overline{\mathrm{BB'}}+\overline{\mathrm{BQ}}$

$\overline{\mathrm{PC}}+\overline{\mathrm{CQ}}=\overline{\mathrm{CC'}}+\overline{\mathrm{CQ}}=\overline{\mathrm{C'Q}}$

$\overline{\mathrm{PD}}+\overline{\mathrm{DQ}}=\overline{\mathrm{DD'}}+\overline{\mathrm{DQ}}$

$\overline{\mathrm{PE}}+\overline{\mathrm{EQ}}=\overline{\mathrm{EE'}}+\overline{\mathrm{EQ}}$

따라서 점 A, B, C, D, E 중 두 점 P, Q에 이르는 거리의 합이 최소인 경우는 그림에서 $\overline{\mathrm{CC'}}+\overline{\mathrm{CQ}}$이므로 구하는 점은 **점 C**

09 셀파 포물선 위의 점 $(-2, 2\sqrt{6})$에서 초점 $(a, 0)$과 준선 $x=3$에 이르는 거리가 같다.

점 $\mathrm{F}(a, 0)$과 직선 $x=3$에 이르는 거리가 같은 점을 $\mathrm{P}(x, y)$로 놓고, 점 P에서 직선 $x=3$에 내린 수선의 발을 $\mathrm{H}(3, y)$라 하면

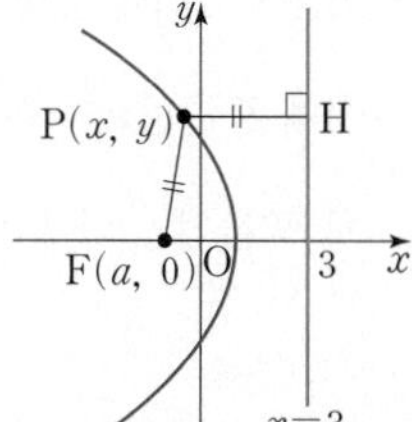

$\overline{\mathrm{PF}}=\sqrt{(x-a)^2+y^2}$

$\overline{\mathrm{PH}}=|x-3|$

$\overline{\mathrm{PF}}=\overline{\mathrm{PH}}$에서

$\sqrt{(x-a)^2+y^2}=|x-3|$

이 식의 양변을 제곱하면

$(x-a)^2+y^2=(x-3)^2$ ……㉠

이 도형이 점 $\mathrm{A}(-2, 2\sqrt{6})$을 지나므로

$(-2-a)^2+(2\sqrt{6})^2=(-2-3)^2$

$a^2+4a+3=0$, $(a+3)(a+1)=0$

$\therefore a=-3$ 또는 $a=-1$

(i) $a=-3$일 때

㉠에 $a=-3$을 대입하면 $(x+3)^2+y^2=(x-3)^2$

이 도형은 원점을 지나므로 주어진 조건이 성립하지 않는다.

(ii) $a=-1$일 때

㉠에 $a=-1$을 대입하면 $(x+1)^2+y^2=(x-3)^2$

이 도형은 원점을 지나지 않으므로 주어진 조건이 성립한다.

(i), (ii)에서 구하는 a의 값은 $\mathbf{-1}$

10 셀파 **초점이 $(p, 0)$이고 준선의 방정식이 $x=-p$인 포물선의 방정식은 $y^2=4px\,(p\neq0)$이다.**

초점이 $F(-3, 0)$이고 준선이 $x=3$인 포물선의 방정식은

$y^2=4\times(-3)\times x=-12x$

이 포물선이 점 $(a, -2)$를 지나므로

$(-2)^2=-12a \qquad \therefore \boldsymbol{a=-\frac{1}{3}}$

11 셀파 **먼저 포물선을 평행이동하기 전의 초점을 구한다.**

㉮ 포물선 $(y-3)^2=a(x+2)$는 포물선 $y^2=ax$를 x축의 방향으로 -2만큼, y축의 방향으로 3만큼 평행이동한 것이다.

이때 포물선 $y^2=ax=4\times\frac{a}{4}\times x$의 초점의 좌표가 $\left(\frac{a}{4}, 0\right)$이므로 포물선 $(y-3)^2=a(x+2)$의 초점의 좌표는

$\left(\frac{a}{4}-2, 3\right)$ ……㉠

㉯ 또 포물선 $(x+1)^2=b(y-2)$는 포물선 $x^2=by$를 x축의 방향으로 -1만큼, y축의 방향으로 2만큼 평행이동한 것이다.

이때 포물선 $x^2=by=4\times\frac{b}{4}\times y$의 초점의 좌표가 $\left(0, \frac{b}{4}\right)$이므로 포물선 $(x+1)^2=b(y-2)$의 초점의 좌표는

$\left(-1, \frac{b}{4}+2\right)$ ……㉡

㉰ 두 포물선의 초점이 같으므로 ㉠, ㉡에서

$\frac{a}{4}-2=-1,\ 3=\frac{b}{4}+2$

$\frac{a}{4}=1,\ \frac{b}{4}=1 \qquad \therefore \boldsymbol{a=4, b=4}$

채점 기준	배점
㉮ 포물선 $(y-3)^2=a(x+2)$의 초점의 좌표를 구한다.	40%
㉯ 포물선 $(x+1)^2=b(y-2)$의 초점의 좌표를 구한다.	40%
㉰ a, b의 값을 구한다.	20%

12 셀파 **주어진 방정식을 $(y-n)^2=4p(x-m)$ 꼴로 변형한다.**

$y^2+4y-4x+4a=0$에서 $y^2+4y+4=4x-4a+4$

$\therefore (y+2)^2=4(x-a+1)$

주어진 포물선은 포물선 $y^2=4x$를 x축의 방향으로 $(a-1)$만큼, y축의 방향으로 -2만큼 평행이동한 것이다.

이때 포물선 $y^2=4x=4\times1\times x$의 초점의 좌표가 $(1, 0)$이므로 주어진 포물선의 초점의 좌표는

$(1+a-1, -2)$, 즉 $(a, -2)$

$\therefore \boldsymbol{a=2}$

13 셀파 **주어진 포물선을 $(y-n)^2=4p(x-m)$ 꼴로 변형한다.**

$x=y^2+2y+k$에서 $y^2+2y+1=x-k+1$

$\therefore (y+1)^2=x-k+1$

주어진 포물선은 포물선 $y^2=x$를 x축의 방향으로 $(k-1)$만큼, y축의 방향으로 -1만큼 평행이동한 것이다.

이때 포물선 $y^2=x=4\times\frac{1}{4}\times x$의 초점의 좌표가 $\left(\frac{1}{4}, 0\right)$이므로

주어진 포물선의 초점의 좌표는

$\left(\frac{1}{4}+k-1, -1\right)$, 즉 $\left(k-\frac{3}{4}, -1\right)$

이 초점이 직선 $y=x+1$ 위에 있으므로

$-1=\left(k-\frac{3}{4}\right)+1$

$\therefore \boldsymbol{k=-\frac{5}{4}}$

14 셀파 **포물선 $x^2=4y-12$를 직선 $y=x$에 대하여 대칭이동한 도형의 방정식은 $y^2=4x-12$이다.**

포물선 $x^2=4y-12$를 직선 $y=x$에 대하여 대칭이동한 도형의 방정식은 $y^2=4x-12$

$y^2=4x-12=4(x-3)$이므로 포물선 $f(x, y)=0$의 초점의 좌표는 $(4, 0)$

점 $(2, 2)$에서 x축과 평행하게 그은 직선은 $y=2$이므로 이 직선과 포물선이 만나는 점 P의 x좌표는

$2^2=4(x-3) \qquad \therefore x=4$

따라서 $P(4, 2)$이므로 초점과 점 P를 이은 선분의 길이는

$2-0=\mathbf{2}$

2. 타원

개념 익히기

본문 | 27 쪽

1-1 (1) $\frac{x^2}{81}+\frac{y^2}{64}=1$, 즉 $\frac{x^2}{9^2}+\frac{y^2}{8^2}=1$에서

$c^2=81-64=17$ $\quad\therefore c=\pm\sqrt{17}$

초점의 좌표 : $(\sqrt{17}, 0)$, $(-\sqrt{17}, 0)$

장축의 길이 : $2\times9=18$

단축의 길이 : $2\times$ [8] $=$ [16]

(2) $\frac{x^2}{2}+\frac{y^2}{4}=1$, 즉 $\frac{x^2}{(\sqrt{2})^2}+\frac{y^2}{2^2}=1$에서

$c^2=4-2=2$ $\quad\therefore c=\pm\sqrt{2}$

초점의 좌표 : $(0,$ [$\sqrt{2}$]$)$, $(0, -\sqrt{2})$

장축의 길이 : $2\times$ [2] $=$ [4]

단축의 길이 : $2\times\sqrt{2}=2\sqrt{2}$

1-2 (1) $\frac{x^2}{16}+\frac{y^2}{8}=1$, 즉 $\frac{x^2}{4^2}+\frac{y^2}{(2\sqrt{2})^2}=1$에서

$c^2=16-8=8$ $\quad\therefore c=\pm2\sqrt{2}$

초점의 좌표 : $(2\sqrt{2}, 0)$, $(-2\sqrt{2}, 0)$

장축의 길이 : $2\times4=8$

단축의 길이 : $2\times2\sqrt{2}=4\sqrt{2}$

(2) $\frac{x^2}{5}+\frac{y^2}{12}=1$, 즉 $\frac{x^2}{(\sqrt{5})^2}+\frac{y^2}{(2\sqrt{3})^2}=1$에서

$c^2=12-5=7$ $\quad\therefore c=\pm\sqrt{7}$

초점의 좌표 : $(0, \sqrt{7})$, $(0, -\sqrt{7})$

장축의 길이 : $2\times2\sqrt{3}=4\sqrt{3}$

단축의 길이 : $2\times\sqrt{5}=2\sqrt{5}$

2-1

타원	x축의 방향으로 1만큼 / 평행이동 / y축의 방향으로 -2만큼	타원
$\frac{x^2}{25}+\frac{y^2}{16}=1$		$\frac{(x-1)^2}{25}+\frac{(y+2)^2}{16}=1$
$(3, 0)$, $(-3, 0)$	초점의 좌표	$($ [4] $, -2)$, $(-2, -2)$

장축의 길이 : $2\times$ [5] $=$ [10]

단축의 길이 : $2\times4=8$

2-2 (1) $\frac{x^2}{9}+\frac{y^2}{4}=1 \Rightarrow \frac{(x+1)^2}{9}+\frac{(y-3)^2}{4}=1$

타원 $\frac{x^2}{9}+\frac{y^2}{4}=1$에서 $a=3$, $b=2$이므로

$c^2=9-4=5$ $\quad\therefore c=\pm\sqrt{5}$

초점의 좌표는 $(\sqrt{5}, 0)$, $(-\sqrt{5}, 0)$

따라서 평행이동한 타원의

초점의 좌표 : $(\sqrt{5}-1, 3)$, $(-\sqrt{5}-1, 3)$

장축의 길이 : $2\times3=6$

단축의 길이 : $2\times2=4$

(2) $\frac{x^2}{8}+\frac{y^2}{9}=1 \Rightarrow \frac{(x+1)^2}{8}+\frac{(y-3)^2}{9}=1$

타원 $\frac{x^2}{8}+\frac{y^2}{9}=1$에서 $a=2\sqrt{2}$, $b=3$이므로

$c^2=9-8=1$ $\quad\therefore c=\pm1$

초점의 좌표는 $(0, 1)$, $(0, -1)$

따라서 평행이동한 타원의

초점의 좌표 : $(-1, 4)$, $(-1, 2)$

장축의 길이 : $2\times3=6$

단축의 길이 : $2\times2\sqrt{2}=4\sqrt{2}$

확인 문제

본문 | 30~39 쪽

01-1 셀파 두 초점으로부터의 거리의 합이 일정한 점의 집합은 타원이다.

(1) 초점이 x축 위에 있고 거리의 합이 6이므로 구하는 타원의 방정식을

$\frac{x^2}{a^2}+\frac{y^2}{b^2}=1$ $(a>b>0)$

로 놓으면 $2a=6$에서 $a=3$

$c=\sqrt{5}$에서 $b^2=a^2-c^2=9-5=4$

따라서 구하는 타원의 방정식은 $\frac{x^2}{9}+\frac{y^2}{4}=1$

(2) 초점이 y축 위에 있고 거리의 합이 8이므로 구하는 타원의 방정식을

$\frac{x^2}{a^2}+\frac{y^2}{b^2}=1$ $(b>a>0)$

로 놓으면 $2b=8$에서 $b=4$

$c=2$에서 $a^2=b^2-c^2=16-4=12$

따라서 구하는 타원의 방정식은 $\frac{x^2}{12}+\frac{y^2}{16}=1$

02-1

셀파 타원의 정의에서 $\overline{PF}+\overline{PF'}=2\times3=6$임을 이용한다.

타원 $\frac{x^2}{9}+y^2=1$ 위의 점 P에서 두 초점 F, F′으로부터의 거리의 합은 장축의 길이와 같다. 즉,

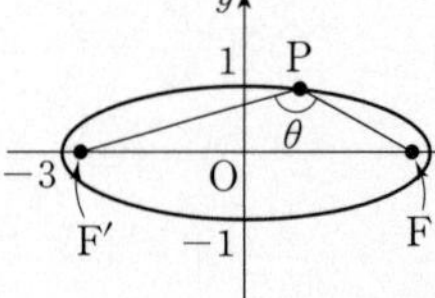

$\overline{PF}+\overline{PF'}=2\times3=6$이고

$\overline{PF'}:\overline{PF}=2:1$에서 $2\overline{PF}=\overline{PF'}$이므로

$\overline{PF}=2, \overline{PF'}=4$

$\sqrt{9-1}=2\sqrt{2}$에서 초점의 좌표는 $(2\sqrt{2}, 0), (-2\sqrt{2}, 0)$

$\therefore \overline{FF'}=2\times2\sqrt{2}=4\sqrt{2}$

삼각형 PF′F에서 코사인법칙으로부터

$$\cos\theta=\frac{\overline{PF'}^2+\overline{PF}^2-\overline{FF'}^2}{2\times\overline{PF'}\times\overline{PF}}$$
$$=\frac{4^2+2^2-(4\sqrt{2})^2}{2\times4\times2}$$
$$=-\mathbf{\frac{3}{4}}$$

LECTURE 코사인법칙

삼각형 ABC에서

$a^2=b^2+c^2-2bc\cos A \Rightarrow \cos A=\frac{b^2+c^2-a^2}{2bc}$

$b^2=c^2+a^2-2ca\cos B \Rightarrow \cos B=\frac{c^2+a^2-b^2}{2ca}$

$c^2=a^2+b^2-2ab\cos C \Rightarrow \cos C=\frac{a^2+b^2-c^2}{2ab}$

02-2

셀파 타원 위의 임의의 점에서 두 초점으로부터의 거리의 합은 타원의 장축의 길이와 같다.

타원 $\frac{x^2}{25}+\frac{y^2}{16}=1$의 초점의 좌표는 $(\pm\sqrt{25-16}, 0)$, 즉 $(\pm3, 0)$이므로 두 점 A(3, 0), B(−3, 0)은 이 타원의 초점이다.

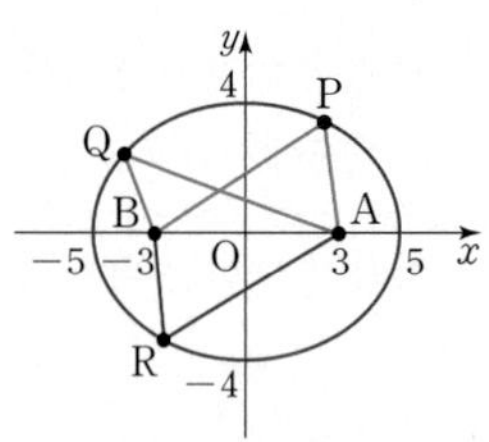

세 점 P, Q, R가 타원 위의 점이므로 타원의 정의에 의하여

$\overline{PA}+\overline{PB}=\overline{QA}+\overline{QB}=\overline{RA}+\overline{RB}=2\times5=10$

이때 $\overline{PA}+\overline{QA}+\overline{RA}=12$이므로

$$\overline{PB}+\overline{QB}+\overline{RB}=(10-\overline{PA})+(10-\overline{QA})+(10-\overline{RA})$$
$$=30-(\overline{PA}+\overline{QA}+\overline{RA})$$
$$=30-12$$
$$=\mathbf{18}$$

03-1

셀파 삼각형 ABF′의 둘레의 길이는 $\overline{AB}+\overline{BF'}+\overline{AF'}=(\overline{AF}+\overline{AF'})+(\overline{BF}+\overline{BF'})$

두 점 F(0, 4), F′(0, −4)를 초점으로 하는 타원

$\frac{x^2}{a^2}+\frac{y^2}{b^2}=1\ (b>a>0)$

의 한 초점의 y좌표가 4이므로

$b^2-a^2=4^2$ ······㉠

장축의 길이가 $2b$이므로 타원의 정의에 의하여

$\overline{AF}+\overline{AF'}=2b, \overline{BF}+\overline{BF'}=2b$ ······㉡

이때 삼각형 ABF′의 둘레의 길이는 24이므로

$\overline{AB}+\overline{BF'}+\overline{AF'}=24$

$(\overline{AF}+\overline{BF})+\overline{BF'}+\overline{AF'}=24$

$\therefore (\overline{AF}+\overline{AF'})+(\overline{BF}+\overline{BF'})=24$

이 식에 ㉡을 대입하면

$2b+2b=24, 4b=24 \qquad \therefore \boldsymbol{b=6}$

$b=6$을 ㉠에 대입하면

$a^2=6^2-4^2=20 \qquad \therefore \boldsymbol{a=2\sqrt{5}}\ (\because a>0)$

03-2

셀파 세 선분 PF′, PF, FF′의 길이를 구하여 삼각형 PF′F가 어떤 삼각형인지 알아본다.

타원 $\frac{x^2}{16}+\frac{y^2}{7}=1$의 장축의 길이가 8이므로 타원의 정의에 의하여

$\overline{PF}+\overline{PF'}=8$

또 $\overline{PF'}:\overline{PF}=3:1$에서

$3\overline{PF}=\overline{PF'}$이므로

$\overline{PF}=2, \overline{PF'}=6$ ······㉠

$a=4, b=\sqrt{7}$에서

$c=\sqrt{16-7}=\sqrt{9}=3$

F(3, 0), F′(−3, 0)이므로 $\overline{FF'}=6$

따라서 삼각형 PF′F는 $\overline{PF'}=\overline{FF'}=6$인 이등변삼각형이므로 점 F′에서 선분 PF에 내린 수선의 발을 H라 하면 피타고라스 정리에 의하여

$\overline{FH}=\frac{1}{2}\times\overline{PF}=\frac{1}{2}\times2=1$

$\overline{F'H}=\sqrt{\overline{FF'}^2-\overline{FH}^2}=\sqrt{6^2-1^2}=\sqrt{35}$

따라서 구하는 삼각형 PF′F의 넓이는

$$\frac{1}{2}\times\overline{PF}\times\overline{F'H}=\frac{1}{2}\times2\times\sqrt{35}$$
$$=\boldsymbol{\sqrt{35}}$$

04-1 셀파 점 P의 좌표를 $\mathrm{P}(x, y)$로 놓고 x, y 사이의 관계식을 구한다.

타원 위의 점을 $\mathrm{P}(x, y)$로 놓으면 $\overline{\mathrm{PF}}+\overline{\mathrm{PF'}}=8$이므로

$\sqrt{(x+1)^2+y^2}+\sqrt{(x+1)^2+(y-4)^2}=8$

$\sqrt{(x+1)^2+y^2}=8-\sqrt{(x+1)^2+(y-4)^2}$

이 식의 양변을 제곱하여 정리하면

$2\sqrt{(x+1)^2+(y-4)^2}=-y+10$

다시 양변을 제곱하여 정리하면

$4(x+1)^2+3(y-2)^2=48$

$\therefore \boldsymbol{\dfrac{(x+1)^2}{12}+\dfrac{(y-2)^2}{16}=1}$

| 다른 풀이 |

초점을 이은 선분 FF′이 y축에 평행하고 타원의 중심은 $\overline{\mathrm{FF'}}$의 중점이므로 구하는 타원의 방정식은

F′(−1, 4)
중심(−1, 2)
F(−1, 0)

$\dfrac{(x+1)^2}{a^2}+\dfrac{(y-2)^2}{b^2}=1$ (단, $b>a>0$)

중심과 초점 사이의 거리가 c이므로 $c=2$

장축의 길이가 8이므로 $2b=8$ $\quad\therefore b=4$

$c^2=b^2-a^2$에서 $2^2=4^2-a^2$ $\quad\therefore a^2=12$

따라서 구하는 타원의 방정식은

$\dfrac{(x+1)^2}{12}+\dfrac{(y-2)^2}{16}=1$

04-2 셀파 두 초점을 이은 선분의 중점은 타원의 중심과 같다.

타원의 중심은 두 초점을 이은 선분의 중점이므로

$\left(\dfrac{2+2}{2}, \dfrac{(1+\sqrt{3})+(1-\sqrt{3})}{2}\right)=(2, 1)$

초점을 이은 선분 FF′이 y축에 평행하고 타원의 중심은 $\overline{\mathrm{FF'}}$의 중점이므로 구하는 타원의 방정식은

$\dfrac{(x-2)^2}{a^2}+\dfrac{(y-1)^2}{b^2}=1$ (단, $b>a>0$)

중심과 초점 사이의 거리가 c이므로 $c=\sqrt{3}$

$c^2=b^2-a^2$에서 $b^2-a^2=3$ $\quad\cdots\cdots$㉠

또 장축의 길이와 단축의 길이의 차가 2이므로

$2b-2a=2,\ b-a=1$ $\quad\cdots\cdots$㉡

㉠, ㉡을 연립하여 풀면

$a=1, b=2$

따라서 구하는 타원의 방정식은

$\boldsymbol{(x-2)^2+\dfrac{(y-1)^2}{4}=1}$

05-1 셀파 주어진 타원의 방정식을 $\dfrac{(x-m)^2}{a^2}+\dfrac{(y-n)^2}{b^2}=1$ 꼴로 고친다.

$4x^2+y^2-16x-6y+21=0$에서

$4(x-2)^2+(y-3)^2=4$

$\therefore (x-2)^2+\dfrac{(y-3)^2}{4}=1$

즉, 주어진 타원은 타원 $x^2+\dfrac{y^2}{4}=1$을 x축의 방향으로 2만큼, y축의 방향으로 3만큼 평행이동한 것이다.

따라서 주어진 타원의

초점의 좌표는 $(2, 3+\sqrt{3}), (2, 3-\sqrt{3})$

장축의 길이는 4

단축의 길이는 2

05-2 셀파 타원의 중심이 (m, n)인 타원의 방정식은 $\dfrac{(x-m)^2}{a^2}+\dfrac{(y-n)^2}{b^2}=1$

두 초점 $(0, 3), (-4, 3)$을 이은 선분의 중점은

$\left(\dfrac{0+(-4)}{2}, \dfrac{3+3}{2}\right)$, 즉 $(-2, 3)$

두 초점이 x축에 평행한 직선 위에 있으므로 주어진 타원의 방정식은

$\dfrac{(x+2)^2}{a^2}+\dfrac{(y-3)^2}{b^2}=1$ (단, $a>b>0$)

로 놓을 수 있다.

장축의 길이가 6이므로 $2a=6$ $\quad\therefore a=3$

이때 중심과 초점 사이의 거리를 c라 하면 $c=0-(-2)=2$

$c^2=a^2-b^2$에서 $b^2=a^2-c^2=9-4=5$

따라서 타원의 방정식은

$\dfrac{(x+2)^2}{9}+\dfrac{(y-3)^2}{5}=1$

이 식을 일반형으로 나타내면

$5x^2+9y^2+20x-54y+56=0$

$\therefore \boldsymbol{A=20, B=-54, C=56}$

| 다른 풀이 |

주어진 타원의 방정식은 두 점 $(0, 3), (-4, 3)$에서의 거리의 합이 6인 점 $\mathrm{P}(x, y)$의 집합이므로

$\sqrt{x^2+(y-3)^2}+\sqrt{(x+4)^2+(y-3)^2}=6$

$\sqrt{(x+4)^2+(y-3)^2}=6-\sqrt{x^2+(y-3)^2}$

이 식의 양변을 제곱하여 정리하면

$3\sqrt{x^2+(y-3)^2}=-2x+5$

다시 양변을 제곱하여 정리하면

$5x^2+9y^2+20x-54y+56=0$

$\therefore A=20, B=-54, C=56$

01 (1) 타원 $\frac{(x-1)^2}{16}+\frac{(y+2)^2}{9}=1$은 타원 $\frac{x^2}{16}+\frac{y^2}{9}=1$을 x축의 방향으로 1만큼, y축의 방향으로 -2만큼 평행이동한 것이다.

이때 타원 $\frac{x^2}{16}+\frac{y^2}{9}=1$의

초점의 좌표는 $(\sqrt{7}, 0)$, $(-\sqrt{7}, 0)$,

꼭짓점의 좌표는 $(4, 0)$, $(-4, 0)$, $(0, 3)$, $(0, -3)$

이므로 주어진 타원의

초점의 좌표 : $(1+\sqrt{7}, -2)$, $(1-\sqrt{7}, -2)$

꼭짓점의 좌표 : $(5, -2)$, $(-3, -2)$, $(1, 1)$, $(1, -5)$

(2) 타원 $\frac{(x+1)^2}{4}+\frac{(y-2)^2}{25}=1$은 타원 $\frac{x^2}{4}+\frac{y^2}{25}=1$을 x축의 방향으로 -1만큼, y축의 방향으로 2만큼 평행이동한 것이다.

이때 타원 $\frac{x^2}{4}+\frac{y^2}{25}=1$의

초점의 좌표는 $(0, \sqrt{21})$, $(0, -\sqrt{21})$,

꼭짓점의 좌표는 $(2, 0)$, $(-2, 0)$, $(0, 5)$, $(0, -5)$

이므로 주어진 타원의

초점의 좌표 : $(-1, 2+\sqrt{21})$, $(-1, 2-\sqrt{21})$

꼭짓점의 좌표 : $(1, 2)$, $(-3, 2)$, $(-1, 7)$, $(-1, -3)$

(3) 타원 $\frac{(x+1)^2}{25}+\frac{(y-3)^2}{16}=1$은 타원 $\frac{x^2}{25}+\frac{y^2}{16}=1$을 x축의 방향으로 -1만큼, y축의 방향으로 3만큼 평행이동한 것이다.

이때 타원 $\frac{x^2}{25}+\frac{y^2}{16}=1$의

초점의 좌표는 $(3, 0)$, $(-3, 0)$,

꼭짓점의 좌표는 $(5, 0)$, $(-5, 0)$, $(0, 4)$, $(0, -4)$

이므로 주어진 타원의

초점의 좌표 : $(2, 3)$, $(-4, 3)$

꼭짓점의 좌표 : $(4, 3)$, $(-6, 3)$, $(-1, 7)$, $(-1, -1)$

02 (1) $9x^2+25y^2=225$에서 $\frac{x^2}{25}+\frac{y^2}{9}=1$

초점의 좌표 : $(4, 0)$, $(-4, 0)$

장축의 길이 : $2\times5=10$

단축의 길이 : $2\times3=6$

(2) $x^2+4y^2-4x-24y+24=0$에서

$(x-2)^2+4(y-3)^2=16$

$\therefore \frac{(x-2)^2}{16}+\frac{(y-3)^2}{4}=1$

즉, 주어진 타원은 타원 $\frac{x^2}{16}+\frac{y^2}{4}=1$을 x축의 방향으로 2만큼, y축의 방향으로 3만큼 평행이동한 것이다.

따라서 주어진 타원의

초점의 좌표 : $(2+2\sqrt{3}, 3)$, $(2-2\sqrt{3}, 3)$

장축의 길이 : $2\times4=8$

단축의 길이 : $2\times2=4$

(3) $4x^2+y^2-8x+6y-51=0$에서

$4(x-1)^2+(y+3)^2=64$

$\therefore \frac{(x-1)^2}{16}+\frac{(y+3)^2}{64}=1$

즉, 주어진 타원은 타원 $\frac{x^2}{16}+\frac{y^2}{64}=1$을 x축의 방향으로 1만큼, y축의 방향으로 -3만큼 평행이동한 것이다.

따라서 주어진 타원의

초점의 좌표 : $(1, -3+4\sqrt{3})$, $(1, -3-4\sqrt{3})$

장축의 길이 : $2\times8=16$

단축의 길이 : $2\times4=8$

06-1 **셀파** **마름모는 두 대각선에 의해 합동인 4개의 직각삼각형으로 나뉜다.**

점 A, D의 좌표를 각각 $(0, b)$, $(a, 0)$ $(a>b>0)$,
타원의 초점의 좌표를 $F(c, 0)$, $F'(-c, 0)$ $(c>0)$으로 놓으면

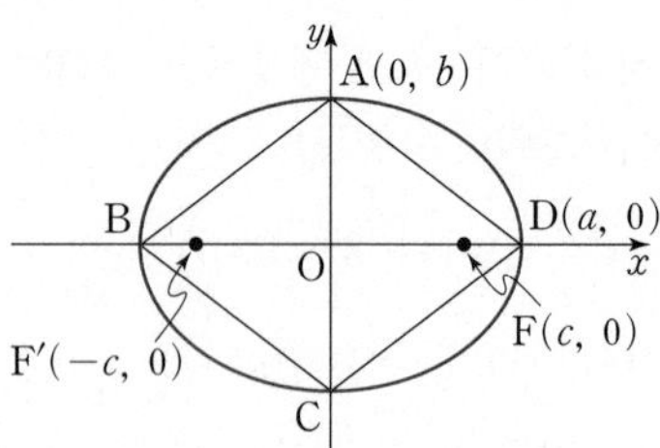

$\overline{AD}=10$이므로 $a^2+b^2=100$ ······㉠

$c=5\sqrt{2}$이므로 $(5\sqrt{2})^2+b^2=a^2$ ······㉡

㉠, ㉡을 연립하여 풀면 $50+2b^2=100$, $b^2=25$

$\therefore a=5\sqrt{3}$, $b=5$ ($\because a>0, b>0$)

따라서 구하는 마름모 ABCD의 넓이는

$\frac{1}{2}\times10\sqrt{3}\times10=\mathbf{50\sqrt{3}}$

07-1 **셀파** 타원의 중심이 좌표평면의 원점에 오도록 좌표평면 위에 타원 궤도를 나타낸다.

타원의 중심이 원점에 오도록 타원 궤도를 좌표평면 위에 나타내면 타원의 방정식을 $\frac{x^2}{a^2}+\frac{y^2}{b^2}=1\ (a>b>0)$로 놓을 수 있다.

이때 장축의 길이가 36AU, 단축의 길이가 $16\sqrt{2}$AU이므로

$2a=36$에서 $a=18$, $2b=16\sqrt{2}$에서 $b=8\sqrt{2}$

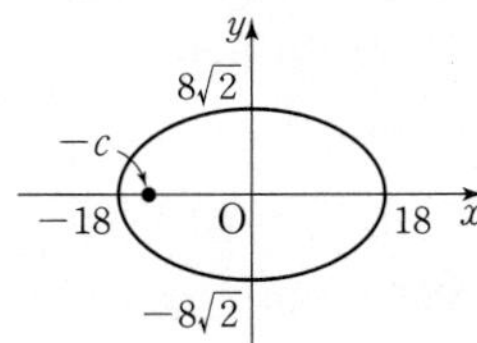

태양이 위치한 초점의 좌표를 $(-c,\ 0)\ (c>0)$이라 하면

$c=\sqrt{a^2-b^2}=\sqrt{18^2-(8\sqrt{2})^2}=14$

혜성과 태양이 가장 가까울 때는 혜성이 꼭짓점 $(-18,\ 0)$을 지날 때이므로 혜성과 태양 사이의 거리는

$-14-(-18)=$**4(AU)**

연습 문제

본문 | 40~41 쪽

01 **셀파** 타원 $\frac{x^2}{a^2}+\frac{y^2}{b^2}=1\ (a>b>0)$의 단축의 길이는 $2b$이다.

타원의 방정식을 $\frac{x^2}{a^2}+\frac{y^2}{b^2}=1\ (a>b>0)$로 놓으면

$2b=10$에서 $b=5$이고, $3^2=a^2-5^2$, $a^2=34$

따라서 구하는 타원의 방정식은 $\boldsymbol{\frac{x^2}{34}+\frac{y^2}{25}=1}$

02 **셀파** 원 $x^2+y^2=16$과 y축이 만나는 두 점의 좌표는 $(0,\ 4)$, $(0,\ -4)$이다.

타원의 두 초점을 F, F′이라 하면

F$(0,\ 4)$, F′$(0,\ -4)$

타원의 방정식을 $\frac{x^2}{a^2}+\frac{y^2}{b^2}=1\ (b>a>0)$로 놓으면

$2b=8\sqrt{2}$에서 $b=4\sqrt{2}$이고

$4^2=(4\sqrt{2})^2-a^2$, $a^2=16$ $\quad\therefore a=4$

따라서 타원의 단축의 길이는

$2\times4=$**8**

03 **셀파** 초점의 좌표가 y축 위에 있으면 타원 $\frac{x^2}{a^2}+\frac{y^2}{b^2}=1$의 장축의 길이는 $2b$이다.

타원 $4x^2+y^2=4$, 즉 $x^2+\frac{y^2}{4}=1$의 두 초점의 좌표를

$(0,\ c)$, $(0,\ -c)\ (c>0)$라 하면

$c=\sqrt{4-1}=\sqrt{3}$에서 $(0,\ \sqrt{3})$, $(0,\ -\sqrt{3})$

타원 $\frac{x^2}{a^2}+\frac{y^2}{b^2}=1\ (b>a>0)$의 장축의 길이가 6이므로

$2b=6$ $\quad\therefore b=3$

또 $c^2=b^2-a^2$에서 $3=9-a^2$ $\quad\therefore a^2=6$

$\therefore a^2+b^2=6+9=$**15**

04 **셀파** 타원의 두 초점의 좌표를 구한다.

타원 $\frac{x^2}{16}+\frac{y^2}{12}=1$의 두 초점의 좌표를 $(c,\ 0)$, $(-c,\ 0)\ (c>0)$이라 하면 $c=\sqrt{16-12}=2$에서 $(2,\ 0)$, $(-2,\ 0)$

즉, 두 점 A$(-2,\ 0)$, B$(2,\ 0)$은 주어진 타원의 초점이고, 장축의 길이가 8이므로 타원의 정의에서

$\overline{\text{PA}}+\overline{\text{PB}}=8$

이때 $\overline{\text{PA}}>0$, $\overline{\text{PB}}>0$이므로 산술평균과 기하평균의 관계에서

$\overline{\text{PA}}+\overline{\text{PB}}\ge2\sqrt{\overline{\text{PA}}\times\overline{\text{PB}}}$ (단, 등호는 $\overline{\text{PA}}=\overline{\text{PB}}$일 때 성립)

$8\ge2\sqrt{\overline{\text{PA}}\times\overline{\text{PB}}}$ $\quad\therefore \overline{\text{PA}}\times\overline{\text{PB}}\le16$

따라서 $\overline{\text{PA}}\times\overline{\text{PB}}$의 최댓값은 **16**

05 **셀파** 타원의 초점의 좌표와 포물선의 초점의 좌표, 준선의 방정식을 구한다.

타원 $\frac{x^2}{12}+\frac{y^2}{8}=1$의 초점의 좌표는 $(2,\ 0)$, $(-2,\ 0)$

포물선 $y^2=8x=4\times2\times x$에서 초점의 좌표는 $(2,\ 0)$, 준선의 방정식은 $x=-2$

따라서 F$(2,\ 0)$이라 하면

포물선의 정의에 의하여 $\overline{\text{AH}}=\overline{\text{AF}}$

타원의 정의에 의하여 $\overline{\text{AB}}+\overline{\text{AF}}=$(장축의 길이)이므로

$\overline{\text{AB}}+\overline{\text{AH}}=\overline{\text{AB}}+\overline{\text{AF}}=2\times2\sqrt{3}=$**$4\sqrt{3}$**

06 셀파 타원의 또 다른 초점 F′에 대하여 $\overline{PF}=\overline{PF'}$이 성립하는 i를 조사한다.

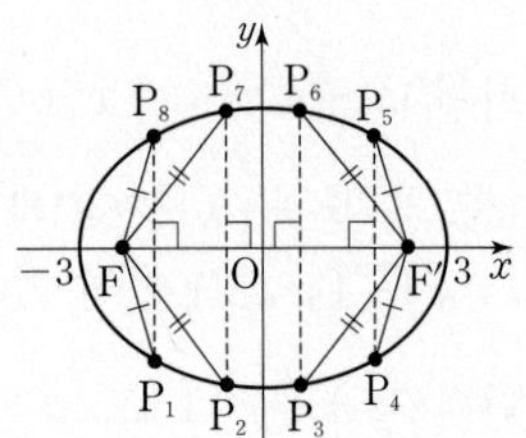

타원 $\frac{x^2}{9}+\frac{y^2}{4}=1$의 초점 중 x좌표가 양수인 점을 F′이라 하자.
타원 위의 점 $P_i(i=1, 2, \cdots, 8)$로부터 두 초점 F, F′까지의 거리 합은 장축의 길이와 같으므로
$\overline{P_iF}+\overline{P_iF'}=2\times 3=6$
이때 주어진 타원은 y축에 대하여 대칭이므로
$\overline{P_1F}=\overline{P_4F'}$, $\overline{P_2F}=\overline{P_3F'}$, $\overline{P_7F}=\overline{P_6F'}$, $\overline{P_8F}=\overline{P_5F'}$

$\therefore \sum_{i=1}^{8}\overline{P_iF}$
$=\overline{P_1F}+\overline{P_2F}+\overline{P_3F}+\overline{P_4F}+\overline{P_5F}+\overline{P_6F}+\overline{P_7F}+\overline{P_8F}$
$=\overline{P_4F'}+\overline{P_3F'}+\overline{P_3F}+\overline{P_4F}+\overline{P_5F}+\overline{P_6F}+\overline{P_6F'}+\overline{P_5F'}$
$=(\overline{P_3F}+\overline{P_3F'})+(\overline{P_4F}+\overline{P_4F'})+(\overline{P_5F}+\overline{P_5F'})+(\overline{P_6F}+\overline{P_6F'})$
$=4\times 6=$**24**

07 셀파 두 초점이 F, F′인 타원 위의 점 P에 대하여 $\overline{PF}+\overline{PF'}=$(장축의 길이)

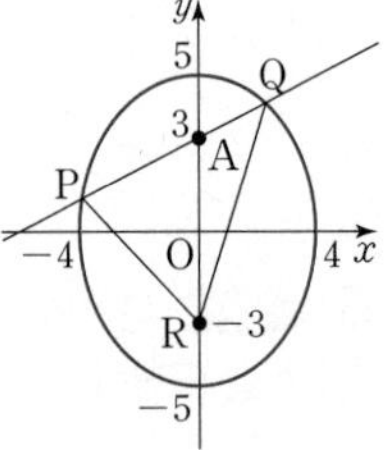

㉮ 타원의 두 초점의 좌표는
(0, 3), (0, −3)
이므로 두 점 A(0, 3), R(0, −3)은 주어진 타원의 초점이다.
㉯ 타원의 정의에 의하여
$\overline{PA}+\overline{PR}=\overline{QA}+\overline{QR}$
$=2\times 5=10$
㉰ 따라서 삼각형 PQR의 둘레의 길이는
$\overline{PQ}+\overline{PR}+\overline{QR}=\overline{PA}+\overline{QA}+\overline{PR}+\overline{QR}$
$=(\overline{PA}+\overline{PR})+(\overline{QA}+\overline{QR})$
$=2\times 10=$**20**

채점 기준	배점
㉮ 타원의 두 초점의 좌표를 구한다.	20%
㉯ $\overline{PA}+\overline{PR}$, $\overline{QA}+\overline{QR}$의 값을 구한다.	40%
㉰ 삼각형 PQR의 둘레의 길이를 구한다.	40%

08 셀파 원의 지름에 대한 원주각의 크기는 90°이다.

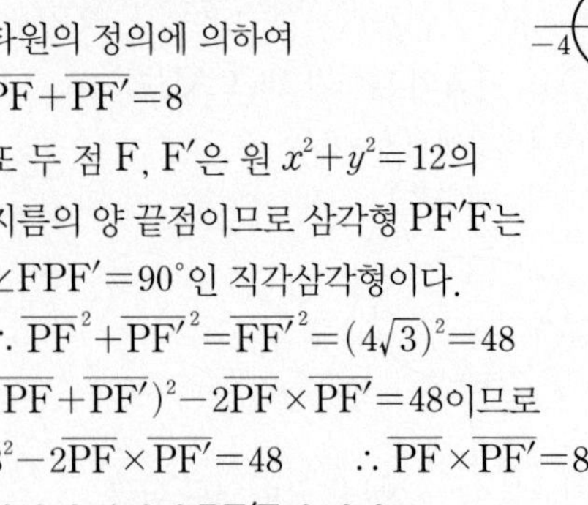

타원 $\frac{x^2}{16}+\frac{y^2}{4}=1$의 두 초점은
$F(2\sqrt{3}, 0)$, $F'(-2\sqrt{3}, 0)$
타원의 정의에 의하여
$\overline{PF}+\overline{PF'}=8$
또 두 점 F, F′은 원 $x^2+y^2=12$의 지름의 양 끝점이므로 삼각형 PF′F는 ∠FPF′=90°인 직각삼각형이다.
$\therefore \overline{PF}^2+\overline{PF'}^2=\overline{FF'}^2=(4\sqrt{3})^2=48$
$(\overline{PF}+\overline{PF'})^2-2\overline{PF}\times\overline{PF'}=48$이므로
$8^2-2\overline{PF}\times\overline{PF'}=48$ $\therefore \overline{PF}\times\overline{PF'}=8$
따라서 삼각형 PF′F의 넓이는
$\frac{1}{2}\times\overline{PF}\times\overline{PF'}=\frac{1}{2}\times 8=$**4**

09 셀파 타원을 x축의 방향으로 m만큼, y축의 방향으로 n만큼 평행이동하면 초점의 좌표도 x축의 방향으로 m만큼, y축의 방향으로 n만큼 평행이동한다.

주어진 타원은 타원 $\frac{x^2}{8}+\frac{y^2}{12}=1$을 x축의 방향으로 1만큼, y축의 방향으로 −3만큼 평행이동한 것이다.
이때 타원 $\frac{x^2}{8}+\frac{y^2}{12}=1$의 초점의 좌표는 (0, 2), (0, −2)이므로
주어진 타원의 초점의 좌표는
(0+1, 2−3), (0+1, −2−3), 즉 **(1, −1), (1, −5)**

10 셀파 두 초점을 이은 선분의 중점은 타원의 중심이다.

타원의 중심은 두 초점을 이은 선분의 중점이므로
$\left(\frac{5+(-1)}{2}, 0\right)$, 즉 (2, 0)
구하는 타원의 방정식을 $\frac{(x-2)^2}{a^2}+\frac{y^2}{b^2}=1$ $(a>b>0)$로 놓으면
타원의 정의에 의하여
$\overline{PF}+\overline{PF'}=2a$
이때 삼각형 PFF′의 둘레의 길이가 16이므로
$\overline{PF}+\overline{PF'}+\overline{FF'}=16$
$\overline{FF'}=6$이므로 $2a+6=16$ $\therefore a=5$
또 중심과 초점 사이의 거리를 c라 하면 $c=3$
$c^2=a^2-b^2$에서 $9=25-b^2$ $\therefore b^2=16$
따라서 구하는 타원의 방정식은
$\mathbf{\frac{(x-2)^2}{25}+\frac{y^2}{16}=1}$

11 셀파 중심이 (m, n)인 타원의 방정식

⇨ $\frac{(x-m)^2}{a^2}+\frac{(y-n)^2}{b^2}=1$

타원 $7x^2+16y^2+Ax+By+C=0$의 중심은 두 초점 $(0, 2)$, $(-6, 2)$를 이은 선분의 중점이므로

$\left(\frac{0-6}{2}, \frac{2+2}{2}\right)$, 즉 $(-3, 2)$

두 초점이 x축에 평행한 직선 $y=2$ 위에 있으므로 주어진 타원의 방정식은

$\frac{(x+3)^2}{a^2}+\frac{(y-2)^2}{b^2}=1$ $(a>b>0)$

로 놓을 수 있다.

장축의 길이가 8이므로 $2a=8$ $\therefore a=4$

이때 중심과 초점 사이의 거리를 c라 하면 $c=0-(-3)=3$

$c^2=a^2-b^2$에서 $b^2=a^2-c^2=16-9=7$

따라서 주어진 타원의 방정식은

$\frac{(x+3)^2}{16}+\frac{(y-2)^2}{7}=1$

이 식을 일반형으로 나타내면 $7x^2+16y^2+42x-64y+15=0$

$\therefore$ $\boldsymbol{A=42, B=-64, C=15}$

| 다른 풀이 |

주어진 타원의 방정식은 두 점 $(0, 2)$, $(-6, 2)$에서의 거리의 합이 8인 점 $\mathrm{P}(x, y)$의 집합이므로

$\sqrt{x^2+(y-2)^2}+\sqrt{(x+6)^2+(y-2)^2}=8$

$\sqrt{x^2+(y-2)^2}=8-\sqrt{(x+6)^2+(y-2)^2}$

양변을 제곱하여 정리하면

$4\sqrt{(x+6)^2+(y-2)^2}=3x+25$

다시 양변을 제곱하여 정리하면

$7x^2+16y^2+42x-64y+15=0$

$\therefore A=42, B=-64, C=15$

12 셀파 점 P의 좌표를 타원의 방정식에 대입한다.

점 $\mathrm{P}(2, 3)$이 타원 $\frac{x^2}{a^2}+\frac{y^2}{b^2}=1$ 위에 있으므로

$\frac{4}{a^2}+\frac{9}{b^2}=1$ ⋯⋯㉠

$\frac{4}{a^2}>0$, $\frac{9}{b^2}>0$이므로 산술평균과 기하평균의 관계에서

$\frac{4}{a^2}+\frac{9}{b^2}\geq 2\sqrt{\frac{4}{a^2}\times\frac{9}{b^2}}=\frac{12}{ab}$ $\left(\text{단, 등호는 } \frac{4}{a^2}=\frac{9}{b^2}\text{일 때 성립}\right)$

$1\geq\frac{12}{ab}$ $\therefore ab\geq 12$

한편 $b>a>0$에서 장축의 길이는 $2b$, 단축의 길이는 $2a$이고 장축의 길이와 단축의 길이의 곱 $4ab$의 값이 최소일 때는

$\frac{4}{a^2}=\frac{9}{b^2}$일 때이다.

따라서 $\frac{4}{a^2}=\frac{9}{b^2}$를 ㉠에 대입하여 풀면 $a^2=8$, $b^2=18$

$\therefore$ $\boldsymbol{a=2\sqrt{2}, b=3\sqrt{2}}$ $(\because a>0, b>0)$

13 셀파 타원의 장축의 길이는 30, 단축의 길이는 20이다.

터널의 단면의 타원의 방정식을

$\frac{x^2}{a^2}+\frac{y^2}{b^2}=1$ $(a>b>0)$

이라 하면 $a=15$, $b=10$이므로

타원의 방정식은

$\frac{x^2}{15^2}+\frac{y^2}{10^2}=1$

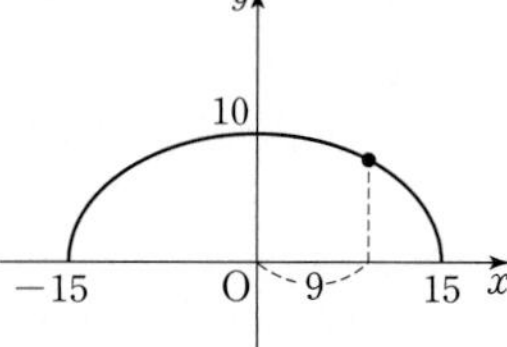

조명등의 도로면으로부터의 높이는 $x=9$일 때의 y의 값이므로

$\frac{9^2}{15^2}+\frac{y^2}{10^2}=1$, $\frac{y^2}{100}=\frac{144}{225}$

$\therefore y=\frac{12\times 10}{15}=8(\mathrm{m})$ $(\because y>0)$

따라서 구하는 조명등의 도로면으로부터의 높이는 **8 m**

14 셀파 타원의 장축과 단축의 길이를 구한다.

오른쪽 그림의 삼각형 COH에서

$\angle\mathrm{COH}=60^\circ$이므로

$\overline{\mathrm{OC}}=\frac{10}{\cos 60^\circ}=\frac{10}{\frac{1}{2}}=20$

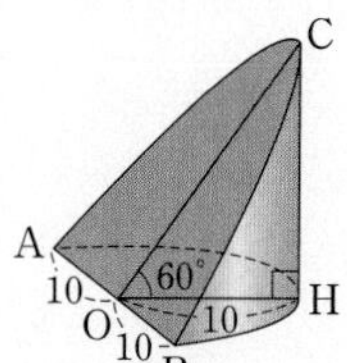

즉, 타원의 단축의 길이는 $\overline{\mathrm{AB}}=20$,

장축의 길이는 $2\overline{\mathrm{OC}}=40$이다.

이때 직선 OC를 x축, 직선 AB를 y축으로 하는 좌표평면을 생각하면 타원의 방정식은 $\frac{x^2}{20^2}+\frac{y^2}{10^2}=1$이다.

초점의 좌표를 $\mathrm{F}(c, 0)$, $\mathrm{F}'(-c, 0)$ $(c>0)$이라 하면

$c=\sqrt{20^2-10^2}=10\sqrt{3}$이므로

$\mathrm{F}(10\sqrt{3}, 0)$, $\mathrm{F}'(-10\sqrt{3}, 0)$

따라서 두 초점 F, F′ 사이의 거리는

$\overline{\mathrm{FF'}}=2\times 10\sqrt{3}=\boldsymbol{20\sqrt{3}}$

3. 쌍곡선

개념 익히기 본문 | 45 쪽

1-1 $\frac{x^2}{9}-\frac{y^2}{4}=1$에서 $a=3$, $b=2$이므로

$c=\sqrt{3^2+2^2}=\sqrt{13}$

초점의 좌표 : $(\boxed{\sqrt{13}}, 0)$, $(-\sqrt{13}, 0)$

꼭짓점의 좌표 : $(3, 0)$, $(-3, 0)$

주축의 길이 : $2\times3=6$

또 그 그래프는 오른쪽 그림과 같다.

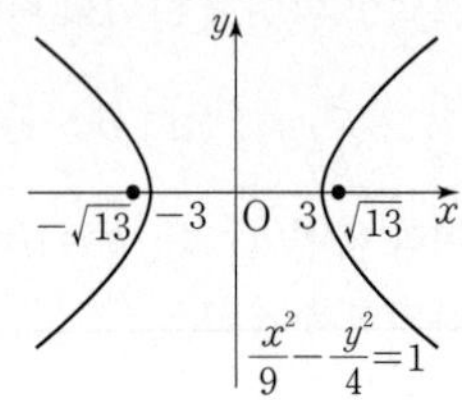

1-2 (1) $\frac{x^2}{9}-\frac{y^2}{16}=1$에서 $a=3$, $b=4$이므로

$c=\sqrt{3^2+4^2}=5$

초점의 좌표 : $(5, 0)$, $(-5, 0)$

꼭짓점의 좌표 : $(3, 0)$, $(-3, 0)$

주축의 길이 : $2\times3=6$

또 그 그래프는 오른쪽 그림과 같다.

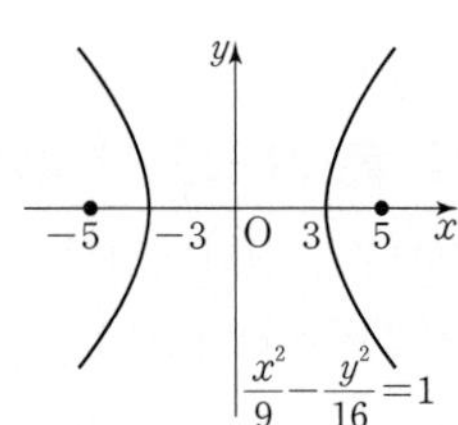

(2) $\frac{x^2}{8}-\frac{y^2}{4}=-1$에서 $a=2\sqrt{2}$, $b=2$이므로

$c=\sqrt{(2\sqrt{2})^2+2^2}=2\sqrt{3}$

초점의 좌표 : $(0, 2\sqrt{3})$, $(0, -2\sqrt{3})$

꼭짓점의 좌표 : $(0, 2)$, $(0, -2)$

주축의 길이 : $2\times2=4$

또 그 그래프는 오른쪽 그림과 같다.

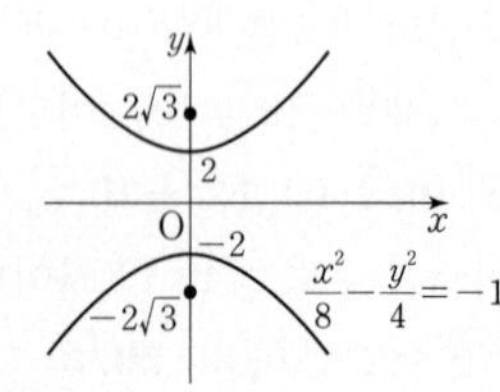

2-1 $x^2-y^2=1$ —(x축의 방향으로 2만큼, y축의 방향으로 3만큼 평행이동)→ $(x-2)^2-(y-3)^2=1$

$(\sqrt{2}, 0)$, $(-\sqrt{2}, 0)$ …… 초점의 좌표 …… $(2+\sqrt{2}, 3)$, $(2-\sqrt{2}, 3)$

$(1, 0)$, $(-1, 0)$ …… 꼭짓점의 좌표 …… $(3, 3)$, $(\boxed{1}, 3)$

주축의 길이 : $2\times\boxed{1}=\boxed{2}$

2-2 (1) $\frac{x^2}{16}-\frac{y^2}{9}=1$ —(x축의 방향으로 -1만큼, y축의 방향으로 2만큼 평행이동)→ $\frac{(x+1)^2}{16}-\frac{(y-2)^2}{9}=1$

$(5, 0)$, $(-5, 0)$ …… 초점의 좌표 …… $(4, 2)$, $(-6, 2)$

$(4, 0)$, $(-4, 0)$ …… 꼭짓점의 좌표 …… $(3, 2)$, $(-5, 2)$

주축의 길이 : $2\times4=8$

(2) $x^2-\frac{y^2}{4}=-1$ —(x축의 방향으로 -1만큼, y축의 방향으로 2만큼 평행이동)→ $(x+1)^2-\frac{(y-2)^2}{4}=-1$

$(0, \sqrt{5})$, $(0, -\sqrt{5})$ …… 초점의 좌표 …… $(-1, 2+\sqrt{5})$, $(-1, 2-\sqrt{5})$

$(0, 2)$, $(0, -2)$ …… 꼭짓점의 좌표 …… $(-1, 4)$, $(-1, 0)$

주축의 길이 : $2\times2=4$

확인 문제 본문 | 48~56 쪽

01-1 셀파 **초점이 y축 위에 있는 쌍곡선의 방정식은 $\frac{x^2}{a^2}-\frac{y^2}{b^2}=-1$ $(a>0, b>0)$ 꼴이다.**

초점이 y축 위에 있고 거리의 차가 6이므로 구하는 쌍곡선의 방정식을

$\frac{x^2}{a^2}-\frac{y^2}{b^2}=-1$ $(a>0, b>0)$

로 놓으면 $2b=6$에서 $b=3$

$c=5$에서 $a^2=c^2-b^2=5^2-3^2=16$

따라서 구하는 쌍곡선의 방정식은

$\frac{x^2}{16}-\frac{y^2}{9}=-1$

| 다른 풀이 |

쌍곡선 위의 점을 $\mathrm{P}(x, y)$로 놓으면

$|\overline{\mathrm{PF'}}-\overline{\mathrm{PF}}|=6$이므로

$|\sqrt{x^2+(y+5)^2}-\sqrt{x^2+(y-5)^2}|=6$

$\sqrt{x^2+(y+5)^2}=\sqrt{x^2+(y-5)^2}\pm6$

이 식의 양변을 제곱하여 정리하면

$5y-9=\pm3\sqrt{x^2+(y-5)^2}$

다시 양변을 제곱하여 정리하면

$9x^2-16y^2=-144$

$\therefore \dfrac{x^2}{16}-\dfrac{y^2}{9}=-1$

01-2 셀파 타원 $\dfrac{x^2}{a^2}+\dfrac{y^2}{b^2}=1$ $(a>b>0)$의 두 초점을 $\mathrm{F}(c, 0)$, $\mathrm{F'}(-c, 0)$ $(c>0)$이라 하면 $c=\sqrt{a^2-b^2}$이다.

타원 $\dfrac{x^2}{25}+\dfrac{y^2}{9}=1$의 두 초점을 $\mathrm{F}(c, 0)$, $\mathrm{F'}(-c, 0)$ $(c>0)$이라 하면 $c=\sqrt{25-9}=4$이므로

$\mathrm{F}(4, 0)$, $\mathrm{F'}(-4, 0)$

초점이 x축 위에 있고 거리의 차가 6이므로 구하는 쌍곡선의 방정식을

$\dfrac{x^2}{a^2}-\dfrac{y^2}{b^2}=1$ $(a>0, b>0)$

로 놓으면 $2a=6$에서 $a=3$

$c=4$에서 $b^2=c^2-a^2=16-9=7$

따라서 구하는 쌍곡선의 방정식은

$\boldsymbol{\dfrac{x^2}{9}-\dfrac{y^2}{7}=1}$

| 다른 풀이 |

타원 $\dfrac{x^2}{25}+\dfrac{y^2}{9}=1$의 두 초점은 $\mathrm{F}(4, 0)$, $\mathrm{F'}(-4, 0)$

쌍곡선 위의 점을 $\mathrm{P}(x, y)$로 놓으면

$|\overline{\mathrm{PF'}}-\overline{\mathrm{PF}}|=6$이므로

$|\sqrt{(x+4)^2+y^2}-\sqrt{(x-4)^2+y^2}|=6$

$\sqrt{(x+4)^2+y^2}=\sqrt{(x-4)^2+y^2}\pm6$

이 식의 양변을 제곱하여 정리하면

$4x-9=\pm3\sqrt{(x-4)^2+y^2}$

다시 양변을 제곱하여 정리하면

$7x^2-9y^2=63$

$\therefore \dfrac{x^2}{9}-\dfrac{y^2}{7}=1$

02-1 셀파 각의 이등분선의 성질에서 $\overline{\mathrm{PF'}}:\overline{\mathrm{PF}}=\overline{\mathrm{F'A}}:\overline{\mathrm{FA}}$

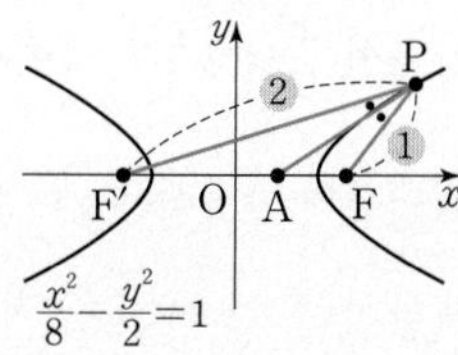

각의 이등분선의 성질에 의하여

$\overline{\mathrm{PF'}}:\overline{\mathrm{PF}}=\overline{\mathrm{F'A}}:\overline{\mathrm{FA}}=2:1$

$\overline{\mathrm{PF}}=k$ $(k>0)$로 놓으면 $\overline{\mathrm{PF'}}=2k$이므로

$\overline{\mathrm{PF'}}-\overline{\mathrm{PF}}=2k-k=k$ ……㉠

쌍곡선의 정의에 의하여 쌍곡선 $\dfrac{x^2}{8}-\dfrac{y^2}{2}=1$ 위의 점 P와 두 초점 F, F′으로부터의 거리의 차는 쌍곡선의 주축의 길이와 같으므로

$\overline{\mathrm{PF'}}-\overline{\mathrm{PF}}=4\sqrt{2}$ ……㉡

㉠, ㉡에서 $k=4\sqrt{2}$

$\therefore \overline{\mathrm{PF'}}^2+\overline{\mathrm{PF}}^2=(8\sqrt{2})^2+(4\sqrt{2})^2=\mathbf{160}$

| 참고 |

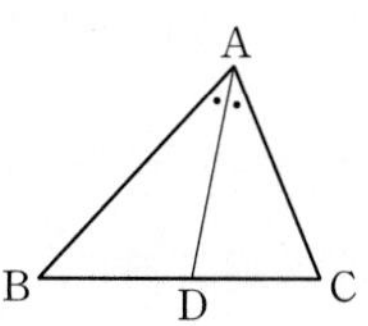

삼각형 ABC에서 ∠A(또는 ∠A의 외각)의 이등분선과 변 BC(또는 변 BC의 연장선)와의 교점을 D라 할 때

$\overline{\mathrm{AB}}:\overline{\mathrm{AC}}=\overline{\mathrm{BD}}:\overline{\mathrm{CD}}$

셀파 특강 확인 체크 01

(1) 쌍곡선 $\dfrac{x^2}{12}-\dfrac{y^2}{3}=1$에서

$\dfrac{x^2}{(2\sqrt{3})^2}-\dfrac{y^2}{(\sqrt{3})^2}=1$이므로 $a=2\sqrt{3}$, $b=\sqrt{3}$

점근선의 방정식 : $y=\pm\dfrac{\sqrt{3}}{2\sqrt{3}}x$, 즉 $\boldsymbol{y=\pm\dfrac{1}{2}x}$

꼭짓점의 좌표 : $\mathbf{(2\sqrt{3}, 0), (-2\sqrt{3}, 0)}$

또 그 그래프는 다음 그림과 같다.

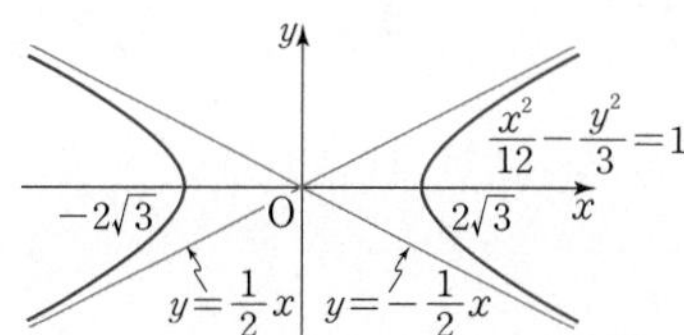

(2) 쌍곡선 $\dfrac{x^2}{12}-\dfrac{y^2}{3}=-1$에서 $a=2\sqrt{3}$, $b=\sqrt{3}$이므로

점근선의 방정식 : $y=\pm\dfrac{\sqrt{3}}{2\sqrt{3}}x$, 즉 $\boldsymbol{y=\pm\dfrac{1}{2}x}$

꼭짓점의 좌표 : $\mathbf{(0, \sqrt{3}), (0, -\sqrt{3})}$

또 그 그래프는 다음 그림과 같다.

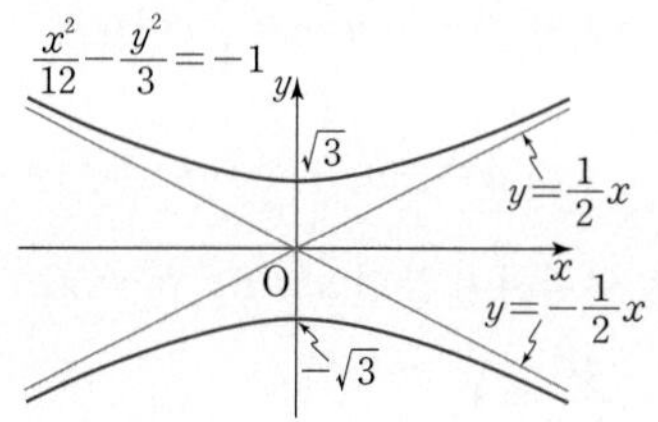

03-1 셀파 포물선 $y^2=4px$의 준선의 방정식은 $x=-p$이다.

쌍곡선 $\frac{x^2}{4}-y^2=-1$에서 $\frac{x^2}{2^2}-y^2=-1$이므로 $a=2$, $b=1$

점근선의 방정식은 $y=\pm\frac{1}{2}x$ ……㉠

포물선 $y^2=8x=4\times2\times x$의 준선의 방정식은 $x=-2$

$x=-2$를 ㉠에 대입하면 쌍곡선의 두 점근선과 포물선의 준선의 교점은 $(-2, 1)$, $(-2, -1)$

$\therefore \overline{PQ}=|1-(-1)|=\mathbf{2}$

03-2 셀파 쌍곡선 $\frac{x^2}{16}-\frac{y^2}{9}=1$의 초점의 좌표와 점근선의 방정식을 구한다.

$9x^2-16y^2=144$에서 $\frac{x^2}{16}-\frac{y^2}{9}=1$, 즉 $\frac{x^2}{4^2}-\frac{y^2}{3^2}=1$이므로

두 초점의 좌표는 $(5, 0)$, $(-5, 0)$이고, 점근선의 방정식은 ($(\pm\sqrt{4^2+3^2}, 0)$)

$y=\pm\frac{3}{4}x$이다.

이때 한 초점을 지나면서 점근선과 평행한 직선의 방정식은

$y=\frac{3}{4}(x+5)$, $y=\frac{3}{4}(x-5)$,

$y=-\frac{3}{4}(x+5)$, $y=-\frac{3}{4}(x-5)$

따라서 이 4개의 직선으로 둘러싸인 도형은 오른쪽 그림의 색칠한 부분과 같으므로 그 넓이는

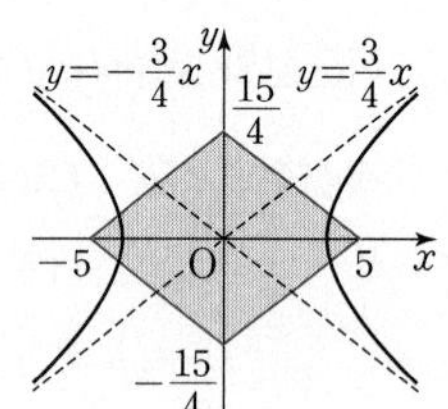

$\frac{1}{2}\times(2\times5)\times\left(2\times\frac{15}{4}\right)=\mathbf{\frac{75}{2}}$

(2) 초점이 $F(\sqrt{5}, 0)$, $F'(-\sqrt{5}, 0)$이므로 구하는 쌍곡선의 방정식을 $\frac{x^2}{a^2}-\frac{y^2}{b^2}=1$ $(a>0, b>0)$로 놓으면

$a^2+b^2=5$ ……㉠

또 점근선의 방정식이 $y=\pm\frac{1}{2}x$이므로

$\frac{b}{a}=\frac{1}{2}$ $\quad\therefore a=2b$ ……㉡

㉠, ㉡을 연립하여 풀면 $a^2=4$, $b^2=1$

$\therefore \mathbf{\frac{x^2}{4}-y^2=1}$

(3) 초점이 $F(0, 4)$, $F'(0, -4)$이므로 구하는 쌍곡선의 방정식을 $\frac{x^2}{a^2}-\frac{y^2}{b^2}=-1$ $(a>0, b>0)$로 놓으면

$a^2+b^2=16$ ……㉠

또 점근선의 방정식이 $y=\pm\frac{\sqrt{3}}{3}x$이므로

$\frac{b}{a}=\frac{\sqrt{3}}{3}$ $\quad\therefore a=\sqrt{3}b$ ……㉡

㉠, ㉡을 연립하여 풀면 $a^2=12$, $b^2=4$

$\therefore \mathbf{\frac{x^2}{12}-\frac{y^2}{4}=-1}$

(4) 초점이 $F(0, \sqrt{10})$, $F'(0, -\sqrt{10})$이므로 구하는 쌍곡선의 방정식을 $\frac{x^2}{a^2}-\frac{y^2}{b^2}=-1$ $(a>0, b>0)$로 놓으면

$a^2+b^2=10$ ……㉠

또 점근선의 방정식이 $y=\pm3x$이므로

$\frac{b}{a}=3$ $\quad\therefore b=3a$ ……㉡

㉠, ㉡을 연립하여 풀면 $a^2=1$, $b^2=9$

$\therefore \mathbf{x^2-\frac{y^2}{9}=-1}$

집중 연습

본문 | 52 쪽

01 (1) 초점이 $F(10, 0)$, $F'(-10, 0)$이므로 구하는 쌍곡선의 방정식을 $\frac{x^2}{a^2}-\frac{y^2}{b^2}=1$ $(a>0, b>0)$로 놓으면

$a^2+b^2=100$ ……㉠

또 점근선의 방정식이 $y=\pm\frac{3}{4}x$이므로

$\frac{b}{a}=\frac{3}{4}$ $\quad\therefore a=\frac{4}{3}b$ ……㉡

㉠, ㉡을 연립하여 풀면 $a^2=64$, $b^2=36$

$\therefore \mathbf{\frac{x^2}{64}-\frac{y^2}{36}=1}$

02 (1) 타원 $\frac{x^2}{169}+\frac{y^2}{25}=1$의 초점의 좌표는 $(\pm\sqrt{169-25}, 0)$, 즉 $(\pm12, 0)$이므로 구하는 쌍곡선의 방정식을 $\frac{x^2}{a^2}-\frac{y^2}{b^2}=1$ $(a>0, b>0)$로 놓으면

$a^2+b^2=144$ ……㉠

또 점근선의 방정식이 $y=\pm\sqrt{3}x$이므로

$\frac{b}{a}=\sqrt{3}$ $\quad\therefore b=\sqrt{3}a$ ……㉡

㉠, ㉡을 연립하여 풀면 $a^2=36$, $b^2=108$

$\therefore \mathbf{\frac{x^2}{36}-\frac{y^2}{108}=1}$

(2) 타원 $\frac{x^2}{25}+\frac{y^2}{16}=1$의 초점의 좌표는 $(\pm\sqrt{25-16},\ 0)$,

즉 $(\pm 3,\ 0)$이므로 구하는 쌍곡선의 방정식을

$\frac{x^2}{a^2}-\frac{y^2}{b^2}=1(a>0,\ b>0)$로 놓으면

$a^2+b^2=9 \qquad \therefore b^2=9-a^2 \qquad \cdots\cdots$ ㉠

또 이 쌍곡선이 점 $(\sqrt{2},\ -2\sqrt{2})$를 지나므로

$\frac{2}{a^2}-\frac{8}{b^2}=1 \qquad \cdots\cdots$ ㉡

㉠, ㉡을 연립하면

$2(9-a^2)-8a^2=a^2(9-a^2)$

$a^4-19a^2+18=0,\ (a^2-1)(a^2-18)=0$

$\therefore a^2=1$ 또는 $a^2=18$

이때 $b^2=8$ 또는 $b^2=-9$

$b^2>0$이므로 $a^2=1,\ b^2=8$

$\therefore \boldsymbol{x^2-\frac{y^2}{8}=1}$

(3) 타원 $\frac{x^2}{7}+\frac{y^2}{16}=1$의 초점의 좌표는 $(0,\ \pm\sqrt{16-7})$,

즉 $(0,\ \pm 3)$이므로 구하는 쌍곡선의 방정식을

$\frac{x^2}{a^2}-\frac{y^2}{b^2}=-1\ (a>0,\ b>0)$로 놓으면

$a^2+b^2=9 \qquad \cdots\cdots$ ㉠

또 점근선의 방정식이 $y=\pm\sqrt{2}x$이므로

$\frac{b}{a}=\sqrt{2} \qquad \therefore b=\sqrt{2}a \qquad \cdots\cdots$ ㉡

㉠, ㉡을 연립하여 풀면 $a^2=3,\ b^2=6$

$\therefore \boldsymbol{\frac{x^2}{3}-\frac{y^2}{6}=-1}$

(4) 타원 $\frac{x^2}{8}+\frac{y^2}{12}=1$의 초점의 좌표는 $(0,\ \pm\sqrt{12-8})$,

즉 $(0,\ \pm 2)$이므로 구하는 쌍곡선의 방정식을

$\frac{x^2}{a^2}-\frac{y^2}{b^2}=-1\ (a>0,\ b>0)$로 놓으면

$a^2+b^2=4 \qquad \therefore b^2=4-a^2 \qquad \cdots\cdots$ ㉠

또 이 쌍곡선이 점 $(3,\ 2)$를 지나므로

$\frac{9}{a^2}-\frac{4}{b^2}=-1 \qquad \cdots\cdots$ ㉡

㉠, ㉡을 연립하면

$9(4-a^2)-4a^2=-a^2(4-a^2)$

$a^4+9a^2-36=0,\ (a^2-3)(a^2+12)=0$

$a^2>0$이므로 $a^2=3$

㉠에서 $b^2=1$

$\therefore \boldsymbol{\frac{x^2}{3}-y^2=-1}$

04-1 셀파 **조건을 만족시키는 점을 $\mathrm{P}(x,\ y)$로 놓는다.**

(1) 주어진 조건을 만족시키는 점을 $\mathrm{P}(x,\ y)$라 하면 주축의 길이가 2이므로

$|\overline{\mathrm{PF'}}-\overline{\mathrm{PF}}|=2$

$|\sqrt{(x+1)^2+(y-3)^2}-\sqrt{(x+1)^2+(y+1)^2}|=2$

$\sqrt{(x+1)^2+(y-3)^2}=\sqrt{(x+1)^2+(y+1)^2}\pm 2$

이 식의 양변을 제곱하여 정리하면

$-2y+1=\pm\sqrt{(x+1)^2+(y+1)^2}$

다시 양변을 제곱하여 정리하면

$(x+1)^2-3(y-1)^2=-3$

$\therefore \boldsymbol{\frac{(x+1)^2}{3}-(y-1)^2=-1}$

(2) 주어진 조건을 만족시키는 점을 $\mathrm{P}(x,\ y)$라 하면

$|\overline{\mathrm{PF'}}-\overline{\mathrm{PF}}|=4$

$|\sqrt{x^2+(y+1)^2}-\sqrt{(x-8)^2+(y+1)^2}|=4$

$\sqrt{x^2+(y+1)^2}=\sqrt{(x-8)^2+(y+1)^2}\pm 4$

이 식의 양변을 제곱하여 정리하면

$2x-10=\pm\sqrt{(x-8)^2+(y+1)^2}$

다시 양변을 제곱하여 정리하면

$3(x-4)^2-(y+1)^2=12$

$\therefore \boldsymbol{\frac{(x-4)^2}{4}-\frac{(y+1)^2}{12}=1}$

| 다른 풀이 |

(1) 초점을 이은 선분 FF'이 y축에 평행하고 쌍곡선의 중심은 $\overline{\mathrm{FF'}}$의 중점이므로 구하는 쌍곡선의 방정식은

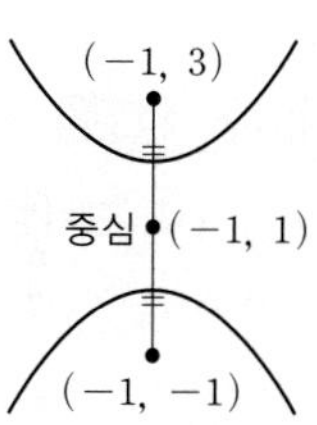

$\frac{(x+1)^2}{a^2}-\frac{(y-1)^2}{b^2}=-1$ (단, $a>0,\ b>0$)

중심과 초점 사이의 거리가 c이므로

$c=|3-1|=2$

주축의 길이가 2이므로 $2b=2 \qquad \therefore b=1$

$a^2=c^2-b^2$에서 $a^2=4-1=3$

$\therefore \frac{(x+1)^2}{3}-(y-1)^2=-1$

(2) 초점을 이은 선분 FF'이 x축에 평행하고 쌍곡선의 중심은 $\overline{\mathrm{FF'}}$의 중점이므로 구하는 쌍곡선의 방정식은

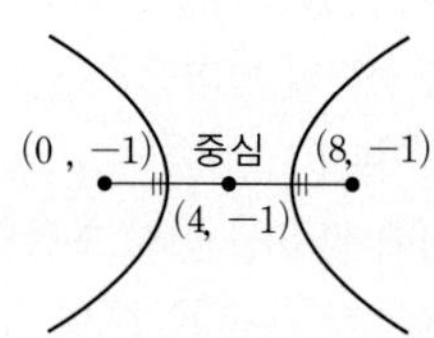

$\frac{(x-4)^2}{a^2}-\frac{(y+1)^2}{b^2}=1$

(단, $a>0,\ b>0$)

중심과 초점 사이의 거리가 c이므로

$c=|8-4|=4$

거리의 차가 4이므로 $2a=4 \qquad \therefore a=2$

$b^2=c^2-a^2$에서 $b^2=16-4=12$

$\therefore \frac{(x-4)^2}{4}-\frac{(y+1)^2}{12}=1$

05-1 셀파 쌍곡선의 방정식을 $\frac{(x-m)^2}{a^2}-\frac{(y-n)^2}{b^2}=\pm1$ 꼴로 고친다.

$x^2-8y^2-4x-48y-60=0$에서

$(x-2)^2-8(y+3)^2=-8$

$\therefore \frac{(x-2)^2}{8}-(y+3)^2=-1$

주어진 쌍곡선은 쌍곡선

$\frac{x^2}{8}-y^2=-1$ ······㉠

을 x축의 방향으로 2만큼, y축의 방향으로 -3만큼 평행이동한 것이다.

이때 쌍곡선 ㉠의

중심의 좌표는 $(0, 0)$

꼭짓점의 좌표는 $(0, 1)$, $(0, -1)$

초점의 좌표는 $(0, 3)$, $(0, -3)$

이므로 주어진 쌍곡선의

중심의 좌표 : $(2, -3)$

꼭짓점의 좌표 : $(2, -2)$, $(2, -4)$

초점의 좌표 : $(2, 0)$, $(2, -6)$

05-2 셀파 쌍곡선의 방정식을 $\frac{(x-m)^2}{a^2}-\frac{(y-n)^2}{b^2}=\pm1$ 꼴로 고쳐 초점의 좌표를 구한다.

$12x^2-4y^2+24x+24y-72=0$에서

$12(x+1)^2-4(y-3)^2=48$

$\therefore \frac{(x+1)^2}{4}-\frac{(y-3)^2}{12}=1$ ······㉠

주어진 쌍곡선은 쌍곡선

$\frac{x^2}{4}-\frac{y^2}{12}=1$ ······㉡

을 x축의 방향으로 -1만큼, y축의 방향으로 3만큼 평행이동한 것이다.

이때 쌍곡선 ㉡의 초점의 좌표는 $(4, 0)$, $(-4, 0)$이므로 쌍곡선 ㉠의 두 초점 F, F′의 좌표는

$\mathrm{F}(3, 3)$, $\mathrm{F'}(-5, 3)$

$\overline{\mathrm{FF'}}=3-(-5)=8$

따라서 구하는 삼각형 OFF′의 넓이는

$\frac{1}{2}\times8\times3=$**12**

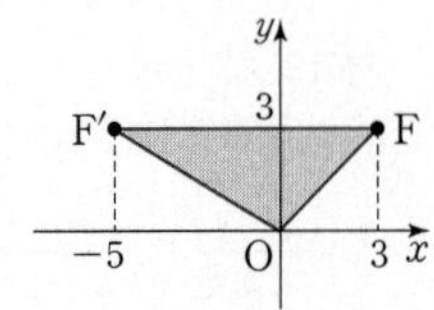

06-1 셀파 두 초점의 좌표를 구하여 두 초점 사이의 거리를 구한다.

점 P를 향해 입사한 빛이 쌍곡선 위의 점에서 반사되어 점 Q를 향해 가므로 두 점 P, Q는 쌍곡선의 초점이다.

$\frac{x^2}{8}-\frac{y^2}{8}=-1$에서 $c^2=8+8=16$이므로 $c=\pm4$

$\therefore \mathrm{P}(0, -4)$, $\mathrm{Q}(0, 4)$ $\therefore \overline{\mathrm{PQ}}=8$

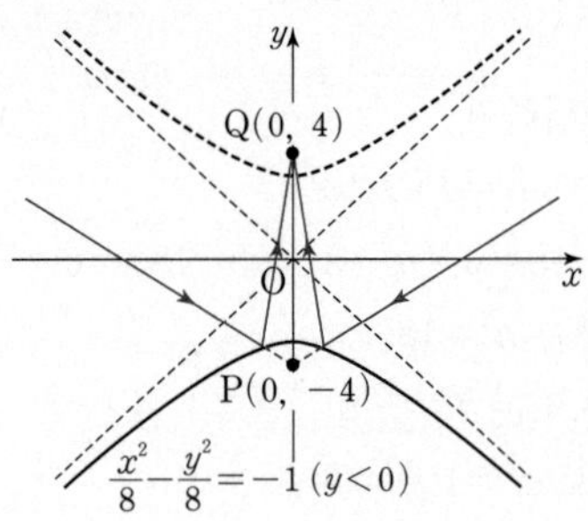

연습 문제

본문 | 58~59 쪽

01 셀파 두 점 $\mathrm{F}(0, c)$, $\mathrm{F'}(0, -c)$로부터의 거리의 차가 $2b$인 쌍곡선의 방정식은 $\frac{x^2}{a^2}-\frac{y^2}{b^2}=-1$ $(c>b>0,\ a^2=c^2-b^2)$ 꼴이다.

두 초점이 $(0, 4)$, $(0, -4)$이고 y축 위에 있으므로 쌍곡선의 방정식은 $\frac{x^2}{a^2}-\frac{y^2}{b^2}=-1$ $(a>0, b>0)$ 꼴이다.

이때 $c^2=16$이므로 $a^2=c^2-b^2=16-b^2$ ······㉠

두 초점 $(0, 4)$, $(0, -4)$로부터의 거리의 차가 4이므로

$2b=4$에서 $b=2$

$b=2$를 ㉠에 대입하면 $a^2=16-4=12$

따라서 구하는 쌍곡선의 방정식은

$$\boldsymbol{\frac{x^2}{12}-\frac{y^2}{4}=-1}$$

| 참고 |

쌍곡선 $\frac{x^2}{12}-\frac{y^2}{4}=-1$의 그래프는 다음과 같다.

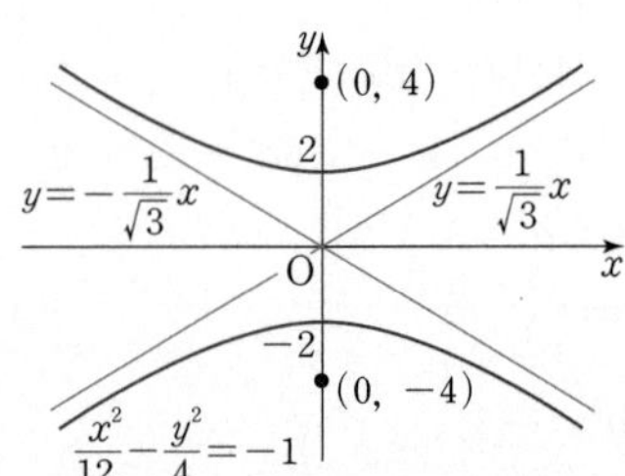

02 셀파 쌍곡선의 방정식을 $\frac{x^2}{a^2}-\frac{y^2}{b^2}=1\ (a>0, b>0)$로 놓고 점 P의 x좌표, y좌표를 각각 x, y에 대입하여 a^2, b^2의 값을 구한다.

두 초점이 $F(\sqrt{3}, 0)$, $F'(-\sqrt{3}, 0)$이므로 구하는 쌍곡선의 방정식을 $\frac{x^2}{a^2}-\frac{y^2}{b^2}=1\ (a>0, b>0)$로 놓으면

$a^2+b^2=3 \quad \therefore b^2=3-a^2$ ······㉠

이 쌍곡선이 점 $P(10, 7)$을 지나므로

$\frac{10^2}{a^2}-\frac{7^2}{b^2}=1 \quad \therefore 100b^2-49a^2=a^2b^2$ ······㉡

㉠을 ㉡에 대입하면

$100(3-a^2)-49a^2=a^2(3-a^2)$

$a^4-152a^2+300=0$, $(a^2-150)(a^2-2)=0$

$\therefore a^2=2$ 또는 $a^2=150$ ······㉢

㉢을 ㉠에 대입하면

$b^2=1$ 또는 $b^2=-147$

이때 $b^2>0$이므로 $b^2=1 \quad \therefore a^2=2, b^2=1$

따라서 쌍곡선의 방정식은 $\frac{x^2}{2}-y^2=1$

이 쌍곡선이 점 $Q(2, k)$를 지나므로

$2-k^2=1$, $k^2=1$

$\therefore \boldsymbol{k=1}\ (\because k>0)$

03 셀파 타원 $\frac{x^2}{a^2}+\frac{y^2}{b^2}=1\ (a>b>0)$의 장축의 길이는 $2a$, 두 초점의 좌표는 $(\sqrt{a^2-b^2}, 0)$, $(-\sqrt{a^2-b^2}, 0)$이다.

타원 $\frac{x^2}{a^2}+\frac{y^2}{b^2}=1\ (a>b>0)$의 장축의 길이가 4이므로

$2a=4 \quad \therefore a=2$ ······㉠

또 타원의 두 초점 $(\sqrt{a^2-b^2}, 0)$, $(-\sqrt{a^2-b^2}, 0)$ 사이의 거리가 $2\sqrt{3}$이므로

$2\sqrt{a^2-b^2}=2\sqrt{3} \quad \therefore a^2-b^2=3$ ······㉡

㉠을 ㉡에 대입하면

$b^2=1 \quad \therefore b=1\ (\because b>0)$

$a=2$, $b=1$이므로 주어진 쌍곡선의 방정식은

$\frac{x^2}{4}-y^2=1$

따라서 쌍곡선의 두 초점은

$(\sqrt{4+1}, 0)$, $(-\sqrt{4+1}, 0)$, 즉 $(\sqrt{5}, 0)$, $(-\sqrt{5}, 0)$

이므로 두 초점 사이의 거리는 $\boldsymbol{2\sqrt{5}}$

04 셀파 삼각형 FPF′은 직각삼각형이므로 $\overline{PF}^2+\overline{PF'}^2=\overline{FF'}^2$

쌍곡선 $\frac{x^2}{36}-\frac{y^2}{28}=1$의 두 초점의 좌표는 $F(8, 0)$, $F'(-8, 0)$이다.

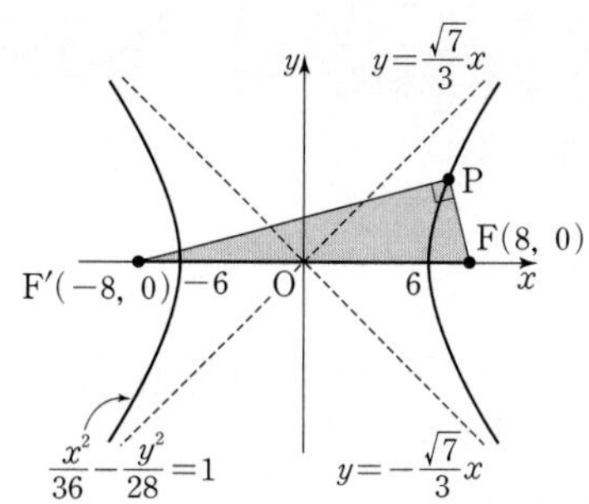

$\overline{PF'}=a$, $\overline{PF}=b$라 하면 $\overline{FF'}=16$이므로 삼각형 FPF′에서 피타고라스 정리에 의하여

$a^2+b^2=16^2=256$ ······㉠

이때 쌍곡선의 정의에 의하여

$|\overline{PF'}-\overline{PF}|=|a-b|=12$ ······㉡

㉠, ㉡에서 $a^2+b^2=(a-b)^2+2ab=256$이므로 $ab=56$

따라서 구하는 삼각형 FPF′의 넓이는

$\frac{1}{2}ab=\frac{1}{2}\times 56=\boldsymbol{28}$

05 셀파 타원의 정의와 쌍곡선의 정의를 이용한다.

점 P는 장축의 길이가 12인 타원 위의 점이므로 타원의 정의에 의하여

$\overline{PF'}+\overline{PF}=12$

또 점 P는 주축의 길이가 4인 쌍곡선 위의 점이므로 쌍곡선의 정의에 의하여 $\overline{PF'}-\overline{PF}=4$

$\therefore \overline{PF'}^2-\overline{PF}^2=(\overline{PF'}+\overline{PF})(\overline{PF'}-\overline{PF})$

$=12\times 4=\boldsymbol{48}$

LECTURE 타원과 쌍곡선

타원 또는 쌍곡선 위의 점 P와 두 초점 F, F′에 대하여

	타원 $\frac{x^2}{a^2}+\frac{y^2}{b^2}=1$ (단, $a>b>0$)	쌍곡선 $\frac{x^2}{a^2}-\frac{y^2}{b^2}=1$ (단, $a>0$, $b>0$)
정의	$\overline{PF'}+\overline{PF}=2a$	$\lvert\overline{PF'}-\overline{PF}\rvert=2a$
초점의 좌표	$(\pm\sqrt{a^2-b^2}, 0)$	$(\pm\sqrt{a^2+b^2}, 0)$
꼭짓점의 좌표	$(\pm a, 0)$, $(0, \pm b)$	$(\pm a, 0)$

06 셀파 쌍곡선의 두 초점을 A, A′이라 하면 쌍곡선의 정의에 의하여 $\overline{\mathrm{PA}}-\overline{\mathrm{PA'}}=6$이다.

쌍곡선의 두 초점을 A, A′이라 하면 쌍곡선 $\frac{x^2}{7}-\frac{y^2}{9}=-1$에서 $c^2=7+9=4^2$이므로 두 초점의 좌표는 $(0, 4)$, $(0, -4)$

$\therefore$ A$(0, -4)$, A′$(0, 4)$

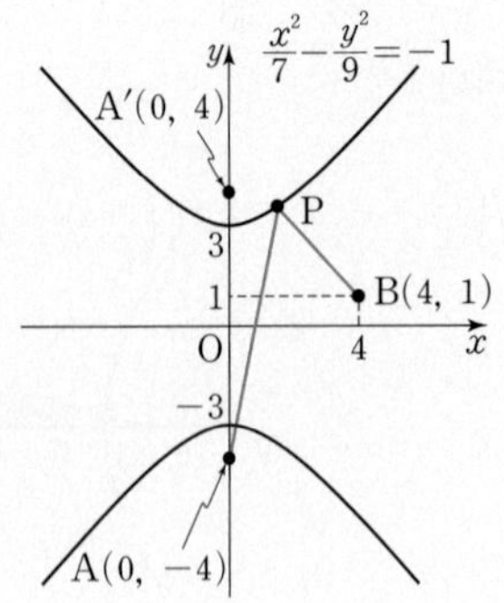

이때 쌍곡선의 정의에 의하여

$\overline{\mathrm{PA}}-\overline{\mathrm{PA'}}=6$

이므로 제1사분면 위에 있는 이 쌍곡선 위의 점 P에 대하여

$\overline{\mathrm{PA}}+\overline{\mathrm{PB}}=6+\overline{\mathrm{PA'}}+\overline{\mathrm{PB}}$

$\geq 6+\overline{\mathrm{BA'}}$ ($\overline{\mathrm{PA}}-\overline{\mathrm{PA'}}=6$에서 $\overline{\mathrm{PA}}=6+\overline{\mathrm{PA'}}$)

이때 $\overline{\mathrm{BA'}}=\sqrt{(4-0)^2+(1-4)^2}=5$

따라서 $\overline{\mathrm{PA}}+\overline{\mathrm{PB}}$의 최솟값은

$6+5=\mathbf{11}$

07 셀파 선분 FF′은 원의 지름이고 점 P는 원 위의 점이므로 $\angle \mathrm{FPF'}=90°$이다.

쌍곡선 $\frac{x^2}{4}-\frac{y^2}{5}=1$의 두 초점 F, F′의 좌표는 각각 F$(3, 0)$, F′$(-3, 0)$이므로 $\overline{\mathrm{FF'}}=6$

쌍곡선의 정의에 의하여 쌍곡선 위의 점 P에서 두 초점 F, F′으로부터의 거리의 차는 쌍곡선의 주축의 길이 $2\times2=4$와 같으므로

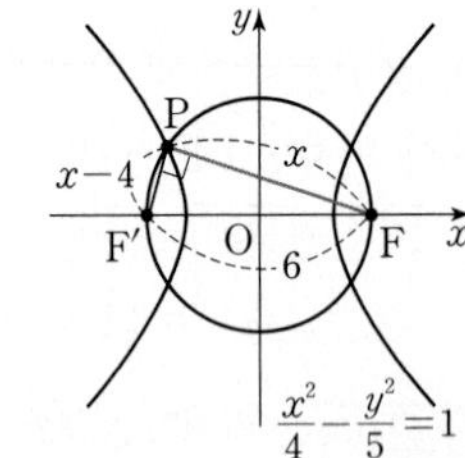

$\overline{\mathrm{PF}}-\overline{\mathrm{PF'}}=4$ ······㉠

또 점 P는 선분 FF′을 지름으로 하는 원 위의 점이므로 $\angle \mathrm{FPF'}=90°$이다.

즉, 삼각형 FPF′은 직각삼각형이므로

$\overline{\mathrm{PF}}^2+\overline{\mathrm{PF'}}^2=\overline{\mathrm{FF'}}^2$

$\therefore \overline{\mathrm{PF}}^2+\overline{\mathrm{PF'}}^2=36$ ······㉡

이때 $\overline{\mathrm{PF}}=x$로 놓으면 ㉠에서 $\overline{\mathrm{PF'}}=x-4$

$\overline{\mathrm{PF}}=x$, $\overline{\mathrm{PF'}}=x-4$를 ㉡에 대입하면

$x^2+(x-4)^2=36$, $x^2-4x-10=0$

$\therefore \boldsymbol{x=2+\sqrt{14}}$ ($\because x>0$)

08 셀파 점 P, Q는 쌍곡선 위의 점이므로 쌍곡선의 정의에 의하여 $\overline{\mathrm{PF'}}-\overline{\mathrm{PF}}=\overline{\mathrm{QF}}-\overline{\mathrm{QF'}}=$(주축의 길이)이다.

쌍곡선 $\frac{x^2}{16}-\frac{y^2}{9}=1$의 주축의 길이는 $2\times4=8$

또 두 점 F, F′은 쌍곡선 $\frac{x^2}{16}-\frac{y^2}{9}=1$의 초점이고, 두 점 P, Q는 이 쌍곡선 위의 점이므로 쌍곡선의 정의에 의하여

$\overline{\mathrm{PF'}}-\overline{\mathrm{PF}}=8$ ······㉠, $\overline{\mathrm{QF}}-\overline{\mathrm{QF'}}=8$ ······㉡

㉠+㉡에서 $(\overline{\mathrm{PF'}}-\overline{\mathrm{QF'}})+(\overline{\mathrm{QF}}-\overline{\mathrm{PF}})=16$

이때 $\overline{\mathrm{PF'}}-\overline{\mathrm{QF'}}=3$이므로

$\overline{\mathrm{QF}}-\overline{\mathrm{PF}}=16-3=\mathbf{13}$

09 셀파 쌍곡선 $\frac{x^2}{a^2}-\frac{y^2}{b^2}=1$ $(a>0, b>0)$의 점근선이 x축의 양의 방향과 이루는 각의 크기가 θ $(0°<\theta<90°)$이면 $\frac{b}{a}=\tan\theta$이다.

타원 $\frac{x^2}{4}+y^2=1$에서 두 초점 F, F′의 좌표는

F$(\sqrt{3}, 0)$, F′$(-\sqrt{3}, 0)$

이때 쌍곡선의 방정식을 $\frac{x^2}{a^2}-\frac{y^2}{b^2}=1$ $(a>0, b>0)$이라 하면

한 초점의 x좌표가 $\sqrt{3}$이므로

$a^2+b^2=3$ ······㉠

쌍곡선의 한 점근선이 x축의 양의 방향과 이루는 각의 크기가 $45°$이므로 $\frac{b}{a}=\tan 45°=1$ $\therefore a=b$ ······㉡

㉡을 ㉠에 대입하면

$2a^2=3$, $a^2=\frac{3}{2}$ $\therefore a=\frac{\sqrt{6}}{2}$ ($\because a>0$)

따라서 쌍곡선의 주축의 길이는 $2a=2\times\frac{\sqrt{6}}{2}=\boldsymbol{\sqrt{6}}$

10 셀파 쌍곡선 $\frac{x^2}{16}-\frac{y^2}{9}=1$을 x축의 방향으로 3만큼, y축의 방향으로 a만큼 평행이동한다.

주어진 쌍곡선은 쌍곡선 $\frac{x^2}{16}-\frac{y^2}{9}=1$을 x축의 방향으로 3만큼, y축의 방향으로 a만큼 평행이동한 것이다.

이때 쌍곡선 $\frac{x^2}{16}-\frac{y^2}{9}=1$의 초점의 좌표는 $(5, 0)$, $(-5, 0)$이므로 주어진 쌍곡선의 초점의 좌표는 $(8, a)$, $(-2, a)$

한 초점이 점 $(8, 8)$이므로 $a=8$

따라서 다른 초점의 좌표는 $\mathbf{(-2, 8)}$

11 셀파 쌍곡선의 방정식을 $\frac{(x-m)^2}{a^2}-\frac{(y-n)^2}{b^2}=\pm1$ 꼴로 고친다.

㉮ $2x^2-3y^2-4x-12y+20=0$에서

$2(x-1)^2-3(y+2)^2=-30$

$\therefore \frac{(x-1)^2}{15}-\frac{(y+2)^2}{10}=-1$ ……㉠

㉯ 쌍곡선 ㉠은 쌍곡선 $\frac{x^2}{15}-\frac{y^2}{10}=-1$을 x축의 방향으로 1만큼, y축의 방향으로 -2만큼 평행이동한 것이다.

따라서 쌍곡선 ㉠의 주축의 길이는 $2\times\sqrt{10}=2\sqrt{10}$

초점의 좌표는 $(0+1, 5-2)$, $(0+1, -5-2)$, 즉 $(1, 3)$, $(1, -7)$

㉰ $\therefore ac+bd+k^2=1\times1+3\times(-7)+(2\sqrt{10})^2=$**20**

채점 기준	배점
㉮ 주어진 쌍곡선의 방정식을 $\frac{(x-m)^2}{a^2}-\frac{(y-n)^2}{b^2}=-1$ 꼴로 고친다.	30%
㉯ 쌍곡선의 주축의 길이와 초점의 좌표를 구한다.	50%
㉰ $ac+bd+k^2$의 값을 구한다.	20%

12 셀파 배에서 두 기지로부터의 거리의 차가 항상 80 km로 일정하므로 구하는 곡선은 쌍곡선이다.

두 기지 A, B의 좌표를 각각 $(-50, 0)$, $(50, 0)$이라 하면 배에서 두 기지로부터의 거리의 차가 항상 80 km로 일정하므로 구하는 곡선은 쌍곡선이다.

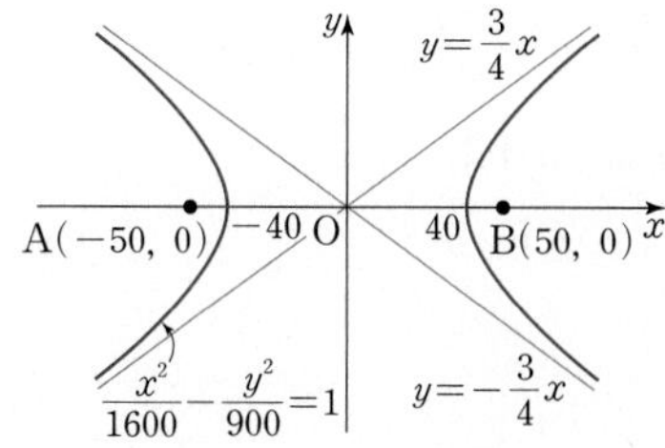

두 초점이 $A(-50, 0)$, $B(50, 0)$이고, x축 위에 있으므로 쌍곡선의 방정식은 $\frac{x^2}{a^2}-\frac{y^2}{b^2}=1$ $(a>0, b>0)$ 꼴이다.

이때 $c^2=2500$이므로 $b^2=c^2-a^2=2500-a^2$ ……㉠

두 초점으로부터의 거리의 차가 80이므로

$2a=80$에서 $a=40$

$a=40$을 ㉠에 대입하면

$b^2=2500-1600=900$ $\therefore b=30$

따라서 구하는 곡선의 방정식은

$\frac{x^2}{40^2}-\frac{y^2}{30^2}=1$ $\therefore$ $\boldsymbol{\frac{x^2}{1600}-\frac{y^2}{900}=1}$

13 셀파 x축에 평행한 주축을 가지는 쌍곡선의 방정식은 $\frac{(x-m)^2}{a^2}-\frac{(y-n)^2}{b^2}=1$ 꼴이다.

$x^2-y^2+2y+k=0$에서 $x^2-(y^2-2y+1)+1+k=0$

$\therefore x^2-(y-1)^2=-1-k$

이 쌍곡선이 x축에 평행한 주축을 가지려면 ($\frac{(x-m)^2}{a^2}-\frac{(y-n)^2}{b^2}=1$ 꼴이어야 한다.)

$-1-k>0$ $\therefore$ $\boldsymbol{k<-1}$

14 셀파 방정식을 변형하여 일반형으로 나타낸다.

(1) $x^2-6x-3y+3=0$을 변형하면

$(x-3)^2=3(y+2)$

따라서 주어진 방정식이 나타내는 도형은 포물선 $x^2=3y$를 x축의 방향으로 3만큼, y축의 방향으로 -2만큼 평행이동한 **포물선**을 나타낸다.

(2) $3x^2+4y^2-36x+96=0$을 변형하면

$3(x-6)^2+4y^2=12$

$\therefore \frac{(x-6)^2}{4}+\frac{y^2}{3}=1$

따라서 주어진 방정식이 나타내는 도형은 타원 $\frac{x^2}{4}+\frac{y^2}{3}=1$을 x축의 방향으로 6만큼 평행이동한 **타원**을 나타낸다.

LECTURE **이차곡선**

이차곡선

$2y^2+x-1+k(x^2-y^2-1)=0$

은 실수 k의 값에 따라 다음과 같은 곡선을 나타낸다.

주어진 이차곡선의 식을 정리하면

$kx^2+(2-k)y^2+x-(1+k)=0$

❶ $k=2-k$, 즉 $k=1$일 때

⇨ $x^2+y^2+x-2=0$ ∴ 원

❷ $k=0$일 때 ⇨ $2y^2+x-1=0$ ∴ 포물선

❸ $k=2$일 때 ⇨ $2x^2+x-3=0$

$x=1$ 또는 $x=-\frac{3}{2}$ ∴ 두 직선

❹ $k(2-k)>0$, 즉 $0<k<2$ $(k\neq1)$일 때 타원

❺ $k(2-k)<0$, 즉 $k<0$ 또는 $k>2$일 때 쌍곡선

4. 이차곡선의 접선의 방정식

개념 익히기 본문 | 63 쪽

1-1 $y=-x+k$를 $y^2=4x$에 대입하면

$(-x+k)^2=4x$

$x^2-2(k+2)x+k^2=0$

이 이차방정식의 판별식을 D라 하면

$\frac{D}{4}=\{-(k+2)\}^2-k^2=4k+$ [4]

판별식의 값의 부호에 따라 위치 관계를 조사하면

(i) $D>0$, 즉 $\boldsymbol{k>-1}$**일 때 서로 다른 두 점에서 만난다.**

(ii) $D=0$, 즉 $\boldsymbol{k=-1}$**일 때** [한] **점에서 만난다.**

(접한다.)

(iii) $D<0$, 즉 $\boldsymbol{k<-1}$**일 때 만나지 않는다.**

1-2 (1) $y=x+k$를 $x^2+2y^2=2$에 대입하면

$x^2+2(x+k)^2=2$

$3x^2+4kx+2k^2-2=0$

이 이차방정식의 판별식을 D라 하면

$\frac{D}{4}=(2k)^2-3(2k^2-2)=-2k^2+6$

판별식의 값의 부호에 따라 위치 관계를 조사하면

(i) $D>0$에서 $-2k^2+6>0$, $(k+\sqrt{3})(k-\sqrt{3})<0$, 즉

$\boldsymbol{-\sqrt{3}<k<\sqrt{3}}$**일 때 서로 다른 두 점에서 만난다.**

(ii) $D=0$, 즉

$\boldsymbol{k=-\sqrt{3}}$ **또는** $\boldsymbol{k=\sqrt{3}}$**일 때 한 점에서 만난다.**

(접한다.)

(iii) $D<0$, 즉

$\boldsymbol{k<-\sqrt{3}}$ **또는** $\boldsymbol{k>\sqrt{3}}$**일 때 만나지 않는다.**

(2) $y=x+k$를 $x^2-2y^2=4$에 대입하면

$x^2-2(x+k)^2=4$

$x^2+4kx+2k^2+4=0$

이 이차방정식의 판별식을 D라 하면

$\frac{D}{4}=(2k)^2-(2k^2+4)=2k^2-4$

판별식의 값의 부호에 따라 위치 관계를 조사하면

(i) $D>0$에서 $2k^2-4>0$, $(k+\sqrt{2})(k-\sqrt{2})>0$, 즉

$\boldsymbol{k<-\sqrt{2}}$ **또는** $\boldsymbol{k>\sqrt{2}}$**일 때 서로 다른 두 점에서 만난다.**

(ii) $D=0$, 즉

$\boldsymbol{k=-\sqrt{2}}$ **또는** $\boldsymbol{k=\sqrt{2}}$**일 때 한 점에서 만난다.**

(접한다.)

(iii) $D<0$, 즉 $\boldsymbol{-\sqrt{2}<k<\sqrt{2}}$**일 때 만나지 않는다.**

2-1 (1) $x^2=4y=4\times1\times y$에서 $p=1$

$x_1=-2$, $y_1=1$이므로 주어진 점에서의 접선의 방정식은

$(-2)\times x=2\times$ [1] $\times(y+1)$, 즉 $\boldsymbol{y=-x-1}$

(2) $x_1=2$, $y_1=1$이므로 주어진 점에서의 접선의 방정식은

$\frac{\boxed{2}\times x}{8}+\frac{1\times y}{2}=1$, 즉 $\boldsymbol{y=-\frac{1}{2}x+}$ [2]

2-2 (1) $y^2=2x=4\times\frac{1}{2}\times x$에서 $p=\frac{1}{2}$

$x_1=2$, $y_1=2$이므로 주어진 점에서의 접선의 방정식은

$2\times y=2\times\frac{1}{2}(x+2)$

$\therefore \boldsymbol{y=\frac{1}{2}x+1}$

(2) $x_1=3$, $y_1=-2$이므로 주어진 점에서의 접선의 방정식은

$\frac{3\times x}{3}-\frac{-2\times y}{2}=1$, $x+y=1$

$\therefore \boldsymbol{y=-x+1}$

확인 문제 본문 | 64~81 쪽

01-1 **셀파** 직선의 방정식을 포물선의 방정식에 대입하여 얻은 이차방정식의 판별식을 D라 하면 $D<0$이다.

$y=kx+2$를 $x^2=-4y$에 대입하면

$x^2=-4(kx+2)$

$\therefore x^2+4kx+8=0$

이 이차방정식의 판별식을 D라 하면

$\frac{D}{4}=(2k)^2-8<0$, $k^2-2<0$, $(k+\sqrt{2})(k-\sqrt{2})<0$

$\therefore \boldsymbol{-\sqrt{2}<k<\sqrt{2}}$

01-2 셀파 직선을 y축의 방향으로 k만큼 평행이동한 직선의 방정식을 구하여 포물선의 방정식에 대입한다.

직선 $y=2x$를 y축의 방향으로 k만큼 평행이동한 직선의 방정식 $y=2x+k$를 $y^2=6(x+2)$에 대입하면

$(2x+k)^2=6(x+2)$

$\therefore 4x^2-2(3-2k)x+k^2-12=0$

이 이차방정식의 판별식을 D라 하면

$\frac{D}{4}=(3-2k)^2-4(k^2-12)=0$

$9-12k+4k^2-4k^2+48=0$

$-12k+57=0 \qquad \therefore \boldsymbol{k=\frac{19}{4}}$

셀파 특강 확인 체크 01

(1) $y^2=-2x=4\times\left(-\frac{1}{2}\right)\times x$에서 $p=-\frac{1}{2}$이고, $m=\frac{1}{2}$이므로

공식 $y=mx+\frac{p}{m}$에 대입하면 구하는 접선의 방정식은

$y=\frac{1}{2}x+\frac{-\frac{1}{2}}{\frac{1}{2}} \qquad \therefore \boldsymbol{y=\frac{1}{2}x-1}$

(2) $3x+2y-4=0$에서 $y=-\frac{3}{2}x+2$

$x^2=6y=4\times\frac{3}{2}\times y$에서 $p=\frac{3}{2}$이고, $m=-\frac{3}{2}$이므로

공식 $y=mx-m^2p$에 대입하면 구하는 접선의 방정식은

$y=-\frac{3}{2}x-\frac{9}{4}\times\frac{3}{2} \qquad \therefore \boldsymbol{y=-\frac{3}{2}x-\frac{27}{8}}$

| 다른 풀이 |

(1) 접선의 방정식을 $y=\frac{1}{2}x+n$으로 놓고, 이것을 포물선의 방정식 $y^2=-2x$에 대입하면

$\left(\frac{1}{2}x+n\right)^2=-2x,\ \frac{1}{4}x^2+nx+n^2+2x=0$

$\therefore x^2+4(n+2)x+4n^2=0$

이 이차방정식의 판별식을 D라 하면

$\frac{D}{4}=(2n+4)^2-4n^2=0,\ 16n+16=0 \qquad \therefore n=-1$

따라서 구하는 접선의 방정식은 $y=\frac{1}{2}x-1$

(2) 접선의 방정식을 $y=-\frac{3}{2}x+n$으로 놓고, 이것을 포물선의 방정식 $x^2=6y$에 대입하면

$x^2=6\left(-\frac{3}{2}x+n\right),\ x^2=-9x+6n$

$\therefore x^2+9x-6n=0$

이 이차방정식의 판별식을 D라 하면

$D=9^2-4\times(-6n)=0,\ 81+24n=0$

$24n=-81 \qquad \therefore n=-\frac{27}{8}$

따라서 구하는 접선의 방정식은 $y=-\frac{3}{2}x-\frac{27}{8}$

02-1 셀파 x축의 양의 방향과 이루는 각의 크기가 $60°$인 직선의 기울기는 $\tan 60°=\sqrt{3}$이다.

$x^2=20y=4\times5\times y$에서 $p=5$

x축의 양의 방향과 이루는 각의 크기가 $60°$인 직선의 기울기는 $\tan 60°=\sqrt{3}$

따라서 구하는 접선의 방정식은

$y=\sqrt{3}x-(\sqrt{3})^2\times5$, 즉 $\boldsymbol{y=\sqrt{3}x-15}$

| 다른 풀이 |

x축의 양의 방향과 이루는 각의 크기가 $60°$인 직선의 기울기는 $\tan 60°=\sqrt{3}$이므로 구하는 접선의 방정식을 $y=\sqrt{3}x+n$으로 놓자.

이것을 포물선의 방정식 $x^2=20y$에 대입하면

$x^2=20(\sqrt{3}x+n) \qquad \therefore x^2-20\sqrt{3}x-20n=0$

이 이차방정식의 판별식을 D라 하면

$\frac{D}{4}=(-10\sqrt{3})^2+20n=0,\ 20n=-300 \qquad \therefore n=-15$

따라서 구하는 접선의 방정식은 $y=\sqrt{3}x-15$

셀파 세미나 음함수를 이용한 접선의 방정식

포물선 $y^2=4px$에 접하고 기울기가 $m\,(m\neq0)$인 접선의 접점의 좌표를 (x_1, y_1)로 놓으면 접선의 방정식은

$y_1y=2p(x+x_1)$ ······㉠

$y^2=4px$의 양변을 x에 대하여 미분하면

$2y\frac{dy}{dx}=4p \qquad \therefore \frac{dy}{dx}=\frac{2p}{y}$ (단, $y\neq0$) ······㉡

㉡에 $y=y_1$을 대입하면 $m=\frac{2p}{y_1} \qquad \therefore y_1=\frac{2p}{m}$

한편 ${y_1}^2=4px_1$이므로 $\frac{4p^2}{m^2}=4px_1 \qquad \therefore x_1=\frac{p}{m^2}$

$x_1=\frac{p}{m^2},\ y_1=\frac{2p}{m}$를 ㉠에 대입하면

$\frac{2p}{m}y=2p\left(x+\frac{p}{m^2}\right) \qquad \therefore y=mx+\frac{p}{m}$

02-2 셀파 삼각형 ABP의 넓이가 최소일 때는 $\overline{AB}$를 밑변으로 생각하였을 때, 포물선 위의 점 P와 직선 AB 사이의 거리가 최소일 때이다.

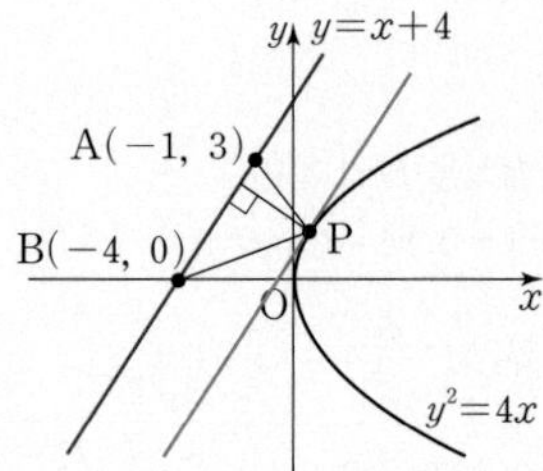

포물선 $y^2=4x$ 위의 점 P에서의 접선이 직선 AB와 평행할 때, 점 P와 직선 AB 사이의 거리가 최소이므로 삼각형 PAB의 넓이도 최소이다.

두 점 $A(-1, 3)$, $B(-4, 0)$을 지나는 직선의 방정식은

$y=\frac{3-0}{-1-(-4)}(x+4)=x+4$

포물선 $y^2=4x=4\times1\times x$에 접하고 기울기가 1인 접선의 방정식은

$y=1\times x+\frac{1}{1}=x+1$

이때 점 P와 직선 AB 사이의 거리의 최솟값은 직선 $y=x+1$ 위의 점 $(0, 1)$과 직선 $y=x+4$, 즉 $x-y+4=0$ 사이의 거리와 같으므로

$\frac{|-1+4|}{\sqrt{1^2+(-1)^2}}=\frac{3}{\sqrt{2}}=\frac{3\sqrt{2}}{2}$

따라서 $\overline{AB}=\sqrt{(-4+1)^2+(0-3)^2}=3\sqrt{2}$이므로 구하는 삼각형 ABP의 넓이의 최솟값은

$\frac{1}{2}\times3\sqrt{2}\times\frac{3\sqrt{2}}{2}=\mathbf{\frac{9}{2}}$

| 참고 |

삼각형 ABP의 넓이가 최소일 때는 $\overline{AB}$를 밑변으로 생각하였을 때 포물선 위의 점 P와 직선 AB 사이의 거리가 최소일 때이다.

포물선 $y^2=4x$ 위의 점 P에서 직선 $y=x+4$에 내린 수선의 발을 H라 하면 $\overline{PH}$의 최솟값은 직선 $y=x+4$에 평행, 즉 기울기가 1이고 포물선 $y^2=4x$에 접하는 직선과 직선 $y=x+4$ 사이의 거리와 같다.

03-1 셀파 포물선 $x^2=4py$ 위의 점 (x_1, y_1)에서의 접선의 방정식 ⇨ $x_1x=2p(y+y_1)$

포물선 $x^2=-8y$ 위의 점 $(-4, -2)$에서의 접선의 방정식은

$-4x=2\times(-2)\times(y-2)$ $\quad\therefore y=x+2$

따라서 직선 $y=x+2$가 x축의 양의 방향과 이루는 각의 크기를 θ라 하면 $\tan\theta=1$이므로 $\boldsymbol{\theta=45°}$

| 다른 풀이 |

[판별식 $D=0$을 이용]

포물선 $x^2=-8y$ 위의 점 $(-4, -2)$에서의 접선의 방정식을 $y=m(x+4)-2$라 하고, 이 식을 포물선의 방정식 $x^2=-8y$에 대입하면

$x^2=-8(mx+4m-2)$ $\quad\therefore x^2+8mx+32m-16=0$

이 이차방정식의 판별식을 D라 하면

$\frac{D}{4}=(4m)^2-(32m-16)=0$, $(m-1)^2=0$ $\quad\therefore m=1$

따라서 이 직선이 x축의 양의 방향과 이루는 각의 크기를 θ라 하면

$\tan\theta=1$ $\quad\therefore \theta=45°$

[음함수의 미분법 이용]

방정식 $x^2=-8y$의 양변을 x에 대하여 미분하면

$2x=-8\frac{dy}{dx}$ $\quad\therefore \frac{dy}{dx}=-\frac{1}{4}x$

포물선 $x^2=-8y$ 위의 점 $(-4, -2)$에서의 접선의 기울기는

$-\frac{1}{4}\times(-4)=1$이므로 접선이 x축의 양의 방향과 이루는 각의 크기를 θ라 하면

$\tan\theta=1$ $\quad\therefore \theta=45°$

03-2 셀파 포물선 $x^2=4py$ 위의 점 (x_1, y_1)에서의 접선의 방정식 ⇨ $x_1x=2p(y+y_1)$

$x^2=8y$에서 $p=2$이므로 초점은 $F(0, 2)$

포물선 $x^2=8y$ 위의 점 $P(8, 8)$에서의 접선의 방정식은

$8x=4(y+8)$ $\quad\therefore y=2x-8$ ……㉠

직선 ㉠의 y절편이 -8이므로 점 Q의 좌표는 $Q(0, -8)$

이때 오른쪽 그림과 같이 점 $P(8, 8)$에서 y축에 내린 수선의 발을 H라 하면 $H(0, 8)$이므로

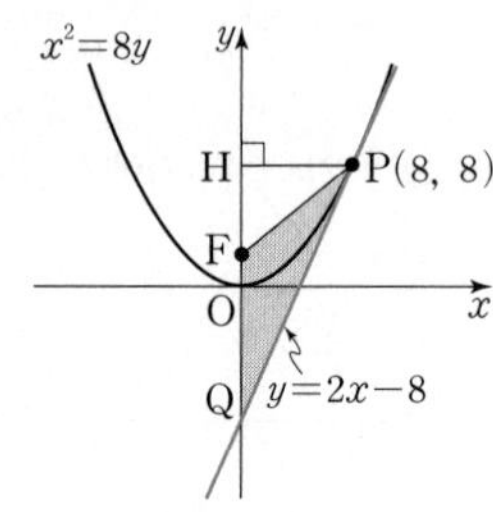

$\overline{PH}=8$, $\overline{QF}=2-(-8)=10$

따라서 삼각형 PFQ의 넓이는

$\frac{1}{2}\times\overline{QF}\times\overline{PH}=\frac{1}{2}\times10\times8=\mathbf{40}$

04-1 셀파 점 $(-1, 2)$는 포물선 $y^2=12x$ 밖의 점이다.

점 $(-1, 2)$에서 포물선 $y^2=12x$에 그은 접선의 접점의 좌표를 (x_1, y_1)이라 하면 접선의 방정식은

$y_1y=2\times3(x+x_1)$, 즉 $y_1y=6(x+x_1)$ ……㉠

이 접선이 점 $(-1, 2)$를 지나므로

$2y_1=6(-1+x_1)$ $\quad\therefore 3x_1-y_1=3$ ……㉡

또 점 (x_1, y_1)은 포물선 $y^2=12x$ 위의 점이므로

${y_1}^2=12x_1$ ……㉢

ⓛ에서 $3x_1=y_1+3$이고, 이것을 ⓒ에 대입하면

$y_1^2=4y_1+12$, $y_1^2-4y_1-12=0$

$(y_1+2)(y_1-6)=0$ $\quad\therefore y_1=-2$ 또는 $y_1=6$

$\therefore y_1=-2$일 때 $x_1=\frac{1}{3}$, $y_1=6$일 때 $x_1=3$

이것을 ㉠에 대입하면 구하는 접선의 방정식은

$\boldsymbol{y=-3x-1}$ **또는** $\boldsymbol{y=x+3}$

| 다른 풀이 |

[기울기가 주어질 때의 공식 이용]

점 $(-1, 2)$에서 포물선 $y^2=12x$에 그은 접선의 기울기를 m이라 하면 접선의 방정식은

$y=mx+\frac{3}{m}$ $\quad\cdots\cdots$㉠

접선 ㉠이 점 $(-1, 2)$를 지나므로

$2=-m+\frac{3}{m}$, $m^2+2m-3=0$

$(m+3)(m-1)=0$ $\quad\therefore m=-3$ 또는 $m=1$

이것을 ㉠에 대입하면 구하는 접선의 방정식은

$y=-3x-1$ 또는 $y=x+3$

[판별식 $D=0$을 이용]

점 $(-1, 2)$에서 포물선 $y^2=12x$에 그은 접선의 방정식을

$x-(-1)=m(y-2)$, 즉 $x=my-2m-1$ $\quad\cdots\cdots$㉠

로 놓고 포물선의 방정식에 대입하면

$y^2=12(my-2m-1)$

$\therefore y^2-12my+24m+12=0$

이 이차방정식의 판별식을 D라 하면

$\frac{D}{4}=(-6m)^2-(24m+12)=0$

$3m^2-2m-1=0$, $(3m+1)(m-1)=0$

$\therefore m=-\frac{1}{3}$ 또는 $m=1$

이것을 ㉠에 대입하면 구하는 접선의 방정식은

$y=-3x-1$ 또는 $y=x+3$

04-2 셀파 포물선 $y^2=8x$에 접하고 기울기가 m인 접선의 방정식은 $y=mx+\frac{2}{m}$이다.

$y^2=8x=4\times2\times x$에서 $p=2$이므로 접선의 기울기를 m이라 하면 접선의 방정식은 $y=mx+\frac{2}{m}$

점 $(k, 8)$이 직선 $y=mx+\frac{2}{m}$ 위의 점이므로

$8=mk+\frac{2}{m}$, $km^2-8m+2=0$ $\quad\cdots\cdots$㉠

이때 m에 대한 이차방정식 ㉠의 두 실근은 각각 점 $(k, 8)$에서 포물선 $y^2=8x$에 그은 두 접선의 기울기이고, 두 접선은 서로 수직이므로 이차방정식의 근과 계수의 관계에 의하여

$\frac{2}{k}=-1$ $\quad\therefore \boldsymbol{k=-2}$

| 다른 풀이 |

포물선 밖의 한 점에서 포물선에 그은 두 접선이 서로 수직이면 그 점은 포물선의 준선 위에 있으므로 점 $(k, 8)$은 포물선 $y^2=8x$의 준선인 직선 $x=-2$ 위에 있다.

$\therefore k=-2$

05-1 셀파 $y=mx+4$를 $4x^2+y^2=4$에 대입하여 얻은 이차방정식의 판별식을 이용한다.

$y=mx+4$를 $4x^2+y^2=4$에 대입하면

$4x^2+(mx+4)^2=4$, $4x^2+m^2x^2+8mx+16=4$

$\therefore (4+m^2)x^2+8mx+12=0$

이 이차방정식의 판별식을 D라 하면

$\frac{D}{4}=(4m)^2-12(4+m^2)=4m^2-48$

(1) 타원과 직선이 서로 다른 두 점에서 만나려면 $D>0$이어야 하므로

$4m^2-48>0$, $m^2-12>0$

$(m+2\sqrt{3})(m-2\sqrt{3})>0$

$\therefore \boldsymbol{m<-2\sqrt{3}}$ **또는** $\boldsymbol{m>2\sqrt{3}}$

(2) 타원과 직선이 접하려면 $D=0$이어야 하므로

$4m^2-48=0$, $m^2-12=0$

$(m+2\sqrt{3})(m-2\sqrt{3})=0$

$\therefore \boldsymbol{m=\pm2\sqrt{3}}$

(3) 타원과 직선이 만나지 않으려면 $D<0$이어야 하므로

$4m^2-48<0$, $m^2-12<0$

$(m+2\sqrt{3})(m-2\sqrt{3})<0$

$\therefore \boldsymbol{-2\sqrt{3}<m<2\sqrt{3}}$

셀파 특강 확인 체크 02

(1) $\frac{x^2}{4}+\frac{y^2}{8}=1$에서 $a^2=4$, $b^2=8$이고, $m=\frac{1}{2}$이므로

구하는 접선의 방정식은

$y=\frac{1}{2}x\pm\sqrt{4\times\frac{1}{4}+8}$ $\quad\therefore \boldsymbol{y=\frac{1}{2}x\pm3}$

(2) 타원 $\frac{(x+2)^2}{4}+\frac{(y-3)^2}{8}=1$은 타원 $\frac{x^2}{4}+\frac{y^2}{8}=1$을 x축의 방향으로 -2만큼, y축의 방향으로 3만큼 평행이동한 것이다.

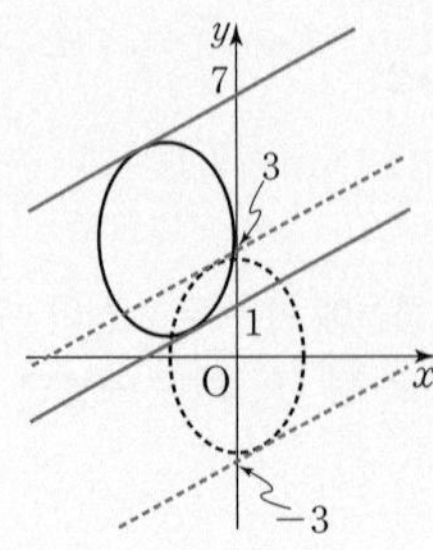

따라서 구하는 접선은 (1)에서 구한 접선을 x축의 방향으로 -2만큼, y축의 방향으로 3만큼 평행이동하면 된다. 즉,

$y-3=\frac{1}{2}(x+2)\pm3$

$\therefore$ $\boldsymbol{y=\frac{1}{2}x+7}$ **또는** $\boldsymbol{y=\frac{1}{2}x+1}$

| 다른 풀이 |

(1) 기울기가 $\frac{1}{2}$인 접선의 방정식을 $y=\frac{1}{2}x+n$으로 놓고, 이것을

$\frac{x^2}{4}+\frac{y^2}{8}=1$, 즉 $2x^2+y^2=8$에 대입하면

$2x^2+\left(\frac{1}{2}x+n\right)^2=8$, $2x^2+\frac{1}{4}x^2+nx+n^2=8$

$\therefore 9x^2+4nx+4n^2-32=0$

이 이차방정식의 판별식을 D라 하면

$\frac{D}{4}=(2n)^2-9(4n^2-32)=0$

$-32(n^2-9)=0$, $n^2=9$ $\qquad \therefore n=\pm3$

따라서 구하는 접선의 방정식은

$y=\frac{1}{2}x\pm3$

(2) 기울기가 $\frac{1}{2}$인 접선의 방정식을 $y=\frac{1}{2}x+n$으로 놓고, 이것을

$\frac{(x+2)^2}{4}+\frac{(y-3)^2}{8}=1$, 즉 $2(x+2)^2+(y-3)^2=8$에 대입하면

$2(x+2)^2+\left(\frac{1}{2}x+n-3\right)^2=8$

$2x^2+8x+8+\frac{1}{4}x^2+(n-3)x+n^2-6n+9=8$

$\therefore 9x^2+4(n+5)x+4n^2-24n+36=0$

이 이차방정식의 판별식을 D라 하면

$\frac{D}{4}=\{2(n+5)\}^2-9(4n^2-24n+36)=0$

$-32(n^2-8n+7)=0$, $n^2-8n+7=0$

$(n-1)(n-7)=0$ $\qquad \therefore n=1$ 또는 $n=7$

따라서 구하는 접선의 방정식은

$y=\frac{1}{2}x+1$ 또는 $y=\frac{1}{2}x+7$

06-1 셀파 **타원에 접하고 기울기가 1인 접선의 방정식을 구한다.**

타원 $\frac{x^2}{5}+\frac{y^2}{4}=1$에 접하고 기울기가 1인 접선의 방정식은

$y=x\pm\sqrt{5\times1+4}$ $\qquad \therefore y=x\pm3$

직선 $y=x-3$ 위의 한 점 $(3, 0)$과 직선 $y=x+3$, 즉 $x-y+3=0$ 사이의 거리는

$\frac{|3+3|}{\sqrt{1+1}}=\frac{6}{\sqrt{2}}=3\sqrt{2}$

따라서 구하는 두 접선 사이의 거리는 $\boldsymbol{3\sqrt{2}}$

06-2 셀파 **직선 AF와 평행한 타원의 접선의 방정식을 구한다.**

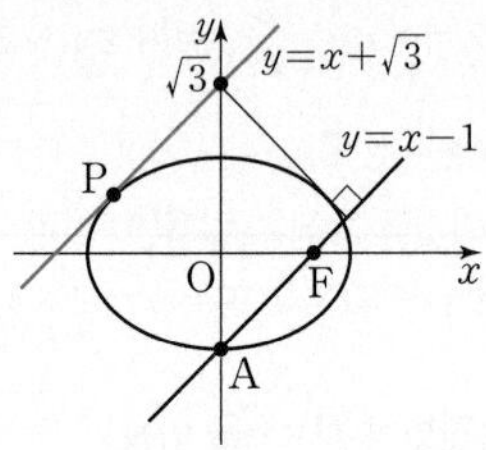

오른쪽 그림과 같이 타원 위의 점 P와 직선 AF 사이의 거리가 최대이려면 점 P에서의 접선의 기울기가 직선 AF의 기울기와 같아야 한다.

이때 꼭짓점 A와 초점 F의 좌표는 각각 $A(0, -1)$, $F(1, 0)$이므로 직선 AF의 방정식은

$y=x-1$

또 타원 $\frac{x^2}{2}+y^2=1$에 접하고 기울기가 1인 접선의 방정식은

$y=x\pm\sqrt{2\times1+1}$ $\qquad \therefore y=x\pm\sqrt{3}$

이 중 거리가 최대가 되는 점 P에서의 접선의 방정식은 $y=x+\sqrt{3}$이고, 이 직선 위의 한 점 $(0, \sqrt{3})$과 직선 $y=x-1$, 즉 $x-y-1=0$ 사이의 거리는

$\frac{|-\sqrt{3}-1|}{\sqrt{1+1}}=\frac{\sqrt{3}+1}{\sqrt{2}}=\frac{\sqrt{6}+\sqrt{2}}{2}$

따라서 구하는 최댓값은 $\boldsymbol{\frac{\sqrt{6}+\sqrt{2}}{2}}$

07-1 셀파 **타원 $\frac{x^2}{a^2}+\frac{y^2}{b^2}=1$ 위의 점 (x_1, y_1)에서의 접선의 방정식 ⇨ $\frac{x_1x}{a^2}+\frac{y_1y}{b^2}=1$**

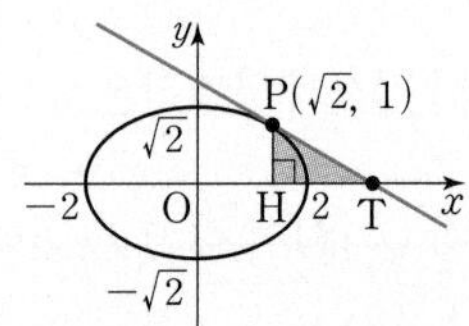

타원 $\frac{x^2}{4}+\frac{y^2}{2}=1$ 위의 점 $P(\sqrt{2}, 1)$에서 x축에 내린 수선의 발 H의 좌표는 $H(\sqrt{2}, 0)$이므로

$\overline{PH}=1$

점 $P(\sqrt{2}, 1)$에서의 접선의 방정식은

$\frac{\sqrt{2}x}{4}+\frac{y}{2}=1$

이때 이 접선과 x축의 교점 T의 좌표는 $T(2\sqrt{2}, 0)$이므로

$\overline{HT}=2\sqrt{2}-\sqrt{2}=\sqrt{2}$ (교점 T의 좌표: $\frac{\sqrt{2}x}{4}+\frac{y}{2}=1$에 $y=0$을 대입하여 풀면 $x=2\sqrt{2}$)

따라서 구하는 삼각형 PHT의 넓이는

$\frac{1}{2}\times\overline{HT}\times\overline{PH}=\frac{1}{2}\times\sqrt{2}\times1=\mathbf{\frac{\sqrt{2}}{2}}$

LECTURE 음함수의 미분법을 이용하여 접선의 방정식 구하기

타원 $\frac{x^2}{4}+\frac{y^2}{2}=1$ 위의 점 $P(\sqrt{2}, 1)$에서의 접선의 방정식을 음함수의 미분법을 이용하여 구하여 보자.

$\frac{x^2}{4}+\frac{y^2}{2}=1$의 양변을 x에 대하여 미분하면

$\frac{2x}{4}+\frac{2y}{2}\frac{dy}{dx}=0 \qquad \therefore \frac{dy}{dx}=-\frac{x}{2y}$ (단, $y\neq0$)

이때 타원 위의 점 $P(\sqrt{2}, 1)$에서의 접선의 기울기는

$-\frac{\sqrt{2}}{2\times1}=-\frac{\sqrt{2}}{2}$

따라서 구하는 접선의 방정식은

$y-1=-\frac{\sqrt{2}}{2}(x-\sqrt{2}) \qquad \therefore y=-\frac{\sqrt{2}}{2}x+2$

07-2

셀파 점 P의 좌표를 $P(x_1, y_1)$로 놓고 타원 위의 점 P에서의 접선의 방정식을 구한다.

타원 $\frac{x^2}{16}+\frac{y^2}{9}=1$ 위의 점 P의 좌표를 $P(x_1, y_1)$이라 하면

점 $P(x_1, y_1)$에서의 접선의 방정식은

$\frac{x_1x}{16}+\frac{y_1y}{9}=1 \qquad \cdots\cdots ㉠$

㉠에 $x=0$을 대입하면

$\frac{y_1y}{9}=1 \qquad \therefore y=\frac{9}{y_1}$

즉, 접선 ㉠과 y축의 교점 Q의 좌표는 $Q\left(0, \frac{9}{y_1}\right)$

$\therefore \overline{QO}=\left|\frac{9}{y_1}\right|$

또 점 $P(x_1, y_1)$에서 x축에 내린 수선의 발 H의 좌표는 $H(x_1, 0)$이므로 $\overline{PH}=|y_1|$

$\therefore \overline{PH}\times\overline{QO}=|y_1|\times\left|\frac{9}{y_1}\right|=\mathbf{9}$

08-1

셀파 접선이 주어진 점을 지남을 이용한다.

점 $(3, 1)$에서 타원 $\frac{x^2}{9}+\frac{y^2}{5}=1$에 그은 접선의 접점의 좌표를 (x_1, y_1)로 놓으면 접선의 방정식은

$\frac{x_1x}{9}+\frac{y_1y}{5}=1 \qquad \therefore 5x_1x+9y_1y=45 \qquad \cdots\cdots ㉠$

이 접선이 점 $(3, 1)$을 지나므로

$15x_1+9y_1=45 \qquad \therefore 5x_1+3y_1=15 \qquad \cdots\cdots ㉡$

또 점 (x_1, y_1)은 타원 $\frac{x^2}{9}+\frac{y^2}{5}=1$ 위의 점이므로

$\frac{{x_1}^2}{9}+\frac{{y_1}^2}{5}=1 \qquad \therefore 5{x_1}^2+9{y_1}^2=45 \qquad \cdots\cdots ㉢$

㉡에서 $3y_1=5(3-x_1)$

이것을 ㉢에 대입하면

$5{x_1}^2+25(3-x_1)^2=45$, $30{x_1}^2-150x_1+180=0$

${x_1}^2-5x_1+6=0$, $(x_1-2)(x_1-3)=0$

$\therefore x_1=2$ 또는 $x_1=3$

$x_1=2$일 때 $y_1=\frac{5}{3}$

$x_1=3$일 때 $y_1=0$

따라서 접점의 좌표는 $\left(2, \frac{5}{3}\right)$ 또는 $(3, 0)$이다.

이것을 ㉠에 대입하면 구하는 접선의 방정식은

$10x+15y=45$, $15x=45$

$\therefore \mathbf{y=-\frac{2}{3}x+3}$ **또는** $\mathbf{x=3}$

| 주의 |

타원 $\frac{x^2}{9}+\frac{y^2}{5}=1$에 접하고 기울기가 m인 접선의 방정식은

$y=mx\pm\sqrt{9m^2+5} \qquad \cdots\cdots ㉠$

직선 ㉠이 점 $(3, 1)$을 지나므로

$1=3m\pm\sqrt{9m^2+5} \qquad \therefore \pm\sqrt{9m^2+5}=-3m+1$

이 식의 양변을 제곱하면

$9m^2+5=9m^2-6m+1$

$6m=-4 \qquad \therefore m=-\frac{2}{3}$

이 값을 ㉠에 대입하면

$y=-\frac{2}{3}x\pm3$

이때 점 $(3, 1)$을 지나는 직선은 $y=-\frac{2}{3}x+3$ 뿐이다.

또 이 방법으로는 점 $(3, 1)$을 지나면서 y축에 평행한 타원의 접선의 방정식인 $x=3$을 구할 수 없다.

이와 같이 기울기가 주어질 때의 타원의 접선의 방정식을 구하는 공식 $y=mx\pm\sqrt{a^2m^2+b^2}$을 이용하는 경우 주어진 점을 지나지 않는 직선이 나올 수 있고, y축에 평행한 접선은 구할 수 없는 경우가 있다는 것에 유의하자.

09-1 셀파 직선의 방정식을 쌍곡선의 방정식에 대입하여 얻은 이차방정식의 판별식을 이용한다.

$y=x+k$를 $2x^2-3y^2=6$에 대입하면

$2x^2-3(x+k)^2=6$, $2x^2-(3x^2+6kx+3k^2)=6$

$\therefore x^2+6kx+3k^2+6=0$

이 이차방정식의 판별식을 D라 하면

$\frac{D}{4}=(3k)^2-(3k^2+6)=6k^2-6$

(1) 쌍곡선과 직선이 서로 다른 두 점에서 만나려면 $D>0$이어야 하므로

$6k^2-6>0$, $k^2-1>0$, $(k+1)(k-1)>0$

$\therefore$ **$k<-1$ 또는 $k>1$**

(2) 쌍곡선과 직선이 접하려면 $D=0$이어야 하므로

$6k^2-6=0$, $k^2-1=0$, $(k+1)(k-1)=0$

$\therefore$ **$k=\pm1$**

(3) 쌍곡선과 직선이 만나지 않으려면 $D<0$이어야 하므로

$6k^2-6<0$, $k^2-1<0$, $(k+1)(k-1)<0$

$\therefore$ **$-1<k<1$**

셀파 특강 확인 체크 03

(1) 쌍곡선 $\frac{x^2}{4}-\frac{y^2}{8}=-1$에서 $a^2=4$, $b^2=8$이고, $m=-1$이므로

구하는 접선의 방정식은

$y=-x\pm\sqrt{8-4\times1}$ $\qquad\therefore$ **$y=-x\pm2$**

(2) 쌍곡선 $\frac{(x+2)^2}{4}-\frac{(y-1)^2}{8}=-1$은 쌍곡선 $\frac{x^2}{4}-\frac{y^2}{8}=-1$을 x축의 방향으로 -2만큼, y축의 방향으로 1만큼 평행이동한 것이다.

따라서 구하는 접선은 (1)에서 구한 직선을 x축의 방향으로 -2만큼, y축의 방향으로 1만큼 평행이동하면 된다. 즉,

$y-1=-(x+2)\pm2$

$\therefore$ **$y=-x-3$ 또는 $y=-x+1$**

| 참고 |

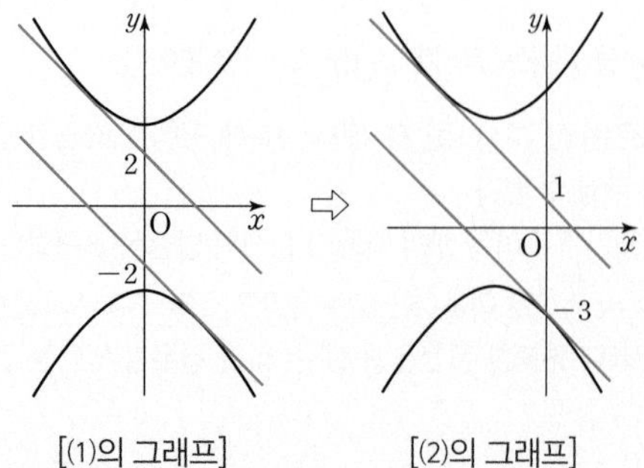

셀파 세미나 점근선으로 알아보는 쌍곡선과 직선의 위치 관계

쌍곡선 $\frac{x^2}{a^2}-\frac{y^2}{b^2}=1\ (a>0,\ b>0)$과 직선 $y=mx+n$ $(m\neq0)$의 위치 관계에 대하여 알아보자.

❶ 점근선과 직선의 기울기가 같을 때, 즉 $m=\pm\frac{b}{a}$일 때

(i) $n=0$이면

점근선과 직선이 일치하므로 쌍곡선과 직선은 만나지 않는다.

(ii) $n\neq0$이면

점근선과 직선은 평행하므로 오른쪽 그림과 같이 쌍곡선과 직선은 접하지 않고 한 점에서 만난다.

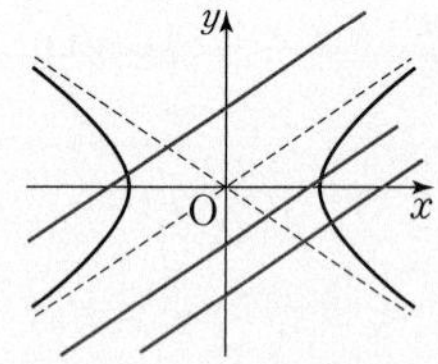

❷ 점근선과 직선의 기울기가 다를 때, 즉 $m\neq\pm\frac{b}{a}$일 때

(i) $-\frac{b}{a}<m<\frac{b}{a}$이면

직선 $y=mx+n$은 점근선과 평행하지 않으므로 오른쪽 그림과 같이 쌍곡선과 직선은 항상 서로 다른 두 점에서 만난다.

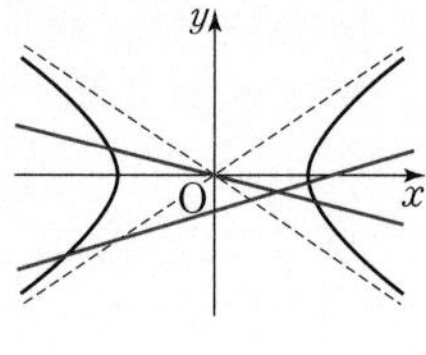

(ii) $m<-\frac{b}{a}$ 또는 $m>\frac{b}{a}$이면

쌍곡선과 직선의 위치 관계는 n의 값에 따라 다르다.

① $n=0$인 경우

직선 $y=mx+n$은 원점을 지나고 점근선과 평행하지 않으므로 오른쪽 그림과 같이 쌍곡선과 직선은 만나지 않는다.

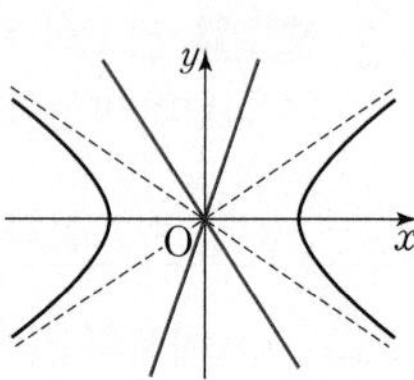

② $n\neq0$인 경우

직선 $y=mx+n$은 점근선과 평행하지도 않고 원점을 지나지도 않으므로 오른쪽 그림과 같이 서로 다른 두 점 또는 한 점에서 만나거나 만나지 않는다.

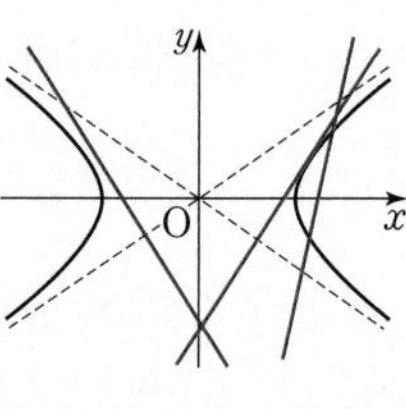

이것은 직선의 방정식을 쌍곡선의 방정식에 대입하여 얻은 이차방정식의 판별식을 이용하여 구분한다.

10-1 **셀파** 쌍곡선 $\frac{x^2}{5}-\frac{y^2}{9}=-1$에 접하고 직선 $y=x-4$에 수직인 접선을 평행이동한다.

쌍곡선 $\frac{(x-1)^2}{5}-\frac{(y+1)^2}{9}=-1$은 쌍곡선 $\frac{x^2}{5}-\frac{y^2}{9}=-1$을 x축의 방향으로 1만큼, y축의 방향으로 -1만큼 평행이동한 것이다.

이때 직선 $y=x-4$에 수직인 직선의 기울기는 -1이므로 쌍곡선 $\frac{x^2}{5}-\frac{y^2}{9}=-1$에 접하고 기울기가 -1인 접선의 방정식은

$y=-x\pm\sqrt{9-5\times1}$ $\quad\therefore y=-x\pm2$ $\quad\cdots\cdots$㉠

따라서 구하는 접선은 직선 ㉠을 x축의 방향으로 1만큼, y축의 방향으로 -1만큼 평행이동한 것이므로

$y+1=-(x-1)\pm2$

$\therefore$ $\boldsymbol{y=-x-2}$ **또는** $\boldsymbol{y=-x+2}$

10-2 **셀파** 주어진 직선과 기울기가 같은 쌍곡선의 접선의 방정식을 구한다.

쌍곡선 $2x^2-y^2=4$, 즉 $\frac{x^2}{2}-\frac{y^2}{4}=1$에 접하고 기울기가 2인 직선의 방정식은

$y=2x\pm\sqrt{2\times4-4}$ $\quad\therefore y=2x\pm2$

쌍곡선 위의 점 중 제1사분면 위에 있는 점 P와 직선 $y=2x+6$ 사이의 거리의 최솟값은 평행한 두 직선 $y=2x-2$와 $y=2x+6$ 사이의 거리와 같다.

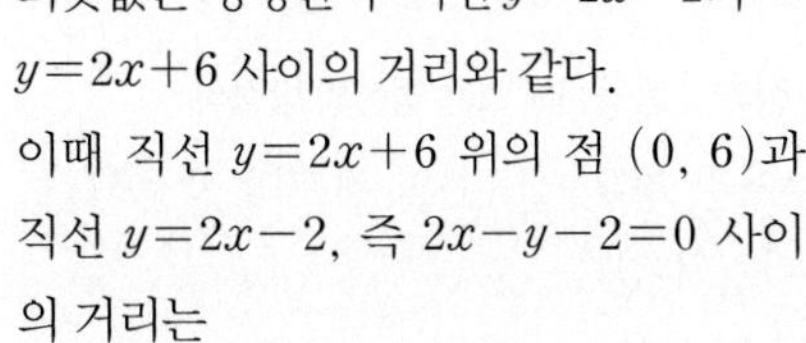

이때 직선 $y=2x+6$ 위의 점 $(0, 6)$과 직선 $y=2x-2$, 즉 $2x-y-2=0$ 사이의 거리는

$\frac{|-6-2|}{\sqrt{2^2+(-1)^2}}=\frac{8}{\sqrt{5}}=\frac{8\sqrt{5}}{5}$

따라서 구하는 거리의 최솟값은 $\boldsymbol{\frac{8\sqrt{5}}{5}}$

| 참고 |

점 P는 제1사분면 위의 점이므로 $y=2x+2$가 아닌 $y=2x-2$를 이용한다.

11-1 **셀파** 쌍곡선 $\frac{x^2}{a^2}-\frac{y^2}{b^2}=1$ 위의 점 (x_1, y_1)에서의 접선의 방정식 ⇨ $\frac{x_1x}{a^2}-\frac{y_1y}{b^2}=1$

쌍곡선 $x^2-2y^2=2$ 위의 점 $\mathrm{A}(-2, 1)$에서의 접선의 방정식은

$-2x-2y=2$

$\therefore y=-x-1$ $\quad\cdots\cdots$㉠

이때 직선 ㉠이 y축과 만나는 점 P의 좌표는 $\mathrm{P}(0, -1)$

또 직선 ㉠에 수직인 직선의 기울기는 1이므로 기울기가 1이고 점 $\mathrm{A}(-2, 1)$을 지나는 직선의 방정식은

$y-1=x+2$

$\therefore y=x+3$ $\quad\cdots\cdots$㉡

이때 직선 ㉡이 y축과 만나는 점 Q의 좌표는 $\mathrm{Q}(0, 3)$

$\therefore \overline{\mathrm{PQ}}=3-(-1)=\mathbf{4}$

11-2 **셀파** 점 F에서 직선 l에 내린 수선의 발이 P이므로 선분 FP의 길이는 점 F와 직선 l 사이의 거리와 같다.

쌍곡선 $x^2-y^2=5$ 위의 점 $\mathrm{A}(3, 2)$에서의 접선의 방정식은

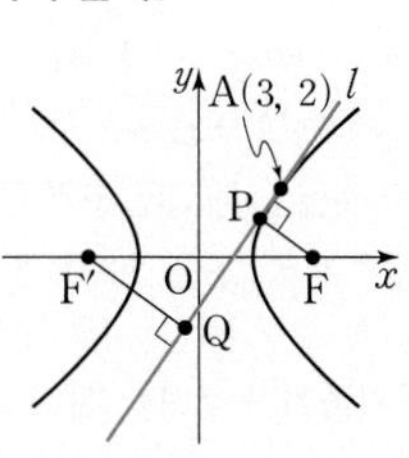

$3x-2y=5$

$\therefore 3x-2y-5=0$

즉, 직선 l의 방정식은 $3x-2y-5=0$

또 쌍곡선 $x^2-y^2=5$, 즉 $\frac{x^2}{5}-\frac{y^2}{5}=1$의 두 초점의 좌표는

$\mathrm{F}(\sqrt{10}, 0)$, $\mathrm{F'}(-\sqrt{10}, 0)$

$\overline{\mathrm{FP}}$는 점 $\mathrm{F}(\sqrt{10}, 0)$과 직선 l 사이의 거리이므로

$\overline{\mathrm{FP}}=\frac{|3\sqrt{10}-5|}{\sqrt{3^2+(-2)^2}}=\frac{3\sqrt{10}-5}{\sqrt{13}}$

$\overline{\mathrm{F'Q}}$는 점 $\mathrm{F'}(-\sqrt{10}, 0)$과 직선 l 사이의 거리이므로

$\overline{\mathrm{F'Q}}=\frac{|-3\sqrt{10}-5|}{\sqrt{3^2+(-2)^2}}=\frac{3\sqrt{10}+5}{\sqrt{13}}$

$\therefore \overline{\mathrm{FP}}\times\overline{\mathrm{F'Q}}=\frac{65}{13}=\mathbf{5}$

12-1 셀파 쌍곡선 $Ax^2-By^2=C$ 위의 점 (x_1, y_1)에서의 접선의 방정식 ⇨ $Ax_1x-By_1y=C$

쌍곡선 $2x^2-3y^2=6$ 위의 접점의 좌표를 (x_1, y_1)로 놓으면 접선의 방정식은

$2x_1x-3y_1y=6$ ……㉠

이 접선이 점 $(2, 1)$을 지나므로

$4x_1-3y_1=6 \quad \therefore y_1=\frac{4}{3}x_1-2$ ……㉡

또 점 (x_1, y_1)은 쌍곡선 $2x^2-3y^2=6$ 위의 점이므로

$2{x_1}^2-3{y_1}^2=6$ ……㉢

㉡을 ㉢에 대입하면 $2{x_1}^2-3\left(\frac{4}{3}x_1-2\right)^2=6$

$5{x_1}^2-24x_1+27=0, (5x_1-9)(x_1-3)=0$

$\therefore x_1=\frac{9}{5}$ 또는 $x_1=3$

따라서 접점의 좌표는 $\left(\frac{9}{5}, \frac{2}{5}\right)$, $(3, 2)$이다.

이것을 ㉠에 대입하면 구하는 접선의 방정식은

$\frac{18}{5}x-\frac{6}{5}y=6$ 또는 $6x-6y=6$

$\therefore$ **$y=3x-5$ 또는 $y=x-1$**

| 다른 풀이 |

[판별식 $D=0$을 이용]

점 $(2, 1)$을 지나고 기울기가 m인 직선의 방정식은

$y-1=m(x-2) \quad \therefore y=mx-2m+1$ ……㉠

㉠을 $2x^2-3y^2=6$에 대입하면

$2x^2-3(mx-2m+1)^2=6$

$(2-3m^2)x^2+6m(2m-1)x-3(4m^2-4m+3)=0$

이 이차방정식의 판별식을 D라 하면

$\frac{D}{4}=9m^2(2m-1)^2+3(2-3m^2)(4m^2-4m+3)=0$

$m^2-4m+3=0, (m-1)(m-3)=0$

$\therefore m=1$ 또는 $m=3$

이것을 ㉠에 대입하면 구하는 접선의 방정식은

$y=x-1$ 또는 $y=3x-5$

[기울기가 주어질 때의 공식 이용]

쌍곡선 $2x^2-3y^2=6$, 즉 $\frac{x^2}{3}-\frac{y^2}{2}=1$에 대하여 접선의 기울기를 m이라 하면 접선의 방정식은

$y=mx\pm\sqrt{3m^2-2}$ ……㉠

직선 ㉠이 점 $(2, 1)$을 지나므로

$1=2m\pm\sqrt{3m^2-2}, \pm\sqrt{3m^2-2}=1-2m$

(i) $\sqrt{3m^2-2}=1-2m$일 때

이 식의 양변을 제곱하면 $3m^2-2=(1-2m)^2$

$m^2-4m+3=0, (m-1)(m-3)=0$

$\therefore m=1$ 또는 $m=3$

이때 $1-2m\geq 0$에서 $m\leq\frac{1}{2}$이고 $m=1$, $m=3$은 이것을 만족시키지 않으므로 m의 값은 존재하지 않는다.

(ii) $-\sqrt{3m^2-2}=1-2m$일 때

이 식의 양변을 제곱하면 $3m^2-2=(1-2m)^2$

$m^2-4m+3=0, (m-1)(m-3)=0$

$\therefore m=1$ 또는 $m=3$

이때 $1-2m\leq 0$에서 $m\geq\frac{1}{2}$이고 $m=1$, $m=3$은 이것을 만족시킨다.

(i), (ii)에서 $m=1$, $m=3$

이것을 ㉠에 각각 대입하면

$y=x\pm1$ 또는 $y=3x\pm5$

이때 두 직선 $y=x-1$, $y=3x-5$는 점 $(2, 1)$을 지나고, 두 직선 $y=x+1$, $y=3x+5$는 점 $(2, 1)$을 지나지 않으므로 구하는 접선의 방정식은

$y=x-1$ 또는 $y=3x-5$

12-2 셀파 기울기가 m인 접선 $y=mx\pm\sqrt{a^2m^2-b^2}$이 주어진 점을 지남을 이용한다.

쌍곡선 $\frac{x^2}{4}-\frac{y^2}{3}=1$에 접하고 기울기가 m인 접선의 방정식은

$y=mx\pm\sqrt{4m^2-3}$ ……㉠

직선 ㉠이 점 $(1, 3)$을 지나므로

$3=m\pm\sqrt{4m^2-3}, 3-m=\pm\sqrt{4m^2-3}$

이 식의 양변을 제곱하면 $9-6m+m^2=4m^2-3$

$m^2+2m-4=0$ ……㉡

이때 이차방정식 ㉡의 두 근은 두 접선의 기울기 m_1, m_2이므로 이차방정식의 근과 계수의 관계로부터

$m_1+m_2=-2, m_1m_2=-4$

$\therefore {m_1}^2+{m_2}^2=(m_1+m_2)^2-2m_1m_2$

$=(-2)^2-2\times(-4)=$**12**

LECTURE **쌍곡선 밖의 한 점에서 쌍곡선에 그은 접선의 방정식**

쌍곡선 밖의 한 점이 주어진 경우 쌍곡선의 접선의 방정식을 구하는 방법은 다음 세 가지가 있다.

❶ 접점이 주어질 때의 공식 이용

❷ 기울기가 주어질 때의 공식 이용

❸ 판별식 이용

이때 문제에서 묻는 조건에 따라 풀이 방법을 택하는 것이 중요하다.

확인문제 12-2의 경우 기울기와 관련된 값을 구해야 하므로 방법 ❷를 이용하여 문제를 해결한다.

연습 문제

본문 | 82~83쪽

01 셀파 포물선 $x^2=12y$에 접하고 기울기가 1인 접선을 평행이동한다.

$x^2=12y=4\times3\times y$에 접하고 기울기가 1인 접선의 방정식은

$y=1\times x-1^2\times3=x-3$

이 접선을 x축의 방향으로 k만큼, y축의 방향으로 $-k$만큼 평행이동하면

$y+k=x-k-3 \quad \therefore y=x-2k-3 \quad \cdots\cdots$ ㉠

직선 ㉠이 직선 $y=x+2$와 일치하므로

$-2k-3=2,\ 2k=-5 \quad \therefore \boldsymbol{k=-\frac{5}{2}}$

| 다른 풀이 |

포물선 $x^2=12y$를 x축의 방향으로 k만큼, y축의 방향으로 $-k$만큼 평행이동하면

$(x-k)^2=12(y+k) \quad \cdots\cdots$ ㉠

㉠에 직선의 방정식 $y=x+2$를 대입하면

$(x-k)^2=12(x+2+k)$

$\therefore x^2-2(k+6)x+k^2-12k-24=0 \quad \cdots\cdots$ ㉡

포물선 ㉠과 직선 $y=x+2$가 접하므로 이차방정식 ㉡의 판별식을 D라 하면

$\frac{D}{4}=(k+6)^2-(k^2-12k-24)=0$

$24k+60=0 \quad \therefore k=-\frac{5}{2}$

02 셀파 삼각형 AFP에서 $\overline{FA}$를 밑변으로 생각한다.

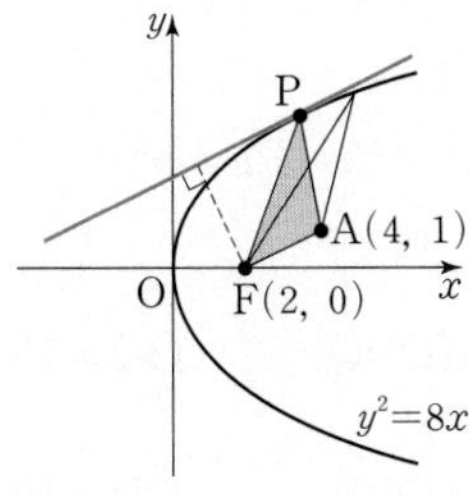

포물선 $y^2=8x$의 초점은 $F(2, 0)$이고, $A(4, 1)$이므로 $\overline{AF}=\sqrt{5}$

이때 삼각형 AFP의 넓이는 점 P에서의 접선의 기울기가 직선 AF의 기울기와 같을 때, 최대가 된다.

기울기가 $\frac{1}{2}$이고 포물선 $y^2=8x$에 접하는 접선의 방정식은

$y=\frac{1}{2}x+\frac{2}{\frac{1}{2}}=\frac{1}{2}x+4 \quad \therefore x-2y+8=0$

이때 점 $F(2, 0)$과 직선 $x-2y+8=0$ 사이의 거리는

$\frac{|2+8|}{\sqrt{1^2+(-2)^2}}=\frac{10}{\sqrt{5}}=2\sqrt{5}$

따라서 구하는 넓이의 최댓값은

$\frac{1}{2}\times\sqrt{5}\times2\sqrt{5}=\boldsymbol{5}$

03 셀파 포물선의 꼭짓점이 원점이 아닐 때는 판별식 $D=0$을 이용한다.

접선의 방정식을 $y-3=m(x-1)$, 즉 $y=mx-m+3$으로 놓고 포물선의 방정식에 대입하면

$x^2=mx-m+1 \quad \therefore x^2-mx+m-1=0$

이 이차방정식의 판별식을 D라 하면

$D=m^2-4(m-1)=0,\ m^2-4m+4=0$

$(m-2)^2=0 \quad \therefore m=2$

따라서 접선의 방정식은

$y=2x+1$

이 접선이 x축, y축과 만나는 점의 좌표는 각각

$\left(-\frac{1}{2}, 0\right), (0, 1)$

이므로 오른쪽 그림에서 구하는 삼각형의 넓이는

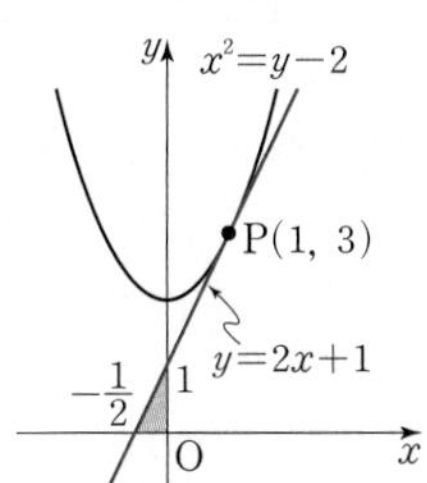

$\frac{1}{2}\times\frac{1}{2}\times1=\boldsymbol{\frac{1}{4}}$

04 셀파 접선의 방정식과 포물선의 방정식을 각각 연립하여 얻은 이차방정식에서 판별식을 D라 하면 $D=0$이다.

㉮ 포물선 $y^2=8x$와 직선 $y=ax+b$가 접하므로

$y=ax+b$를 $y^2=8x$에 대입하면

$(ax+b)^2=8x,\ a^2x^2+2(ab-4)x+b^2=0$

이 이차방정식의 판별식을 D_1이라 하면

$\frac{D_1}{4}=(ab-4)^2-a^2b^2=0,\ -8ab+16=0$

$\therefore ab=2 \quad \cdots\cdots$ ㉠

㉯ 포물선 $x^2=8y$와 직선 $y=ax+b$가 접하므로

$y=ax+b$를 $x^2=8y$에 대입하면

$x^2=8(ax+b),\ x^2-8ax-8b=0$

이 이차방정식의 판별식을 D_2라 하면

$\frac{D_2}{4}=(-4a)^2+8b=0,\ 16a^2+8b=0$

$\therefore b=-2a^2 \quad \cdots\cdots$ ㉡

㉰ ㉡을 ㉠에 대입하면 $-2a^3=2,\ a^3=-1$

$\therefore \boldsymbol{a=-1}$ ($\because a$는 실수)

$a=-1$을 ㉠에 대입하면 $\boldsymbol{b=-2}$

채점 기준	배점
㉮ 포물선 $y^2=8x$와 직선이 접할 때, a, b 사이의 관계식을 구한다.	40%
㉯ 포물선 $x^2=8y$와 직선이 접할 때, a, b 사이의 관계식을 구한다.	40%
㉰ a, b의 값을 구한다.	20%

| 참고 |

두 포물선 $y^2=8x$, $x^2=8y$와 두 포물선에 동시에 접하는 직선 l은 오른쪽 그림과 같다.

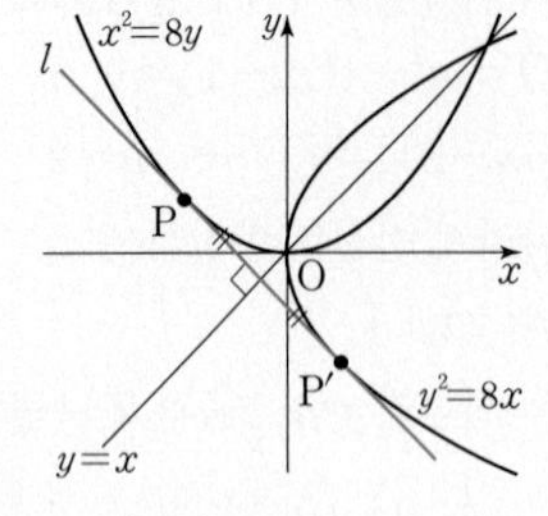

이때 두 포물선은 직선 $y=x$에 대하여 대칭이므로 직선 l과 포물선 $x^2=8y$의 접점의 좌표를 $\mathrm{P}(x_1, y_1)$이라 하면 직선 l과 포물선 $y^2=8x$의 접점의 좌표는 $\mathrm{P}'(y_1, x_1)$이다.

즉, 두 포물선에 동시에 접하는 직선의 기울기는 -1이므로

$a=-1$

따라서 접선의 방정식을 $y=-x+b$로 놓고 풀어도 된다.

05 셀파 **포물선 $(y-1)^2=2(x-1)$은 포물선 $y^2=2x$를 평행이동한 것이다.**

포물선 $(y-1)^2=2(x-1)$은 포물선 $y^2=2x$를 x축의 방향으로 1만큼, y축의 방향으로 1만큼 평행이동한 것이므로 이 포물선에 접하는 직선은 직선 l을 x축의 방향으로 1만큼, y축의 방향으로 1만큼 평행이동한 것이다.

직선 l과 포물선 $y^2=2x$의 접점의 좌표를 (x_1, y_1)이라 하면

접선 l의 방정식은

$y_1y=2\times\frac{1}{2}(x+x_1)$ $\quad\therefore y_1y=x+x_1$ ……㉠

이 접선을 x축의 방향으로 1만큼, y축의 방향으로 1만큼 평행이동하면

$y_1(y-1)=(x-1)+x_1$

$\therefore y_1y=x+x_1+y_1-1$ ……㉡

㉠, ㉡이 같은 직선이므로

$y_1-1=0$에서 $y_1=1$

또 점 (x_1, y_1)이 포물선 $y^2=2x$ 위의 점이므로

$y_1^2=2x_1$에서 $x_1=\frac{1}{2}$

$x_1=\frac{1}{2}$, $y_1=1$을 ㉠에 대입하면 구하는 직선 l의 방정식은

$\boldsymbol{y=x+\frac{1}{2}}$

06 셀파 **(산술평균)$\geq$(기하평균)을 이용한다.**

타원 $x^2+9y^2=9$, 즉 $\frac{x^2}{9}+y^2=1$의 접선의 기울기를 m이라 하면

접선의 방정식은 $y=mx\pm\sqrt{9m^2+1}$

$\mathrm{P}\left(\pm\frac{\sqrt{9m^2+1}}{m}, 0\right)$, $\mathrm{Q}(0, \mp\sqrt{9m^2+1})$이므로

$\overline{\mathrm{PQ}}=\sqrt{\left(\pm\frac{\sqrt{9m^2+1}}{m}\right)^2+(\mp\sqrt{9m^2+1})^2}=\sqrt{9m^2+\frac{1}{m^2}+10}$

이때 $9m^2>0$, $\frac{1}{m^2}>0$이므로 산술평균과 기하평균의 관계에서

$9m^2+\frac{1}{m^2}+10\geq2\sqrt{9m^2\times\frac{1}{m^2}}+10$

$=2\times3+10=16$

$\left(\text{단, 등호는 } 9m^2=\frac{1}{m^2}\text{일 때 성립}\right)$

따라서 $\overline{\mathrm{PQ}}$의 길이의 최솟값은 $\sqrt{16}=\mathbf{4}$

07 셀파 **점 P에서의 접선의 방정식에서 x절편, y절편을 구한다.**

점 P의 좌표를 $\mathrm{P}(x_1, y_1)$ $(x_1>0, y_1>0)$이라 하면

타원 $\frac{x^2}{9}+\frac{y^2}{4}=1$ 위의 점 $\mathrm{P}(x_1, y_1)$에서의 접선의 방정식은

$\frac{x_1x}{9}+\frac{y_1y}{4}=1$

$\therefore \overline{\mathrm{OQ}}=\frac{9}{x_1}$, $\overline{\mathrm{OR}}=\frac{4}{y_1}$

또 점 $\mathrm{P}(x_1, y_1)$은 타원 위의 점이므로

$\frac{x_1^2}{9}+\frac{y_1^2}{4}=1$ $\quad\therefore 4x_1^2+9y_1^2=36$ ……㉠

점 P에서 x축에 내린 수선의 발을 H, y축에 내린 수선의 발을 L이라 하면

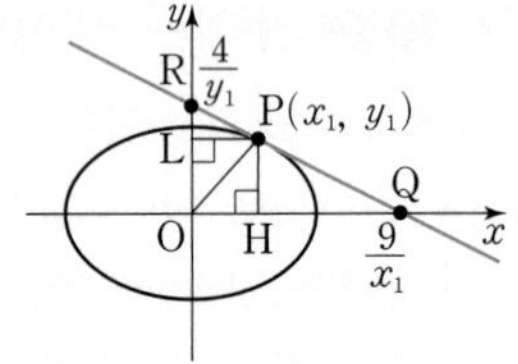

$\overline{\mathrm{PH}}=y_1$, $\overline{\mathrm{PL}}=x_1$

이때

$\triangle\mathrm{OPQ}=\frac{1}{2}\times\overline{\mathrm{OQ}}\times\overline{\mathrm{PH}}=\frac{1}{2}\times\frac{9}{x_1}\times y_1=\frac{9y_1}{2x_1}$

$\triangle\mathrm{OPR}=\frac{1}{2}\times\overline{\mathrm{OR}}\times\overline{\mathrm{PL}}=\frac{1}{2}\times\frac{4}{y_1}\times x_1=\frac{2x_1}{y_1}$

$\triangle\mathrm{OPQ} : \triangle\mathrm{OPR}=3 : 1$이므로 ($\triangle\mathrm{OPQ}=3\times\triangle\mathrm{OPR}$)

$\frac{9y_1}{2x_1}=3\times\frac{2x_1}{y_1}$, $12x_1^2=9y_1^2$

$\therefore 4x_1^2-3y_1^2=0$ ……㉡

㉠$-$㉡에서 $12y_1^2=36$ $\quad\therefore y_1=\sqrt{3}$ ($\because y_1>0$)

$y_1=\sqrt{3}$을 ㉡에 대입하면 $x_1=\frac{3}{2}$ ($\because x_1>0$)

따라서 구하는 점 P의 좌표는 $\mathbf{P}\left(\frac{3}{2}, \sqrt{3}\right)$

08 셀파 접점의 좌표를 (x_1, y_1)로 놓고 접선의 방정식을 구한 다음 이 접선이 점 $(-1, 1)$을 지남을 이용한다.

접점의 좌표를 (x_1, y_1)로 놓으면 접선의 방정식은

$\frac{x_1x}{4}+y_1y=1 \quad \therefore x_1x+4y_1y=4$ ······㉠

접선 ㉠이 점 $(-1, 1)$을 지나므로 $-x_1+4y_1=4$ ······㉡

또 점 (x_1, y_1)은 타원 $\frac{x^2}{4}+y^2=1$ 위의 점이므로

$\frac{{x_1}^2}{4}+{y_1}^2=1 \quad \therefore {x_1}^2+4{y_1}^2=4$ ······㉢

㉡에서 $x_1=4(y_1-1)$이고, 이것을 ㉢에 대입하면

$\{4(y_1-1)\}^2+4{y_1}^2=4$, $20{y_1}^2-32y_1+12=0$

$5{y_1}^2-8y_1+3=0$, $(5y_1-3)(y_1-1)=0$

$\therefore y_1=\frac{3}{5}$ 또는 $y_1=1$

이 값을 ㉡에 대입하면 접점의 좌표는 $\left(-\frac{8}{5}, \frac{3}{5}\right)$ 또는 $(0, 1)$

이것을 ㉠에 대입하면 접선의 방정식은

$y=\frac{2}{3}x+\frac{5}{3}$ 또는 $y=1$

$m_1=\frac{2}{3}$, $m_2=0$ 또는 $m_1=0$, $m_2=\frac{2}{3}$

$\therefore m_1+m_2=\mathbf{\frac{2}{3}}$

09 셀파 두 점 A, B에서의 접선의 방정식은 모두 점 P를 지난다.

점 $\mathrm{P}(4, 2)$에서 타원 $x^2+4y^2=4$에 그은 두 접선의 접점 A, B의 좌표를 각각 $\mathrm{A}(x_1, y_1)$, $\mathrm{B}(x_2, y_2)$라 하면 두 점 A, B에서의 접선의 방정식은 각각

$x_1x+4y_1y=4$ ······㉠, $x_2x+4y_2y=4$ ······㉡

점 $\mathrm{P}(4, 2)$가 두 직선 ㉠, ㉡ 위의 점이므로

$4x_1+8y_1=4$, $4x_2+8y_2=4$ ······㉢

이때 ㉢은 두 점 A, B가 직선 $x+2y=1$ 위의 점인 것을 뜻하고 두 점 A, B를 지나는 직선은 오직 한 개뿐이므로 두 점 A, B를 지나는 직선의 방정식은 $x+2y=1$

즉, 두 점 A, B를 지나는 직선과 x축 및 y축으로 둘러싸인 삼각형은 다음 그림의 색칠한 부분과 같다.

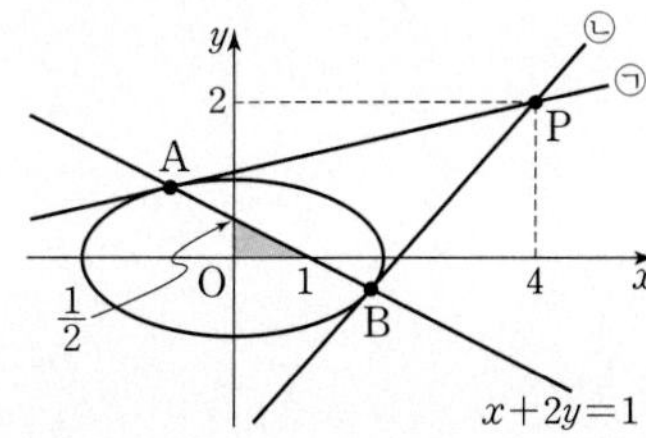

따라서 구하는 삼각형의 넓이는 $\frac{1}{2}\times1\times\frac{1}{2}=\mathbf{\frac{1}{4}}$

10 셀파 쌍곡선과 직선이 접하는 경우와 접하지 않고 한 점에서 만나는 경우로 나누어 생각한다.

쌍곡선과 직선이 한 점에서 만나는 경우는 두 도형이 접하는 경우와 접하지 않고 한 점에서 만나는 경우로 나누어 생각한다.

(i) 접하는 경우

$y=m(x-2)$를 $\frac{x^2}{9}-y^2=1$, 즉 $x^2-9y^2=9$에 대입하면

$x^2-9\{m(x-2)\}^2=9$

$\therefore (1-9m^2)x^2+36m^2x-9(4m^2+1)=0$ ······㉠

이 이차방정식 ㉠의 판별식을 D라 하면

$\frac{D}{4}=(18m^2)^2+9(1-9m^2)(4m^2+1)=0$

$9(1-5m^2)=0$, $1-5m^2=0$

$\therefore m=\pm\frac{1}{\sqrt{5}}$

(ii) 접하지 않고 한 점에서 만나는 경우

쌍곡선 $\frac{x^2}{9}-y^2=1$의 점근선의 방정식은

$y=\pm\frac{1}{3}x$

오른쪽 그림과 같이 직선 $y=m(x-2)$가 쌍곡선의 점근선 $y=\pm\frac{1}{3}x$와 평행하고 쌍곡선의 중심을 지나지 않아야 하므로

$m=\pm\frac{1}{3}$

(i), (ii)에서 조건을 만족시키는 실수 m의 개수는

$\frac{1}{\sqrt{5}}$, $-\frac{1}{\sqrt{5}}$, $\frac{1}{3}$, $-\frac{1}{3}$의 **4**

11 셀파 쌍곡선 $\frac{x^2}{a^2}-\frac{y^2}{b^2}=1$에 접하고 기울기가 m인 접선의 방정식 ⇨ $y=mx\pm\sqrt{a^2m^2-b^2}$ (단, $a^2m^2-b^2>0$)

쌍곡선 $\frac{x^2}{a}-\frac{y^2}{2}=1$에 접하고 기울기가 3인 접선의 방정식은

$y=3x\pm\sqrt{a\times3^2-2}=3x\pm\sqrt{9a-2}$ (단, $9a-2>0$)

이때 $\sqrt{9a-2}=5$이므로

$9a-2=25$, $9a=27 \quad \therefore a=3$

즉, 주어진 쌍곡선의 방정식은 $\frac{x^2}{3}-\frac{y^2}{2}=1$

따라서 쌍곡선의 두 초점의 좌표는 $(\sqrt{5}, 0)$, $(-\sqrt{5}, 0)$이므로 구하는 두 초점 사이의 거리는 ($\pm\sqrt{3+2}=\pm\sqrt{5}$)

$\sqrt{5}-(-\sqrt{5})=\mathbf{2\sqrt{5}}$

12 셀파 쌍곡선 $Ax^2-By^2=C$ 위의 점 (x_1, y_1)에서의 접선의 방정식 ⇨ $Ax_1x-By_1y=C$

쌍곡선 $x^2-4y^2=-3$ 위의 점 $(1, -1)$에서의 접선의 방정식은

$x+4y=-3 \quad \therefore y=-\frac{1}{4}x-\frac{3}{4}$ ……㉠

이때 직선 ㉠에 수직인 직선의 기울기는 4이고,

직선 ㉠과 y축의 교점의 좌표는 $\left(0, -\frac{3}{4}\right)$이다.

따라서 기울기가 4이고 점 $\left(0, -\frac{3}{4}\right)$을 지나는 직선의 방정식은

$\boldsymbol{y=4x-\frac{3}{4}}$

13 셀파 직선 OH의 방정식을 쌍곡선의 방정식에 대입하여 점 Q의 좌표를 구한다.

쌍곡선 $x^2-y^2=32$ 위의 점 $\mathrm{P}(-6, 2)$에서의 접선의 방정식은

$-6x-2y=32 \quad \therefore 3x+y=-16$

이때 $\overline{\mathrm{OH}}$는 원점 O와 직선 $3x+y+16=0$ 사이의 거리이므로

$\overline{\mathrm{OH}}=\frac{|16|}{\sqrt{3^2+1^2}}=\frac{16}{\sqrt{10}}=\frac{8}{5}\sqrt{10}$

직선 OH는 기울기가 -3인 접선 l에 수직이므로 직선 OH의 기울기는 $\frac{1}{3}$이다.

따라서 직선 OH의 방정식은 $y=\frac{1}{3}x$ ……㉠

㉠을 $x^2-y^2=32$에 대입하면

$x^2-\left(\frac{1}{3}x\right)^2=32, \frac{8}{9}x^2=32 \quad \therefore x=6\ (\because x>0)$

$x=6$을 ㉠에 대입하면 $y=2$

즉, 점 Q의 좌표는 $\mathrm{Q}(6, 2)$이므로

$\overline{\mathrm{OQ}}=\sqrt{6^2+2^2}=\sqrt{40}=2\sqrt{10}$

$\therefore \overline{\mathrm{OH}}\times\overline{\mathrm{OQ}}=\frac{8}{5}\sqrt{10}\times2\sqrt{10}=\mathbf{32}$

14 셀파 쌍곡선 $\frac{x^2}{a^2}-\frac{y^2}{b^2}=1$에 접하고 기울기가 m인 접선의 방정식 ⇨ $y=mx\pm\sqrt{a^2m^2-b^2}$ (단, $a^2m^2-b^2>0$)

쌍곡선 $x^2-y^2=9$, 즉 $\frac{x^2}{9}-\frac{y^2}{9}=1$에 접하고 기울기가 m인 접선의 방정식은

$y=mx\pm\sqrt{9m^2-9}$ (단, $9m^2-9>0$)

이 직선이 직선 $y=mx+n$과 같으므로

$n=\pm\sqrt{9m^2-9} \quad \therefore n^2=9m^2-9$ ……㉠

또 원 $x^2+y^2=4$와 직선 $y=mx+n$이 접하므로 원의 중심 $(0, 0)$과 직선 $y=mx+n$, 즉 $mx-y+n=0$ 사이의 거리는 원의 반지름의 길이와 같다. 즉,

$\frac{|n|}{\sqrt{m^2+1}}=2, |n|=2\sqrt{m^2+1}$

$\therefore n^2=4(m^2+1)$ ……㉡

㉠, ㉡에서 $9m^2-9=4(m^2+1)$

$5m^2=13 \quad \therefore m^2=\frac{13}{5}$

이 값을 ㉠에 대입하면 $n^2=\frac{72}{5}$

$\therefore m^2+n^2=\frac{13}{5}+\frac{72}{5}=\frac{85}{5}=\mathbf{17}$

| 참고 |

$m^2=\frac{13}{5}$, $n^2=\frac{72}{5}$에서 m, n의 값은 각각 2개이므로 쌍곡선과 원의 공통접선 $y=mx+n$은 모두 4개이고 그 개형은 다음과 같다.

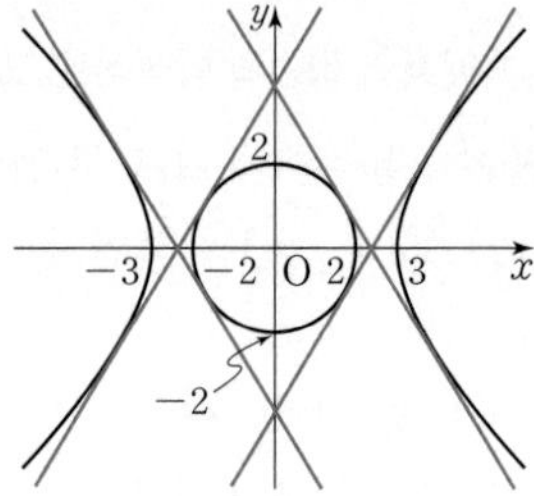

5. 벡터의 연산

개념 익히기

본문 | 87, 89 쪽

1-1 (1) $\overline{\text{AB}}=\sqrt{2^2+2^2}=2\sqrt{2}$이므로 $|\overrightarrow{\text{AB}}|=\boxed{2\sqrt{2}}$

(2) $\overline{\text{BD}}=\boxed{3}$이므로 $|\overrightarrow{\text{BD}}|=\boxed{3}$

(3) $\overline{\text{CB}}=\sqrt{\boxed{2}^2+1^2}=\boxed{\sqrt{5}}$이므로 $|\overrightarrow{\text{CB}}|=\boxed{\sqrt{5}}$

1-2 (1) $\overline{\text{AB}}=\sqrt{3^2+2^2}=\sqrt{13}$이므로 $|\overrightarrow{\text{AB}}|=\boldsymbol{\sqrt{13}}$

(2) $\overline{\text{BD}}=\sqrt{3^2+1^2}=\sqrt{10}$이므로 $|\overrightarrow{\text{BD}}|=\boldsymbol{\sqrt{10}}$

(3) $\overline{\text{CB}}=\sqrt{1^2+2^2}=\sqrt{5}$이므로 $|\overrightarrow{\text{CB}}|=\boldsymbol{\sqrt{5}}$

(4) $\overline{\text{DA}}=3$이므로 $|\overrightarrow{\text{DA}}|=\mathbf{3}$

2-1 한 칸의 가로, 세로의 길이를 모두 1이라 하면
$|\vec{a}|=\sqrt{2^2+1^2}=\sqrt{5}$
(1) $|\vec{d}|=|\vec{e}|=\sqrt{2^2+1^2}=\sqrt{5}$이므로
벡터 $\vec{a}$와 크기가 같은 벡터는 $\vec{d}$, $\boxed{\vec{e}}$이다.
이때 벡터 $\vec{a}$와 방향이 같은 벡터는 $\vec{d}$이므로
벡터 $\vec{a}$와 같은 벡터는 $\boldsymbol{\vec{d}}$

(2) 벡터 $\vec{a}$와 크기가 같은 벡터는 $\vec{d}$, $\vec{e}$이다.
이때 벡터 $\vec{a}$와 방향이 반대인 벡터는 $\vec{e}$이므로
벡터 $\vec{a}$와 크기는 같고 방향이 반대인 벡터는 $\boxed{\boldsymbol{\vec{e}}}$

2-2 한 칸의 가로, 세로의 길이를 모두 1이라 하면
$|\vec{a}|=\sqrt{3^2+2^2}=\sqrt{13}$
(1) $|\vec{b}|=|\vec{c}|=\sqrt{3^2+2^2}=\sqrt{13}$ 이므로
벡터 $\vec{a}$와 크기가 같은 벡터는 $\vec{b}$, $\vec{c}$이다.
이때 벡터 $\vec{a}$와 방향이 같은 벡터는 $\vec{b}$이므로
벡터 $\vec{a}$와 같은 벡터는 $\boldsymbol{\vec{b}}$

(2) 벡터 $\vec{a}$와 크기가 같은 벡터는 $\vec{b}$, $\vec{c}$이다.
이때 벡터 $\vec{a}$와 방향이 반대인 벡터는 $\vec{c}$이므로
벡터 $\vec{a}$와 크기는 같고 방향이 반대인 벡터는 $\boldsymbol{\vec{c}}$

3-1 (1) $4(3\vec{a}-2\vec{b})-5(2\vec{a}-\vec{b})$
$=12\vec{a}-8\vec{b}-10\vec{a}+5\vec{b}$
$=(12-10)\vec{a}+(-8+5)\vec{b}$
$=\boxed{2}\boldsymbol{\vec{a}-3\vec{b}}$

(2) $2(\vec{a}-3\vec{b}+2\vec{c})+3(-\vec{a}+2\vec{b}-\vec{c})$
$=2\vec{a}-6\vec{b}+4\vec{c}-3\vec{a}+6\vec{b}-3\vec{c}$
$=(2-3)\vec{a}+(-6+6)\vec{b}+(4-3)\vec{c}$
$=\boldsymbol{-\vec{a}+}\boxed{\boldsymbol{\vec{c}}}$

3-2 (1) $3(\vec{a}+2\vec{b})-2(\vec{a}+\vec{b})$
$=3\vec{a}+6\vec{b}-2\vec{a}-2\vec{b}$
$=(3-2)\vec{a}+(6-2)\vec{b}$
$=\boldsymbol{\vec{a}+4\vec{b}}$

(2) $4(2\vec{a}-3\vec{b}+\vec{c})-5(-2\vec{a}+\vec{b}+2\vec{c})$
$=8\vec{a}-12\vec{b}+4\vec{c}+10\vec{a}-5\vec{b}-10\vec{c}$
$=(8+10)\vec{a}+(-12-5)\vec{b}+(4-10)\vec{c}$
$=\boldsymbol{18\vec{a}-17\vec{b}-6\vec{c}}$

4-1 두 벡터 $2\vec{a}-m\vec{b}$, $\vec{a}-3\vec{b}$가 서로 평행하므로
$2\vec{a}-m\vec{b}=k(\vec{a}-3\vec{b})$ (단, k는 0이 아닌 실수)
$2\vec{a}-m\vec{b}=k\vec{a}-3k\vec{b}$
에서 $\boxed{2}=k$, $-m=-3k$
$\therefore$ $\boldsymbol{m}=\boxed{6}$

4-2 (1) 두 벡터 $\vec{a}-3\vec{b}$, $m\vec{a}+9\vec{b}$가 서로 평행하므로
$m\vec{a}+9\vec{b}=k(\vec{a}-3\vec{b})$ (단, k는 0이 아닌 실수)
$m\vec{a}+9\vec{b}=k\vec{a}-3k\vec{b}$
에서 $m=k$, $9=-3k$
$k=-3$이므로 $\boldsymbol{m=-3}$

(2) 두 벡터 $2\vec{a}-5\vec{b}$, $6\vec{a}+m\vec{b}$가 서로 평행하므로
$6\vec{a}+m\vec{b}=k(2\vec{a}-5\vec{b})$ (단 k는 0이 아닌 실수)
$6\vec{a}+m\vec{b}=2k\vec{a}-5k\vec{b}$
에서 $6=2k$, $m=-5k$
$k=3$이므로 $\boldsymbol{m=-15}$

확인 문제 본문 | 91~103쪽

01-1 셀파 서로 같은 벡터는 크기와 방향이 각각 같은 벡터이다.

(1) $\overrightarrow{AB}$와 크기와 방향이 각각 같은 벡터는 $\mathbf{\overrightarrow{DC}}$

(2) $\overrightarrow{BC}$와 크기는 같고 방향이 반대인 벡터는 $\mathbf{\overrightarrow{CB}}$, $\mathbf{\overrightarrow{DA}}$

01-2 셀파 삼각형의 평행선과 선분의 길이의 비에서

$\overline{DF}=\frac{1}{2}\overline{BC}$, $\overline{DE}=\frac{1}{2}\overline{AC}$, $\overline{EF}=\frac{1}{2}\overline{AB}$이다.

(1) 선분 AB의 중점이 D이므로

$\overline{FE}=\frac{1}{2}\overline{AB}=\overline{AD}$

$\therefore \overrightarrow{FE}=\overrightarrow{AD}=\boldsymbol{\vec{a}}$

(2) 선분 BC의 중점이 E이므로

$\overline{DF}=\frac{1}{2}\overline{BC}=\overline{BE}$

$\therefore \overrightarrow{DF}=\overrightarrow{BE}=\boldsymbol{\vec{c}}$

(3) 선분 AC의 중점이 F이므로

$\overline{ED}=\frac{1}{2}\overline{AC}=\overline{AF}$

$\therefore \overrightarrow{ED}=-\overrightarrow{AF}=\boldsymbol{-\vec{b}}$

(4) 선분 BC의 중점이 E이므로

$\overline{CE}=\overline{BE}$

$\therefore \overrightarrow{CE}=-\overrightarrow{BE}=\boldsymbol{-\vec{c}}$

셀파 특강 확인 체크 01

(1)

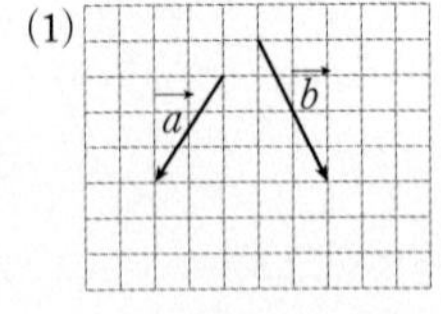

⇨

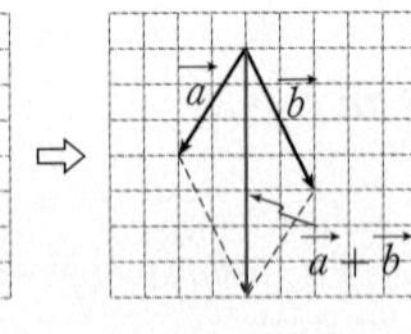

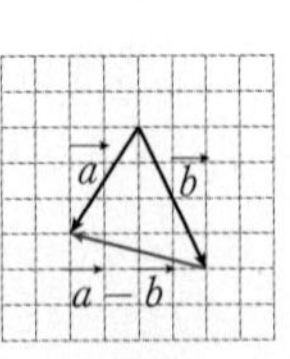

(2)

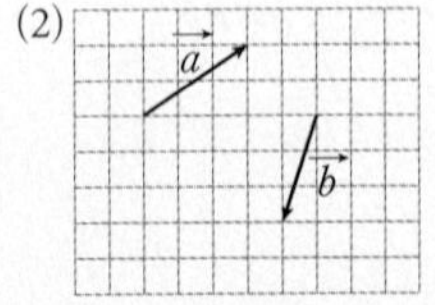

⇨

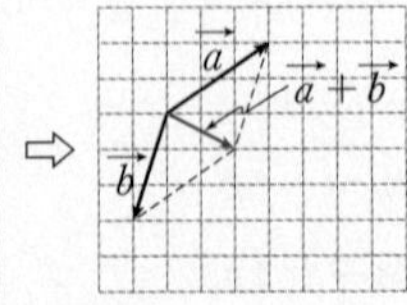

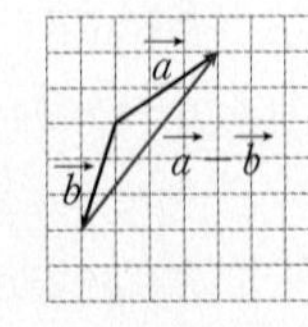

02-1 셀파 벡터의 덧셈에 대한 성질을 이용한다.

(1) $\overrightarrow{AB}+\overrightarrow{CA}+\overrightarrow{BC}=\overrightarrow{AB}+\overrightarrow{BC}+\overrightarrow{CA}$ ⇦ 교환법칙

$=(\overrightarrow{AB}+\overrightarrow{BC})+\overrightarrow{CA}$ ⇦ 결합법칙

$=\overrightarrow{AC}+\overrightarrow{CA}=\overrightarrow{AA}$

$=\mathbf{\vec{0}}$

(2) $\overrightarrow{AB}+\overrightarrow{CD}+\overrightarrow{DA}=\overrightarrow{AB}+(\overrightarrow{CD}+\overrightarrow{DA})$ ⇦ 결합법칙

$=\overrightarrow{AB}+\overrightarrow{CA}$

$=\overrightarrow{CA}+\overrightarrow{AB}$ ⇦ 교환법칙

$=\mathbf{\overrightarrow{CB}}$

02-2 셀파 $\overrightarrow{AB}=\overrightarrow{AD}+\overrightarrow{DB}$, $\overrightarrow{CD}=\overrightarrow{CB}+\overrightarrow{BD}$

$\overrightarrow{AB}+\overrightarrow{CD}=(\overrightarrow{AD}+\overrightarrow{DB})+\overrightarrow{CD}$

$=\overrightarrow{AD}+(\overrightarrow{DB}+\overrightarrow{CD})$ ⇦ 결합법칙

$=\overrightarrow{AD}+(\overrightarrow{CD}+\overrightarrow{DB})$ ⇦ 교환법칙

$=\overrightarrow{AD}+\overrightarrow{CB}$

$\therefore \overrightarrow{AB}+\overrightarrow{CD}=\overrightarrow{AD}+\overrightarrow{CB}$

03-1 셀파 (2) 사각형 ABOF는 평행사변형이다.

(1) 삼각형 ABF에서 두 벡터의 차를 이용하여 $\overrightarrow{BF}$를 나타내면

$\overrightarrow{BF}=\overrightarrow{AF}-\overrightarrow{AB}=\boldsymbol{\vec{b}-\vec{a}}$

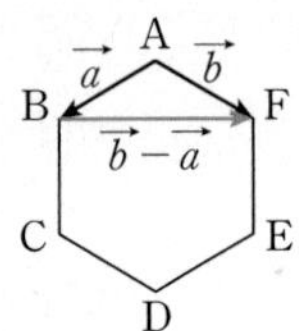

(2) 사각형 ABOF는 평행사변형이므로

$\overrightarrow{OA}=\overrightarrow{BA}-\overrightarrow{BO}=-\overrightarrow{AB}-\overrightarrow{AF}$

$=\boldsymbol{-\vec{a}-\vec{b}}$

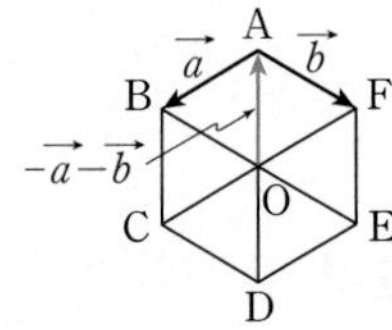

04-1 셀파 $\vec{x}$, $\vec{a}$, $\vec{b}$를 문자로 생각하고 $\vec{x}$에 대하여 정리한다.

$2(\vec{x}+\vec{a})-5\vec{b}=3(3\vec{b}-\vec{x})$에서

$2\vec{x}+2\vec{a}-5\vec{b}=9\vec{b}-3\vec{x}$, $5\vec{x}=-2\vec{a}+14\vec{b}$

$\therefore \boldsymbol{\vec{x}=-\frac{2}{5}\vec{a}+\frac{14}{5}\vec{b}}$

04-2 셀파 $\vec{a}$, $\vec{b}$를 각각 $\vec{x}$, $\vec{y}$에 대한 식으로 나타낸다.

$\vec{x}=-2\vec{a}+3\vec{b}$ ……㉠

$\vec{y}=3\vec{a}-5\vec{b}$ ……㉡

㉠$\times5+$㉡$\times3$에서 $\vec{a}=-5\vec{x}-3\vec{y}$

㉠$\times3+$㉡$\times2$에서 $\vec{b}=-3\vec{x}-2\vec{y}$

$\therefore \vec{a}+\vec{b}=\mathbf{-8\vec{x}-5\vec{y}}$

집중 연습

본문 | 98 쪽

01 (1) $\overrightarrow{AB}+\overrightarrow{BC}+\overrightarrow{CD}=\overrightarrow{AC}+\overrightarrow{CD}=\mathbf{\overrightarrow{AD}}$

(2) $\overrightarrow{BC}+\overrightarrow{AB}+\overrightarrow{DE}+\overrightarrow{CD}$

$=(\overrightarrow{AB}+\overrightarrow{BC})+\overrightarrow{DE}+\overrightarrow{CD}$

$=(\overrightarrow{AC}+\overrightarrow{CD})+\overrightarrow{DE}$

$=\overrightarrow{AD}+\overrightarrow{DE}=\mathbf{\overrightarrow{AE}}$

(3) $\overrightarrow{BA}-\overrightarrow{BC}=\mathbf{\overrightarrow{CA}}$

(4) $\overrightarrow{AB}-\overrightarrow{CB}=\overrightarrow{AB}+\overrightarrow{BC}=\mathbf{\overrightarrow{AC}}$

(5) $\overrightarrow{AC}+\overrightarrow{CB}-\overrightarrow{AB}=\overrightarrow{AB}-\overrightarrow{AB}=\vec{\mathbf{0}}$

(6) $\overrightarrow{AC}+\overrightarrow{CB}-(-\overrightarrow{BD})+\overrightarrow{BA}$ ($-\overrightarrow{BD}=\overrightarrow{DB}$이므로 $-(-\overrightarrow{BD})=-\overrightarrow{DB}=\overrightarrow{BD}$)

$=(\overrightarrow{AB}+\overrightarrow{BD})+\overrightarrow{BA}$

$=\overrightarrow{AD}+\overrightarrow{BA}$

$=\overrightarrow{AD}-\overrightarrow{AB}=\mathbf{\overrightarrow{BD}}$

02 (1) (주어진 식)$=3\vec{a}+6\vec{b}+2\vec{a}-\vec{b}=\mathbf{5\vec{a}+5\vec{b}}$

(2) (주어진 식)$=6\vec{a}+3\vec{b}-9\vec{c}+\vec{a}+2\vec{b}-\vec{c}=\mathbf{7\vec{a}+5\vec{b}-10\vec{c}}$

(3) (주어진 식)$=\vec{a}-2\vec{b}+2\vec{c}+3\vec{a}-3\vec{b}+6\vec{c}$

$=\mathbf{4\vec{a}-5\vec{b}+8\vec{c}}$

03 (1) $-\vec{x}=\vec{a}-5\vec{b}$ $\quad\therefore \mathbf{\vec{x}=-\vec{a}+5\vec{b}}$

(2) $2\vec{b}-\vec{x}=3\vec{x}-6\vec{a}$, $-4\vec{x}=-6\vec{a}-2\vec{b}$

$\therefore \mathbf{\vec{x}=\frac{3}{2}\vec{a}+\frac{1}{2}\vec{b}}$

(3) $4\vec{x}+8\vec{a}-4\vec{b}=3\vec{a}+6\vec{b}+3\vec{x}$ $\quad\therefore \mathbf{\vec{x}=-5\vec{a}+10\vec{b}}$

05-1 셀파 영벡터가 아닌 두 벡터 $\vec{a}$, $\vec{b}$가 평행하지 않을 때, $m\vec{a}+n\vec{b}=\vec{0}$이면 $m=0$, $n=0$ (m, n은 실수)이다.

영벡터가 아닌 두 벡터 $\vec{a}$, $\vec{b}$가 서로 평행하지 않으므로

$(m+3n-4)\vec{a}+(m-n)\vec{b}=\vec{0}$에서

$m+3n-4=0$, $m-n=0$

두 식을 연립하여 풀면 $\mathbf{m=1}$, $\mathbf{n=1}$

05-2 셀파 영벡터가 아닌 두 벡터 $\vec{a}$, $\vec{b}$가 서로 평행하지 않을 때, $m\vec{a}+n\vec{b}=m'\vec{a}+n'\vec{b} \Longleftrightarrow m=m'$, $n=n'$ (단, m, n, m', n'은 실수)

$(3m+n)\vec{a}+(m+2n-1)\vec{b}$

$=(2m+2n+5)\vec{a}+(-m+n)\vec{b}$ ……㉠

이때 두 벡터 $\vec{a}$, $\vec{b}$는 영벡터가 아니고 서로 평행하지 않으므로

$3m+n=2m+2n+5$, $m+2n-1=-m+n$

$m-n=5$, $2m+n=1$

두 식을 연립하여 풀면 $\mathbf{m=2}$, $\mathbf{n=-3}$

| 다른 풀이 |

㉠을 변형하면

$(3m+n-2m-2n-5)\vec{a}+(m+2n-1+m-n)\vec{b}=\vec{0}$

$\therefore (m-n-5)\vec{a}+(2m+n-1)\vec{b}=\vec{0}$

이때 두 벡터 $\vec{a}$, $\vec{b}$는 영벡터가 아니고 서로 평행하지 않으므로

$m-n-5=0$, $2m+n-1=0$

$\therefore m=2$, $n=-3$

셀파 특강 확인 체크 02

두 벡터 $3\vec{a}+2\vec{b}$, $k\vec{a}-3\vec{b}$가 서로 평행하므로

$3\vec{a}+2\vec{b}=t(k\vec{a}-3\vec{b})$ (t는 0이 아닌 실수)에서

$3\vec{a}+2\vec{b}=tk\vec{a}-3t\vec{b}$

이때 두 벡터 $\vec{a}$, $\vec{b}$는 영벡터가 아니고 서로 평행하지 않으므로

$3=tk$, $2=-3t$

$t=-\frac{2}{3}$이므로 $-\frac{2}{3}k=3$

$\therefore \mathbf{k=-\frac{9}{2}}$

06-1 셀파 $\vec{q}+\vec{r}=k(\vec{p}+\vec{r})$ (단, k는 0이 아닌 실수)

$\vec{p}+\vec{r}=4\vec{a}-3\vec{b}+(-3\vec{a}+5\vec{b})=\vec{a}+2\vec{b}$

$\vec{q}+\vec{r}=m\vec{a}-2\vec{b}+(-3\vec{a}+5\vec{b})=(m-3)\vec{a}+3\vec{b}$

$\vec{p}+\vec{r}$와 $\vec{q}+\vec{r}$가 서로 평행하므로

$\vec{q}+\vec{r}=k(\vec{p}+\vec{r})$ (단 k는 0이 아닌 실수)

$(m-3)\vec{a}+3\vec{b}=k(\vec{a}+2\vec{b})=k\vec{a}+2k\vec{b}$

이때 두 벡터 $\vec{a}$, $\vec{b}$는 영벡터가 아니고 서로 평행하지 않으므로

$m-3=k$, $3=2k$

$k=\frac{3}{2}$이므로 $\boldsymbol{m=\frac{9}{2}}$

06-2 셀파 $\overline{AB} /\!/ \overline{CD}$이므로 $\overrightarrow{CD}=t\overrightarrow{AB}$ (단, t는 0이 아닌 실수)

$\overrightarrow{AB}=\overrightarrow{OB}-\overrightarrow{OA}=2\vec{a}-\vec{b}-(\vec{a}+\vec{b})=\vec{a}-2\vec{b}$

$\overrightarrow{CD}=\overrightarrow{OD}-\overrightarrow{OC}=\vec{a}+2\vec{b}-(k\vec{a}-4\vec{b})$

$=(1-k)\vec{a}+6\vec{b}$

$\overrightarrow{AB}$와 $\overrightarrow{CD}$가 서로 평행하므로

$\overrightarrow{CD}=t\overrightarrow{AB}$ (단, t는 0이 아닌 실수)

$(1-k)\vec{a}+6\vec{b}=t(\vec{a}-2\vec{b})=t\vec{a}-2t\vec{b}$

이때 두 벡터 $\vec{a}$, $\vec{b}$는 영벡터가 아니고 서로 평행하지 않으므로

$1-k=t$, $6=-2t$ $\quad\therefore t=-3$, $\boldsymbol{k=4}$

셀파 특강 확인 체크 03

$\overrightarrow{AB}=\overrightarrow{OB}-\overrightarrow{OA}=\vec{b}-\vec{a}$

$\overrightarrow{AC}=\overrightarrow{OC}-\overrightarrow{OA}=(-4\vec{a}+5\vec{b})-\vec{a}=5(\vec{b}-\vec{a})$

$\therefore \overrightarrow{AC}=5\overrightarrow{AB}$

따라서 세 점 A, B, C는 한 직선 위에 있다.

LECTURE 세 점이 한 직선 위에 있을 조건

일반적으로 실수 k에 대하여 $\overrightarrow{AP}=k\overrightarrow{AB}$일 때

(i) $0\le k\le 1$이면 점 P는 선분 AB 위에 있다.

(ii) $k<0$이면 점 P는 선분 AB의 A쪽의 연장선 위에 있다.

(iii) $k>1$이면 점 P는 선분 AB의 B쪽의 연장선 위에 있다.

07-1 셀파 세 점 A, B, C가 한 직선 위에 있다.
⇨ $\overrightarrow{AC}=k\overrightarrow{AB}$ (단, $k\neq0$)

세 점 A, B, C가 한 직선 위에 있으므로

$\overrightarrow{AC}=k\overrightarrow{AB}$ $(k\neq0)$ ……㉠

를 만족시키는 실수 k가 존재한다.

$\overrightarrow{OA}=\vec{a}-2\vec{b}$, $\overrightarrow{OB}=2\vec{a}-\vec{b}$, $\overrightarrow{OC}=5\vec{a}+t\vec{b}$에서

$\overrightarrow{AB}=\overrightarrow{OB}-\overrightarrow{OA}$

$=2\vec{a}-\vec{b}-(\vec{a}-2\vec{b})$

$=\vec{a}+\vec{b}$

$\overrightarrow{AC}=\overrightarrow{OC}-\overrightarrow{OA}$

$=5\vec{a}+t\vec{b}-(\vec{a}-2\vec{b})$

$=4\vec{a}+(t+2)\vec{b}$

이 식을 ㉠에 대입하면

$4\vec{a}+(t+2)\vec{b}=k(\vec{a}+\vec{b})=k\vec{a}+k\vec{b}$

이때 두 벡터 $\vec{a}$, $\vec{b}$는 영벡터가 아니고 서로 평행하지 않으므로

$4=k$, $t+2=k$ $\quad\therefore \boldsymbol{t=2}$

07-2 셀파 $\overrightarrow{AC}=k\overrightarrow{AB}$, $\overrightarrow{AD}=k\overrightarrow{AB}$, $\overrightarrow{AE}=k\overrightarrow{AB}$를 각각 만족시키는 0이 아닌 실수 k가 존재하는지 살펴본다.

$\overrightarrow{OA}=\vec{a}$, $\overrightarrow{OB}=\vec{b}$이므로

$\overrightarrow{AB}=\overrightarrow{OB}-\overrightarrow{OA}=\vec{b}-\vec{a}$

ㄱ. $\overrightarrow{OC}=3\vec{a}-2\vec{b}$이므로

$\overrightarrow{AC}=\overrightarrow{OC}-\overrightarrow{OA}$

$=(3\vec{a}-2\vec{b})-\vec{a}$

$=2\vec{a}-2\vec{b}$

$=-2(\vec{b}-\vec{a})$

따라서 $\overrightarrow{AC}=-2\overrightarrow{AB}$이므로 점 C는 직선 AB 위의 점이다.

ㄴ. $\overrightarrow{OD}=2\vec{a}-3\vec{b}$이므로

$\overrightarrow{AD}=\overrightarrow{OD}-\overrightarrow{OA}$

$=(2\vec{a}-3\vec{b})-\vec{a}=\vec{a}-3\vec{b}$

따라서 $\overrightarrow{AD}=k\overrightarrow{AB}$를 만족시키는 0이 아닌 실수 k가 존재하지 않으므로 점 D는 직선 AB 위의 점이 아니다.

ㄷ. $\overrightarrow{OE}=-4\vec{a}+5\vec{b}$이므로

$\overrightarrow{AE}=\overrightarrow{OE}-\overrightarrow{OA}$

$=(-4\vec{a}+5\vec{b})-\vec{a}$

$=-5\vec{a}+5\vec{b}$

$=5(\vec{b}-\vec{a})$

따라서 $\overrightarrow{AE}=5\overrightarrow{AB}$이므로 점 E는 직선 AB 위의 점이다.

그러므로 직선 AB 위의 점은 **점 C와 점 E**

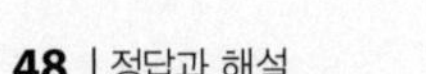

01 셀파 시점과 종점의 위치에 관계없이 크기와 방향이 각각 같으면 같은 벡터이다.

$\overrightarrow{OA}$와 방향이 반대이고 크기가 3배인 벡터 중 시점이 O인 벡터는 $\overrightarrow{OF}$

$\overrightarrow{OF}$와 같은 벡터는 $\overrightarrow{GA}$, $\overrightarrow{EO}$, $\overrightarrow{CB}$, $\overrightarrow{AD}$, $\overrightarrow{BH}$이다.

따라서 구하는 벡터의 개수는 **6**

02 셀파 벡터의 덧셈과 뺄셈을 이용한다.

평행사변형의 두 대각선의 교점은 서로 다른 대각선을 이등분하고, $\overrightarrow{OA}=\vec{a}$, $\overrightarrow{OB}=\vec{b}$이므로

① $\overrightarrow{OC}=-\overrightarrow{OA}=-\vec{a}$

② $\overrightarrow{BA}=\overrightarrow{OA}-\overrightarrow{OB}=\vec{a}-\vec{b}$

③ $\overrightarrow{CB}=\overrightarrow{OB}-\overrightarrow{OC}=\overrightarrow{OB}+(-\overrightarrow{OC})$

$=\overrightarrow{OB}+\overrightarrow{OA}=\vec{a}+\vec{b}$

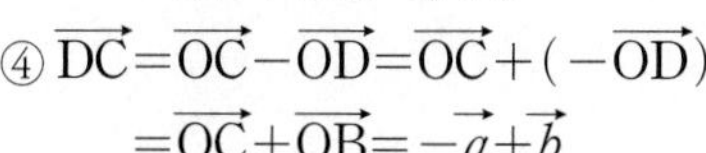

④ $\overrightarrow{DC}=\overrightarrow{OC}-\overrightarrow{OD}=\overrightarrow{OC}+(-\overrightarrow{OD})$

$=\overrightarrow{OC}+\overrightarrow{OB}=-\vec{a}+\vec{b}$

⑤ $\overrightarrow{DA}=\overrightarrow{OA}-\overrightarrow{OD}$

$=\overrightarrow{OA}+(-\overrightarrow{OD})=\overrightarrow{OA}+\overrightarrow{OB}=\vec{a}+\vec{b}$

따라서 옳은 것은 ⑤

03 셀파 $\overrightarrow{AD}=2\overrightarrow{BC}$이다.

$\overrightarrow{AB}+\overrightarrow{BC}=\overrightarrow{AC}$이므로 $\overrightarrow{BC}=\overrightarrow{AC}-\overrightarrow{AB}=\vec{b}-\vec{a}$

$\therefore \overrightarrow{AD}=2\overrightarrow{BC}=2\vec{b}-2\vec{a}=\boldsymbol{-2\vec{a}+2\vec{b}}$

04 셀파 $\vec{a}+\vec{c}=\vec{b}$이고, $\vec{a}-\vec{b}=-\vec{c}$이다.

$\vec{a}+\vec{c}=\vec{b}$이므로 $\vec{a}+\vec{b}+\vec{c}=2\vec{b}$

$\therefore |\vec{a}+\vec{b}+\vec{c}|=|2\vec{b}|=2\sqrt{2}$

$\vec{a}-\vec{b}=-\vec{c}$이므로 $\vec{a}-\vec{b}-\vec{c}=-2\vec{c}$

$\therefore |\vec{a}-\vec{b}-\vec{c}|=|-2\vec{c}|=2$

$\therefore |\vec{a}+\vec{b}+\vec{c}|+|\vec{a}-\vec{b}-\vec{c}|=\boldsymbol{2+2\sqrt{2}}$

05 셀파 $\overrightarrow{PA}=\overrightarrow{OA}-\overrightarrow{OP}$와 같이 시점이 O인 두 벡터의 뺄셈으로 나타내어 본다.

$\overrightarrow{PA}+\overrightarrow{PB}+\overrightarrow{PC}+\overrightarrow{PD}+\overrightarrow{PE}+\overrightarrow{PF}$

$=(\overrightarrow{OA}-\overrightarrow{OP})+(\overrightarrow{OB}-\overrightarrow{OP})+\cdots+(\overrightarrow{OF}-\overrightarrow{OP})$

$=(\overrightarrow{OA}+\overrightarrow{OB}+\cdots+\overrightarrow{OF})-6\overrightarrow{OP}$ ……㉠

이때 점 A, B, C, …, F는 원의 둘레를 6등분하므로 오른쪽 그림과 같이

$\overrightarrow{OD}=-\overrightarrow{OA}$, $\overrightarrow{OE}=-\overrightarrow{OB}$,

$\overrightarrow{OF}=-\overrightarrow{OC}$

$\therefore \overrightarrow{OA}+\overrightarrow{OB}+\cdots+\overrightarrow{OF}$

$=\overrightarrow{OA}+\overrightarrow{OB}+\overrightarrow{OC}-(\overrightarrow{OA}+\overrightarrow{OB}+\overrightarrow{OC})$

$=\vec{0}$

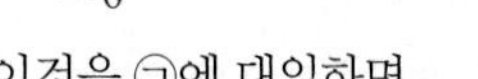

이것을 ㉠에 대입하면

$\overrightarrow{PA}+\overrightarrow{PB}+\overrightarrow{PC}+\overrightarrow{PD}+\overrightarrow{PE}+\overrightarrow{PF}=-6\overrightarrow{OP}=6\overrightarrow{PO}$

$\therefore \boldsymbol{k=6}$

06 셀파 $\vec{x}$를 미지수로 생각하여 다항식의 연산과 같은 방법으로 계산한다.

$4(\vec{a}+\vec{x})-3(2\vec{x}+\vec{a}-2\vec{b})=\vec{0}$에서

$4\vec{a}+4\vec{x}-6\vec{x}-3\vec{a}+6\vec{b}=\vec{0}$

$2\vec{x}=\vec{a}+6\vec{b}$ $\quad\therefore \vec{x}=\frac{1}{2}\vec{a}+3\vec{b}$

따라서 $m=\frac{1}{2}$, $n=3$이므로

$2mn=2\times\frac{1}{2}\times3=\boldsymbol{3}$

07 셀파 두 식을 연립하여 $\vec{x}$, $\vec{y}$를 각각 $\vec{a}$, $\vec{b}$로 나타낸다.

$\vec{x}-2\vec{y}=2\vec{a}-3\vec{b}$ ……㉠

$2\vec{x}+3\vec{y}=-3\vec{a}+\vec{b}$ ……㉡

㉠×2−㉡을 하면 $-7\vec{y}=7\vec{a}-7\vec{b}$

$\therefore \vec{y}=-\vec{a}+\vec{b}$

이것을 ㉠에 대입하여 정리하면

$\vec{x}=-\vec{b}$

$\therefore 3\vec{x}-\vec{y}=-3\vec{b}-(-\vec{a}+\vec{b})=\vec{a}-4\vec{b}$

$\therefore \boldsymbol{m=1,\ n=-4}$

08 셀파 사각형을 이용하여 벡터 $2\vec{a}+\vec{b}$를 나타내 본다.

오른쪽 그림에서 $2\vec{a}+\vec{b}$는 벡터 $\overrightarrow{\mathrm{AF}}$와 같으므로

$|2\vec{a}+\vec{b}|=|\overrightarrow{\mathrm{AF}}|$
$=\sqrt{1^2+2^2}=\boldsymbol{\sqrt{5}}$

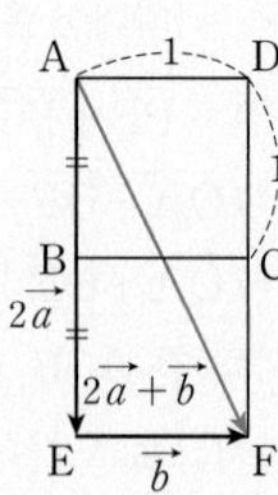

09 셀파 두 벡터가 서로 같을 조건을 이용한다.

두 벡터 $\vec{a}$, $\vec{b}$는 영벡터가 아니고 서로 평행하지 않으므로

$1-t=\dfrac{s}{2}$, $\dfrac{2}{3}t=1-s$에서 $2-2t=s$, $2t=3-3s$

두 식을 연립하여 풀면

$s=\dfrac{1}{2}$, $t=\dfrac{3}{4}$ $\quad\therefore 8st=\mathbf{3}$

10 셀파 모눈종이의 작은 정사각형에서 점 O를 시점으로 하고 오른쪽, 위쪽 방향을 각각 벡터 $\vec{a}$, $\vec{b}$로 놓는다.

오른쪽 그림과 같이 $\vec{a}$, $\vec{b}$를 정하면

$\overrightarrow{\mathrm{OA}}=-\vec{a}+2\vec{b}$, $\overrightarrow{\mathrm{OB}}=3\vec{a}+2\vec{b}$,

$\overrightarrow{\mathrm{OC}}=\vec{a}+3\vec{b}$

$\overrightarrow{\mathrm{OC}}=m\overrightarrow{\mathrm{OA}}+n\overrightarrow{\mathrm{OB}}$에서

$\vec{a}+3\vec{b}=m(-\vec{a}+2\vec{b})+n(3\vec{a}+2\vec{b})$
$=(-m+3n)\vec{a}+(2m+2n)\vec{b}$

이때 두 벡터 $\vec{a}$, $\vec{b}$는 영벡터가 아니고 서로 평행하지 않으므로

$-m+3n=1$, $2m+2n=3$

두 식을 연립하여 풀면

$\boldsymbol{m=\dfrac{7}{8}}$, $\boldsymbol{n=\dfrac{5}{8}}$

11 셀파 주어진 식을 변형하여 사각형의 변을 벡터로 나타낸다.

$2\overrightarrow{\mathrm{OA}}+\overrightarrow{\mathrm{OC}}=2\overrightarrow{\mathrm{OB}}+\overrightarrow{\mathrm{OD}}$에서

$2\overrightarrow{\mathrm{OA}}-2\overrightarrow{\mathrm{OB}}=\overrightarrow{\mathrm{OD}}-\overrightarrow{\mathrm{OC}}$

$2\overrightarrow{\mathrm{BA}}=\overrightarrow{\mathrm{CD}}$

즉, 두 벡터 $\overrightarrow{\mathrm{BA}}$, $\overrightarrow{\mathrm{CD}}$는 서로 평행하므로 사각형 ABCD는 $\overline{\mathrm{BA}}\,/\!/\,\overline{\mathrm{CD}}$인 사다리꼴이다.

따라서 구하는 답은 ①

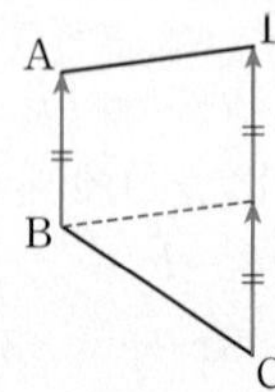

12 셀파 두 벡터가 서로 평행할 조건을 이용한다.

$\vec{x}+2\vec{a}=k\vec{a}-\vec{b}$에서

$\vec{x}=(k-2)\vec{a}-\vec{b}$ $\quad\cdots\cdots$ ㉠

$3\vec{x}-\vec{y}=-2\vec{a}+2\vec{b}$에 ㉠을 대입하면

$3(k-2)\vec{a}-3\vec{b}-\vec{y}=-2\vec{a}+2\vec{b}$

$\therefore \vec{y}=(3k-4)\vec{a}-5\vec{b}$

$\vec{x}$와 $\vec{y}$가 서로 평행하므로 $\vec{y}=t\vec{x}$ $(t\neq 0)$에서

$(3k-4)\vec{a}-5\vec{b}=t(k-2)\vec{a}-t\vec{b}$

이때 두 벡터 $\vec{a}$, $\vec{b}$는 영벡터가 아니고 서로 평행하지 않으므로

$3k-4=tk-2t$, $-5=-t$

$t=5$를 $3k-4=tk-2t$에 대입하면

$3k-4=5k-10$, $2k=6$ $\quad\therefore \boldsymbol{k=3}$

13 셀파 세 점 M, N, D가 한 직선 위에 있다.
⇨ $\overrightarrow{\mathrm{ND}}=t\overrightarrow{\mathrm{NM}}$ (단, $t\neq 0$)

㉮ 세 점 M, N, D가 한 직선 위에 있으므로
$\overrightarrow{\mathrm{ND}}=t\overrightarrow{\mathrm{NM}}$ (단, $t\neq 0$)

㉯ 이때 $\overrightarrow{\mathrm{AM}}=\vec{a}$, $\overrightarrow{\mathrm{AN}}=\vec{b}$라 하면

$\overrightarrow{\mathrm{NM}}=\overrightarrow{\mathrm{AM}}-\overrightarrow{\mathrm{AN}}$
$=\vec{a}-\vec{b}$

$\overrightarrow{\mathrm{ND}}=\overrightarrow{\mathrm{CD}}-\overrightarrow{\mathrm{CN}}$
$=3(-\overrightarrow{\mathrm{AM}})-k(-\overrightarrow{\mathrm{AN}})$
$=-3\vec{a}+k\vec{b}$

$\overrightarrow{\mathrm{ND}}=t\overrightarrow{\mathrm{NM}}$ $(t\neq 0)$에서

$-3\vec{a}+k\vec{b}=t(\vec{a}-\vec{b})$

$\therefore -3\vec{a}+k\vec{b}=t\vec{a}-t\vec{b}$

㉰ 따라서 $t=-3$, $k=-t$이므로 $\boldsymbol{k=3}$

채점 기준	배점
㉮ 세 점 M, N, D가 한 직선 위에 있는 조건을 알 수 있다.	30%
㉯ $\overrightarrow{\mathrm{NM}}$, $\overrightarrow{\mathrm{ND}}$를 각각 $\vec{a}$, $\vec{b}$로 나타낸다.	50%
㉰ k의 값을 구한다.	20%

6. 평면벡터의 성분과 내적

개념 익히기

본문 | 109, 111쪽

1-1 (1) $\vec{p}=\dfrac{1\times\vec{b}+2\times\vec{a}}{1+\boxed{2}}=\dfrac{\mathbf{2}}{\boxed{\mathbf{3}}}\vec{a}+\dfrac{\mathbf{1}}{\boxed{\mathbf{3}}}\vec{b}$

(2) $\vec{q}=\dfrac{2\times\boxed{\vec{b}}-1\times\boxed{\vec{a}}}{2-1}=-\vec{a}+\boxed{\mathbf{2}}\vec{b}$

(3) $\vec{m}=\dfrac{1\times\vec{a}+1\times\vec{b}}{\boxed{1}+1}=\dfrac{\vec{a}+\vec{b}}{\boxed{\mathbf{2}}}$

1-2 (1) $\vec{p}=\dfrac{4\times\vec{b}+5\times\vec{a}}{4+5}=\dfrac{5}{9}\vec{a}+\dfrac{4}{9}\vec{b}$

(2) $\vec{q}=\dfrac{3\times\vec{b}-2\times\vec{a}}{3-2}=-2\vec{a}+3\vec{b}$

(3) $\vec{m}=\dfrac{1\times\vec{a}+1\times\vec{b}}{1+1}=\dfrac{\vec{a}+\vec{b}}{2}$

2-1 (1) $2\vec{a}+\vec{b}=2(2, 1)+(3, -6)$
$=(\boxed{4}+3, 2-6)$
$=(\boxed{\mathbf{7}}, \mathbf{-4})$

(2) $2(\vec{a}-\vec{b})+\vec{c}=2\vec{a}-2\vec{b}+\vec{c}$
$=2(2, 1)-2(3, -6)+(-1, 2)$
$=(4-6-1, 2+12+\boxed{2})$
$=(\mathbf{-3}, \boxed{\mathbf{16}})$

2-2 (1) $\vec{a}-2\vec{b}=(1, 4)-2(-2, -3)$
$=(1+4, 4+6)$
$=(\mathbf{5}, \mathbf{10})$

(2) $-3\vec{c}=-3(4, -1)$
$=(\mathbf{-12}, \mathbf{3})$

(3) $2(\vec{a}+\vec{b})-(\vec{a}-\vec{b})=2\vec{a}+2\vec{b}-\vec{a}+\vec{b}$
$=\vec{a}+3\vec{b}$
$=(1, 4)+3(-2, -3)$
$=(1-6, 4-9)$
$=(\mathbf{-5}, \mathbf{-5})$

(4) $3\vec{a}+2\vec{b}-4\vec{c}=3(1, 4)+2(-2, -3)-4(4, -1)$
$=(3-4-16, 12-6+4)$
$=(\mathbf{-17}, \mathbf{10})$

3-1 (1) $\vec{a}\cdot\vec{b}=(2, -1)\cdot(3, 2)$
$=2\times\boxed{3}+(-1)\times2$
$=\boxed{6}-2=\boxed{\mathbf{4}}$

(2) $\vec{a}\cdot\vec{b}=(-1, 4)\cdot(-1, 3)$
$=-1\times(-1)+4\times\boxed{3}$
$=1+\boxed{12}=\boxed{\mathbf{13}}$

3-2 (1) $\vec{a}\cdot\vec{b}=(1, 3)\cdot(4, 2)$
$=1\times4+3\times2$
$=4+6=\mathbf{10}$

(2) $\vec{a}\cdot\vec{b}=(0, 2)\cdot(-2, -3)$
$=0\times(-2)+2\times(-3)$
$=\mathbf{-6}$

4-1 (1) $\vec{a}\cdot\vec{b}=3\times1+1\times2=5>0$이므로

$\cos\theta=\dfrac{\vec{a}\cdot\vec{b}}{|\vec{a}||\vec{b}|}=\dfrac{5}{\sqrt{3^2+1^2}\sqrt{1^2+2^2}}=\dfrac{5}{5\sqrt{2}}$
$=\dfrac{\boxed{\sqrt{2}}}{2}$

$0°\le\theta\le180°$이므로 $\theta=\mathbf{45°}$

(2) $\vec{a}\cdot\vec{b}=-1\times2+2\times1=0$이므로

$\cos\theta=\dfrac{\vec{a}\cdot\vec{b}}{|\vec{a}||\vec{b}|}=\dfrac{0}{\sqrt{(-1)^2+2^2}\sqrt{2^2+1^2}}=\boxed{0}$

$0°\le\theta\le180°$이므로 $\theta=\mathbf{90°}$

4-2 (1) $\vec{a}\cdot\vec{b}=1\times(-1)+2\times3=5>0$이므로

$$\cos\theta=\frac{5}{\sqrt{1^2+2^2}\sqrt{(-1)^2+3^2}}=\frac{5}{5\sqrt{2}}=\frac{\sqrt{2}}{2}$$

$0^\circ\le\theta\le180^\circ$이므로 $\boldsymbol{\theta=45^\circ}$

(2) $\vec{a}\cdot\vec{b}=\sqrt{3}\times0+(-1)\times\sqrt{3}=-\sqrt{3}<0$이므로

$$\cos(180^\circ-\theta)=-\frac{-\sqrt{3}}{\sqrt{(\sqrt{3})^2+(-1)^2}\sqrt{0^2+(\sqrt{3})^2}}=\frac{\sqrt{3}}{2\sqrt{3}}=\frac{1}{2}$$

$0^\circ\le\theta\le180^\circ$이므로 $180^\circ-\theta=60^\circ$

$\boldsymbol{\theta=120^\circ}$

확인 문제

본문 | 113~127쪽

01-1 셀파 삼각형의 무게중심의 위치벡터는 $\dfrac{\vec{a}+\vec{b}+\vec{c}}{3}$이다.

점 G가 삼각형 ABC의 무게중심이므로

$$\overrightarrow{OG}=\frac{\overrightarrow{OA}+\overrightarrow{OB}+\overrightarrow{OC}}{3}=\frac{\vec{a}+\vec{b}+\vec{c}}{3}$$

또 점 P는 선분 AC를 2 : 3으로 내분하는 점이므로

$$\overrightarrow{OP}=\frac{2\overrightarrow{OC}+3\overrightarrow{OA}}{2+3}=\frac{3}{5}\vec{a}+\frac{2}{5}\vec{c}$$

$$\therefore \overrightarrow{GP}=\overrightarrow{OP}-\overrightarrow{OG}=\frac{3}{5}\vec{a}+\frac{2}{5}\vec{c}-\frac{\vec{a}+\vec{b}+\vec{c}}{3}=\boldsymbol{\frac{4}{15}\vec{a}-\frac{1}{3}\vec{b}+\frac{1}{15}\vec{c}}$$

01-2 셀파 먼저 $\overrightarrow{AM}$을 $\vec{a}$, $\vec{b}$로 나타낸다.

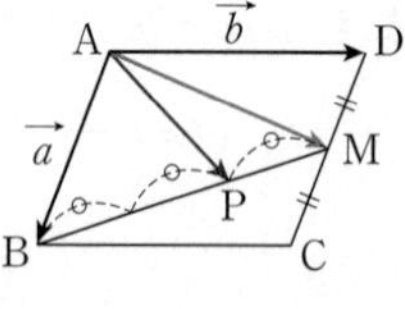

$\overrightarrow{AC}=\vec{a}+\vec{b}$이므로

$$\overrightarrow{AM}=\frac{\overrightarrow{AC}+\overrightarrow{AD}}{2}=\frac{(\vec{a}+\vec{b})+\vec{b}}{2}=\frac{1}{2}\vec{a}+\vec{b}$$

이때 점 P는 선분 BM을 2 : 1로 내분하는 점이므로

$$\overrightarrow{AP}=\frac{2\overrightarrow{AM}+\overrightarrow{AB}}{2+1}=\frac{2}{3}\left(\frac{1}{2}\vec{a}+\vec{b}\right)+\frac{1}{3}\vec{a}=\boldsymbol{\frac{2}{3}\vec{a}+\frac{2}{3}\vec{b}}$$

02-1 셀파 주어진 식을 위치벡터로 나타내어 본다.

네 점 A, B, C, P의 위치벡터를 각각 $\vec{a}$, $\vec{b}$, $\vec{c}$, $\vec{p}$라 하면

$\overrightarrow{PA}+\overrightarrow{PB}+2\overrightarrow{PC}=\overrightarrow{CB}$에서

$(\vec{a}-\vec{p})+(\vec{b}-\vec{p})+2(\vec{c}-\vec{p})=\vec{b}-\vec{c}$

$\vec{a}+3\vec{c}=4\vec{p}$

$$\therefore \vec{p}=\frac{\vec{a}+3\vec{c}}{4}=\frac{1\times\vec{a}+3\times\vec{c}}{1+3}$$

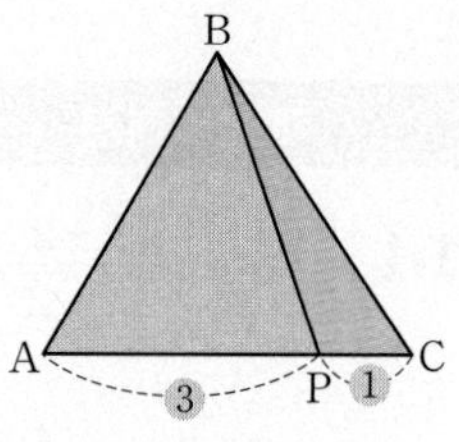

즉, 점 P는 선분 AC를 3 : 1로 내분하는 점이다. 따라서 삼각형 ABP와 삼각형 CBP의 넓이의 비는 **3 : 1**

| 다른 풀이 |

$\overrightarrow{CB}=\overrightarrow{PB}-\overrightarrow{PC}$이므로 $\overrightarrow{PA}+\overrightarrow{PB}+2\overrightarrow{PC}=\overrightarrow{CB}$에서

$\overrightarrow{PA}+\overrightarrow{PB}+2\overrightarrow{PC}=\overrightarrow{PB}-\overrightarrow{PC}$

$\therefore \overrightarrow{PA}=-3\overrightarrow{PC}$

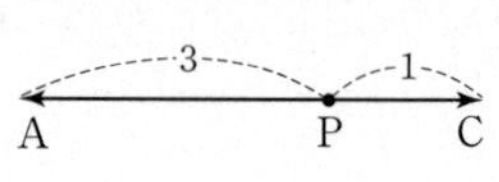

실수배의 성질을 이용하여 위의 식을 그림으로 나타내면 점 P는 $\overline{AC}$를 3 : 1로 내분하는 점이다. 따라서 구하는 삼각형의 넓이의 비는 3 : 1

셀파 특강 확인 체크 01

$\overrightarrow{OA}=-2\vec{e_1}=(-2, 0)$, $\overrightarrow{OB}=3\vec{e_2}=(0, 3)$,

$\overrightarrow{OC}=\vec{e_1}-\vec{e_2}=(1, -1)$이므로

$$3\overrightarrow{OA}-2\overrightarrow{OB}+\overrightarrow{OC}=3(-2, 0)-2(0, 3)+(1, -1)=(-6+0+1, 0-6-1)=\boldsymbol{(-5, -7)}$$

| 다른 풀이 |

$\overrightarrow{OA}=-2\vec{e_1}$, $\overrightarrow{OB}=3\vec{e_2}$, $\overrightarrow{OC}=\vec{e_1}-\vec{e_2}$이므로

$$3\overrightarrow{OA}-2\overrightarrow{OB}+\overrightarrow{OC}=3\times(-2\vec{e_1})-2\times3\vec{e_2}+(\vec{e_1}-\vec{e_2})=-6\vec{e_1}-6\vec{e_2}+\vec{e_1}-\vec{e_2}=-5\vec{e_1}-7\vec{e_2}=(-5, -7)$$

03-1 셀파 $\vec{c}=p\vec{a}+q\vec{b}$를 성분으로 나타낸다.

$\vec{c}=p\vec{a}+q\vec{b}$이므로

$(-1, 8)=p(1, 2)+q(2, -1)=(p+2q, 2p-q)$

따라서 $p+2q=-1$, $2p-q=8$이므로

두 식을 연립하여 풀면 $\boldsymbol{p=3}$, $\boldsymbol{q=-2}$

03-2 셀파 $\vec{a}=(a_1, a_2)$, $\vec{b}=(b_1, b_2)$일 때, $k\vec{a}=(ka_1, ka_2)$, $\vec{a}\pm\vec{b}=(a_1\pm b_1, a_2\pm b_2)$ (단, 복부호 동순)

$2(\vec{x}-\vec{a})-(3\vec{b}-\vec{x})=\vec{0}$에서

$2\vec{x}-2\vec{a}-3\vec{b}+\vec{x}=\vec{0}$, $3\vec{x}=2\vec{a}+3\vec{b}$

$\therefore \vec{x}=\frac{2}{3}\vec{a}+\vec{b}$

$=\frac{2}{3}(3, 0)+(0, -2)=\mathbf{(2, -2)}$

04-1 셀파 점 P의 좌표를 $\mathrm{P}(x, y)$로 놓고 주어진 조건을 이용하여 x, y 사이의 관계식을 구한다.

점 P의 좌표를 $\mathrm{P}(x, y)$로 놓으면

$\overrightarrow{\mathrm{AP}}=\overrightarrow{\mathrm{OP}}-\overrightarrow{\mathrm{OA}}=(x, y)-(-2, 0)=(x+2, y)$

$\overrightarrow{\mathrm{BP}}=\overrightarrow{\mathrm{OP}}-\overrightarrow{\mathrm{OB}}=(x, y)-(2, 0)=(x-2, y)$

$\therefore |\overrightarrow{\mathrm{AP}}|=\sqrt{(x+2)^2+y^2}$, $|\overrightarrow{\mathrm{BP}}|=\sqrt{(x-2)^2+y^2}$

이때 $|\overrightarrow{\mathrm{AP}}|+|\overrightarrow{\mathrm{BP}}|=6$이므로

$\sqrt{(x+2)^2+y^2}+\sqrt{(x-2)^2+y^2}=6$

$\sqrt{(x+2)^2+y^2}=-\sqrt{(x-2)^2+y^2}+6$

이 식의 양변을 제곱하여 정리하면

$9-2x=3\sqrt{(x-2)^2+y^2}$

이 식의 양변을 다시 제곱하여 정리하면

$5x^2+9y^2=45$

따라서 구하는 도형의 방정식은

$\boldsymbol{\frac{x^2}{9}+\frac{y^2}{5}=1}$

04-2 셀파 점 P의 좌표를 $\mathrm{P}(x, y)$로 놓고 주어진 조건을 이용하여 x, y 사이의 관계식을 구한다.

점 P의 좌표를 $\mathrm{P}(x, y)$로 놓으면

$\overrightarrow{\mathrm{PA}}=\overrightarrow{\mathrm{OA}}-\overrightarrow{\mathrm{OP}}=(1, -2)-(x, y)=(1-x, -2-y)$

$\overrightarrow{\mathrm{PB}}=\overrightarrow{\mathrm{OB}}-\overrightarrow{\mathrm{OP}}=(0, 3)-(x, y)=(-x, 3-y)$

$\overrightarrow{\mathrm{PC}}=\overrightarrow{\mathrm{OC}}-\overrightarrow{\mathrm{OP}}=(2, 2)-(x, y)=(2-x, 2-y)$

$\overrightarrow{\mathrm{PA}}+\overrightarrow{\mathrm{PB}}+\overrightarrow{\mathrm{PC}}=(3-3x, 3-3y)$

$\therefore |\overrightarrow{\mathrm{PA}}+\overrightarrow{\mathrm{PB}}+\overrightarrow{\mathrm{PC}}|=\sqrt{(3-3x)^2+(3-3y)^2}$

$=3\sqrt{(x-1)^2+(y-1)^2}$

이때 $|\overrightarrow{\mathrm{PA}}+\overrightarrow{\mathrm{PB}}+\overrightarrow{\mathrm{PC}}|=9$이므로

$3\sqrt{(x-1)^2+(y-1)^2}=9$

이 식의 양변을 제곱하여 정리하면

$(x-1)^2+(y-1)^2=9$

따라서 점 P가 나타내는 도형은 중심이 $(1, 1)$이고, 반지름의 길이가 3인 원이므로 구하는 도형의 넓이는

$\pi\times3^2=\mathbf{9\pi}$

05-1 셀파 두 벡터 $\vec{a}$, $\vec{b}$가 이루는 각의 크기가 $\theta(0°\le\theta\le90°)$일 때, $\vec{a}\cdot\vec{b}=|\vec{a}||\vec{b}|\cos\theta$이다.

(1) 삼각형 AOB는 한 변의 길이가 2인 정삼각형이고, 점 M은 선분 OB의 중점이므로

$|\overrightarrow{\mathrm{OA}}|=2$, $|\overrightarrow{\mathrm{OM}}|=1$

이때 두 벡터 $\overrightarrow{\mathrm{OA}}$, $\overrightarrow{\mathrm{OM}}$이 이루는 각의 크기는 60°이므로

$\overrightarrow{\mathrm{OA}}\cdot\overrightarrow{\mathrm{OM}}=|\overrightarrow{\mathrm{OA}}||\overrightarrow{\mathrm{OM}}|\cos 60°$

$=2\times1\times\frac{1}{2}=\mathbf{1}$

(2) $|\overrightarrow{\mathrm{OA}}|=2$이고, 두 벡터 $\overrightarrow{\mathrm{OA}}$, $\overrightarrow{\mathrm{OA}}$가 이루는 각의 크기는 0°이므로

$\overrightarrow{\mathrm{OA}}\cdot\overrightarrow{\mathrm{OA}}=|\overrightarrow{\mathrm{OA}}||\overrightarrow{\mathrm{OA}}|\cos 0°=2\times2\times1=\mathbf{4}$

(3)

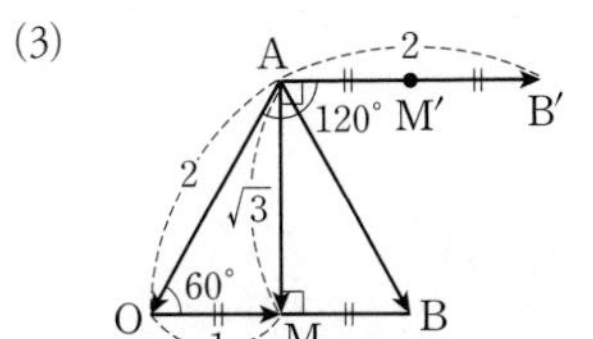

위의 그림에서 $\overrightarrow{\mathrm{OB}}=\overrightarrow{\mathrm{AB'}}$이므로

$\overrightarrow{\mathrm{AO}}\cdot\overrightarrow{\mathrm{OB}}=\overrightarrow{\mathrm{AO}}\cdot\overrightarrow{\mathrm{AB'}}$

$=-|\overrightarrow{\mathrm{AO}}||\overrightarrow{\mathrm{AB'}}|\cos(180°-120°)$

$=-2\times2\times\frac{1}{2}=\mathbf{-2}$

(4) 위의 그림에서 $\overrightarrow{\mathrm{OB}}=\overrightarrow{\mathrm{AB'}}$이므로

$\overrightarrow{\mathrm{AM}}\cdot\overrightarrow{\mathrm{OB}}=\overrightarrow{\mathrm{AM}}\cdot\overrightarrow{\mathrm{AB'}}$

$=|\overrightarrow{\mathrm{AM}}||\overrightarrow{\mathrm{AB'}}|\cos 90°$

$=\sqrt{3}\times2\times0=\mathbf{0}$

05-2 셀파 먼저 두 벡터 $\overrightarrow{\mathrm{RQ}}$, $\overrightarrow{\mathrm{QP}}$의 시점을 일치시킨다.

오른쪽 그림에서 $\overrightarrow{\mathrm{QP}}=\overrightarrow{\mathrm{RA}}$이고,

$\angle\mathrm{ARQ}=120°$

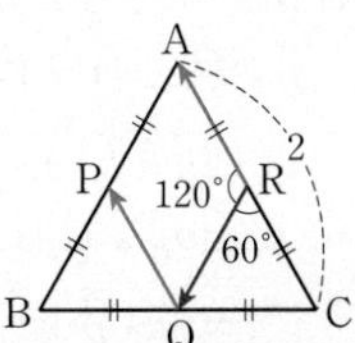

$\therefore \overrightarrow{\mathrm{RQ}}\cdot\overrightarrow{\mathrm{QP}}$

$=\overrightarrow{\mathrm{RQ}}\cdot\overrightarrow{\mathrm{RA}}$

$=-|\overrightarrow{\mathrm{RQ}}||\overrightarrow{\mathrm{RA}}|\cos(180°-120°)$

$=-1\times1\times\frac{1}{2}=\mathbf{-\frac{1}{2}}$

셀파 특강 확인 체크 02

(1) $\vec{a}-\vec{b}=(2, 4)-(-3, 1)=(5, 3)$이므로

$(\vec{a}-\vec{b})\cdot\vec{b}=(5, 3)\cdot(-3, 1)$

$=5\times(-3)+3\times1=\mathbf{-12}$

(2) $\vec{a}+\vec{b}=(-1, 1)+(2, -1)=(1, 0)$이므로

$\vec{a}\cdot(\vec{a}+\vec{b})=(-1, 1)\cdot(1, 0)$

$=-1\times1+1\times0=\mathbf{-1}$

06-1 셀파 $\vec{a}=(a_1, a_2)$일 때, $|\vec{a}|=\sqrt{a_1^2+a_2^2}$

$|\vec{a}|=\sqrt{13}$에서 $\sqrt{(k-1)^2+2^2}=\sqrt{13}$

이 식의 양변을 제곱하여 정리하면

$k^2-2k-8=0$, $(k-4)(k+2)=0$

$\therefore k=4$ ($\because k>0$)

따라서 $\vec{a}=(3, 2)$, $\vec{b}=(3, 8)$이므로

$\vec{a}\cdot\vec{b}=(3, 2)\cdot(3, 8)=3\times3+2\times8=\mathbf{25}$

06-2 셀파 $\vec{a}=(a_1, a_2)$, $\vec{b}=(b_1, b_2)$일 때, $\vec{a}\cdot\vec{b}=a_1b_1+a_2b_2$

$t\vec{a}+\vec{b}=t(1, 0)+(1, 2)=(t+1, 2)$

$\vec{a}+t\vec{b}=(1, 0)+t(1, 2)=(t+1, 2t)$

이때

$f(t)=(t\vec{a}+\vec{b})\cdot(\vec{a}+t\vec{b})=(t+1, 2)\cdot(t+1, 2t)$

$=(t+1)^2+2\times2t=t^2+6t+1$

$=(t+3)^2-8$

따라서 $f(t)$는 $\boldsymbol{t=-3}$일 때, 최솟값 -8을 가진다.

07-1 셀파 (1) $(2\vec{a}-\vec{b})\cdot(\vec{a}+3\vec{b})=2|\vec{a}|^2+5\vec{a}\cdot\vec{b}-3|\vec{b}|^2$

(1) $|\vec{a}|^2=(-1)^2+(-2)^2=5$, $|\vec{b}|^2=1^2+1^2=2$

$\vec{a}\cdot\vec{b}=-1\times1+(-2)\times1=-3$

$\therefore (2\vec{a}-\vec{b})\cdot(\vec{a}+3\vec{b})$

$=2\vec{a}\cdot(\vec{a}+3\vec{b})-\vec{b}\cdot(\vec{a}+3\vec{b})$

$=2\vec{a}\cdot\vec{a}+2\vec{a}\cdot3\vec{b}-\vec{b}\cdot\vec{a}-\vec{b}\cdot3\vec{b}$

$=2|\vec{a}|^2+5\vec{a}\cdot\vec{b}-3|\vec{b}|^2$

$=2\times5+5\times(-3)-3\times2=\mathbf{-11}$

| 다른 풀이 |

$\vec{a}=(-1, -2)$, $\vec{b}=(1, 1)$이므로

$2\vec{a}-\vec{b}=2(-1, -2)-(1, 1)$

$=(-2, -4)-(1, 1)=(-3, -5)$

$\vec{a}+3\vec{b}=(-1, -2)+3(1, 1)$

$=(-1, -2)+(3, 3)=(2, 1)$

$\therefore (2\vec{a}-\vec{b})\cdot(\vec{a}+3\vec{b})=(-3, -5)\cdot(2, 1)$

$=-6-5=-11$

(2) $|\vec{a}-\vec{b}|=\sqrt{5}$의 양변을 제곱하면

$|\vec{a}-\vec{b}|^2=(\vec{a}-\vec{b})\cdot(\vec{a}-\vec{b})=|\vec{a}|^2-2\vec{a}\cdot\vec{b}+|\vec{b}|^2$

$5=1-2\vec{a}\cdot\vec{b}+2$, $2\vec{a}\cdot\vec{b}=-2$

$\therefore \vec{a}\cdot\vec{b}=\mathbf{-1}$

07-2 셀파 $|\vec{a}-\vec{b}|=\sqrt{7}$의 양변을 제곱하여 $\vec{a}\cdot\vec{b}$의 값을 구한다.

$|\vec{a}-\vec{b}|=\sqrt{7}$의 양변을 제곱하면

$|\vec{a}-\vec{b}|^2=|\vec{a}|^2-2\vec{a}\cdot\vec{b}+|\vec{b}|^2$

$7=4-2\vec{a}\cdot\vec{b}+9$ $\therefore \vec{a}\cdot\vec{b}=3$

$\therefore (\vec{a}+\vec{b})\cdot(2\vec{a}-\vec{b})=2|\vec{a}|^2+\vec{a}\cdot\vec{b}-|\vec{b}|^2$

$=2\times4+3-9=\mathbf{2}$

집중 연습

본문 | 124쪽

01 (1) $\vec{a}\cdot\vec{b}=|\vec{a}||\vec{b}|\cos 0^\circ=4\times5\times1=\mathbf{20}$

(2) $\vec{a}\cdot\vec{b}=|\vec{a}||\vec{b}|\cos 60^\circ=4\times5\times\frac{1}{2}=\mathbf{10}$

(3) $\vec{a}\cdot\vec{b}=-|\vec{a}||\vec{b}|\cos(180^\circ-150^\circ)$

$=-|\vec{a}||\vec{b}|\cos 30^\circ$

$=-4\times5\times\frac{\sqrt{3}}{2}=\mathbf{-10\sqrt{3}}$

02 (1) $\vec{a}\cdot\vec{b}=(1, -3)\cdot(2, 1)=1\times2+(-3)\times1=\mathbf{-1}$

(2) $\vec{a}+\vec{b}=(2, -1)+(0, 3)=(2, 2)$

$\therefore \vec{a}\cdot(\vec{a}+\vec{b})=(2, -1)\cdot(2, 2)=4-2=\mathbf{2}$

(3) $\vec{a}-\vec{b}=(3, -4)-(5, 3)=(-2, -7)$

$\therefore (\vec{a}-\vec{b})\cdot\vec{b}=(-2, -7)\cdot(5, 3)=-10-21=\mathbf{-31}$

03 (1) $\vec{a}\cdot\vec{b}=|\vec{a}||\vec{b}|\cos 60^\circ=4\times6\times\frac{1}{2}=12$

$\therefore (3\vec{a}-\vec{b})\cdot(\vec{a}+\vec{b})=3|\vec{a}|^2+2\vec{a}\cdot\vec{b}-|\vec{b}|^2$

$=3\times16+2\times12-36=\mathbf{36}$

(2) $|\vec{a}+2\vec{b}|^2=|\vec{a}|^2+4\vec{a}\cdot\vec{b}+4|\vec{b}|^2$

$=1+4\times3+4\times9=49$

$\therefore |\vec{a}+2\vec{b}|=\sqrt{49}=\mathbf{7}$

(3) $\vec{a}\cdot\vec{b}=-|\vec{a}||\vec{b}|\cos(180^\circ-120^\circ)$

$=-|\vec{a}||\vec{b}|\cos 60^\circ$

$=-3\times2\times\frac{1}{2}=-3$

$|2\vec{a}-3\vec{b}|^2=4|\vec{a}|^2-12\vec{a}\cdot\vec{b}+9|\vec{b}|^2$

$=4\times9-12\times(-3)+9\times4=108$

$\therefore |2\vec{a}-3\vec{b}|=\sqrt{108}=\mathbf{6\sqrt{3}}$

(4) $|\vec{a}+\vec{b}|=\sqrt{14}$에서 $|\vec{a}+\vec{b}|^2=14$

$|\vec{a}|^2+2\vec{a}\cdot\vec{b}+|\vec{b}|^2=14$

$1+2\vec{a}\cdot\vec{b}+9=14$

$2\vec{a}\cdot\vec{b}=4 \qquad \therefore \vec{a}\cdot\vec{b}=\mathbf{2}$

08-1 셀파 $|\vec{a}-\vec{b}|^2=|\vec{a}|^2-2\vec{a}\cdot\vec{b}+|\vec{b}|^2$

$|\vec{a}-\vec{b}|^2=|\vec{a}|^2-2\vec{a}\cdot\vec{b}+|\vec{b}|^2$에서

$7=9-2\vec{a}\cdot\vec{b}+1 \qquad \therefore \vec{a}\cdot\vec{b}=\frac{3}{2}$

$\cos\theta=\frac{\vec{a}\cdot\vec{b}}{|\vec{a}||\vec{b}|}=\frac{\frac{3}{2}}{3\times1}=\frac{1}{2} \qquad \therefore \boldsymbol{\theta=60^\circ}$

08-2 셀파 두 벡터 $\vec{a}$, $\vec{b}$가 이루는 각의 크기가 $\theta(0^\circ\le\theta\le90^\circ)$일 때, $\cos\theta=\frac{\vec{a}\cdot\vec{b}}{|\vec{a}||\vec{b}|}$

$\cos 45^\circ=\frac{\vec{a}\cdot\vec{b}}{|\vec{a}||\vec{b}|}=\frac{1\times2+k\times(-1)}{\sqrt{1^2+k^2}\sqrt{2^2+(-1)^2}}$

$\frac{\sqrt{2}}{2}=\frac{2-k}{\sqrt{5}\sqrt{1+k^2}}$, $5k^2+5=2k^2-8k+8$

$3k^2+8k-3=0$, $(3k-1)(k+3)=0$

$\therefore \boldsymbol{k=-3}\ (\because k<0)$

09-1 셀파 두 벡터 $\vec{a}$, $\vec{b}$에 대하여

$\vec{a}\perp\vec{b} \iff \vec{a}\cdot\vec{b}=0$, $\vec{a}/\!/\vec{b} \iff \vec{a}\cdot\vec{b}=\pm|\vec{a}||\vec{b}|$

$\vec{a}+x\vec{b}=(-2,1)+x(1,1)=(-2+x, 1+x)$

$\vec{b}+\vec{c}=(1,1)+(3,2)=(4,3)$

(1) 두 벡터 $\vec{a}+x\vec{b}$, $\vec{b}+\vec{c}$가 서로 수직이므로

$(\vec{a}+x\vec{b})\cdot(\vec{b}+\vec{c})=0$

$(-2+x, 1+x)\cdot(4,3)=0$

$4(-2+x)+3(1+x)=0$

$7x-5=0 \qquad \therefore \boldsymbol{x=\frac{5}{7}}$

(2) 두 벡터 $\vec{a}+x\vec{b}$, $\vec{b}+\vec{c}$가 서로 평행하므로

$(\vec{a}+x\vec{b})\cdot(\vec{b}+\vec{c})=\pm|\vec{a}+x\vec{b}||\vec{b}+\vec{c}|$

$(\vec{a}+x\vec{b})\cdot(\vec{b}+\vec{c})=(-2+x, 1+x)\cdot(4,3)=7x-5$

$\pm|\vec{a}+x\vec{b}||\vec{b}+\vec{c}|=\pm\sqrt{(-2+x)^2+(1+x)^2}\sqrt{4^2+3^2}$

$=\pm5\sqrt{2x^2-2x+5}$

따라서 $7x-5=\pm5\sqrt{2x^2-2x+5}$

이 식의 양변을 제곱하여 정리하면

$x^2+20x+100=0$, $(x+10)^2=0 \qquad \therefore \boldsymbol{x=-10}$

| 다른 풀이 |

(2) $\vec{a}+x\vec{b}$와 $\vec{b}+\vec{c}$가 서로 평행하므로 $\vec{a}+x\vec{b}=k(\vec{b}+\vec{c})$가 성립하는 0이 아닌 실수 k가 존재한다.

$(x-2, x+1)=k(4,3)$, $(x-2, x+1)=(4k, 3k)$

$\therefore x-2=4k$, $x+1=3k$

두 식을 연립하여 풀면

$k=-3$, $x=-10$

09-2 셀파 $\vec{a}\perp\vec{b} \iff \vec{a}\cdot\vec{b}=0 \iff a_1b_1+a_2b_2=0$

$\vec{b}/\!/\vec{c}$이므로 $\vec{b}\cdot\vec{c}=\pm|\vec{b}||\vec{c}|$

$(1,2)\cdot(x,y)=\pm\sqrt{1^2+2^2}\sqrt{x^2+y^2}$

$\therefore x+2y=\pm\sqrt{5}\sqrt{x^2+y^2}$

이 식의 양변을 제곱하여 정리하면

$4x^2-4xy+y^2=0$, $(2x-y)^2=0$

$\therefore y=2x$

이때 $\vec{c}=(x, 2x)$이므로

$\vec{c}-\vec{a}=(x,2x)-(4,3)=(x-4, 2x-3)$

또 $(\vec{c}-\vec{a})\perp\vec{b}$이므로 $(\vec{c}-\vec{a})\cdot\vec{b}=0$에서

$(x-4, 2x-3)\cdot(1,2)=0$

$x-4+2(2x-3)=0$, $5x-10=0$

$\therefore \boldsymbol{x=2, y=4}$

10-1 셀파 $\vec{a}\perp\vec{b} \Longleftrightarrow \vec{a}\cdot\vec{b}=0$

$\vec{b}=(x, y)$라 하면 두 벡터 $\vec{a}$, $\vec{b}$가 서로 수직이므로 $\vec{a}\cdot\vec{b}=0$

$(2, 1)\cdot(x, y)=0 \quad \therefore 2x+y=0 \quad \cdots\cdots$㉠

또 $|\vec{b}|=\sqrt{5}$이므로 $x^2+y^2=5 \quad \cdots\cdots$㉡

㉠, ㉡을 연립하여 풀면

$x=1, y=-2$ 또는 $x=-1, y=2$

따라서 구하는 벡터는

$\boldsymbol{\vec{b}=(1, -2)}$ **또는** $\boldsymbol{\vec{b}=(-1, 2)}$

10-2 셀파 직각삼각형 ABC에서 $\angle A=90^\circ$이면 $\overrightarrow{AB}\perp\overrightarrow{AC}$

$\overrightarrow{AB}\perp\overrightarrow{AC}$이므로 $\overrightarrow{AB}\cdot\overrightarrow{AC}=0$

이때

$\overrightarrow{AC}=\overrightarrow{AB}+\overrightarrow{BC}=(1, 2)+(m^2, m-4)$

$=(m^2+1, m-2)$

이므로 $(1, 2)\cdot(m^2+1, m-2)=0$

$m^2+2m-3=0, (m+3)(m-1)=0$

$\therefore \boldsymbol{m=-3}$ **또는** $\boldsymbol{m=1}$

연습 문제

본문 | 128~129쪽

01 셀파 선분 AB의 중점 M의 위치벡터는 $\overrightarrow{OM}=\dfrac{\vec{a}+\vec{b}}{2}$

선분 AB의 중점 M의 위치벡터는 $\overrightarrow{OM}=\dfrac{\vec{a}+\vec{b}}{2}$이므로

선분 OM을 3 : 1로 외분하는 점 N의 위치벡터는

$\overrightarrow{ON}=\dfrac{1}{3-1}\left(3\times\dfrac{\vec{a}+\vec{b}}{2}-1\times\vec{0}\right)$

$=\dfrac{3}{4}\vec{a}+\dfrac{3}{4}\vec{b}$

$\therefore \boldsymbol{k=\dfrac{3}{4}, l=\dfrac{3}{4}}$

02 셀파 각의 이등분선의 성질에 따라 점 D는 선분 BC를 2 : 1로 내분하는 점이다.

삼각형 ABC에서 $\overline{AB}=2$, $\overline{AC}=1$이고 점 D는 $\angle A$의 이등분선이 변 BC와 만나는 점이므로

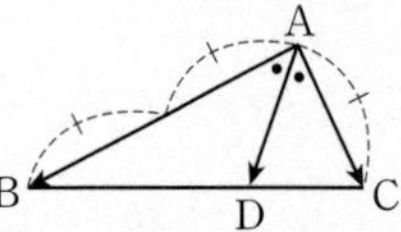

$\overline{BD}:\overline{CD}=\overline{AB}:\overline{AC}=2:1$

즉, 점 D는 선분 BC를 2 : 1로 내분하는 점이므로

$\overrightarrow{AD}=\dfrac{2\overrightarrow{AC}+\overrightarrow{AB}}{2+1}=\dfrac{1}{3}\overrightarrow{AB}+\dfrac{2}{3}\overrightarrow{AC}$

$\therefore \boldsymbol{m=\dfrac{1}{3}, n=\dfrac{2}{3}}$

03 셀파 주어진 식을 위치벡터로 나타내어 본다.

네 점 A, B, C, P의 위치벡터를 각각 $\vec{a}$, $\vec{b}$, $\vec{c}$, $\vec{p}$라 하면

$2\overrightarrow{PB}+3\overrightarrow{PC}=\vec{0}$에서

$2(\vec{b}-\vec{p})+3(\vec{c}-\vec{p})=\vec{0}$, $5\vec{p}=2\vec{b}+3\vec{c}$

$\therefore \vec{p}=\dfrac{2\vec{b}+3\vec{c}}{5}$

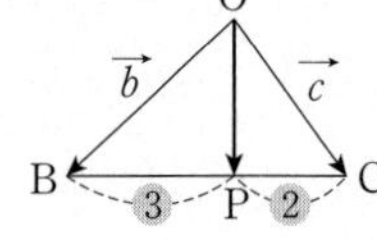

즉, 점 P는 선분 BC를 3 : 2로 내분하는 점이므로

$\overline{BP}=\dfrac{3}{5}\times10=6$

$\therefore |\overrightarrow{PA}|^2=6^2+4^2=\mathbf{52}$

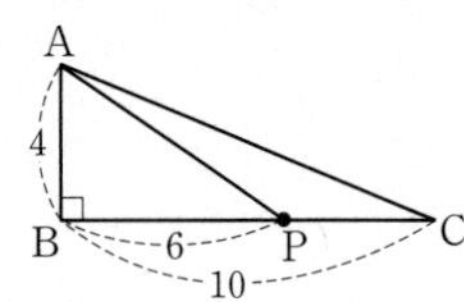

04 셀파 $\overrightarrow{AM}$, $\overrightarrow{MC}$를 각각 성분으로 나타낸다.

대각선 BD의 중점 M의 좌표는 $M\left(\dfrac{0+8}{2}, \dfrac{-1+1}{2}\right)$, 즉

M(4, 0)이므로

$\overrightarrow{AM}=\overrightarrow{OM}-\overrightarrow{OA}=(4, 0)-(p, 2)=(4-p, -2)$

$\overrightarrow{MC}=\overrightarrow{OC}-\overrightarrow{OM}=(3, q)-(4, 0)=(-1, q)$

이때 $\overrightarrow{AM}=\overrightarrow{MC}$이므로 $4-p=-1$, $-2=q$

$\therefore \boldsymbol{p=5, q=-2}$

| 다른 풀이 |

사각형 ABCD에서 대각선 BD의 중점 M에 대하여 $\overrightarrow{AM}=\overrightarrow{MC}$이므로 $\overline{AM}=\overline{MC}$이고, 점 M은 대각선 AC의 중점이다.

즉, 두 대각선 BD, AC의 중점이 일치하므로

$4=\dfrac{p+3}{2}, 0=\dfrac{2+q}{2} \qquad \therefore p=5, q=-2$

05 셀파 $\overrightarrow{\mathrm{OA}}$, $\overrightarrow{\mathrm{OB}}$, $\overrightarrow{\mathrm{OP}}$를 성분으로 나타낸 다음 $\overrightarrow{\mathrm{OP}}=k\overrightarrow{\mathrm{OA}}+l\overrightarrow{\mathrm{OB}}$에 대입한다.

점 P의 좌표를 $\mathrm{P}(x, y)$라 하면 $\overrightarrow{\mathrm{OP}}=(x, y)$

$\overrightarrow{\mathrm{OP}}=k\overrightarrow{\mathrm{OA}}+l\overrightarrow{\mathrm{OB}}$이므로

$(x, y)=k(3, 1)+l(-1, 4)=(3k-l, k+4l)$

$x=3k-l$ ……㉠, $y=k+4l$ ……㉡

㉠×4+㉡을 하면 $4x+y=13k$ $\therefore k=\dfrac{4x+y}{13}$

㉡×3−㉠을 하면 $-x+3y=13l$ $\therefore l=\dfrac{-x+3y}{13}$

이때 $k+l=2$이므로 $\dfrac{4x+y}{13}+\dfrac{-x+3y}{13}=2$

$4x+y+(-x+3y)=26$

따라서 구하는 도형의 방정식은

$\mathbf{3x+4y=26}$

06 셀파 두 벡터 $\overrightarrow{\mathrm{AB}}$, $\overrightarrow{\mathrm{BC}}$가 이루는 각의 크기가 θ일 때 $\overrightarrow{\mathrm{AB}}\cdot\overrightarrow{\mathrm{BC}}=|\overrightarrow{\mathrm{AB}}||\overrightarrow{\mathrm{BC}}|\cos\theta$

반원에 대한 원주각의 크기는 90°이므로

$\angle\mathrm{BAC}=90^\circ$

직각삼각형 ABC에서

$\overline{\mathrm{BC}}=\sqrt{\overline{\mathrm{AB}}^2+\overline{\mathrm{AC}}^2}$

$=\sqrt{(\sqrt{6})^2+(\sqrt{2})^2}=2\sqrt{2}$

이고 $\overline{\mathrm{AB}}:\overline{\mathrm{BC}}:\overline{\mathrm{AC}}=\sqrt{3}:2:1$이므로

$\angle\mathrm{ABC}=30^\circ$

$\overrightarrow{\mathrm{AB}}$와 $\overrightarrow{\mathrm{BC}}$가 이루는 각의 크기는 $180^\circ-30^\circ=150^\circ$이므로

$\overrightarrow{\mathrm{AB}}\cdot\overrightarrow{\mathrm{BC}}=-|\overrightarrow{\mathrm{AB}}||\overrightarrow{\mathrm{BC}}|\cos(180^\circ-150^\circ)$

$=-\sqrt{6}\times2\sqrt{2}\times\dfrac{\sqrt{3}}{2}=\mathbf{-6}$

LECTURE 시점이 다른 두 벡터가 이루는 각의 크기

시점이 다른 두 벡터가 이루는 각의 크기는 평행이동하여 시점을 같게 옮겨 놓은 다음 생각한다.

오른쪽 그림에서 두 벡터 $\overrightarrow{\mathrm{AB}}$, $\overrightarrow{\mathrm{BC}}$가 이루는 각의 크기를 $\angle\mathrm{ABC}=30^\circ$로 생각하면 안 된다.

두 벡터 $\overrightarrow{\mathrm{AB}}$, $\overrightarrow{\mathrm{BC}}$가 이루는 각의 크기를 θ라 하면

$\theta=180^\circ-\angle\mathrm{ABC}$

$=180^\circ-30^\circ=150^\circ$

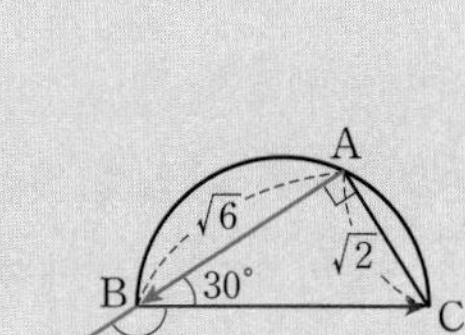

07 셀파 두 벡터 $\vec{a}$, $\vec{b}$가 이루는 각의 크기가 θ일 때, $\vec{a}\cdot\vec{b}=|\vec{a}||\vec{b}|\cos\theta$이다.

$\angle\mathrm{A}=120^\circ$이므로

$\angle\mathrm{BAD}=\angle\mathrm{DAE}=\angle\mathrm{EAF}=\angle\mathrm{FAC}=30^\circ$

$\overrightarrow{\mathrm{AB}}\cdot\overrightarrow{\mathrm{AC}}=-|\overrightarrow{\mathrm{AB}}||\overrightarrow{\mathrm{AC}}|\cos(180^\circ-120^\circ)$

$=-3\times2\times\dfrac{1}{2}=-3$

$\overrightarrow{\mathrm{AB}}\cdot\overrightarrow{\mathrm{AD}}=|\overrightarrow{\mathrm{AB}}||\overrightarrow{\mathrm{AD}}|\cos30^\circ$

$=3\times|\overrightarrow{\mathrm{AD}}|\times\dfrac{\sqrt{3}}{2}=\dfrac{3\sqrt{3}}{2}|\overrightarrow{\mathrm{AD}}|$

$\overrightarrow{\mathrm{AB}}\cdot\overrightarrow{\mathrm{AF}}=|\overrightarrow{\mathrm{AB}}||\overrightarrow{\mathrm{AF}}|\cos90^\circ=0$

따라서 내적의 값이 가장 큰 것은 $\mathbf{\overrightarrow{AB}\cdot\overrightarrow{AD}}$

08 셀파 두 점 P, Q가 포물선 위의 점인 것을 이용하여 $\overrightarrow{\mathrm{OP}}$, $\overrightarrow{\mathrm{OQ}}$를 각각 성분으로 나타낸다.

두 점 P, Q가 포물선 $y^2=2x$, 즉 $x=\dfrac{1}{2}y^2$ 위의 점이므로

$\mathrm{P}\left(\dfrac{a^2}{2}, a\right)$, $\mathrm{Q}\left(\dfrac{b^2}{2}, b\right)$로 놓으면

$\overrightarrow{\mathrm{OP}}=\left(\dfrac{a^2}{2}, a\right)$, $\overrightarrow{\mathrm{OQ}}=\left(\dfrac{b^2}{2}, b\right)$

$\therefore \overrightarrow{\mathrm{OP}}\cdot\overrightarrow{\mathrm{OQ}}=\left(\dfrac{a^2}{2}, a\right)\cdot\left(\dfrac{b^2}{2}, b\right)$

$=\dfrac{(ab)^2}{4}+ab=\dfrac{1}{4}\{(ab)^2+4ab+4\}-1$

$=\dfrac{1}{4}(ab+2)^2-1$

따라서 $\overrightarrow{\mathrm{OP}}\cdot\overrightarrow{\mathrm{OQ}}$는 $ab=-2$일 때, 최솟값 $\mathbf{-1}$을 가진다.

09 셀파 직각삼각형 ACF에서 $|\overrightarrow{\mathrm{AC}}|$를 구한다.

오른쪽 그림에서

$|\overrightarrow{\mathrm{AB}}|=|\overrightarrow{\mathrm{AF}}|=1$이고 직각삼각형

ACF에서 $\overline{\mathrm{CF}}=2$이므로

$\overline{\mathrm{AC}}=\overline{\mathrm{CF}}\cos30^\circ=\sqrt{3}$

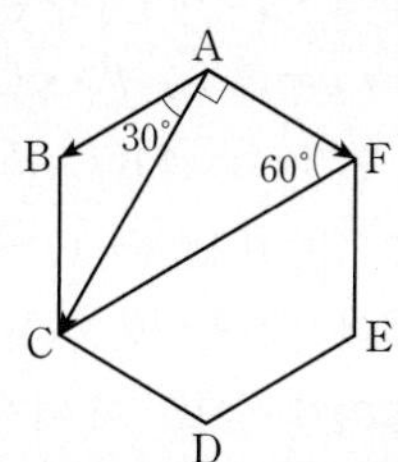

$\therefore (\overrightarrow{\mathrm{AB}}+\overrightarrow{\mathrm{AF}})\cdot\overrightarrow{\mathrm{AC}}$

$=\overrightarrow{\mathrm{AB}}\cdot\overrightarrow{\mathrm{AC}}+\overrightarrow{\mathrm{AF}}\cdot\overrightarrow{\mathrm{AC}}$

$=|\overrightarrow{\mathrm{AB}}||\overrightarrow{\mathrm{AC}}|\cos30^\circ+|\overrightarrow{\mathrm{AF}}||\overrightarrow{\mathrm{AC}}|\cos90^\circ$

$=1\times\sqrt{3}\times\dfrac{\sqrt{3}}{2}+0=\mathbf{\dfrac{3}{2}}$

10 셀파 $|\vec{a}+\vec{b}|^2=|\vec{a}|^2+2\vec{a}\cdot\vec{b}+|\vec{b}|^2$을 이용한다.

㉮ $\vec{a}\cdot\vec{b}=|\vec{a}||\vec{b}|\cos 60^\circ=\frac{1}{2}$이므로

$$|\vec{a}+\vec{b}|^2=|\vec{a}|^2+2\vec{a}\cdot\vec{b}+|\vec{b}|^2$$
$$=1+2\times\frac{1}{2}+1=3$$

$\therefore |\vec{a}+\vec{b}|=\sqrt{3}$

$$|\vec{a}-2\vec{b}|^2=|\vec{a}|^2-4\vec{a}\cdot\vec{b}+4|\vec{b}|^2$$
$$=1-4\times\frac{1}{2}+4\times 1=3$$

$\therefore |\vec{a}-2\vec{b}|=\sqrt{3}$

㉯ $(\vec{a}+\vec{b})\cdot(\vec{a}-2\vec{b})=|\vec{a}|^2-\vec{a}\cdot\vec{b}-2|\vec{b}|^2$

$$=1-\frac{1}{2}-2\times 1=-\frac{3}{2}$$

㉰ $(\vec{a}+\vec{b})\cdot(\vec{a}-2\vec{b})<0$이므로

$$\cos(180^\circ-\theta)=-\frac{(\vec{a}+\vec{b})\cdot(\vec{a}-2\vec{b})}{|\vec{a}+\vec{b}||\vec{a}-2\vec{b}|}$$
$$=-\frac{-\frac{3}{2}}{\sqrt{3}\times\sqrt{3}}=\frac{1}{2}$$

$180^\circ-\theta=60^\circ$ ($\because 0^\circ\le\theta\le 180^\circ$)

$\therefore$ $\boldsymbol{\theta=120^\circ}$

채점 기준	배점
㉮ $|\vec{a}+\vec{b}|$, $|\vec{a}-2\vec{b}|$의 값을 구한다.	30%
㉯ $(\vec{a}+\vec{b})\cdot(\vec{a}-2\vec{b})$의 값을 구한다.	30%
㉰ θ의 값을 구한다.	40%

11 셀파 $\vec{x}\cdot\vec{y}\neq 0$이다.

두 벡터 $\vec{x}$, $\vec{y}$가 어떤 실수 t에 대해서도 서로 수직이 되지 않으려면 $\vec{x}\cdot\vec{y}\neq 0$이어야 한다.

$$\vec{x}\cdot\vec{y}=(t+1, t^2)\cdot(t^2+kt+1, -t-k)$$
$$=(t+1)(t^2+kt+1)+t^2(-t-k)$$
$$=t^2+(k+1)t+1$$

따라서 t에 대한 이차방정식 $t^2+(k+1)t+1=0$이 실근을 갖지 않아야 하므로 이 이차방정식의 판별식을 D라 하면

$D=(k+1)^2-4\times 1\times 1<0$

$k^2+2k-3<0$, $(k+3)(k-1)<0$

$\therefore$ $\boldsymbol{-3<k<1}$

12 셀파 $\vec{p}=(x, y)$라 하고 $\vec{p}+\vec{c}=k(\vec{a}-\vec{b})$($k$는 0이 아닌 실수), $(\vec{p}+\vec{a})\cdot(\vec{b}+\vec{c})=0$을 만족시키는 x, y의 값을 구한다.

$\vec{p}=(x, y)$라 하면

$\vec{a}=(4, 1)$, $\vec{b}=(2, 3)$, $\vec{c}=(1, -3)$이므로

$\vec{p}+\vec{c}=(x+1, y-3)$, $\vec{a}-\vec{b}=(2, -2)$

$\vec{p}+\vec{a}=(x+4, y+1)$, $\vec{b}+\vec{c}=(3, 0)$

이때 $\vec{p}+\vec{c}$와 $\vec{a}-\vec{b}$가 서로 평행하므로

$\vec{p}+\vec{c}=k(\vec{a}-\vec{b})$ (단, k는 0이 아닌 실수)

$(x+1, y-3)=k(2, -2)$

$\therefore x+1=2k, y-3=-2k$ ……㉠

또 $\vec{p}+\vec{a}$와 $\vec{b}+\vec{c}$가 서로 수직이므로

$(\vec{p}+\vec{a})\cdot(\vec{b}+\vec{c})=0$

$(x+4, y+1)\cdot(3, 0)=0$

$3x+12=0$ $\quad\therefore x=-4$

$x=-4$를 ㉠에 대입하면 $k=-\frac{3}{2}$, $y=6$

$\therefore$ $\boldsymbol{\vec{p}=(-4, 6)}$

13 셀파 지은이가 있는 지점의 위치벡터를 $\vec{b}=(b_1, b_2)$로 놓고 두 벡터 $\vec{a}$, $\vec{b}$가 서로 수직인 것을 생각한다.

지은이가 있는 지점의 위치벡터를 $\vec{b}=(b_1, b_2)$라 하면 두 벡터 $\vec{a}$, $\vec{b}$가 서로 수직이므로

$\vec{a}\cdot\vec{b}=8b_1+6b_2=0$

$\therefore b_2=-\frac{4}{3}b_1$ ……㉠

또 지은이가 10 m 걸어갔으므로

$|\vec{b}|=\sqrt{b_1^2+b_2^2}=10$에서 $b_1^2+b_2^2=100$ ……㉡

㉠을 ㉡에 대입하면

$b_1^2+\frac{16}{9}b_1^2=100$, $b_1^2=36$

$\therefore b_1=6$ 또는 $b_1=-6$

$b_1=6$일 때 $b_2=-8$, $b_1=-6$일 때 $b_2=8$

$\therefore$ $\boldsymbol{\vec{b}=(6, -8)}$ **또는** $\boldsymbol{\vec{b}=(-6, 8)}$

7. 직선과 원의 방정식

개념 익히기 본문 | 133, 135 쪽

1-1 (1) 점 A(2, 5)를 지나고 벡터 $\vec{u}=(3, 4)$에 평행한 직선의 방정식은

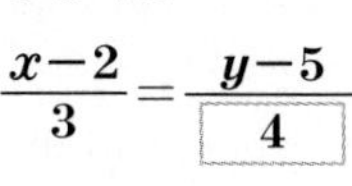

$$\frac{x-2}{3}=\frac{y-5}{\boxed{4}}$$

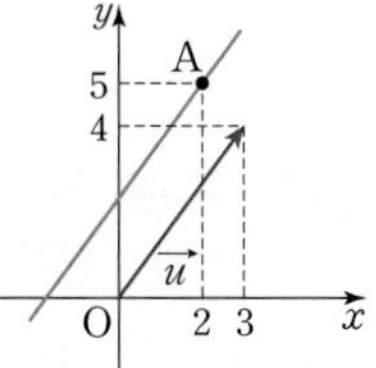

(2) 점 A(2, 5)를 지나고 벡터 $\vec{n}=(3, 4)$에 수직인 직선의 방정식은

$3(x-2)+\boxed{4}(y-5)=0$

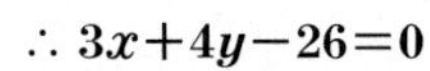

$\therefore$ $\boldsymbol{3x+4y-26=0}$

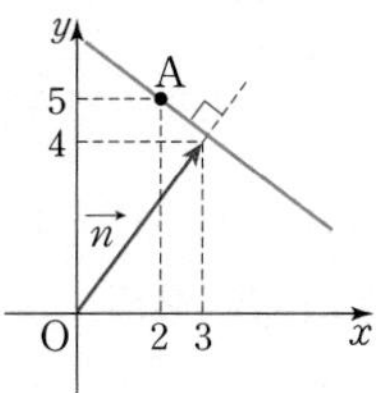

1-2 (1) $\dfrac{x-3}{1}=\dfrac{y-2}{5}$ $\quad\therefore$ $\boldsymbol{x-3=\dfrac{y-2}{5}}$

(2) $(x-3)+5(y-2)=0$ $\quad\therefore$ $\boldsymbol{x+5y-13=0}$

2-1 두 직선 l_1, l_2의 방향벡터가 각각 $\vec{u_1}=(1, -3)$, $\vec{u_2}=(1, 2)$이므로

$$\cos\theta=\frac{|\vec{u_1}\cdot\vec{u_2}|}{|\vec{u_1}||\vec{u_2}|}=\frac{|1\times1+(-3)\times2|}{\sqrt{1^2+(-3)^2}\sqrt{1^2+2^2}}$$

$$=\frac{5}{\sqrt{10}\sqrt{5}}=\frac{\sqrt{2}}{2}$$

이때 $0^\circ\le\theta\le90^\circ$이므로 $\theta=\boxed{45^\circ}$

2-2 (1) 두 직선 l_1, l_2의 방향벡터가 각각 $\vec{u_1}=(2, 1)$, $\vec{u_2}=(-3, 1)$이므로

$$\cos\theta_1=\frac{|\vec{u_1}\cdot\vec{u_2}|}{|\vec{u_1}||\vec{u_2}|}=\frac{|2\times(-3)+1\times1|}{\sqrt{2^2+1^2}\sqrt{(-3)^2+1^2}}$$

$$=\frac{5}{\sqrt{5}\sqrt{10}}=\frac{\sqrt{2}}{2}$$

이때 $0^\circ\le\theta_1\le90^\circ$이므로 $\boldsymbol{\theta_1=45^\circ}$

(2) 두 직선 l_2, l_3의 방향벡터가 각각 $\vec{u_2}=(-3, 1)$, $\vec{u_3}=(2, -4)$이므로

$$\cos\theta_2=\frac{|\vec{u_2}\cdot\vec{u_3}|}{|\vec{u_2}||\vec{u_3}|}=\frac{|(-3)\times2+1\times(-4)|}{\sqrt{(-3)^2+1^2}\sqrt{2^2+(-4)^2}}$$

$$=\frac{10}{\sqrt{10}\sqrt{20}}=\frac{\sqrt{2}}{2}$$

이때 $0^\circ\le\theta_2\le90^\circ$이므로 $\boldsymbol{\theta_2=45^\circ}$

3-1 두 직선의 방향벡터를 각각 $\vec{u_1}$, $\vec{u_2}$라 하면 $\vec{u_1}=(2, a)$, $\vec{u_2}=(1, 2)$

(1) 두 직선이 서로 수직이면 $\vec{u_1}\cdot\vec{u_2}=0$이므로

$(2, a)\cdot(1, 2)=\boxed{0}$

$2+2a=0$ $\quad\therefore$ $\boldsymbol{a=-1}$

(2) 두 직선이 서로 평행하면 $\vec{u_1}=k\vec{u_2}$ ($k\neq0$인 실수)이므로

$(2, a)=k(1, 2)=(k, 2k)$

$k=\boxed{2}$, $a=2k$ $\quad\therefore$ $\boldsymbol{a=4}$

3-2 두 직선의 방향벡터를 각각 $\vec{u_1}$, $\vec{u_2}$라 하면 $\vec{u_1}=(a, 2)$, $\vec{u_2}=(4, -2)$

(1) 두 직선이 서로 수직이면 $\vec{u_1}\cdot\vec{u_2}=0$이므로

$(a, 2)\cdot(4, -2)=0$

$4a-4=0$ $\quad\therefore$ $\boldsymbol{a=1}$

(2) 두 직선이 서로 평행하면 $\vec{u_1}=k\vec{u_2}$ ($k\neq0$인 실수)이므로

$(a, 2)=k(4, -2)=(4k, -2k)$

$a=4k$, $2=-2k$ $\quad\therefore$ $\boldsymbol{a=-4}$

4-1 $|\vec{p}-\vec{c}|=4$의 양변을 제곱하면

$|\vec{p}-\vec{c}|^2=4^2$, $(\vec{p}-\vec{c})\cdot(\vec{p}-\vec{c})=16$

$\vec{p}-\vec{c}=(x-\boxed{2}, y-1)$이므로

$(x-2)^2+(y-1)^2=16$

따라서 점 P가 나타내는 도형은

중심이 C(2, 1)이고 반지름의 길이가 $\boxed{4}$인 원

4-2 (1) $|\vec{p}-\vec{c}|=3$의 양변을 제곱하여 내적으로 나타내면
$|\vec{p}-\vec{c}|^2=3^2$, $(\vec{p}-\vec{c})\cdot(\vec{p}-\vec{c})=9$
$\vec{p}-\vec{c}=(x+3, y-2)$이므로
$(x+3)^2+(y-2)^2=9$
따라서 점 P가 나타내는 도형은
중심이 C$(-3, 2)$이고 반지름의 길이가 3인 원

(2) $\vec{p}-\vec{c}=(x+3, y-2)$이므로
$(\vec{p}-\vec{c})\cdot(\vec{p}-\vec{c})$
$=(x+3)^2+(y-2)^2$
$\therefore (x+3)^2+(y-2)^2=4$
따라서 점 P가 나타내는 도형은
중심이 C$(-3, 2)$이고 반지름의 길이가 2인 원

확인 문제

본문 | 136~147쪽

01-1 셀파 구하는 직선의 방향벡터를 구한다.
두 점 A, B를 지나는 직선의 방향벡터 $\overrightarrow{AB}$는
$\overrightarrow{AB}=\overrightarrow{OB}-\overrightarrow{OA}=(-2, 1)$
따라서 점 A$(2, 1)$을 지나고 방향벡터가 $\overrightarrow{AB}=(-2, 1)$인 직선의 방정식은
$\boldsymbol{\dfrac{x-2}{-2}=y-1}$

01-2 셀파 선분 AB를 $3:1$로 내분하는 점 P의 좌표를 먼저 구한다.
두 점 A$(1, -4)$, B$(5, 4)$를 이은 선분 AB를 $3:1$로 내분하는 점 P의 좌표는
$\left(\dfrac{3\times5+1\times1}{3+1}, \dfrac{3\times4+1\times(-4)}{3+1}\right)$ $\quad\therefore$ P$(4, 2)$
또 직선 $\dfrac{x-1}{3}=\dfrac{4-y}{2}$의 방향벡터 $\vec{u}$는 $\vec{u}=(3, -2)$
따라서 점 P$(4, 2)$를 지나고 $\vec{u}=(3, -2)$에 평행한 직선의 방정식은
$\boldsymbol{\dfrac{x-4}{3}=\dfrac{y-2}{-2}}$

셀파 특강 확인 체크 01
점 A$(-2, 1)$을 지나고 법선벡터가 $\vec{n}=(1, 3)$인 직선의 방정식은
$(x+2)+3(y-1)=0$ $\qquad\therefore$ $\boldsymbol{x+3y-1=0}$

02-1 셀파 점 A(x_1, y_1)을 지나고 벡터 $\vec{n}=(a, b)$에 수직인 직선의 방정식 ⇨ $a(x-x_1)+b(y-y_1)=0$
두 점 A$(1, 2)$, B$(-3, 4)$를 지나는 직선의 방향벡터 $\vec{u}$는
$\vec{u}=\overrightarrow{AB}=(-3, 4)-(1, 2)=(-4, 2)$
선분 AB의 중점 M의 좌표는 M$\left(\dfrac{1-3}{2}, \dfrac{2+4}{2}\right)$, 즉 $(-1, 3)$
따라서 점 M$(-1, 3)$을 지나고 벡터 $\vec{u}=(-4, 2)$에 수직인 직선의 방정식은
$-4\{x-(-1)\}+2(y-3)=0$, $-4x+2y-10=0$
$\therefore$ $\boldsymbol{2x-y+5=0}$

02-2 셀파 $\vec{a}+\vec{b}$가 구하는 직선의 법선벡터이다.
두 벡터 $\vec{a}=(1, 5)$, $\vec{b}=(2, 1)$에 대하여
$\vec{a}+\vec{b}=(1, 5)+(2, 1)=(3, 6)$
벡터 $\vec{a}+\vec{b}=(3, 6)$에 수직이고 점 $(3, 2)$를 지나는 직선의 방정식은
$3(x-3)+6(y-2)=0$, $3x+6y-21=0$
$\therefore x+2y-7=0$
$\therefore$ $\boldsymbol{m=2, n=-7}$

집중 연습

본문 | 139쪽

01 (1) $\dfrac{x-0}{-2}=\dfrac{y-3}{3}$ $\qquad\therefore$ $\boldsymbol{\dfrac{x}{-2}=\dfrac{y-3}{3}}$

(2) $\boldsymbol{\dfrac{x-5}{2}=\dfrac{y-3}{-1}}$

02 (1) 점 $(2, 1)$을 지나고 방향벡터가 $\vec{u}=(3, 2)$인 직선의 방정식은

$$\boldsymbol{\frac{x-2}{3}=\frac{y-1}{2}}$$

(2) 점 $(-3, 5)$를 지나고 방향벡터가 $\vec{u}=(-5, 2)$인 직선의 방정식은

$$\frac{x-(-3)}{-5}=\frac{y-5}{2} \qquad \therefore \boldsymbol{\frac{x+3}{-5}=\frac{y-5}{2}}$$

03 (1) 두 점 A, B를 지나는 직선의 방향벡터 $\overrightarrow{AB}$는
$\overrightarrow{AB}=\overrightarrow{OB}-\overrightarrow{OA}=(1, -1)$
따라서 점 $A(1, 4)$를 지나고 방향벡터가 $\overrightarrow{AB}=(1, -1)$인 직선의 방정식은

$$\boldsymbol{x-1=\frac{y-4}{-1}}$$

(2) 두 점 A, B를 지나는 직선의 방향벡터 $\overrightarrow{AB}$는
$\overrightarrow{AB}=\overrightarrow{OB}-\overrightarrow{OA}=(2, -6)$
따라서 점 $A(1, 2)$를 지나고 방향벡터가 $\overrightarrow{AB}=(2, -6)$인 직선의 방정식은

$$\boldsymbol{\frac{x-1}{2}=\frac{y-2}{-6}}$$

04 (1) $3(x-5)-2\{y-(-4)\}=0$
$\therefore \boldsymbol{3x-2y-23=0}$

(2) $2(x-1)+3(y-2)=0$
$\therefore \boldsymbol{2x+3y-8=0}$

03-1 셀파 **두 직선의 방향벡터를 먼저 구한다.**

직선 $\frac{x+1}{3}=y+2$의 방향벡터를 $\vec{u_1}$이라 하면 $\vec{u_1}=(3, 1)$

직선 $\begin{cases} x=t-3 \\ y=3t-1 \end{cases}$에서 $t=x+3$, $t=\frac{y+1}{3}$이므로

직선 $x+3=\frac{y+1}{3}$의 방향벡터를 $\vec{u_2}$라 하면 $\vec{u_2}=(1, 3)$

$$\cos\theta=\frac{|\vec{u_1}\cdot\vec{u_2}|}{|\vec{u_1}||\vec{u_2}|}=\frac{|3\times1+1\times3|}{\sqrt{3^2+1^2}\sqrt{1^2+3^2}}=\frac{6}{10}=\boldsymbol{\frac{3}{5}}$$

03-2 셀파 **두 직선의 방향벡터를 각각 $\vec{u_1}$, $\vec{u_2}$라 하면 $\cos 30^\circ=\frac{|\vec{u_1}\cdot\vec{u_2}|}{|\vec{u_1}||\vec{u_2}|}$이다.**

두 직선 $\frac{x-4}{3}=\frac{y}{-\sqrt{3}}$, $\frac{x+2}{a}=\frac{y-5}{-3}$의 방향벡터를 각각 $\vec{u_1}$, $\vec{u_2}$라 하면
$\vec{u_1}=(3, -\sqrt{3})$, $\vec{u_2}=(a, -3)$
이때 두 직선이 이루는 각의 크기가 30°이므로

$$\cos 30^\circ=\frac{|\vec{u_1}\cdot\vec{u_2}|}{|\vec{u_1}||\vec{u_2}|}$$

$$\frac{\sqrt{3}}{2}=\frac{|3a+(-\sqrt{3})\times(-3)|}{\sqrt{3^2+(-\sqrt{3})^2}\sqrt{a^2+(-3)^2}}$$

$$\frac{\sqrt{3}}{2}=\frac{|3a+3\sqrt{3}|}{2\sqrt{3}\sqrt{a^2+9}},\ \sqrt{a^2+9}=|a+\sqrt{3}|$$

양변을 제곱하여 풀면
$a^2+9=a^2+2\sqrt{3}a+3$, $2\sqrt{3}a=6$ $\qquad \therefore \boldsymbol{a=\sqrt{3}}$

04-1 셀파 **두 직선의 방향벡터를 각각 $\vec{u_1}$, $\vec{u_2}$라 하면 $\vec{u_1}\cdot\vec{u_2}=0$**

두 직선의 방향벡터를 각각 $\vec{u_1}$, $\vec{u_2}$라 하면
$\vec{u_1}=(-3, 5)$, $\vec{u_2}=(5, a)$
두 직선이 서로 수직이므로
$\vec{u_1}\cdot\vec{u_2}=0$, $(-3, 5)\cdot(5, a)=0$
$-15+5a=0$ $\qquad \therefore \boldsymbol{a=3}$

04-2 셀파 **$\vec{u_1}=(a_1, b_1)$, $\vec{u_2}=(a_2, b_2)$일 때**
$\vec{u_1}/\!/\vec{u_2} \iff (a_2, b_2)=k(a_1, b_1)$ (단, $k\neq0$인 실수)
$\vec{u_1}\perp\vec{u_2} \iff a_1a_2+b_1b_2=0$

(i) 직선 $\frac{x-1}{2}=\frac{y-3}{a}$이 직선 $x+1=y-4$와 평행하므로
$(2, a)=k(1, 1)$에서 $2=k$, $a=k$
$\therefore \boldsymbol{a=2}$

(ii) 직선 $\frac{x-1}{2}=\frac{y-3}{a}$이 직선 $\frac{3-x}{b}=\frac{y}{4}$와 수직이므로
$(2, a)\cdot(-b, 4)=0$, $-2b+4a=0$
(i)에서 $a=2$를 대입하면
$-2b+8=0$ $\qquad \therefore \boldsymbol{b=4}$

05-1 셀파 두 직선 위의 점의 좌표를 각각 t, s로 나타낸 다음 t, s의 값을 구한다.

두 점 $(0, -4)$, $(1, -2)$를 지나는 직선의 방정식은

$\frac{x-0}{1-0}=\frac{y-(-4)}{-2-(-4)}$, 즉 $x=\frac{y+4}{2}$

이 직선의 방정식을 매개변수 t로 나타내면

$x=t$, $y=2t-4$ (단, t는 실수) ……㉠

또 직선의 방정식 $\frac{x+4}{2}=y+3$을 매개변수 s로 나타내면

$x=2s-4$, $y=s-3$ (단, s는 실수) ……㉡

㉠, ㉡에서 $t=2s-4$, $2t-4=s-3$

두 식을 연립하여 풀면 $t=2$, $s=3$

따라서 구하는 교점의 좌표는 **(2, 0)**

05-2 셀파 직선의 방정식을 매개변수 t로 나타내어 점 H를 t로 나타낸다.

직선의 방정식 $\frac{x+1}{3}=\frac{y-2}{-1}$를 매개변수 t로 나타내면

$x=3t-1$, $y=-t+2$ (t는 실수)이므로 점 H의 좌표는

$\mathrm{H}(3t-1, -t+2)$

$\overrightarrow{\mathrm{AH}}=\overrightarrow{\mathrm{OH}}-\overrightarrow{\mathrm{OA}}=(3t-1, -t+2)-(-5, 0)$

$=(3t+4, -t+2)$

직선의 방향벡터를 $\vec{u}$라 하면 $\vec{u}=(3, -1)$

이때 $\overrightarrow{\mathrm{AH}}\perp\vec{u}$이므로 $\overrightarrow{\mathrm{AH}}\cdot\vec{u}=0$에서

$(3t+4, -t+2)\cdot(3, -1)=0$

$9t+12+t-2=0$, $10t+10=0$ $\quad\therefore t=-1$

$\therefore$ **H(−4, 3)**

| 다른 풀이 |

직선의 방정식 $\frac{x+1}{3}=\frac{y-2}{-1}$를 매개변수 t로 나타내면

$x=3t-1$, $y=-t+2$ (t는 실수)이므로 점 H의 좌표는

$\mathrm{H}(3t-1, -t+2)$

한편 점 $\mathrm{A}(-5, 0)$을 지나고 직선 $\frac{x+1}{3}=\frac{y-2}{-1}$에 수직인 직선은 법선 벡터가 $\vec{n}=(3, -1)$이므로

$3\{x-(-5)\}-(y-0)=0$ $\quad\therefore 3x-y+15=0$

이때 점 H는 직선 $3x-y+15=0$ 위의 점이므로

$3(3t-1)-(-t+2)+15=0$, $10t+10=0$ $\quad\therefore t=-1$

$\therefore \mathrm{H}(-4, 3)$

06-1 셀파 $|\vec{p}-2\vec{a}|=4$에서 $(\vec{p}-2\vec{a})\cdot(\vec{p}-2\vec{a})=16$

$|\vec{p}-2\vec{a}|=4$의 양변을 제곱하여 내적으로 나타내면

$|\vec{p}-2\vec{a}|^2=4^2$, $(\vec{p}-2\vec{a})\cdot(\vec{p}-2\vec{a})=16$

$\vec{p}-2\vec{a}=(x-2, y-4)$이므로 점 P가 나타내는 도형의 방정식은

$\boldsymbol{(x-2)^2+(y-4)^2=16}$

06-2 셀파 $\overrightarrow{\mathrm{AP}}\cdot\overrightarrow{\mathrm{BP}}=(\vec{p}-\vec{a})\cdot(\vec{p}-\vec{b})=0$이다.

점 P의 좌표를 $\mathrm{P}(x, y)$로 놓고 세 점 A, B, P의 위치벡터를 각각 $\vec{a}$, $\vec{b}$, $\vec{p}$라 하면 $\vec{a}=(-3, 2)$, $\vec{b}=(1, -2)$, $\vec{p}=(x, y)$

$\overrightarrow{\mathrm{AP}}\cdot\overrightarrow{\mathrm{BP}}=0$에서 $(\vec{p}-\vec{a})\cdot(\vec{p}-\vec{b})=0$

$(x+3, y-2)\cdot(x-1, y+2)=0$

$(x+3)(x-1)+(y-2)(y+2)=0$

$x^2+2x+y^2-7=0$ $\quad\therefore \boldsymbol{(x+1)^2+y^2=8}$

셀파 세미나 벡터를 이용하여 원의 방정식 구하기

좌표평면에서 두 점 $\mathrm{A}(-1, 2)$, $\mathrm{B}(3, -4)$를 지름의 양 끝점으로 하는 원의 방정식을 벡터를 이용하여 다음과 같은 두 가지 방법으로 구할 수 있다.

점 P의 좌표를 점 $\mathrm{P}(x, y)$로 놓고 세 점 A, B, P의 위치벡터를 각각 $\vec{a}$, $\vec{b}$, $\vec{p}$라 하면

$\vec{a}=(-1, 2)$, $\vec{b}=(3, -4)$, $\vec{p}=(x, y)$

방법1 $\overrightarrow{\mathrm{AP}}\cdot\overrightarrow{\mathrm{BP}}=0$에서

$(x+1, y-2)\cdot(x-3, y+4)=0$

$(x+1)(x-3)+(y-2)(y+4)=0$

$x^2-2x+y^2+2y-11=0$

따라서 구하는 원의 방정식은

$(x-1)^2+(y+1)^2=13$

방법2 구하는 원의 중심을 C라 하고 점 C의 위치벡터를 $\vec{c}$라 하면

$\vec{c}=\frac{\vec{a}+\vec{b}}{2}=(1, -1)$

반지름의 길이는

$|\overrightarrow{\mathrm{CA}}|=|\vec{a}-\vec{c}|=|(-2, 3)|=\sqrt{13}$

구하는 원의 방정식을 벡터로 나타내면

$|\vec{p}-\vec{c}|=\sqrt{13}$

따라서 구하는 원의 방정식은

$(x-1)^2+(y+1)^2=13$

셀파 특강 **확인 체크 02**

구하는 원 위의 임의의 한 점을 $P(x, y)$라 하고, 세 점 A, B, P의 위치벡터를 각각 $\vec{a}$, $\vec{b}$, $\vec{p}$라 하면

$\vec{a}=(2, 1)$, $\vec{b}=(4, 3)$, $\vec{p}=(x, y)$

$(\vec{p}-\vec{a})\cdot(\vec{p}-\vec{b})=0$에서 $(x-2, y-1)\cdot(x-4, y-3)=0$

$(x-2)(x-4)+(y-1)(y-3)=0$

$x^2-6x+y^2-4y+11=0 \qquad \therefore \boldsymbol{(x-3)^2+(y-2)^2=2}$

| 다른 풀이 |

두 점 $A(2, 1)$, $B(4, 3)$의 위치벡터를 각각 $\vec{a}$, $\vec{b}$라 하면 원의 중심 C의 위치벡터 $\vec{c}$는

$\vec{c}=\frac{\vec{a}+\vec{b}}{2}=(3, 2)$

반지름의 길이는

$|\overrightarrow{CA}|=|\vec{a}-\vec{c}|=|(2, 1)-(3, 2)|$

$=|(-1, -1)|=\sqrt{2}$

구하는 원의 방정식을 벡터로 나타내면 $|\vec{p}-\vec{c}|=\sqrt{2}$

따라서 구하는 원의 방정식은 $(x-3)^2+(y-2)^2=2$

셀파 특강 **확인 체크 03**

구하는 접선 위의 임의의 한 점을 $P(x, y)$라 하고, 세 점 A, B, P의 위치벡터를 각각 $\vec{a}$, $\vec{b}$, $\vec{p}$라 하면

$\vec{a}=(-2, 1)$, $\vec{b}=(-6, 4)$, $\vec{p}=(x, y)$

이때 반지름의 길이가 5이므로 $\overrightarrow{AB}\cdot\overrightarrow{AP}=r^2$에서

$(\vec{b}-\vec{a})\cdot(\vec{p}-\vec{a})=5^2$

$(-4, 3)\cdot(x+2, y-1)=25$

$-4(x+2)+3(y-1)=25 \qquad \therefore \boldsymbol{4x-3y+36=0}$

| 다른 풀이 |

원의 방정식은 $(x+2)^2+(y-1)^2=5^2$이므로 원 위의 점 $B(-6, 4)$에서의 접선의 방정식은

$(-6+2)(x+2)+(4-1)(y-1)=25$

$-4(x+2)+3(y-1)=25$

$\therefore 4x-3y+36=0$

07-1 셀파 벡터의 성분을 이용하여 점 P가 나타내는 도형을 조사한다.

$|\vec{p}+\vec{c}|=\sqrt{10}$의 양변을 제곱하여 내적으로 나타내면

$|\vec{p}+\vec{c}|^2=(\sqrt{10})^2$, $(\vec{p}+\vec{c})\cdot(\vec{p}+\vec{c})=10$

$\vec{p}+\vec{c}=(x+2, y-1)$이므로

$(x+2)^2+(y-1)^2=10$

즉, 점 P가 나타내는 도형은 중심이 $B(-2, 1)$이고 반지름의 길이가 $\sqrt{10}$인 원이다.

이 원 위의 점 $A(1, 2)$에서의 접선은 법선벡터가 $\overrightarrow{BA}=(3, 1)$이고 점 $A(1, 2)$를 지난다.

따라서 구하는 접선의 방정식은

$3(x-1)+(y-2)=0 \qquad \therefore \boldsymbol{3x+y-5=0}$

07-2 셀파 점 $B(a, b)$는 원 $|\vec{x}|=2$ 위의 점이므로 $a^2+b^2=4$이다.

원 $|\vec{x}|=2$는 중심이 원점 O이므로 원 위의 두 점 $A(-1, \sqrt{3})$, $B(a, b)$에서의 두 접선의 법선벡터는 각각 $\overrightarrow{OA}=(-1, \sqrt{3})$, $\overrightarrow{OB}=(a, b)$

두 접선이 서로 수직이므로 $\overrightarrow{OA}\perp\overrightarrow{OB}$, 즉 $\overrightarrow{OA}\cdot\overrightarrow{OB}=0$

$(-1, \sqrt{3})\cdot(a, b)=-a+\sqrt{3}b=0$에서 $a=\sqrt{3}b$

이때 점 B는 원 $|\vec{x}|=2$, 즉 $x^2+y^2=4$ 위의 점이므로

$a^2+b^2=4$에서 $(\sqrt{3}b)^2+b^2=4$, $b^2=1 \qquad \therefore b=1\ (\because b>0)$

$\therefore \boldsymbol{a=\sqrt{3}, b=1}$

08-1 셀파 $(\vec{a}-\vec{p})\cdot(\vec{b}-\vec{p})=0$을 성분으로 나타내어 어떤 도형의 방정식을 나타내는지 조사한다.

점 P의 좌표를 (x, y)라 하면

$\vec{a}=(5, 2)$, $\vec{b}=(3, 4)$, $\vec{p}=(x, y)$

$(\vec{a}-\vec{p})\cdot(\vec{b}-\vec{p})=(5-x, 2-y)\cdot(3-x, 4-y)$

$=(5-x)(3-x)+(2-y)(4-y)$

$=x^2-8x+y^2-6y+23=0$

$\therefore (x-4)^2+(y-3)^2=2$

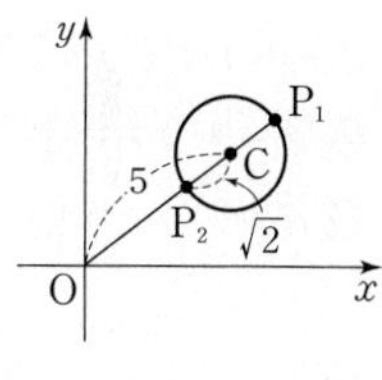

즉, 점 P는 중심이 $C(4, 3)$이고 반지름의 길이가 $\sqrt{2}$인 원 위의 점이다.

$\overline{OC}=\sqrt{(4-0)^2+(3-0)^2}=5$

이때 $|\vec{p}|$는 원점과 원 위의 점 사이의 거리이므로

최댓값은 $\overline{OC}+\overline{CP_1}=\boldsymbol{5+\sqrt{2}}$

최솟값은 $\overline{OC}-\overline{CP_2}=\boldsymbol{5-\sqrt{2}}$

08-2 셀파 $\overrightarrow{OA}=(1, 2)$, $\overrightarrow{OB}=(6, 0)$, $\overrightarrow{OP}=(x, y)$를 대입한다.

점 P의 좌표를 $P(x, y)$라 하면

$2\overrightarrow{OA}-\overrightarrow{OB}+\overrightarrow{OP}=2(1, 2)-(6, 0)+(x, y)$

$=(x-4, y+4)$

$(x-4, y+4)\cdot(x, y)=-4$

$x^2-4x+y^2+4y=-4 \qquad \therefore (x-2)^2+(y+2)^2=4$

즉, 점 P는 중심이 C(2, −2)이고 반지름의 길이가 2인 원 위의 점이다.

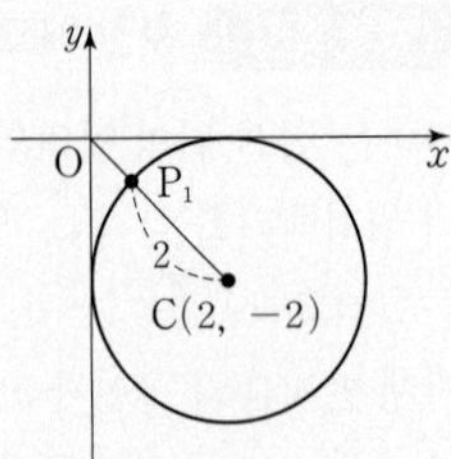

$\overline{OC}=\sqrt{2^2+(-2)^2}=2\sqrt{2}$

따라서 $|\overrightarrow{OP}|$의 최솟값은

$\overline{OC}-\overline{CP_1}=\mathbf{2\sqrt{2}-2}$

연습 문제

본문 | 148~149 쪽

01 셀파 **방향벡터가 $\vec{u}=(a, b)$이고 점 (x_1, y_1)을 지나는 직선의 방정식은 $\frac{x-x_1}{a}=\frac{y-y_1}{b}$이다.**

점 (6, −1)을 지나고 방향벡터가 $\vec{u}=(3, 4)$인 직선의 방정식은

$\frac{x-6}{3}=\frac{y+1}{4}$

이 직선이 y축과 만나는 점은 $x=0$을 대입하면

$-2=\frac{y+1}{4}$ $\quad\therefore y=-9$

따라서 구하는 y좌표는 $\mathbf{-9}$

LECTURE 방향벡터를 이용한 직선의 방정식

점 $A(x_1, y_1)$을 지나고 벡터 $\vec{u}=(a, b)$에 평행한 직선의 방정식은 $\frac{x-x_1}{a}=\frac{y-y_1}{b}$ (단, $ab\neq0$)

$a=0$이거나 $b=0$일 때의 직선의 방정식은 다음과 같다.

❶ $a=0$, $b\neq0$이면 직선의 방정식은 $x=x_1$

❷ $a\neq0$, $b=0$이면 직선의 방정식은 $y=y_1$

02 셀파 **두 점 $A(x_1, y_1)$, $B(x_2, y_2)$를 지나는 직선의 방정식은 $\frac{x-x_1}{x_2-x_1}=\frac{y-y_1}{y_2-y_1}$이다. (단, $x_1\neq x_2$, $y_1\neq y_2$)**

두 점 A(3, 2), B(−1, −2)에 대하여 선분 AB를 3 : 2로 외분하는 점 Q의 좌표는

$\left(\frac{3\times(-1)-2\times3}{3-2}, \frac{3\times(-2)-2\times2}{3-2}\right)$ $\quad\therefore Q(-9, -10)$

따라서 두 점 Q(−9, −10)과 C(1, 2)를 지나는 직선의 방정식은

$\frac{x-(-9)}{1-(-9)}=\frac{y-(-10)}{2-(-10)}$ $\quad\therefore \mathbf{\frac{x+9}{10}=\frac{y+10}{12}}$

03 셀파 **점 (2, 1)을 지나고 법선벡터가 $(a, 1)$인 직선의 방정식을 구한다.**

직선 $ax+y+2=0$의 법선벡터 $\vec{n}$은 $\vec{n}=(a, 1)$이므로

점 (2, 1)을 지나고 법선벡터가 $\vec{n}=(a, 1)$인 직선의 방정식은

$a(x-2)+1\times(y-1)=0$

$\therefore ax+y-2a-1=0$ $\quad$ ……㉠

이때 ㉠은 $(b, 1)\cdot(x, y)=3$, 즉 $bx+y-3=0$과 일치하므로

$a=b$, $-2a-1=-3$

$\therefore \mathbf{a=1, b=1}$

04 셀파 **두 직선의 방향벡터는 각각 $\vec{u_1}=(1, a)$, $\vec{u_2}=(-1, 3)$**

두 직선 $x+3=\frac{y-2}{a}$, $3-x=\frac{y+5}{3}$의 방향벡터를 각각 $\vec{u_1}$, $\vec{u_2}$라 하면 $\vec{u_1}=(1, a)$, $\vec{u_2}=(-1, 3)$

이때 두 직선이 이루는 각의 크기가 45°이므로

$\cos 45^\circ=\frac{|\vec{u_1}\cdot\vec{u_2}|}{|\vec{u_1}||\vec{u_2}|}=\frac{|1\times(-1)+a\times3|}{\sqrt{1^2+a^2}\sqrt{(-1)^2+3^2}}$

$\frac{\sqrt{2}}{2}=\frac{|-1+3a|}{\sqrt{a^2+1}\sqrt{10}}$

양변을 제곱하여 정리하면

$2a^2-3a-2=0$, $(2a+1)(a-2)=0$

$\therefore \mathbf{a=2}$ $(\because a>0)$

05 셀파 **x축, y축의 방향벡터는 각각 $\vec{e_1}=(1, 0)$, $\vec{e_2}=(0, 1)$이다.**

직선 $\frac{x-2}{3}=\frac{y+5}{2}$의 방향벡터를 $\vec{u}$, x축, y축의 방향벡터를 각각 $\vec{e_1}$, $\vec{e_2}$라 하면

$\vec{u}=(3, 2)$, $\vec{e_1}=(1, 0)$, $\vec{e_2}=(0, 1)$

이때 직선이 x축, y축과 이루는 예각의 크기가 각각 α, β이므로

$\cos\alpha=\frac{|\vec{u}\cdot\vec{e_1}|}{|\vec{u}||\vec{e_1}|}=\frac{|3\times1+2\times0|}{\sqrt{3^2+2^2}\sqrt{1^2+0^2}}=\frac{3}{\sqrt{13}}$

$\cos\beta=\frac{|\vec{u}\cdot\vec{e_2}|}{|\vec{u}||\vec{e_2}|}=\frac{|3\times0+2\times1|}{\sqrt{3^2+2^2}\sqrt{0^2+1^2}}=\frac{2}{\sqrt{13}}$

$\therefore \cos\alpha\cos\beta=\frac{3}{\sqrt{13}}\times\frac{2}{\sqrt{13}}=\mathbf{\frac{6}{13}}$

06 셀파 두 직선의 방향벡터를 각각 $\vec{u_1}$, $\vec{u_2}$라 할 때, $\vec{u_1}=a\vec{u_2}$ ($a\neq0$인 실수)에서 k에 대한 이차식을 구한다.

두 직선 $3-x=\frac{y-2}{k+1}$, $\frac{x+1}{k}=\frac{4-y}{2}$의 방향벡터를 각각 $\vec{u_1}$, $\vec{u_2}$라 하면 $\vec{u_1}=(-1, k+1)$, $\vec{u_2}=(k, -2)$

이때 두 직선이 서로 평행하므로

$\vec{u_1}=a\vec{u_2}$ ($a\neq0$인 실수)에서 $(-1, k+1)=a(k, -2)$

$-1=ak$, $k+1=-2a$

$a=-\frac{1}{k}=-\frac{k+1}{2}$이므로 $k(k+1)=2$

$k^2+k-2=0$, $(k+2)(k-1)=0$

$\therefore k=-2$ 또는 $k=1$

따라서 모든 실수 k의 값의 곱은 **-2**

07 셀파 방향벡터가 각각 $\vec{u_1}$, $\vec{u_2}$인 두 직선이 서로 수직이면 $\vec{u_1}\cdot\vec{u_2}=0$

두 점 A$(a, 6)$, B$(5, a)$를 지나는 직선의 방향벡터 $\vec{u_1}$은

$\vec{u_1}=(5-a, a-6)$

또 직선 $3x+2=2y-11$, 즉 $\frac{x+3}{2}=\frac{y-2}{3}$의 방향벡터 $\vec{u_2}$는

$\vec{u_2}=(2, 3)$

두 직선이 서로 수직이므로 $\vec{u_1}\perp\vec{u_2}$에서 $\vec{u_1}\cdot\vec{u_2}=0$

$(5-a, a-6)\cdot(2, 3)=0$, $10-2a+3a-18=0$

$\therefore$ **$a=8$**

08 셀파 방향벡터가 $\vec{u}=(a, b)$이고 점 (x_1, y_1)을 지나는 직선의 방정식은 $\frac{x-x_1}{a}=\frac{y-y_1}{b}$이다.

점 A$(-1, 3)$을 지나고 방향벡터가 $\vec{u}=(2, -1)$인 직선의 방정식은

$\frac{x+1}{2}=\frac{y-3}{-1}$ ……㉠

또 두 점 B$(2, 5)$, C$(1, 2)$를 지나는 직선의 방정식은

$\frac{x-2}{1-2}=\frac{y-5}{2-5}$, 즉 $x-2=\frac{y-5}{3}$ ……㉡

㉠을 매개변수 t로 나타내면

$x=2t-1$, $y=-t+3$ (단, t는 실수) ……㉢

㉡을 매개변수 s로 나타내면

$x=s+2$, $y=3s+5$ (단, s는 실수) ……㉣

㉢, ㉣에서 $2t-1=s+2$, $-t+3=3s+5$

두 식을 연립하여 풀면 $t=1$, $s=-1$

$t=1$을 ㉢에 대입하면 두 직선의 교점의 좌표는 **(1, 2)**

09 셀파 점 B에서 직선에 내린 수선의 발을 P라 하면 $\vec{u}\perp\overrightarrow{BP}$이다.

점 A$(2, -1)$을 지나고 방향벡터가 $\vec{u}=(3, 2)$인 직선의 방정식은

$\frac{x-2}{3}=\frac{y+1}{2}$

점 B에서 직선에 내린 수선의 발을 P라 하면

$\frac{x-2}{3}=\frac{y+1}{2}=t$ (t는 실수)

에서 점 P의 좌표는 P$(3t+2, 2t-1)$

이때 $\overrightarrow{BP}=(3t-1, 2t-5)$이고 $\vec{u}\perp\overrightarrow{BP}$이므로

$\vec{u}\cdot\overrightarrow{BP}=3(3t-1)+2(2t-5)=0$

$9t-3+4t-10=0$, $13t=13$ $\therefore t=1$

따라서 점 P의 좌표가 P$(5, 1)$이므로 직선과 점 B$(3, 4)$ 사이의 거리는

$\overline{BP}=\sqrt{(3-5)^2+(4-1)^2}=$ **$\sqrt{13}$**

10 셀파 점 A에서 직선에 내린 수선의 발을 H, 직선의 방향벡터를 $\vec{u}$라 하면 $\overrightarrow{AH}\perp\vec{u}$이다.

점 A$(1, 6)$에서 직선에 내린 수선의 발을 H라 하면

$\frac{x-1}{\sqrt{3}}=y-2=t$ (t는 실수)에서

$x=\sqrt{3}t+1$, $y=t+2$ $\therefore$ H$(\sqrt{3}t+1, t+2)$

$\overrightarrow{AH}=\overrightarrow{OH}-\overrightarrow{OA}=(\sqrt{3}t+1, t+2)-(1, 6)$

$=(\sqrt{3}t, t-4)$

직선의 방향벡터 $\vec{u}$는 $\vec{u}=(\sqrt{3}, 1)$이고, $\overrightarrow{AH}\perp\vec{u}$이므로

$\overrightarrow{AH}\cdot\vec{u}=(\sqrt{3}t, t-4)\cdot(\sqrt{3}, 1)$

$=4t-4=0$

$\therefore t=1$

이때 $\overrightarrow{AH}=(\sqrt{3}, -3)$이므로

$\overline{AH}=\sqrt{(\sqrt{3})^2+(-3)^2}=2\sqrt{3}$

정삼각형 ABC의 한 변의 길이를 a라 하면

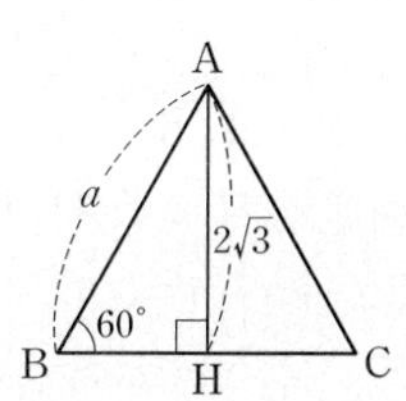

$\frac{\sqrt{3}}{2}a=2\sqrt{3}$ $\therefore a=4$

따라서 삼각형 ABC의 둘레의 길이는

12

11 셀파 점 P의 좌표를 $\mathrm{P}(x, y)$라 하고 주어진 식을 벡터의 성분으로 나타낸다.

점 P의 좌표를 $\mathrm{P}(x, y)$라 하면

$\vec{a}=(3, 0), \vec{b}=(0, 2), \vec{p}=(x, y)$

$(\vec{p}-\vec{a})\cdot(\vec{p}-\vec{b})=0$에서

$(x-3, y)\cdot(x, y-2)=0$

$x(x-3)+y(y-2)=0, x^2-3x+y^2-2y=0$

$\therefore \left(x-\frac{3}{2}\right)^2+(y-1)^2=\frac{13}{4}$

즉, 점 P가 나타내는 도형은 중심이 $\left(\frac{3}{2}, 1\right)$이고, 반지름의 길이가 $\frac{\sqrt{13}}{2}$인 원이다.

따라서 구하는 도형의 둘레의 길이는

$2\times\pi\times\frac{\sqrt{13}}{2}=\boldsymbol{\sqrt{13}\pi}$

12 셀파 주어진 식에 $\vec{a}=(-1, 3), \vec{b}=(2, 6), \vec{p}=(x, y)$를 대입한다.

세 위치벡터 $\vec{a}=(-1, 3), \vec{b}=(2, 6), \vec{p}=(x, y)$에 대하여

$2|\vec{p}-\vec{a}|=|\vec{p}-\vec{b}|$에서 $4|\vec{p}-\vec{a}|^2=|\vec{p}-\vec{b}|^2$

$\vec{p}-\vec{a}=(x+1, y-3), \vec{p}-\vec{b}=(x-2, y-6)$이므로

$4\{(x+1)^2+(y-3)^2\}=(x-2)^2+(y-6)^2$

$3x^2+12x+3y^2-12y=0 \qquad \therefore (x+2)^2+(y-2)^2=8$

따라서 점 P가 나타내는 도형의 방정식은

$\boldsymbol{(x+2)^2+(y-2)^2=8}$

13 셀파 원과 직선의 접점을 H라 하면 $\overrightarrow{\mathrm{CH}}\perp\vec{u}$이다.

접점의 좌표를 $\mathrm{H}(a, b)$라 하면 $\overrightarrow{\mathrm{CH}}=(a-4, b-2)$이고

$\overrightarrow{\mathrm{CH}}\perp\vec{u}$이므로

$(a-4, b-2)\cdot(2, 3)=0$

$\therefore 2a+3b-14=0 \qquad \cdots\cdots ㉠$

또 방향벡터가 $\vec{u}=(2, 3)$이고 점 $\mathrm{A}(-1, 1)$을 지나는 직선의 방정식은

$\frac{x+1}{2}=\frac{y-1}{3} \qquad \therefore 3x-2y+5=0$

이때 점 $\mathrm{H}(a, b)$는 이 직선 위의 점이므로

$3a-2b+5=0 \qquad \cdots\cdots ㉡$

㉠, ㉡을 연립하여 풀면 $a=1, b=4$

따라서 구하는 접점의 좌표는 **(1, 4)**

14 셀파 $|\vec{p}|$가 최대인 점 P는 지름 위의 점이다.

㉮ $\vec{p}-\vec{a}=(x-1, y+2)$이므로

$(\vec{p}-\vec{a})\cdot(\vec{p}-\vec{a})=5$에서

점 P가 나타내는 도형의 방정식은

$(x-1)^2+(y+2)^2=5$

㉯ 오른쪽 그림과 같이 $|\vec{p}|$가 최대인 점 P는 $\overline{\mathrm{OP}}$가 원의 지름이 되도록 하는 원 위의 점이므로

$\frac{x+0}{2}=1, \frac{y+0}{2}=-2$에서

$x=2, y=-4$

$\therefore \mathrm{P}(2, -4)$

㉰ 이때 원 위의 점 P에서의 접선은 점 $\mathrm{P}(2, -4)$를 지나고 법선벡터가 $\overrightarrow{\mathrm{OA}}=(1, -2)$인 직선이므로 구하는 접선의 방정식은

$(x-2)-2(y+4)=0$

$\therefore \boldsymbol{x-2y-10=0}$

채점 기준	배점
㉮ 점 P가 나타내는 도형의 방정식을 구한다.	20%
㉯ $|\vec{p}|$가 최대인 점 P의 좌표를 구한다.	30%
㉰ 접선의 방정식을 구한다.	50%

15 셀파 $|\overrightarrow{\mathrm{OP}}|$가 최대일 때, 직선 OP는 원의 중심을 지난다.

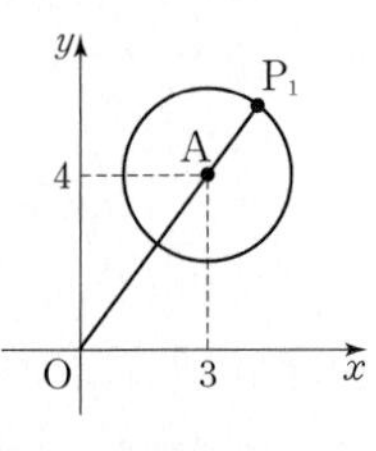

점 P의 좌표를 (x, y)라 하면

$\overrightarrow{\mathrm{AP}}=\overrightarrow{\mathrm{OP}}-\overrightarrow{\mathrm{OA}}=(x-3, y-4)$

$|\overrightarrow{\mathrm{AP}}|=2$이므로

$(x-3)^2+(y-4)^2=4$

즉, 점 P는 중심이 $\mathrm{A}(3, 4)$이고 반지름의 길이가 2인 원 위의 점이다.

이때 $\overline{\mathrm{OA}}=\sqrt{3^2+4^2}=5$이고, 원의 반지름의 길이가 2이므로 구하는 $|\overrightarrow{\mathrm{OP}}|$의 최댓값은

$\overline{\mathrm{OA}}+\overline{\mathrm{AP_1}}=5+2=7$

따라서 구하는 답은 ⑤

8. 공간도형

개념 익히기 본문 | 153, 155쪽

1-1 ㄱ. 오른쪽 그림과 같이 서로 다른 세 점이 한 직선 위에 있는 경우에는 하나의 평면을 결정하지 못한다.

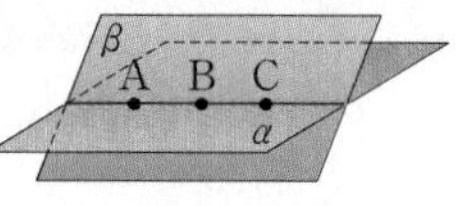

ㄴ. 평행한 두 직선은 하나의 평면을 결정한다.

ㄷ. 한 점에서 만나는 두 직선은 하나의 평면을 결정한다.

ㄹ. 오른쪽 그림처럼 꼬인 위치에 있는 두 직선 CG, EF는 하나의 평면을 결정하지 못한다.

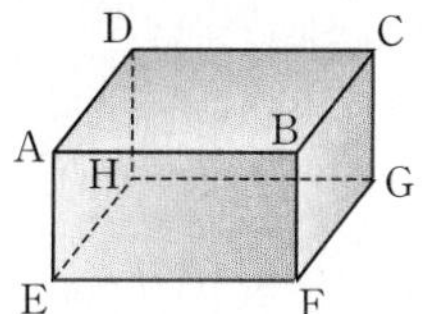

따라서 하나의 평면을 결정하는 조건은 ㄴ, ㄷ

1-2 ㄱ. 한 직선과 그 위에 있지 않은 한 점은 하나의 평면을 결정한다.

ㄴ. 꼬인 위치에 있는 두 직선은 하나의 평면을 결정하지 못한다.

ㄷ. 한 직선 위에 있지 않은 서로 다른 세 점은 하나의 평면을 결정한다.

따라서 하나의 평면을 결정하는 조건은 ㄱ, ㄷ

2-1 (1) 직선 AB와 한 점에서 만나는 직선은 점 A와 만나거나 점 B와 만난다. 즉,

직선 AD, 직선 AE, 직선 BC, 직선 BF

(2) 직선 AB와 평행한 직선은

직선 DC, 직선 EF, 직선 HG

(3) 직선 AB와 꼬인 위치에 있는 직선은 직선 AB와 만나지도 않고 평행하지도 않다. 즉,

직선 CG, 직선 DH, 직선 EH, 직선 FG

2-2 (1) 직선 AB와 꼬인 위치에 있는 직선은 **직선 CD**

(2) 직선 AB를 포함하는 평면은

평면 ABC, 평면 ABD

(3) 직선 AB와 한 점에서 만나는 평면은

평면 ACD, 평면 BCD

3-1 $\overline{PO}\perp\alpha$, $\overline{OH}\perp l$이므로 삼수선의 정리에서

$\overline{PH}\perp l$

따라서 $\triangle$PQH는 직각삼각형이므로

$\overline{PQ}=\sqrt{\overline{PH}^2+\overline{QH}^2}$

$=\sqrt{4^2+3^2}=\mathbf{5}$

3-2 $\overline{PO}\perp\alpha$, $\overline{OH}\perp l$이므로

삼수선의 정리에서

$\overline{PH}\perp l$

따라서 $\triangle$PQH는 직각삼각형이므로

$\overline{PH}=\sqrt{\overline{PQ}^2-\overline{QH}^2}=\sqrt{2^2-(\sqrt{2})^2}=\sqrt{2}$

이때 $\triangle$PHO는 직각삼각형이므로

$\overline{OH}=\sqrt{\overline{PH}^2-\overline{PO}^2}=\sqrt{(\sqrt{2})^2-1^2}=\mathbf{1}$

4-1 (1) 선분 AB의 평면 α 위로의 정사영인 선분 A′B′의 길이는

$\overline{A'B'}=\overline{AB}\cos 60^\circ=8\times\dfrac{1}{2}=4$

(2) 선분 AB의 평면 α 위로의 정사영이 선분 A′B′이므로

$\overline{A'B'}=\overline{AB}\cos\theta$, $3\sqrt{3}=6\cos\theta$

$\cos\theta=\dfrac{\sqrt{3}}{2}$ $\therefore\ \theta=30^\circ$ ($\because\ 0^\circ\le\theta\le 90^\circ$)

4-2 (1) 선분 AB의 평면 α 위로의 정사영을 선분 A′B′이라 하면

$\overline{A'B'}=\overline{AB}\cos\theta$

$3\sqrt{2}=6\cos\theta$, $\cos\theta=\dfrac{\sqrt{2}}{2}$

$\therefore$ $\boldsymbol{\theta=45°}$ ($\because$ $0°\le\theta\le90°$)

(2) 넓이가 S인 도형의 평면 α 위로의 정사영의 넓이를 S'이라 하면

$S'=S\cos\theta$

따라서 구하는 정사영의 넓이 S'은

$S'=6\times\cos 30°=6\times\dfrac{\sqrt{3}}{2}=\boldsymbol{3\sqrt{3}}$

확인 문제

본문 | 157~171 쪽

01-1 셀파 **한 직선 위에 있지 않은 서로 다른 세 점은 하나의 평면을 결정한다.**

어느 세 점도 한 직선 위에 있지 않고 어느 네 점도 한 평면 위에 있지 않은 서로 다른 5개의 점으로 만들 수 있는 평면의 수는

${}_5C_3={}_5C_2=\dfrac{5\times4}{2\times1}=\boldsymbol{10}$

01-2 셀파 **한 직선 위에 있지 않은 서로 다른 세 점은 하나의 평면을 결정한다.**

한 직선 위에 있지 않은 서로 다른 세 점은 하나의 평면을 결정하므로 서로 다른 다섯 개의 점 A, B, D, E, F 중 세 점을 뽑는 경우의 수는

${}_5C_3$

이때 네 점 A, B, D, E는 한 평면 위의 점이므로 이들 중 어떤 세 점을 선택해도 같은 평면이 만들어진다.

따라서 구하는 평면의 수는

${}_5C_3-{}_4C_3+1=10-4+1=\boldsymbol{7}$

| 참고 |

세 개의 점으로 만들 수 있는 서로 다른 평면은

평면 ABD(=평면 ABE=평면 ADE=평면 BDE)

평면 ABF, 평면 ADF, 평면 AEF, 평면 BDF,

평면 BEF, 평면 DEF이다.

02-1 셀파 **(2) 직선 AC와 만나지 않고 직선 AC를 포함하지도 않는 평면을 찾는다.**

(1) 직선 AB와 꼬인 위치에 있는 직선은 직선 AB와 만나지도 않고 평행하지도 않은 직선이므로

직선 CD, 직선 DE, 직선 EF, 직선 CF

(2) 직선 AC와 평행한 평면은 직선 AC와 한 점에서 만나지 않고 직선 AC를 포함하지도 않는 평면이므로

평면 BEF, 평면 DEF

(3) 평면 ABC와 평행한 평면은 평면 DEF이므로 평면 ABC와 만나는 평면은 정팔면체의 평면 중 평면 DEF를 제외한

평면 ABE, 평면 AED, 평면 ACD, 평면 BEF, 평면 BFC, 평면 CFD

03-1 셀파 **두 직선이 한 점에서 만나도록 직선을 평행이동한다.**

(1) $\overline{EF}\,/\!/\,\overline{AC}$이므로 두 직선 AB와 EF가 이루는 각의 크기는 두 직선 AB와 AC가 이루는 각의 크기와 같다.

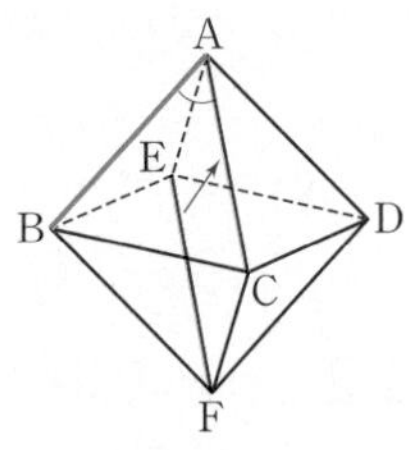

이때 △ABC는 정삼각형이므로 두 직선 AB와 AC가 이루는 각의 크기는 60°이다.

따라서 두 직선 AB와 EF가 이루는 각의 크기도 **60°**

(2) $\overline{AE}\,/\!/\,\overline{CF}$이므로 두 직선 AE와 CD가 이루는 각의 크기는 두 직선 CF와 CD가 이루는 각의 크기와 같다.

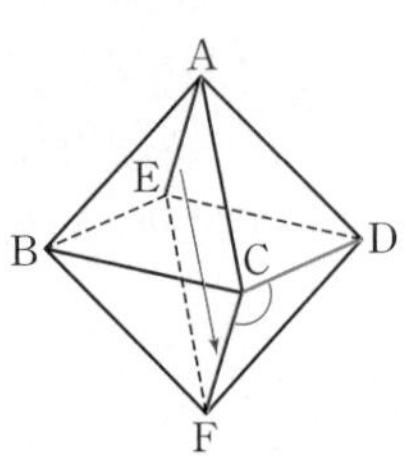

이때 △CFD는 정삼각형이므로 두 직선 CF와 CD가 이루는 각의 크기는 60°이다.

따라서 두 직선 AE와 CD가 이루는 각의 크기도 **60°**

03-2 셀파 **$\overline{CG}$와 평행하면서 $\overline{AF}$와 한 점에서 만나는 선분을 찾는다.**

$\overline{CG}\,/\!/\,\overline{BF}$이므로 두 직선 AF와 CG가 이루는 각의 크기 θ는 두 직선 AF와 BF가 이루는 각의 크기와 같다.

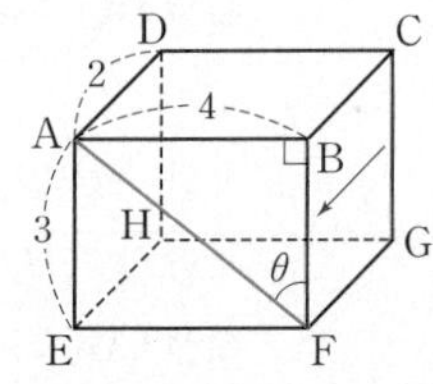

즉, $\theta=\angle AFB$

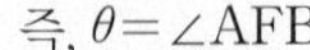

이때 △AFB는 직각삼각형이고

$\overline{AB}=4$, $\overline{BF}=\overline{AE}=3$이므로

$\overline{AF}=\sqrt{\overline{AB}^2+\overline{BF}^2}=\sqrt{4^2+3^2}=5$

$\therefore \sin\theta=\dfrac{\overline{AB}}{\overline{AF}}=\mathbf{\dfrac{4}{5}}$

04-1 셀파 직육면체를 그려 위치 관계를 파악한다.

ㄱ. [반례]

$l\perp m$, $m\perp n$이지만 $l\perp n$이다. (거짓)

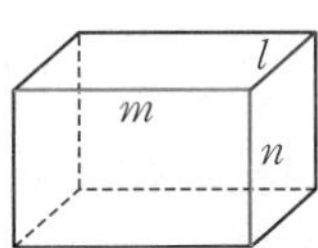

ㄴ. $l\perp\alpha$, $l\,/\!/\,\beta$이면 $\alpha\perp\beta$이다. (참)

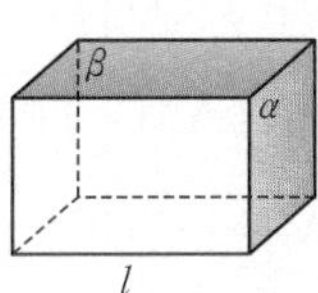

ㄷ. [반례]

$l\,/\!/\,\alpha$, $\alpha\perp\beta$이지만 $l\perp\beta$이다. (거짓)

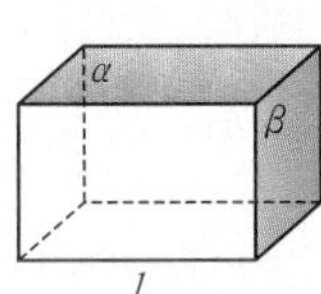

ㄹ. [반례]

$\alpha\perp\beta$, $\beta\perp\gamma$이지만 $\alpha\perp\gamma$이다. (거짓)

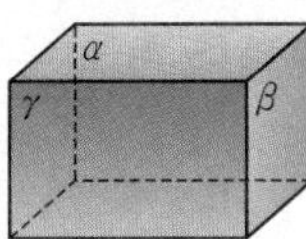

따라서 보기 중 옳은 것은 **ㄴ**

| 다른 풀이 |

공간에서 직선과 평면을 그려 위치 관계를 확인하면 다음과 같다.

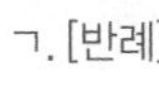

ㄱ. [반례]　　ㄴ.

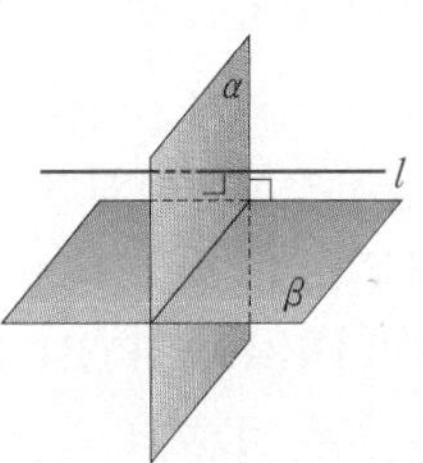

(거짓)　　(참)

ㄷ. [반례]　　ㄹ. [반례]

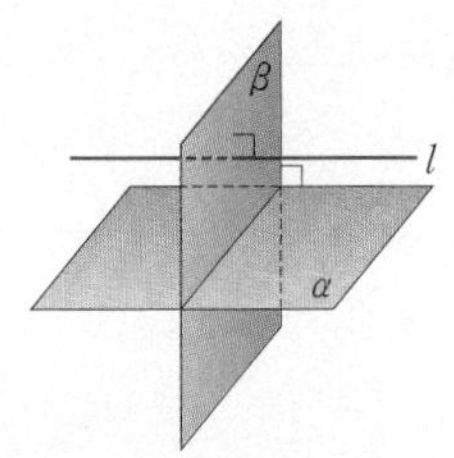

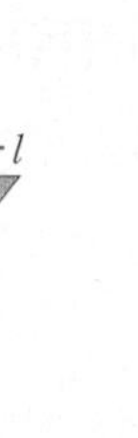

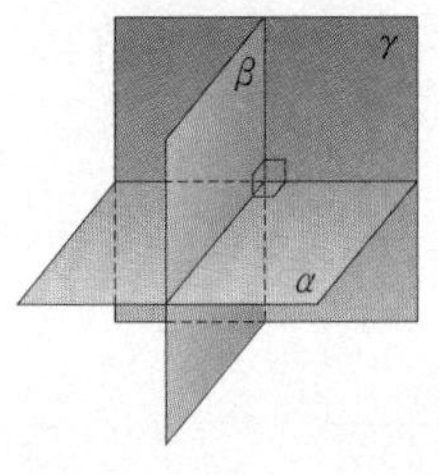

(거짓)　　(거짓)

따라서 보기 중 옳은 것은 ㄴ

집중 연습

본문 | 165쪽

01 $\overline{PO}\perp\alpha$, $\overline{OH}\perp\overline{AB}$이므로

삼수선의 정리에서 $\overline{PH}\perp\overline{AB}$

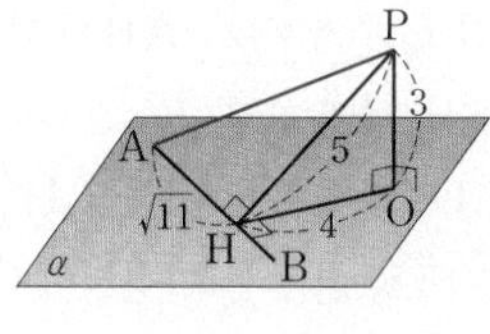

직각삼각형 PHO에서

$\overline{PH}=\sqrt{\overline{PO}^2+\overline{OH}^2}$

$=\sqrt{3^2+4^2}=5$

이때 △PAH는 직각삼각형이므로

$\overline{PA}=\sqrt{\overline{PH}^2+\overline{AH}^2}=\sqrt{5^2+(\sqrt{11})^2}=\mathbf{6}$

02 $\overline{PH}$를 그으면 $\overline{PO}\perp\alpha$, $\overline{OH}\perp l$이므로 삼수선의 정리에서 $\overline{PH}\perp l$

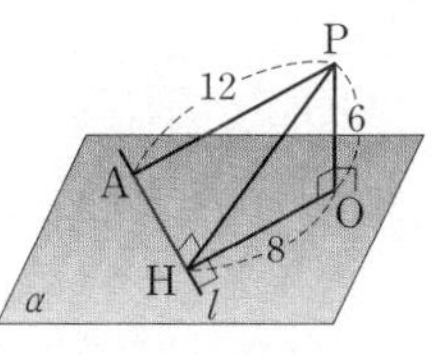

직각삼각형 PHO에서

$\overline{PH}=\sqrt{\overline{PO}^2+\overline{OH}^2}=\sqrt{6^2+8^2}=10$

이때 △PAH는 직각삼각형이므로

$\overline{AH}=\sqrt{\overline{PA}^2-\overline{PH}^2}=\sqrt{12^2-10^2}=\sqrt{44}=\mathbf{2\sqrt{11}}$

03 $\overline{CO}\perp$(평면 OAB), $\overline{CH}\perp\overline{AB}$이므로

삼수선의 정리에서 $\overline{OH}\perp\overline{AB}$

직각삼각형 ABO에서

$\overline{AB}=\sqrt{\overline{OA}^2+\overline{OB}^2}=\sqrt{2^2+2^2}=2\sqrt{2}$

이때 $\triangle OAB=\dfrac{1}{2}\times\overline{OA}\times\overline{OB}=\dfrac{1}{2}\times\overline{AB}\times\overline{OH}$에서

$\dfrac{1}{2}\times2\times2=\dfrac{1}{2}\times2\sqrt{2}\times\overline{OH}$　　$\therefore \overline{OH}=\mathbf{\sqrt{2}}$

04 $\overline{HI}$를 그으면

$\overline{DH}\perp$(평면 EFGH), $\overline{DI}\perp\overline{EG}$

이므로 삼수선의 정리에서

$\overline{HI}\perp\overline{EG}$

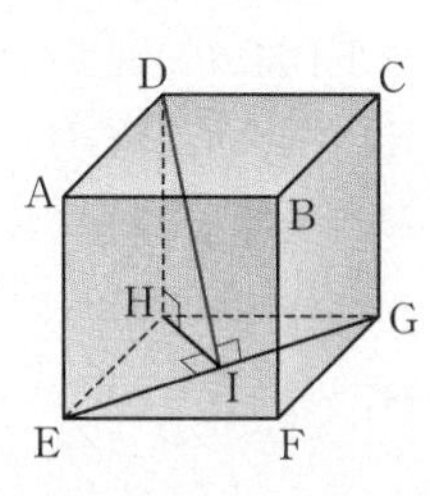

직각삼각형 HEG에서

$\overline{EG}=\sqrt{\overline{HE}^2+\overline{HG}^2}=\sqrt{1^2+1^2}$

$=\sqrt{2}$

이때 $\triangle HEG=\dfrac{1}{2}\times\overline{HE}\times\overline{HG}=\dfrac{1}{2}\times\overline{EG}\times\overline{HI}$에서

$\dfrac{1}{2}\times1\times1=\dfrac{1}{2}\times\sqrt{2}\times\overline{HI}$　　$\therefore \overline{HI}=\dfrac{1}{\sqrt{2}}$

△DHI가 직각삼각형이므로

$\overline{DI}=\sqrt{\overline{DH}^2+\overline{HI}^2}=\sqrt{1^2+\left(\dfrac{1}{\sqrt{2}}\right)^2}=\mathbf{\dfrac{\sqrt{6}}{2}}$

05-1 셀파 점 C에서 선분 AB에 내린 수선의 발을 H라 하면 삼수선의 정리에서 $\overline{OH}\perp\overline{AB}$가 성립한다.

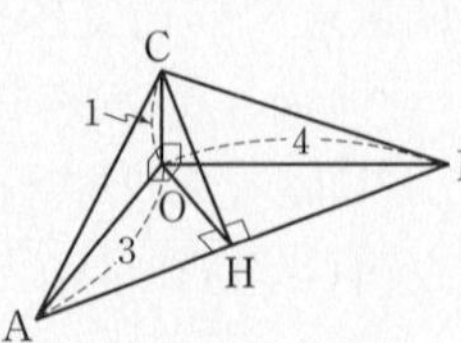

점 C에서 선분 AB에 내린 수선의 발을 H라 하면

$\overline{CO}\perp$(평면 OAB), $\overline{CH}\perp\overline{AB}$

이므로 삼수선의 정리에서

$\overline{OH}\perp\overline{AB}$

직각삼각형 OAB에서

$\overline{AB}=\sqrt{\overline{OA}^2+\overline{OB}^2}=\sqrt{3^2+4^2}=5$

이때 $\triangle OAB=\frac{1}{2}\times\overline{OA}\times\overline{OB}=\frac{1}{2}\times\overline{AB}\times\overline{OH}$에서

$\frac{1}{2}\times3\times4=\frac{1}{2}\times5\times\overline{OH}\qquad\therefore\ \overline{OH}=\frac{12}{5}$

$\triangle OHC$는 직각삼각형이므로

$\overline{CH}=\sqrt{\overline{OC}^2+\overline{OH}^2}=\sqrt{1^2+\left(\frac{12}{5}\right)^2}=\frac{13}{5}$

$\therefore\ \triangle ABC=\frac{1}{2}\times\overline{AB}\times\overline{CH}=\frac{1}{2}\times5\times\frac{13}{5}=\mathbf{\frac{13}{2}}$

06-1 셀파 꼭짓점 A에서 밑면에 내린 수선의 발을 H라 한다.

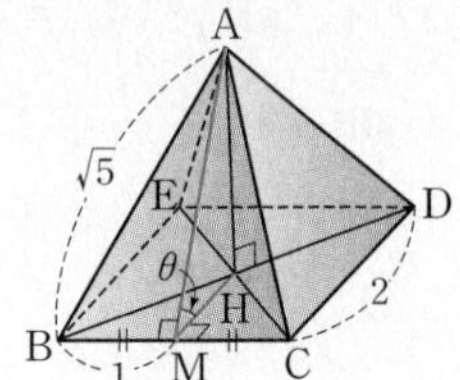

오른쪽 그림과 같이 점 A에서 밑면 BCDE에 내린 수선의 발을 H라 하면 $\triangle ABD$, $\triangle AEC$는 이등변삼각형이므로

$\overline{BD}\perp\overline{AH}$, $\overline{BH}=\overline{DH}$

$\overline{EC}\perp\overline{AH}$, $\overline{EH}=\overline{CH}$

즉, 점 H는 사각형 BCDE의 두 대각선의 교점과 같다.

$\overline{BC}$의 중점을 M이라 하면

$\overline{AM}\perp\overline{BC}$, $\overline{MH}\perp\overline{BC}$

따라서 평면 ABC와 평면 BCDE가 이루는 각의 크기는 $\overline{AM}$과 $\overline{MH}$가 이루는 각의 크기와 같으므로

$\theta=\angle AMH$

이때 $\overline{AM}=\sqrt{\overline{AB}^2-\overline{BM}^2}=\sqrt{(\sqrt{5})^2-1^2}=2$

$\overline{MH}=\frac{1}{2}\overline{CD}=\frac{1}{2}\times2=1$

따라서 직각삼각형 AMH에서

$\cos\theta=\frac{\overline{MH}}{\overline{AM}}=\frac{1}{2}\qquad\therefore\ \boldsymbol{\theta=60^\circ}$

05-2 셀파 삼각형 ABD의 무게중심 I에서 면 EFGH에 내린 수선의 발은 삼각형 EFH의 무게중심이다.

삼각형 ABD의 무게중심 I에서 면 EFGH에 내린 수선의 발을 K라 하면 점 K는 삼각형 EFH의 무게중심이다.

$\overline{IK}\perp$(평면 EFGH), $\overline{IJ}\perp\overline{HF}$이므로

삼수선의 정리에서 $\overline{KJ}\perp\overline{HF}$

직각삼각형 HEF에서

$\overline{HF}=\sqrt{\overline{HE}^2+\overline{EF}^2}=\sqrt{6^2+6^2}=6\sqrt{2}$

이때 $\triangle HEF=\frac{1}{2}\times\overline{EH}\times\overline{EF}=\frac{1}{2}\times\overline{HF}\times\overline{EJ}$에서

$\frac{1}{2}\times6\times6=\frac{1}{2}\times6\sqrt{2}\times\overline{EJ}\qquad\therefore\ \overline{EJ}=3\sqrt{2}$

또 점 K는 선분 EJ를 2 : 1로 내분하므로

$\overline{KJ}=\frac{1}{3}\overline{EJ}=\frac{1}{3}\times3\sqrt{2}=\sqrt{2}$

따라서 직각삼각형 IKJ에서

$\overline{IJ}=\sqrt{\overline{IK}^2+\overline{KJ}^2}=\sqrt{6^2+(\sqrt{2})^2}=\mathbf{\sqrt{38}}$

06-2 셀파 $\triangle DEG$는 정삼각형이므로 선분 EG의 중점을 M이라 하면 $\overline{DM}\perp\overline{EG}$이다.

정육면체의 한 모서리의 길이를 a,

선분 EG의 중점을 M이라 하면

$\overline{DM}\perp\overline{EG}$, $\overline{HM}\perp\overline{EG}$

이므로 두 평면 DEG와 EFGH가 이루는 각의 크기 θ는 $\theta=\angle DMH$

직각삼각형 HEG에서

$\triangle HEG=\frac{1}{2}\times\overline{HE}\times\overline{HG}=\frac{1}{2}\times\overline{EG}\times\overline{HM}$

$\frac{1}{2}\times a\times a=\frac{1}{2}\times\sqrt{2}a\times\overline{HM}\qquad\therefore\ \overline{HM}=\frac{\sqrt{2}}{2}a$

직각삼각형 DMH에서 $\overline{DH}=a$이고

$\overline{DM}=\sqrt{\overline{DH}^2+\overline{HM}^2}=\sqrt{a^2+\left(\frac{\sqrt{2}}{2}a\right)^2}=\sqrt{\frac{3}{2}a^2}=\frac{\sqrt{6}}{2}a$

$\therefore\ \cos\theta=\frac{\overline{HM}}{\overline{DM}}=\frac{\frac{\sqrt{2}}{2}a}{\frac{\sqrt{6}}{2}a}=\mathbf{\frac{\sqrt{3}}{3}}$

07-1 셀파 **점 M에서 밑면 DEF에 수선의 발을 내려본다.**

(1) 오른쪽 그림과 같이 점 M에서 밑면 DEF에 내린 수선의 발을 H라 하면 점 H는 선분 EF의 중점이다. 따라서 선분 DM의 평면 DEF 위로의 정사영은 선분 DH이다.

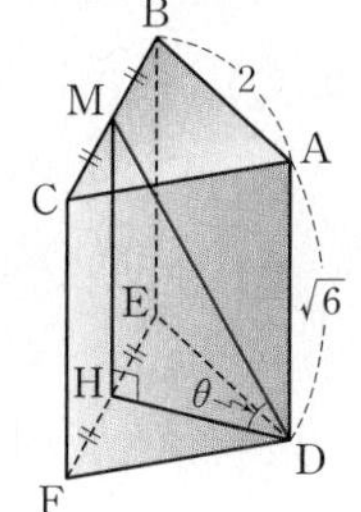

이때 $\triangle$DEF는 한 변의 길이가 2인 정삼각형이므로

$\overline{DH}=\sqrt{\overline{DE}^2-\overline{HE}^2}=\sqrt{2^2-1^2}=\boldsymbol{\sqrt{3}}$

(2) 선분 DM과 밑면 DEF가 이루는 각의 크기 θ는 두 선분 DM, DH가 이루는 각의 크기와 같으므로 $\theta=\angle$MDH이다.

이때 직각삼각형 MDH에서

$\overline{DM}=\sqrt{\overline{DH}^2+\overline{MH}^2}=\sqrt{(\sqrt{3})^2+(\sqrt{6})^2}=3$

$\therefore \cos\theta=\dfrac{\overline{DH}}{\overline{DM}}=\boldsymbol{\dfrac{\sqrt{3}}{3}}$

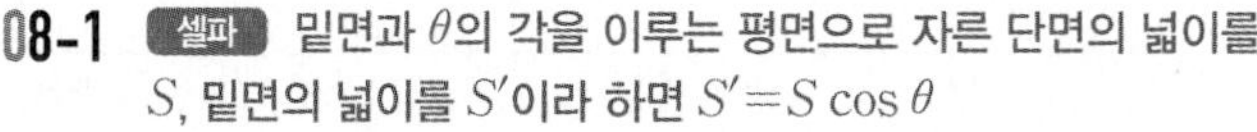

08-1 셀파 **밑면과 θ의 각을 이루는 평면으로 자른 단면의 넓이를 S, 밑면의 넓이를 S'이라 하면 $S'=S\cos\theta$**

밑면과 30°의 각을 이루는 평면으로 자른 단면의 밑면을 포함한 평면 위로의 정사영은 밑면인 원이 된다.

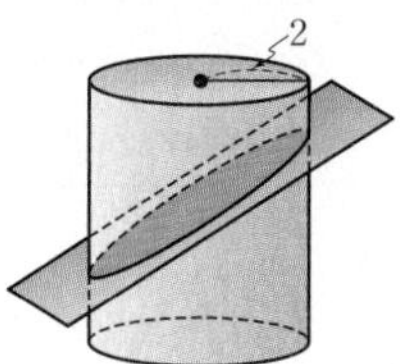

이때 밑면의 넓이는 4π이고, 자른 단면의 넓이를 S라 하면 $S\cos 30°=4\pi$에서

$S=\dfrac{4\pi}{\cos 30°}=\dfrac{4\pi\times 2}{\sqrt{3}}=\boldsymbol{\dfrac{8\sqrt{3}}{3}\pi}$

08-2 셀파 **수면의 밑면을 포함하는 평면 위로의 정사영은 밑면이다.**

오른쪽 그림에서 삼각형 ABC는 직각삼각형이므로

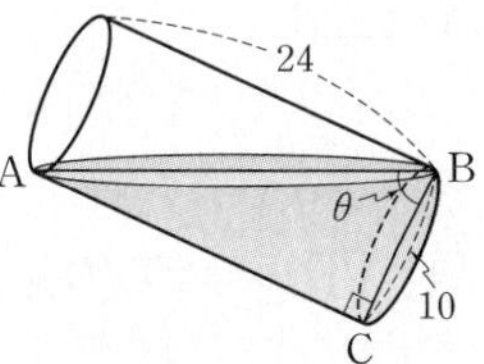

$\overline{AB}=\sqrt{\overline{AC}^2+\overline{BC}^2}=\sqrt{24^2+10^2}$
$=26$

기울인 유리컵에서 수면과 유리컵의 밑면이 이루는 각의 크기를 θ라 하면 $\theta=\angle$ABC이므로

$\cos\theta=\dfrac{\overline{BC}}{\overline{AB}}=\dfrac{10}{26}=\dfrac{5}{13}$

이때 유리컵의 밑면의 넓이를 S', 수면의 넓이를 S라 하면

$S'=S\cos\theta$, $S'=25\pi$에서

$25\pi=\dfrac{5}{13}S \quad \therefore S=\boldsymbol{65\pi}$

LECTURE 직육면체에서의 정사영

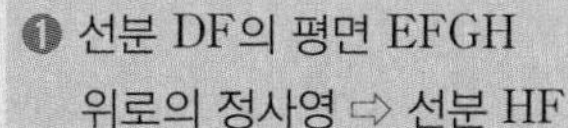

❶ 선분 DF의 평면 EFGH 위로의 정사영 ⇨ 선분 HF

❷ 선분 DB의 평면 DHGC 위로의 정사영 ⇨ 선분 DC

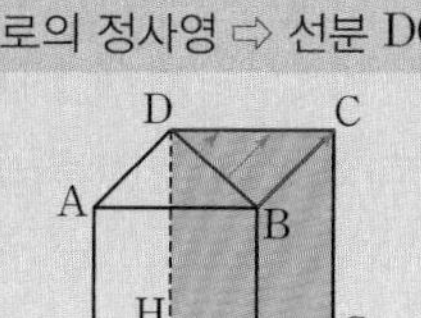
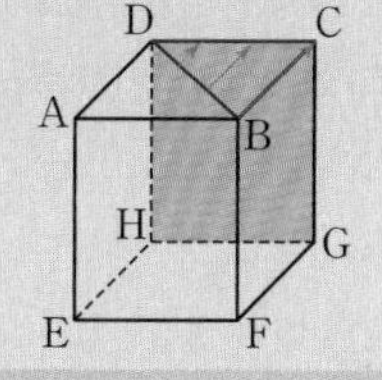

❸ 평면 DEB의 평면 EFGH 위로의 정사영 ⇨ 평면 HEF

❹ 평면 DEB의 평면 AEHD 위로의 정사영 ⇨ 평면 DEA

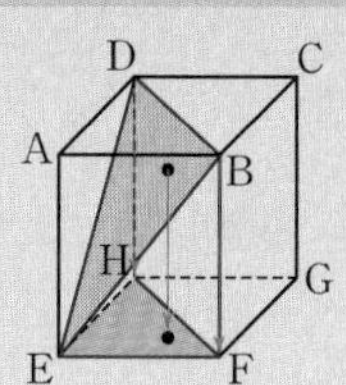

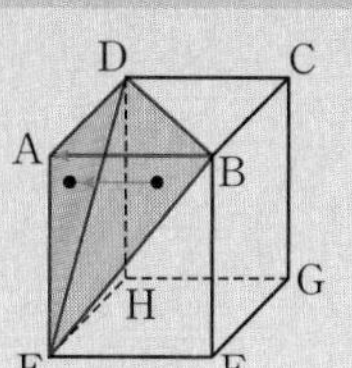

연습 문제

본문 | 172~173쪽

01 셀파 **한 직선과 그 위에 있지 않은 한 점은 하나의 평면을 결정한다.**

직선 AC를 포함하는 서로 다른 평면은

평면 ABCD, 평면 AEGC,

평면 ACH, 평면 ACF

따라서 구하는 서로 다른 평면의 개수는 **4**

02 셀파 **사각뿔대의 모서리와 면을 연장해서 생각한다.**

직선 AE와 꼬인 위치에 있는 직선은 직선 DC, 직선 BC, 직선 GH, 직선 FG로 4개이다.

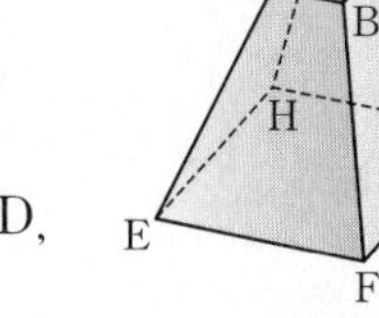

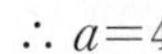

$\therefore a=4$

직선 BC와 평행한 평면은 평면 AEHD, 평면 EFGH로 2개이다.

$\therefore b=2$

사각뿔대의 옆면을 연장하여 생각하면 옆면이 모두 평면 AEFB와 만나므로 평면 AEFB와 만나는 평면은 모두 5개이다.

$\therefore c=5$

$\therefore a+b+c=4+2+5=\boldsymbol{11}$

03 셀파 주어진 정육면체와 합동인 정육면체를 면 DHGC에 나란히 붙이고 직선 AC를 평행이동한다.

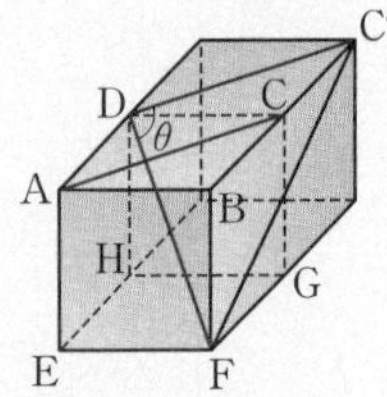

오른쪽 그림과 같이 주어진 정육면체와 합동인 정육면체를 면 DHGC에 나란히 붙이면 $\overline{AC} /\!/ \overline{DC'}$이므로 $\overline{AC}$와 $\overline{DF}$가 이루는 각의 크기 θ는 $\overline{DC'}$과 $\overline{DF}$가 이루는 각의 크기와 같다.

이때 정육면체의 한 모서리의 길이를 a라 하면

$\overline{DC'}=\sqrt{\overline{DC}^2+\overline{CC'}^2}=\sqrt{a^2+a^2}=\sqrt{2}a$

$\overline{DF}=\sqrt{\overline{DB}^2+\overline{BF}^2}=\sqrt{(\sqrt{2}a)^2+a^2}=\sqrt{3}a$

$\overline{FC'}=\sqrt{\overline{BC'}^2+\overline{BF}^2}=\sqrt{(2a)^2+a^2}=\sqrt{5}a$

따라서 삼각형 DFC′에서 코사인법칙에 의하여

$$\cos\theta=\frac{\overline{DC'}^2+\overline{DF}^2-\overline{FC'}^2}{2\times\overline{DC'}\times\overline{DF}}$$

$$=\frac{2a^2+3a^2-5a^2}{2\times\sqrt{2}a\times\sqrt{3}a}=\mathbf{0}$$

04 셀파 직선 FH를 평행이동하여 생각한다.

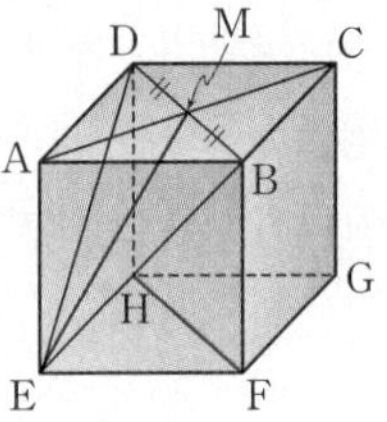

오른쪽 그림과 같이 $\overline{FH}$를 평행이동하면 $\overline{BD}$와 일치한다.

이때 삼각형 BDE는 정삼각형이고 점 M은 정사각형의 두 대각선의 교점이므로 $\overline{BD}$의 중점이다.

$\therefore \overline{EM}\perp\overline{BD}$

따라서 두 직선 FH와 EM이 이루는 각의 크기는 **90°**

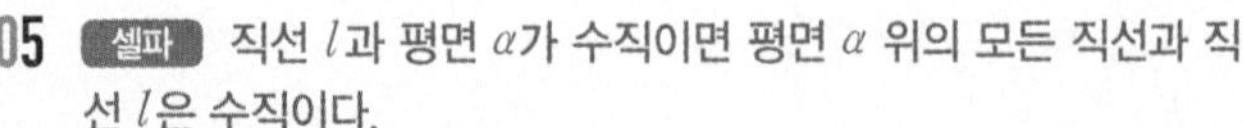

05 셀파 직선 l과 평면 α가 수직이면 평면 α 위의 모든 직선과 직선 l은 수직이다.

직선 AD는 평면 BCD 위의 두 직선 BD, CD와 수직이므로 직선 AD는 평면 BCD와 수직이다.

즉, 직선 AD는 평면 BCD 위의 직선 BC와 수직이다.

따라서 구하는 각의 크기는 **90°**

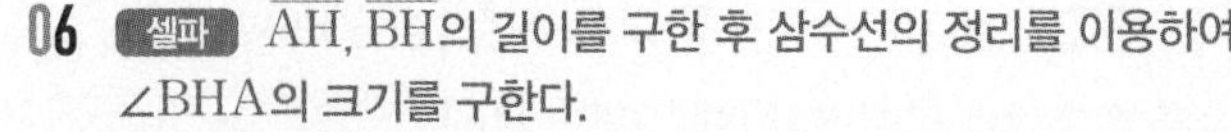

06 셀파 $\overline{AH}$, $\overline{BH}$의 길이를 구한 후 삼수선의 정리를 이용하여 ∠BHA의 크기를 구한다.

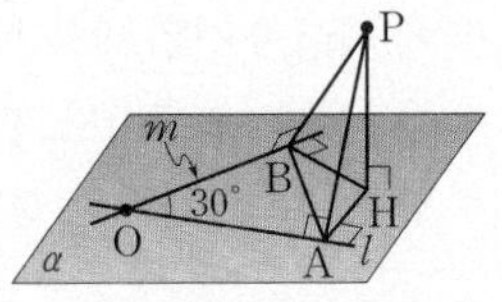

㉮ $\overline{PH}=4$, $\overline{PA}=8$, $\overline{PB}=5$이므로

직각삼각형 PAH에서

$\overline{AH}=\sqrt{\overline{PA}^2-\overline{PH}^2}$

$=\sqrt{8^2-4^2}=4\sqrt{3}$

직각삼각형 BHP에서

$\overline{BH}=\sqrt{\overline{PB}^2-\overline{PH}^2}$

$=\sqrt{5^2-4^2}=3$

㉯ $\overline{PH}\perp\alpha$, $\overline{PA}\perp l$이므로 삼수선의 정리에서 $\overline{AH}\perp l$

또 $\overline{PH}\perp\alpha$, $\overline{PB}\perp m$이므로 삼수선의 정리에서 $\overline{BH}\perp m$

이때 사각형 OAHB에서 ∠O=30°, ∠A=∠B=90°이고 사각형의 네 내각의 크기의 합은 360°이므로

∠BHA=150°

㉰ 따라서 삼각형 BAH에서 코사인법칙에 의하여

$\overline{AB}^2=\overline{BH}^2+\overline{AH}^2-2\times\overline{BH}\times\overline{AH}\times\cos 150°$

$=3^2+(4\sqrt{3})^2-2\times3\times4\sqrt{3}\times\left(-\frac{\sqrt{3}}{2}\right)=93$

$\therefore \mathbf{\overline{AB}=\sqrt{93}}$

채점 기준	배점
㉮ $\overline{AH}$, $\overline{BH}$의 길이를 구한다.	20%
㉯ 삼수선의 정리를 이용하여 ∠BHA의 크기를 구한다.	50%
㉰ 선분 AB의 길이를 구한다.	30%

07 셀파 삼수선의 정리를 이용하여 선분 AQ의 길이를 구한다.

$\overline{PQ}$를 그으면 $\overline{PH}\perp$(평면 ABH)이므로

직각삼각형 PQH에서

$\overline{PQ}=\sqrt{\overline{PH}^2+\overline{HQ}^2}=\sqrt{6^2+2^2}=2\sqrt{10}$

$\overline{PH}\perp$(평면 ABH),

$\overline{HQ}\perp\overline{AB}$이므로 삼수선의 정리에서

$\overline{PQ}\perp\overline{AB}$

따라서 직각삼각형 PAQ에서

$\overline{AQ}=\sqrt{\overline{PA}^2-\overline{PQ}^2}=\sqrt{(\sqrt{41})^2-(2\sqrt{10})^2}=1$

$\overline{AH}$, $\overline{BH}$를 긋고 ∠HAB$=\theta$라 하면 직각삼각형 HAQ에서

$\overline{AH}=\sqrt{\overline{AQ}^2+\overline{HQ}^2}=\sqrt{1^2+2^2}=\sqrt{5}$

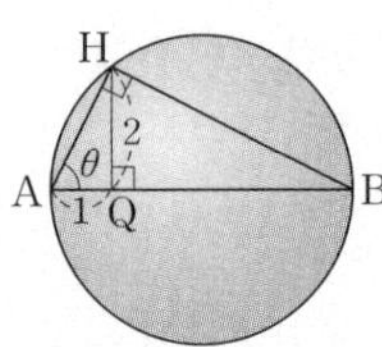

$\therefore \cos\theta=\frac{\overline{AQ}}{\overline{AH}}=\frac{1}{\sqrt{5}}$ ……㉠

직각삼각형 ABH에서

$\cos\theta=\frac{\overline{AH}}{\overline{AB}}=\frac{\sqrt{5}}{\overline{AB}}$ ……㉡

㉠, ㉡에서 $\frac{\sqrt{5}}{\overline{AB}}=\frac{1}{\sqrt{5}}$ $\quad\therefore \mathbf{\overline{AB}=5}$

08 셀파 꼭짓점 B에서 $\overline{AC}$에 수선의 발을 내려 삼수선의 정리를 이용한다.

$\triangle EAC$는 직각삼각형이므로

$\overline{AC}=\sqrt{\overline{EC}^2+\overline{EA}^2}=\sqrt{12^2+4^2}=4\sqrt{10}$

오른쪽 그림과 같이 꼭짓점 B에서 $\overline{AC}$에 내린 수선의 발을 H라 하면 $\overline{BE}\perp$(평면 EAC), $\overline{BH}\perp\overline{AC}$이므로 삼수선의 정리에서 $\overline{EH}\perp\overline{AC}$

이때 직각삼각형 EAC에서

$\triangle EAC=\frac{1}{2}\times\overline{EC}\times\overline{EA}=\frac{1}{2}\times\overline{AC}\times\overline{EH}$

$\frac{1}{2}\times 12\times 4=\frac{1}{2}\times 4\sqrt{10}\times\overline{EH}\qquad\therefore\ \overline{EH}=\frac{6\sqrt{10}}{5}$

직각삼각형 BEH에서

$\overline{BH}=\sqrt{\overline{BE}^2+\overline{EH}^2}=\sqrt{8^2+\left(\frac{6\sqrt{10}}{5}\right)^2}=\frac{14\sqrt{10}}{5}$

따라서 구하는 삼각형 ABC의 넓이는

$\frac{1}{2}\times\overline{AC}\times\overline{BH}=\frac{1}{2}\times 4\sqrt{10}\times\frac{14\sqrt{10}}{5}=$ **56**

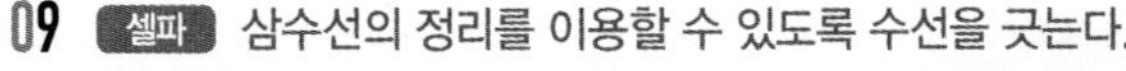

09 셀파 삼수선의 정리를 이용할 수 있도록 수선을 긋는다.

직선 m 위의 한 점 A에서 교선 PQ에 내린 수선의 발을 B라 하고, 점 B에서 직선 l에 내린 수선의 발을 C라 하면 $\overline{AB}\perp\alpha$, $\overline{BC}\perp l$이므로 삼수선의 정리에서

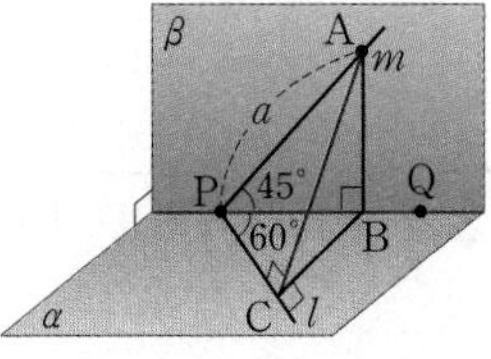

$\overline{AC}\perp l\qquad\therefore\ \theta=\angle ACB$

이때 $\overline{AP}=a$라 하면

$\overline{PB}=a\cos 45°=\frac{\sqrt{2}}{2}a$

$\overline{PC}=\overline{PB}\cos 60°=\frac{\sqrt{2}}{2}a\times\frac{1}{2}=\frac{\sqrt{2}}{4}a$

$\overline{BC}=\overline{PB}\sin 60°=\frac{\sqrt{2}}{2}a\times\frac{\sqrt{3}}{2}=\frac{\sqrt{6}}{4}a$

이때 직각삼각형 APC에서

$\overline{AC}=\sqrt{a^2-\left(\frac{\sqrt{2}}{4}a\right)^2}=\frac{\sqrt{14}}{4}a$

따라서 직각삼각형 ACB에서

$\cos\theta=\frac{\overline{BC}}{\overline{AC}}=\frac{\frac{\sqrt{6}}{4}a}{\frac{\sqrt{14}}{4}a}=\boldsymbol{\frac{\sqrt{21}}{7}}$

10 셀파 타원의 장축의 길이를 $2a$라 하면 원기둥의 밑면의 지름의 길이는 $2a\times\cos 30°$이다.

잘린 단면인 타원의 장축의 밑면 위로의 정사영은 밑면의 지름이다.

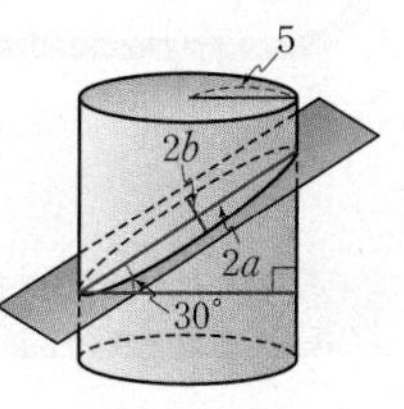

이때 타원의 장축의 길이를 $2a$라 하면

$2a\cos 30°=10$, $2a\times\frac{\sqrt{3}}{2}=10$

$\therefore\ a=\frac{10\sqrt{3}}{3}$

또 타원의 단축의 길이를 $2b$라 하면 단축의 길이는 밑면의 지름의 길이와 같으므로 $2b=10\qquad\therefore\ b=5$

따라서 구하는 두 초점 사이의 거리는

$2\sqrt{a^2-b^2}=2\sqrt{\left(\frac{10\sqrt{3}}{3}\right)^2-5^2}=\boldsymbol{\frac{10\sqrt{3}}{3}}$

11 셀파 삼각형 ABC가 어떤 삼각형인지 파악한다.

$\overline{AB}=\sqrt{2^2+1^2}=\sqrt{5}$,

$\overline{BC}=\sqrt{2^2+2^2}=2\sqrt{2}$,

$\overline{AC}=\sqrt{2^2+1^2}=\sqrt{5}$

이므로 삼각형 ABC는 이등변삼각형이다.

이때 변 BC의 중점을 M이라 하면

$\overline{AM}=\sqrt{(\sqrt{5})^2-(\sqrt{2})^2}=\sqrt{3}$

이므로 삼각형 ABC의 넓이는 $\frac{1}{2}\times 2\sqrt{2}\times\sqrt{3}=\sqrt{6}$

또 삼각형 DEF는 한 변의 길이가 2인 정삼각형이므로 넓이는

$\frac{\sqrt{3}}{4}\times 2^2=\sqrt{3}$

따라서 삼각형 ABC의 평면 DEF 위로의 정사영은 삼각형 DEF이므로

$\triangle DEF=\triangle ABC\cos\theta$

$\therefore\ \cos\theta=\frac{\triangle DEF}{\triangle ABC}=\frac{\sqrt{3}}{\sqrt{6}}=\boldsymbol{\frac{\sqrt{2}}{2}}$

12 셀파 애드벌룬을 지면과 접하도록 이동한다.

애드벌룬의 반지름의 길이를 r, 그림자의 넓이를 S라 하고 오른쪽 그림과 같이 애드벌룬을 지면과 접하도록 이동하면 태양빛과 수직으로 만나는 구의 지름이 지면과 이루는 각이 45°이다.

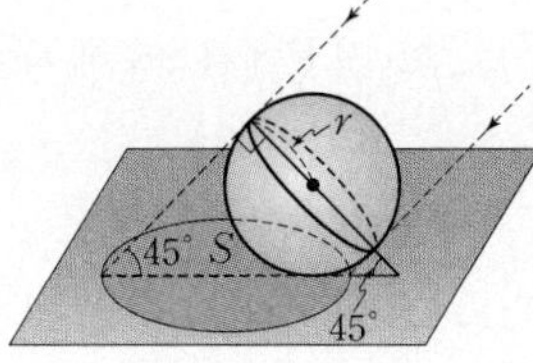

이때 $S\cos 45°=\pi r^2$에서

$9\sqrt{2}\pi\times\frac{\sqrt{2}}{2}=\pi r^2$, $r^2=9\qquad\therefore\ r=3\ (\because\ r>0)$

따라서 구하는 반지름의 길이는 **3**

9. 공간좌표

개념 익히기 본문 | 177, 179쪽

1-1 (1) 세 점 A, C, G는 각각 x축, y축, z축 위의 점이므로
A(3, 0, 0), C(0, 4, 0), G(0, 0, 2)

(2) 세 점 B, F, D는 각각 xy평면, yz평면, zx평면 위의 점이므로
B(3, 4, 0), F(0, 4, 2), D(3, 0, 2)

1-2 (1) 세 점 A, C, D는 각각 y축, x축, z축 위의 점이므로
A(0, 5, 0), C(−3, 0, 0), D(0, 0, 4)

(2) 세 점 B, E, G는 각각 xy평면, yz평면, zx평면 위의 점이므로
B(−3, 5, 0), E(0, 5, 4), G(−3, 0, 4)

2-1 (1) 점 P에서 xy평면에 내린 수선의 발은 점 D이므로
(1, 2, 0)

(2) 점 P에서 x축에 내린 수선의 발은 점 A이므로
(1, 0, 0)

(3) 점 P와 yz평면에 대하여 대칭인 점은 점 P와 y좌표, z좌표는 서로 같고, x좌표는 절댓값은 같고 부호는 반대인 점 E′이므로
(−1, 2, 3)

2-2 (1) 점 P에서 xy평면에 내린 수선의 발은 점 B이므로
(2, 3, 0)

(2) 점 P에서 z축에 내린 수선의 발은 점 F이므로
(0, 0, −4)

(3) 점 P와 zx평면에 대하여 대칭인 점은 점 P의 z좌표, x좌표는 서로 같고, y좌표는 절댓값은 같고 부호는 반대인 점 D′이므로
(2, −3, −4)

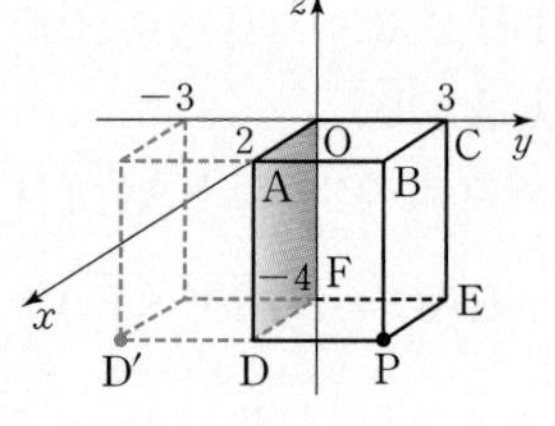

3-1 (1) $\overline{OP}=\sqrt{3^2+(-2)^2+1^2}=\sqrt{9+4+1}=\boldsymbol{\sqrt{14}}$

(2) $\overline{PQ}=\sqrt{(-2-2)^2+(4-1)^2+(1-3)^2}$
$=\sqrt{16+9+4}=\boldsymbol{\sqrt{29}}$

(3) $\overline{PQ}=\sqrt{(3-4)^2+\{-2-(-1)\}^2+\{0-(-2)\}^2}$
$=\sqrt{1+1+4}=\boldsymbol{\sqrt{6}}$

3-2 (1) O(0, 0, 0), P(2, −2, −1)에서
$\overline{OP}=\sqrt{2^2+(-2)^2+(-1)^2}$
$=\sqrt{4+4+1}=\mathbf{3}$

(2) P(3, −2, 5), Q(2, 3, −1)에서
$\overline{PQ}=\sqrt{(2-3)^2+\{3-(-2)\}^2+(-1-5)^2}$
$=\sqrt{1+25+36}=\boldsymbol{\sqrt{62}}$

(3) P(2, 0, 7), Q(5, −3, −2)에서
$\overline{PQ}=\sqrt{(5-2)^2+(-3-0)^2+(-2-7)^2}$
$=\sqrt{9+9+81}=\boldsymbol{3\sqrt{11}}$

LECTURE 두 점 사이의 거리

❶ 좌표평면 위의 두 점 $A(x_1, y_1)$, $B(x_2, y_2)$ 사이의 거리는
$\overline{AB}=\sqrt{(x_2-x_1)^2+(y_2-y_1)^2}$

❷ 수직선 위의 두 점 $A(x_1)$, $B(x_2)$ 사이의 거리는
$\overline{AB}=|x_2-x_1|$

4-1 (1) 선분 AB를 2 : 1로 내분하는 점 P의 좌표는

$$\left(\frac{2\times(-4)+1\times2}{2+1}, \frac{2\times5+1\times(-1)}{2+1}, \frac{2\times3+1\times(-3)}{2+1}\right)$$

$\therefore$ **P($\boxed{-2}$, 3, 1)**

(2) 선분 AB를 2 : 1로 외분하는 점 Q의 좌표는

$$\left(\frac{2\times(-4)-1\times2}{2-1}, \frac{2\times5-1\times(-1)}{2-1}, \frac{2\times3-1\times(-3)}{2-1}\right)$$

$\therefore$ **Q(−10, 11, $\boxed{9}$)**

(3) 선분 AB의 중점 M의 좌표는

$$\left(\frac{2+(-4)}{2}, \frac{-1+\boxed{5}}{2}, \frac{-3+3}{2}\right)$$

$\therefore$ **M(−1, $\boxed{2}$, 0)**

4-2 (1) 선분 AB를 2 : 3으로 내분하는 점 P의 좌표는

$$\left(\frac{2\times1+3\times2}{2+3}, \frac{2\times2+3\times5}{2+3}, \frac{2\times5+3\times7}{2+3}\right)$$

$\therefore$ $\mathbf{P\left(\frac{8}{5}, \frac{19}{5}, \frac{31}{5}\right)}$

(2) 선분 AB를 2 : 3으로 외분하는 점 Q의 좌표는

$$\left(\frac{2\times1-3\times2}{2-3}, \frac{2\times2-3\times5}{2-3}, \frac{2\times5-3\times7}{2-3}\right)$$

$\therefore$ **Q(4, 11, 11)**

(3) 선분 AB의 중점 M의 좌표는

$$\left(\frac{2+1}{2}, \frac{5+2}{2}, \frac{7+5}{2}\right) \qquad \therefore \mathbf{M\left(\frac{3}{2}, \frac{7}{2}, 6\right)}$$

LECTURE 좌표평면 위의 선분의 내분점과 외분점

좌표평면 위의 두 점 $A(x_1, y_1)$, $B(x_2, y_2)$를 이은 선분 AB를 $m : n$ $(m>0, n>0)$으로 내분하는 점 P와 외분하는 점 Q의 좌표는

$$P\left(\frac{mx_2+nx_1}{m+n}, \frac{my_2+ny_1}{m+n}\right)$$

$$Q\left(\frac{mx_2-nx_1}{m-n}, \frac{my_2-ny_1}{m-n}\right) \text{ (단, } m\neq n\text{)}$$

확인 문제

본문 | 180~195 쪽

01-1 셀파 점 P의 좌표를 구한 다음 점 Q의 좌표를 구한다.

점 $A(a, 3, b)$와 x축에 대하여 대칭인 점의 좌표는
$(a, -3, -b)$이므로 $-3=c$, $-b=-4$ $\quad\therefore$ $\mathbf{b=4, c=-3}$
또 점 $P(a, -3, -4)$와 z축에 대하여 대칭인 점의 좌표는
$(-a, 3, -4)$이므로 $-a=-2$ $\quad\therefore$ $\mathbf{a=2}$

01-2 셀파 점 B의 좌표를 구한 다음 점 C의 좌표를 구한다.

점 $A(3, -4, -7)$에서 xy평면에 내린 수선의 발은
B(3, −4, 0)
또 점 $B(3, -4, 0)$과 yz평면에 대하여 대칭인 점 C의 좌표는
C(−3, −4, 0)

집중 연습

본문 | 181 쪽

01 (1) 점 A(6, 4 ,2)와
x축에 대하여 대칭인 점의 좌표는 **(6, −4, −2)**
y축에 대하여 대칭인 점의 좌표는 **(−6, 4, −2)**
z축에 대하여 대칭인 점의 좌표는 **(−6, −4, 2)**
원점에 대하여 대칭인 점의 좌표는 **(−6, −4, −2)**

(2) 점 B(−2, 1, −5)와
x축에 대하여 대칭인 점의 좌표는 **(−2, −1, 5)**
y축에 대하여 대칭인 점의 좌표는 **(2, 1, 5)**
z축에 대하여 대칭인 점의 좌표는 **(2, −1, −5)**
원점에 대하여 대칭인 점의 좌표는 **(2, −1, 5)**

02 (1) 점 P(3, 6, 2)와
xy평면에 대하여 대칭인 점의 좌표는 **(3, 6, −2)**
yz평면에 대하여 대칭인 점의 좌표는 **(−3, 6, 2)**
zx평면에 대하여 대칭인 점의 좌표는 **(3, −6, 2)**

(2) 점 Q(8, −1, −3)과
xy평면에 대하여 대칭인 점의 좌표는 **(8, −1, 3)**
yz평면에 대하여 대칭인 점의 좌표는
(−8, −1, −3)
zx평면에 대하여 대칭인 점의 좌표는 **(8, 1, −3)**

03 (1) 점 $P(-5, 3, 4)$에서

x축에 내린 수선의 발의 좌표는 $\mathbf{(-5, 0, 0)}$

y축에 내린 수선의 발의 좌표는 $\mathbf{(0, 3, 0)}$

z축에 내린 수선의 발의 좌표는 $\mathbf{(0, 0, 4)}$

xy평면에 내린 수선의 발의 좌표는 $\mathbf{(-5, 3, 0)}$

yz평면에 내린 수선의 발의 좌표는 $\mathbf{(0, 3, 4)}$

zx평면에 내린 수선의 발의 좌표는 $\mathbf{(-5, 0, 4)}$

(2) 점 $Q(2, 4, -1)$에서

x축에 내린 수선의 발의 좌표는 $\mathbf{(2, 0, 0)}$

y축에 내린 수선의 발의 좌표는 $\mathbf{(0, 4, 0)}$

z축에 내린 수선의 발의 좌표는 $\mathbf{(0, 0, -1)}$

xy평면에 내린 수선의 발의 좌표는 $\mathbf{(2, 4, 0)}$

yz평면에 내린 수선의 발의 좌표는 $\mathbf{(0, 4, -1)}$

zx평면에 내린 수선의 발의 좌표는 $\mathbf{(2, 0, -1)}$

LECTURE 점의 수선의 발 (정사영)의 좌표

평면 α 밖의 한 점 P에서 평면 α에 내린 수선의 발 P′이 점 P의 평면 α 위로의 정사영이므로 점의 정사영의 좌표와 수선의 발의 좌표는 같다. 이때 점 $P(a, b, c)$에서 좌표평면에 내린 수선의 발의 좌표는 다음과 같다.

❶ xy평면에 내린 수선의 발의 좌표 ⇨ $A(a, b, 0)$

❷ yz평면에 내린 수선의 발의 좌표 ⇨ $B(0, b, c)$

❸ zx평면에 내린 수선의 발의 좌표 ⇨ $C(a, 0, c)$

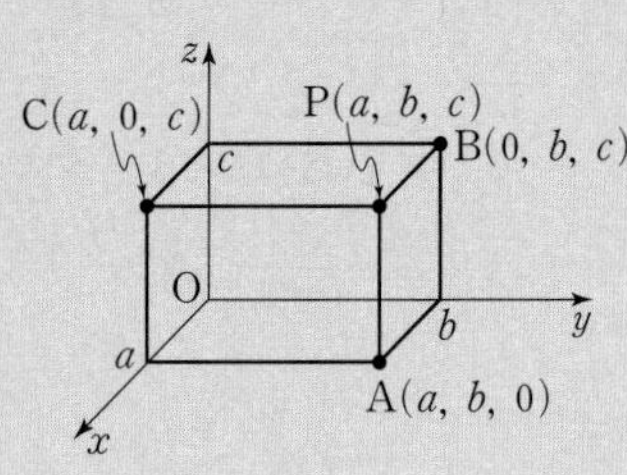

04 점 $A(2, 1, a)$와 y축에 대하여 대칭인 점의 좌표는 $(-2, 1, -a)$이므로

$-2=b$, $1=c$, $-a=3$

$\therefore$ $\boldsymbol{a=-3, b=-2, c=1}$

05 점 $A(a, 1, -2)$와 yz평면에 대하여 대칭인 점의 좌표는 $(-a, 1, -2)$이므로

$-a=3$, $1=b$, $-2=c$

$\therefore$ $\boldsymbol{a=-3, b=1, c=-2}$

06 점 P의 좌표를 $P(a, b, c)$라 하면 점 P에서 xy평면에 내린 수선의 발은 점 $(a, b, 0)$이고, 이것은 점 $A(3, 1, 0)$과 같으므로 $a=3$, $b=1$

이때 점 $P(3, 1, c)$에서 yz평면에 내린 수선의 발은 점 $(0, 1, c)$이고, 이것은 점 $B(0, 1, 5)$와 같으므로 $c=5$

따라서 점 $P(3, 1, 5)$와 zx평면에 대하여 대칭인 점의 좌표는 $\mathbf{(3, -1, 5)}$

02-1 셀파 두 점 $A(x_1, y_1, z_1)$, $B(x_2, y_2, z_2)$에 대하여 $\overline{AB}=\sqrt{(x_2-x_1)^2+(y_2-y_1)^2+(z_2-z_1)^2}$

두 점 $A(2, 3, a)$, $B(3, 1, -2)$에 대하여

$\overline{AB}=\sqrt{(3-2)^2+(1-3)^2+(-2-a)^2}$

$=\sqrt{a^2+4a+9}$

$\overline{AB}=3$에서 $\sqrt{a^2+4a+9}=3$

양변을 제곱하여 정리하면

$a^2+4a=0$, $a(a+4)=0$

$\therefore$ $\boldsymbol{a=-4}$ **또는** $\boldsymbol{a=0}$

02-2 셀파 $\overline{AB}$, $\overline{BC}$, $\overline{CA}$의 길이를 각각 구해 삼각형 ABC가 어떤 삼각형인지 알아본다.

세 점 $A(2, -1, 1)$, $B(3, 0, 4)$, $C(2, -2, 5)$에 대하여

$\overline{AB}=\sqrt{(3-2)^2+\{0-(-1)\}^2+(4-1)^2}=\sqrt{11}$

$\overline{BC}=\sqrt{(2-3)^2+(-2-0)^2+(5-4)^2}=\sqrt{6}$

$\overline{CA}=\sqrt{(2-2)^2+\{-1-(-2)\}^2+(1-5)^2}=\sqrt{17}$

이때 $\overline{AB}^2+\overline{BC}^2=\overline{CA}^2$이므로

삼각형 ABC는 $\angle B=90^\circ$인 직각삼각형이다.

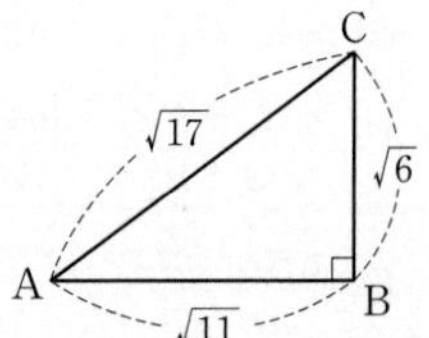

따라서 구하는 삼각형 ABC의 넓이는

$\frac{1}{2}\times\sqrt{11}\times\sqrt{6}=\boldsymbol{\frac{\sqrt{66}}{2}}$

03-1 셀파 z축 위의 점 P의 좌표를 $\mathrm{P}(0, 0, c)$로 놓는다.

z축 위의 점 P의 좌표를 $\mathrm{P}(0, 0, c)$로 놓으면

$\overline{\mathrm{AP}}^2=(0-0)^2+(0-1)^2+(c-1)^2=c^2-2c+2$

$\overline{\mathrm{BP}}^2=(0+1)^2+(0+3)^2+(c+2)^2=c^2+4c+14$

이때 $\overline{\mathrm{AP}}=\overline{\mathrm{BP}}$에서 $\overline{\mathrm{AP}}^2=\overline{\mathrm{BP}}^2$이므로

$c^2-2c+2=c^2+4c+14$, $6c=-12$

$\therefore c=-2$

따라서 점 P의 좌표는 $\mathbf{P(0, 0, -2)}$

03-2 셀파 xy평면 위의 점 C의 좌표를 $\mathrm{C}(a, b, 0)$으로 놓는다.

xy평면 위의 점 C의 좌표를 $\mathrm{C}(a, b, 0)$으로 놓으면

$\overline{\mathrm{AB}}^2=(3-2)^2+(2-1)^2+(1+1)^2=6$

$\overline{\mathrm{BC}}^2=(a-3)^2+(b-2)^2+(0-1)^2$

$=a^2+b^2-6a-4b+14$

$\overline{\mathrm{CA}}^2=(2-a)^2+(1-b)^2+(-1-0)^2$

$=a^2+b^2-4a-2b+6$

이때 $\overline{\mathrm{AB}}=\overline{\mathrm{BC}}=\overline{\mathrm{CA}}$에서 $\overline{\mathrm{AB}}^2=\overline{\mathrm{BC}}^2$, $\overline{\mathrm{BC}}^2=\overline{\mathrm{CA}}^2$이므로

$6=a^2+b^2-6a-4b+14$

$\therefore a^2+b^2-6a-4b+8=0$ ······㉠

$a^2+b^2-6a-4b+14=a^2+b^2-4a-2b+6$

$2a+2b-8=0$

$\therefore b=-a+4$ ······㉡

㉡을 ㉠에 대입하면

$a^2+(-a+4)^2-6a-4(-a+4)+8=0$

$a^2-5a+4=0$, $(a-1)(a-4)=0$

$\therefore a=1$ 또는 $a=4$

이것을 ㉡에 대입하면 $b=3$ 또는 $b=0$

$\therefore a=1, b=3$ 또는 $a=4, b=0$

따라서 점 C의 좌표는 $\mathbf{C(1, 3, 0)}$ **또는** $\mathbf{C(4, 0, 0)}$

04-1 셀파 두 점 A, B가 주어진 좌표평면의 같은 쪽에 있는지 서로 다른 쪽에 있는지 확인한다.

(1) 점 $\mathrm{A}(1, -2, 3)$은 x좌표의 부호가 양이고, 점 $\mathrm{B}(-2, -3, 5)$는 x좌표의 부호가 음이므로 두 점 A, B는 yz평면을 기준으로 서로 다른 쪽에 있다.

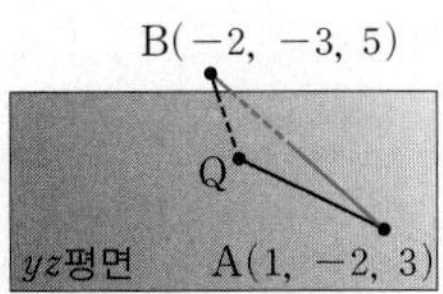

즉, $\overline{\mathrm{AQ}}+\overline{\mathrm{BQ}}$의 최솟값은 선분 AB의 길이와 같고

$\overline{\mathrm{AB}}=\sqrt{(-3)^2+(-1)^2+2^2}=\sqrt{14}$

따라서 구하는 최솟값은 $\mathbf{\sqrt{14}}$

(2) 두 점 $\mathrm{A}(1, -2, 3)$, $\mathrm{B}(-2, -3, 5)$의 y좌표의 부호가 모두 음이므로 두 점 A, B는 zx평면을 기준으로 같은 쪽에 있다.

이때 zx평면에 대하여 점 B와 대칭인 점을 B′이라 하면

$\mathrm{B'}(-2, 3, 5)$

$\overline{\mathrm{BR}}=\overline{\mathrm{B'R}}$이므로

$\overline{\mathrm{AR}}+\overline{\mathrm{BR}}=\overline{\mathrm{AR}}+\overline{\mathrm{B'R}}\ge\overline{\mathrm{AB'}}$

$=\sqrt{(-3)^2+5^2+2^2}=\sqrt{38}$

따라서 구하는 최솟값은 $\mathbf{\sqrt{38}}$

05-1 셀파 두 점 A, B의 xy평면 위로의 정사영을 구한다.

두 점 A, B의 xy평면 위로의 정사영을 A′, B′이라 하면

$\mathrm{A'}(1, 3, 0)$, $\mathrm{B'}(1, -3, 0)$

선분 AB의 xy평면 위로의 정사영은 선분 A′B′이므로 정사영의 길이는

$\overline{\mathrm{A'B'}}=\sqrt{0^2+(-6)^2}=\mathbf{6}$

05-2 셀파 선분 AB의 zx평면 위로의 정사영의 길이를 구한다.

두 점 $\mathrm{A}(\sqrt{2}, 1, 3)$, $\mathrm{B}(0, 4, 2)$에서

$\overline{\mathrm{AB}}=\sqrt{(-\sqrt{2})^2+3^2+(-1)^2}=2\sqrt{3}$

두 점 A, B의 zx평면 위로의 정사영을 각각 A′, B′이라 하면

$\mathrm{A'}(\sqrt{2}, 0, 3)$, $\mathrm{B'}(0, 0, 2)$

선분 AB의 zx평면 위로의 정사영은 선분 A′B′이므로

$\overline{\mathrm{A'B'}}=\sqrt{(-\sqrt{2})^2+(-1)^2}=\sqrt{3}$

이때 $\overline{\mathrm{AB}}\cos\theta=\overline{\mathrm{A'B'}}$이므로

$2\sqrt{3}\cos\theta=\sqrt{3}$, $\cos\theta=\frac{1}{2}$

$\therefore \mathbf{\theta=60°}$

LECTURE 직선과 평면이 이루는 각

직선 AB와 zx평면이 이루는 각의 크기가 θ이고 오른쪽 그림과 같이 점 A′을 지나고 선분 AB와 평행한 선분을 선분 A′B″이라 하면

$\overline{AB}=\overline{A'B''}$이므로

$\overline{AB}\cos\theta=\overline{A'B''}\cos\theta=\overline{A'B'}$

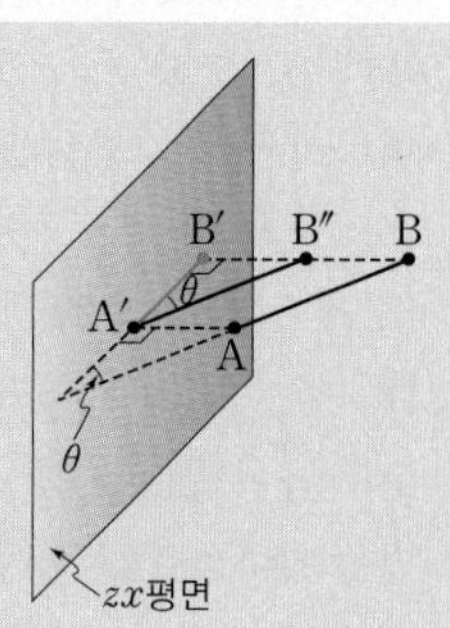

셀파 특강 **확인 체크 01**

두 점 A$(-2, 1, 3)$, B$(4, -5, 0)$에 대하여 선분 AB를 $2:1$로 내분하는 점 P의 좌표는

$$\left(\frac{2\times4+1\times(-2)}{2+1}, \frac{2\times(-5)+1\times1}{2+1}, \frac{2\times0+1\times3}{2+1}\right)$$

$\therefore$ P$(2, -3, 1)$

선분 AB를 $2:3$으로 외분하는 점 Q의 좌표는

$$\left(\frac{2\times4-3\times(-2)}{2-3}, \frac{2\times(-5)-3\times1}{2-3}, \frac{2\times0-3\times3}{2-3}\right)$$

$\therefore$ Q$(-14, 13, 9)$

따라서 선분 PQ의 중점 M의 좌표는

$$\left(\frac{2+(-14)}{2}, \frac{-3+13}{2}, \frac{1+9}{2}\right)$$

$\therefore$ **M$(-6, 5, 5)$**

06-1 **셀파** 두 점 A, B를 이은 선분 AB를 내분하는 점과 외분하는 점을 구한다.

선분 AB를 $2:3$으로 내분하는 점 P의 좌표는

$$\left(\frac{2\times(-4)+3\times1}{2+3}, \frac{2\times5+3\times0}{2+3}, \frac{2\times2+3\times(-3)}{2+3}\right)$$

$\therefore$ P$(-1, 2, -1)$

선분 AB를 $2:1$로 외분하는 점 Q의 좌표는

$$\left(\frac{2\times(-4)-1\times1}{2-1}, \frac{2\times5-1\times0}{2-1}, \frac{2\times2-1\times(-3)}{2-1}\right)$$

$\therefore$ Q$(-9, 10, 7)$

따라서 두 점 P, Q 사이의 거리는

$\overline{PQ}=\sqrt{(-8)^2+8^2+8^2}=\mathbf{8\sqrt{3}}$

06-2 **셀파** 평행사변형의 두 대각선은 서로 다른 것을 이등분한다.

평행사변형의 두 대각선은 서로 다른 것을 이등분하므로 두 대각선의 교점은 각 대각선의 중점이다.

이때 평행사변형 ABCD에서

A$(-2, -3, -4)$, B$(-1, -2, 5)$

이고, 두 점 C, D의 좌표를 각각

C(x_1, y_1, z_1), D(x_2, y_2, z_2)

로 놓으면

대각선 AC의 중점의 좌표는

$$\left(\frac{-2+x_1}{2}, \frac{-3+y_1}{2}, \frac{-4+z_1}{2}\right)$$

이 점이 점 M$(0, 2, -3)$과 일치하므로

$$\frac{-2+x_1}{2}=0, \frac{-3+y_1}{2}=2, \frac{-4+z_1}{2}=-3$$

에서 $x_1=2$, $y_1=7$, $z_1=-2$

$\therefore$ **C$(2, 7, -2)$**

또 대각선 BD의 중점의 좌표는

$$\left(\frac{-1+x_2}{2}, \frac{-2+y_2}{2}, \frac{5+z_2}{2}\right)$$

이 점이 점 M$(0, 2, -3)$과 일치하므로

$$\frac{-1+x_2}{2}=0, \frac{-2+y_2}{2}=2, \frac{5+z_2}{2}=-3$$

에서 $x_2=1$, $y_2=6$, $z_2=-11$

$\therefore$ **D$(1, 6, -11)$**

07-1 **셀파** 삼각형의 무게중심의 좌표를 구하는 공식을 이용한다.

점 A$(-3, 2, 1)$과 xy평면에 대하여 대칭인 점 P의 좌표는

P$(-3, 2, -1)$

또 점 B$(-1, 0, 2)$와 원점에 대하여 대칭인 점 Q의 좌표는

Q$(1, 0, -2)$

이때 점 R의 좌표를 R(a, b, c)라 하면 삼각형 PQR의 무게중심의 좌표는

$$\left(\frac{-3+1+a}{3}, \frac{2+0+b}{3}, \frac{-1-2+c}{3}\right)$$

이 점이 점 C$(0, 1, -2)$와 일치하므로

$$\frac{-2+a}{3}=0, \frac{2+b}{3}=1, \frac{-3+c}{3}=-2$$

$\therefore a=2, b=1, c=-3$

따라서 점 R의 좌표는 **R$(2, 1, -3)$**

07-2 셀파 삼각형의 세 변을 각각 일정하게 내분하는 세 점을 이은 삼각형의 무게중심과 원래 삼각형의 무게중심은 일치한다.

삼각형 ABC의 무게중심과 삼각형 ABC의 세 변 AB, BC, CA를 각각 2 : 1로 내분하는 세 점 P, Q, R를 꼭짓점으로 하는 삼각형 PQR의 무게중심은 일치하므로 구하는 무게중심의 좌표는

$\left(\frac{-1+3+1}{3}, \frac{0+4+2}{3}, \frac{1+(-2)+(-5)}{3}\right)$

$\therefore$ **(1, 2, −2)**

| 다른 풀이 |

변 AB를 2 : 1로 내분하는 점 P의 좌표는

$\left(\frac{2\times3+1\times(-1)}{2+1}, \frac{2\times4+1\times0}{2+1}, \frac{2\times(-2)+1\times1}{2+1}\right)$

$\therefore \mathrm{P}\left(\frac{5}{3}, \frac{8}{3}, -1\right)$

변 BC를 2 : 1로 내분하는 점 Q의 좌표는

$\left(\frac{2\times1+1\times3}{2+1}, \frac{2\times2+1\times4}{2+1}, \frac{2\times(-5)+1\times(-2)}{2+1}\right)$

$\therefore \mathrm{Q}\left(\frac{5}{3}, \frac{8}{3}, -4\right)$

변 CA를 2 : 1로 내분하는 점 R의 좌표는

$\left(\frac{2\times(-1)+1\times1}{2+1}, \frac{2\times0+1\times2}{2+1}, \frac{2\times1+1\times(-5)}{2+1}\right)$

$\therefore \mathrm{R}\left(-\frac{1}{3}, \frac{2}{3}, -1\right)$

따라서 세 점 P, Q, R를 꼭짓점으로 하는 삼각형 PQR의 무게중심의 좌표는

$\left(\frac{\frac{5}{3}+\frac{5}{3}-\frac{1}{3}}{3}, \frac{\frac{8}{3}+\frac{8}{3}+\frac{2}{3}}{3}, \frac{-1-4-1}{3}\right)$

$\therefore (1, 2, -2)$

셀파 특강 확인 체크 02

(1) $x^2+y^2+z^2-2x-6y+9=0$을 변형하면

$(x^2-2x+1)+(y^2-6y+9)+z^2=1$

$\therefore (x-1)^2+(y-3)^2+z^2=1$

따라서 주어진 방정식이 나타내는 구의

중심의 좌표는 (1, 3, 0), 반지름의 길이는 1

(2) $x^2+y^2+z^2-4x+6y-2z+5=0$을 변형하면

$(x^2-4x+4)+(y^2+6y+9)+(z^2-2z+1)=9$

$\therefore (x-2)^2+(y+3)^2+(z-1)^2=9$

따라서 주어진 방정식이 나타내는 구의

중심의 좌표는 (2, −3, 1), 반지름의 길이는 3

08-1 셀파 구의 중심을 $\mathrm{C}(a, b, c)$로 놓는다.

구하는 구의 중심을 $\mathrm{C}(a, b, c)$라 하면 점 C는 선분 AB의 중점이므로

$a=\frac{-2+4}{2}=1, b=\frac{1+3}{2}=2, c=\frac{2+(-4)}{2}=-1$

$\therefore \mathrm{C}(1, 2, -1)$

반지름의 길이는 선분 AC의 길이와 같으므로

$\overline{\mathrm{AC}}=\sqrt{3^2+1^2+(-3)^2}=\sqrt{19}$

따라서 구하는 구의 방정식은

$\boldsymbol{(x-1)^2+(y-2)^2+(z+1)^2=19}$

08-2 셀파 주어진 네 점을 구의 방정식에 대입한다.

구의 방정식을 $x^2+y^2+z^2+Ax+By+Cz+D=0$으로 놓고 네 점의 좌표를 각각 대입하면

$A+B+C+D=-3$ ……㉠

$2A+C+D=-5$ ……㉡

$3A+B+C+D=-11$ ……㉢

$3A+4B+D=-25$ ……㉣

㉡−㉠을 하면 $A-B=-2$

㉢−㉡을 하면 $A+B=-6$

두 식을 연립하여 풀면 $A=-4, B=-2$

$A=-4, B=-2$를 ㉠, ㉣에 대입하면

$C+D=3, D=-5$

두 식을 연립하여 풀면 $C=8, D=-5$

$\therefore A=-4, B=-2, C=8, D=-5$

따라서 구의 방정식은

$x^2+y^2+z^2-4x-2y+8z-5=0$

이 식을 변형하면

$(x-2)^2+(y-1)^2+(z+4)^2=26$

따라서 구하는 구의

중심의 좌표는 (2, 1, −4), 반지름의 길이는 $\sqrt{26}$

09-1 셀파 x축에 접하는 구의 반지름의 길이는 구의 중심과 구와 x축의 접점 사이의 거리와 같다.

구 $(x-3)^2+(y+1)^2+(z+2)^2=r^2$이 x축에 접하므로 접점의 좌표는 $(3, 0, 0)$이고, 구의 반지름의 길이는 구의 중심 $(3, -1, -2)$와 접점 $(3, 0, 0)$ 사이의 거리와 같다.

$\therefore r=\sqrt{(3-3)^2+(-1-0)^2+(-2-0)^2}=\boldsymbol{\sqrt{5}}$

09-2 셀파 중심이 점 (a, b, c)이고 xy평면, yz평면, zx평면에 모두 접하는 구의 반지름의 길이 r는 $r=|a|=|b|=|c|$

점 $(-5, 1, 4)$를 지나면서 xy평면, yz평면, zx평면에 모두 접하는 구의 방정식을

$(x+r)^2+(y-r)^2+(z-r)^2=r^2\ (r>0)$

이라 하면 구가 점 $(-5, 1, 4)$를 지나므로

$(-5+r)^2+(1-r)^2+(4-r)^2=r^2$

$r^2-10r+21=0,\ (r-3)(r-7)=0$

$\therefore r=3$ 또는 $r=7$

따라서 두 구의 반지름의 길이의 합은 $3+7=\mathbf{10}$

LECTURE 좌표평면에 모두 접하는 구의 방정식

xy평면, yz평면, zx평면에 모두 접하는 구의 방정식을 구할 때, 구가 지나는 점에 따라 구의 방정식을 다르게 놓고 푼다.

(i) 구가 지나는 점이 $(2, 2, 2)$일 때
⇨ 구가 지나는 점의 x, y, z좌표의 부호가 모두 양
⇨ $(x-r)^2+(y-r)^2+(z-r)^2=r^2$

(ii) 구가 지나는 점이 $(2, 2, -2)$일 때
⇨ 구가 지나는 점의 x, y좌표의 부호는 양, z좌표의 부호는 음
⇨ $(x-r)^2+(y-r)^2+(z+r)^2=r^2$

(iii) 구가 지나는 점이 $(2, -2, 2)$일 때
⇨ 구가 지나는 점의 x, z좌표의 부호는 양, y좌표의 부호는 음
⇨ $(x-r)^2+(y+r)^2+(z-r)^2=r^2$

(iv) 구가 지나는 점이 $(-2, 2, 2)$일 때
⇨ 구가 지나는 점의 y, z좌표의 부호는 양, x좌표의 부호는 음
⇨ $(x+r)^2+(y-r)^2+(z-r)^2=r^2$

(v) 구가 지나는 점이 $(-2, -2, 2)$일 때
⇨ 구가 지나는 점의 x, y좌표의 부호는 음, z좌표의 부호는 양
⇨ $(x+r)^2+(y+r)^2+(z-r)^2=r^2$

(vi) 구가 지나는 점이 $(-2, 2, -2)$일 때
⇨ 구가 지나는 점의 x, z좌표의 부호는 음, y좌표의 부호는 양
⇨ $(x+r)^2+(y-r)^2+(z+r)^2=r^2$

(vii) 구가 지나는 점이 $(2, -2, -2)$일 때
⇨ 구가 지나는 점의 y, z좌표의 부호는 음, x좌표의 부호는 양
⇨ $(x-r)^2+(y+r)^2+(z+r)^2=r^2$

(viii) 구가 지나는 점이 $(-2, -2, -2)$일 때
⇨ 구가 지나는 점의 x, y, z좌표의 부호가 모두 음
⇨ $(x+r)^2+(y+r)^2+(z+r)^2=r^2$

셀파 특강 확인 체크 03

(1) 구 $(x-2)^2+(y-6)^2+(z-8)^2=89$와 z축이 만날 때, z축 위의 점은 x, y좌표가 모두 0이므로 구의 방정식에 $x=0$, $y=0$을 대입하면

$(-2)^2+(-6)^2+(z-8)^2=89$

$z^2-16z+15=0,\ (z-1)(z-15)=0$

$\therefore z=1$ 또는 $z=15$

따라서 두 점 P, Q의 좌표는

$\mathrm{P}(0, 0, 1)$, $\mathrm{Q}(0, 0, 15)$ 또는 $\mathrm{P}(0, 0, 15)$, $\mathrm{Q}(0, 0, 1)$

$\therefore \overline{\mathrm{PQ}}=|15-1|=\mathbf{14}$

(2) 구 $(x-1)^2+(y-2)^2+(z-3)^2=25$와 xy평면이 만날 때, xy평면 위의 점은 z좌표가 0이므로 구의 방정식에 $z=0$을 대입하면

$(x-1)^2+(y-2)^2=16$

즉, 구와 xy평면의 교선은 반지름의 길이가 4인 원이다.

따라서 구하는 교선의 길이는

$2\pi\times4=\mathbf{8\pi}$

10-1 셀파 구가 zx평면과 만나서 생기는 교선의 방정식은 구의 방정식에 $y=0$을 대입하여 구한다.

$x^2+y^2+z^2-4x+4y-6z+7=0$에서

$(x-2)^2+(y+2)^2+(z-3)^2=10$

zx평면 위의 점은 y좌표가 0이므로 위의 방정식에 $y=0$을 대입하면

$(x-2)^2+(z-3)^2=6$

따라서 구하는 원의 넓이는 $\mathbf{6\pi}$

10-2 셀파 구가 yz평면과 만나서 생기는 교선의 방정식은 구의 방정식에 $x=0$을 대입하여 구한다.

$x^2+y^2+z^2+2x-4y+6z+k=0$에서

$(x+1)^2+(y-2)^2+(z+3)^2=14-k$

yz평면 위의 점은 x좌표가 0이므로 위의 방정식에 $x=0$을 대입하면

$(y-2)^2+(z+3)^2=13-k$

이 원의 반지름의 길이가 3이므로

$13-k=3^2 \qquad \therefore \boldsymbol{k=4}$

11-1 셀파 구의 중심을 C, 접점을 P로 놓는다.

$x^2+y^2+z^2-4x-6y-10z+36=0$

에서

$(x-2)^2+(y-3)^2+(z-5)^2=2$

이 구의 중심이 C(2, 3, 5)이므로

$\overline{AC}=\sqrt{(-3)^2+(-3)^2+(-3)^2}$

$=3\sqrt{3}$

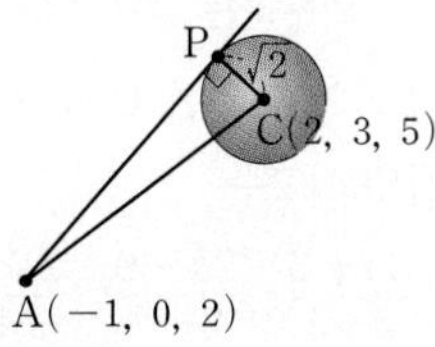

오른쪽 그림과 같이 점 A에서 구에 그은 접선의 접점을 P라 하면 직각삼각형 ACP에서 구하는 접선의 길이는

$\overline{AP}=\sqrt{\overline{AC}^2-\overline{PC}^2}=\sqrt{27-2}=\sqrt{25}=\mathbf{5}$

11-2 셀파 구의 중심 C(2, 3, 5)에서 xy평면에 내린 수선의 발을 구한다.

구의 중심 C(2, 3, 5)에서 xy평면에 내린 수선의 발을 H라 하면

H(2, 3, 0)　　$\therefore \overline{CH}=5$

또 구의 반지름의 길이를 r라 하면

$r=2$

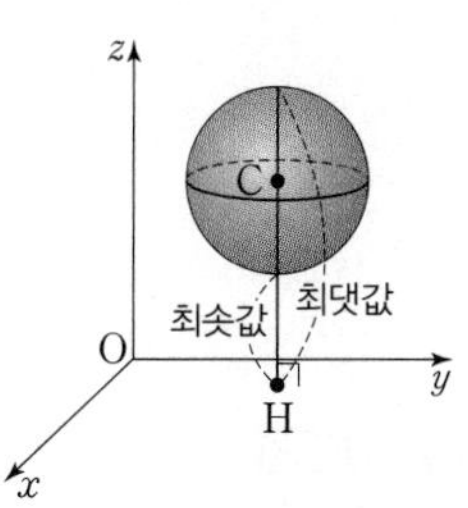

따라서 구하는 거리의

최댓값은 $\overline{CH}+r=5+2=\mathbf{7}$

최솟값은 $\overline{CH}-r=5-2=\mathbf{3}$

연습 문제

본문 | 196~197쪽

01 셀파 점 P(a, b, c)와 x축에 대하여 대칭인 점의 좌표는 $(a, -b, -c)$, yz평면에 대하여 대칭인 점의 좌표는 $(-a, b, c)$

점 A(2, −1, 3)과 x축에 대하여 대칭인 점 B의 좌표는

B(2, 1, −3)

yz평면에 대하여 대칭인 점 C의 좌표는

C(−2, −1, 3)

이므로 선분 BC의 중점의 좌표는

$\left(\frac{2-2}{2}, \frac{1-1}{2}, \frac{-3+3}{2}\right)$

$\therefore$ **(0, 0, 0)**

LECTURE 좌표공간에서의 점의 좌표

점 P(a, b, c)에 대하여

(1) 축에 내린 수선의 발의 좌표
x축 : $(a, 0, 0)$, y축 : $(0, b, 0)$, z축 : $(0, 0, c)$

(2) 평면에 내린 수선의 발의 좌표
xy평면 : $(a, b, 0)$, yz평면 : $(0, b, c)$, zx평면 : $(a, 0, c)$

(3) 축에 대하여 대칭인 점의 좌표
x축 : $(a, -b, -c)$, y축 : $(-a, b, -c)$,
z축 : $(-a, -b, c)$

(4) 평면에 대하여 대칭인 점의 좌표
xy평면 : $(a, b, -c)$, yz평면 : $(-a, b, c)$,
zx평면 : $(a, -b, c)$

(5) 원점에 대하여 대칭인 점의 좌표
$(-a, -b, -c)$

02 셀파 도형을 좌표공간 위에서 생각한다.

점 A의 xy평면 위로의 정사영을 점 A′이라 하면 점 A′은 $\overline{CE}$의 중점이므로 A′(50, 50, 0)이다.

$\therefore \overline{BA'}=\sqrt{50^2+50^2+0^2}$

$=50\sqrt{2}$

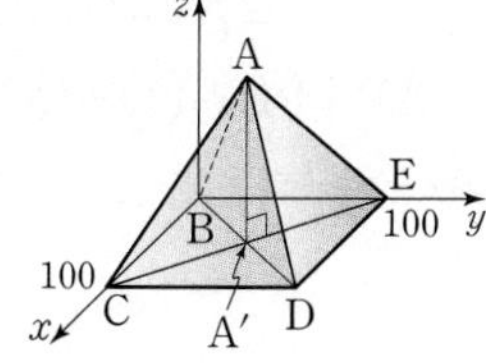

삼각형 ABA′은 직각삼각형이므로

피타고라스 정리에서

$\overline{AA'}=\sqrt{\overline{AB}^2-\overline{BA'}^2}=\sqrt{100^2-(50\sqrt{2})^2}=50\sqrt{2}$

따라서 구하는 점 A의 좌표는

$\mathbf{A(50, 50, 50\sqrt{2})}$

03 셀파 yz평면 위의 점의 좌표를 $(0, a, b)$로 놓는다.

yz평면 위의 점 P의 좌표를 P$(0, a, b)$로 놓으면

$\overline{OP}=\overline{AP}=\overline{BP}$에서

$\overline{OP}^2=\overline{AP}^2$, $\overline{OP}^2=\overline{BP}^2$

$a^2+b^2=1+(a-2)^2+(b-1)^2$

$\therefore 2a+b=3$　　……㉠

$a^2+b^2=1+a^2+(b-1)^2$

$2b=2$　　$\therefore b=1$

$b=1$을 ㉠에 대입하면

$2a=2$　　$\therefore a=1$

따라서 구하는 점 P의 좌표는 **P(0, 1, 1)**

04 셀파 $\overline{AP}+\overline{PB}$의 최솟값과 $\overline{BQ}+\overline{QC}$의 최솟값을 각각 구한다.

세 점 A, B, C의 좌표는

A(3, 5, 1), B(2, 3, 1), C(4, 3, 4)

이므로 점 A와 xy평면에 대하여 대칭인 점을 A′이라 하면

A′(3, 5, −1)

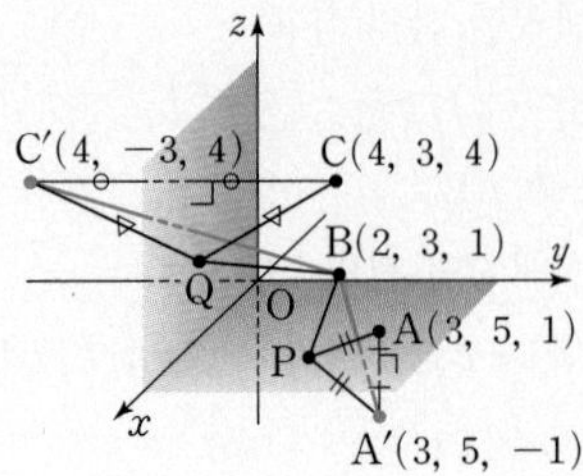

$\overline{AP}=\overline{A'P}$이므로

$\overline{AP}+\overline{PB}=\overline{A'P}+\overline{PB}\ge\overline{A'B}$

$=\sqrt{(2-3)^2+(3-5)^2+(1+1)^2}=3$

또 점 C와 zx평면에 대하여 대칭인 점을 C′이라 하면

C′(4, −3, 4)

$\overline{QC}=\overline{QC'}$이므로

$\overline{BQ}+\overline{QC}=\overline{BQ}+\overline{QC'}\ge\overline{BC'}$

$=\sqrt{(4-2)^2+(-3-3)^2+(4-1)^2}=7$

$\therefore\ \overline{AP}+\overline{PB}+\overline{BQ}+\overline{QC}\ge3+7=10$

따라서 구하는 최솟값은 **10**

05 셀파 두 점 A, B의 xy평면 위로의 정사영을 각각 구한다.

두 점 A(1, 4, 5), B(3, 2, 9)의 xy평면 위로의 정사영을 각각 A′, B′이라 하면

A′(1, 4, 0), B′(3, 2, 0)

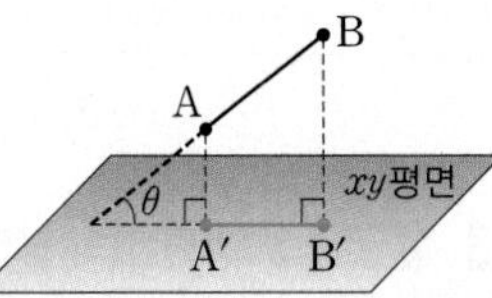

선분 AB의 xy평면 위로의 정사영이 선분 A′B′이고, 두 점 A, B를 지나는 직선 AB와 xy평면이 이루는 각의 크기가 θ이므로

$\overline{AB}\cos\theta=\overline{A'B'}$

이때

$\overline{AB}=\sqrt{(3-1)^2+(2-4)^2+(9-5)^2}=\sqrt{24}=2\sqrt{6}$

$\overline{A'B'}=\sqrt{(3-1)^2+(2-4)^2+(0-0)^2}=\sqrt{8}=2\sqrt{2}$

이므로

$2\sqrt{6}\cos\theta=2\sqrt{2}$

$\therefore \cos\theta=\dfrac{\sqrt{2}}{\sqrt{6}}=\boldsymbol{\dfrac{\sqrt{3}}{3}}$

06 셀파 선분 AB를 2 : 1로 내분하는 점은 xy평면 위에, 3 : 2로 외분하는 점은 z축 위에 있다.

점 B의 좌표를 B(a, b, c)라 하면 선분 AB를 2 : 1로 내분하는 점의 좌표는

$\left(\dfrac{2a+3}{2+1}, \dfrac{2b-9}{2+1}, \dfrac{2c+8}{2+1}\right)$

이 점이 xy평면 위에 있으므로

$\dfrac{2c+8}{3}=0,\ 2c+8=0 \qquad \therefore c=-4$

또 선분 AB를 3 : 2로 외분하는 점의 좌표는

$\left(\dfrac{3a-6}{3-2}, \dfrac{3b+18}{3-2}, \dfrac{3c-16}{3-2}\right)$

이 점이 z축 위에 있으므로

$3a-6=0,\ 3b+18=0 \qquad \therefore a=2,\ b=-6$

따라서 구하는 점 B의 좌표는

B(2, −6, −4)

07 셀파 세 점 $A(x_1, y_1, z_1)$, $B(x_2, y_2, z_2)$, $C(x_3, y_3, z_3)$을 꼭짓점으로 하는 삼각형 ABC의 무게중심의 좌표는

$\left(\dfrac{x_1+x_2+x_3}{3}, \dfrac{y_1+y_2+y_3}{3}, \dfrac{z_1+z_2+z_3}{3}\right)$

㉮ 삼각형 ABC의 무게중심 G의 좌표는

$\left(\dfrac{a-2+2b}{3}, \dfrac{-2+2a+b-5}{3}, \dfrac{-1-b-6a}{3}\right)$

㉯ 무게중심 G가 x축 위에 있으므로

$\dfrac{-2+2a+b-5}{3}=0 \qquad \therefore 2a+b=7 \qquad \cdots\cdots ㉠$

$\dfrac{-1-b-6a}{3}=0 \qquad \therefore 6a+b=-1 \qquad \cdots\cdots ㉡$

㉠, ㉡을 연립하여 풀면 $a=-2,\ b=11$

㉰ 이때 무게중심 G의 x좌표는

$\dfrac{a-2+2b}{3}=\dfrac{-2-2+22}{3}=6$

따라서 구하는 무게중심 G의 좌표는

G(6, 0, 0)

채점 기준	배점
㉮ 무게중심 G의 좌표를 a, b로 나타낸다.	30%
㉯ 무게중심 G가 x축 위에 있음을 이용하여 a, b의 값을 구한다.	50%
㉰ 점 G의 좌표를 구한다.	20%

08 셀파 두 점 A, B를 이은 선분 AB를 1 : 2로 내분하는 점과 외분하는 점을 구한다.

두 점 $A(1, 0, 4)$, $B(-2, 3, -5)$를 이은 선분 AB를 1 : 2로 내분하는 점의 좌표는

$\left(\frac{-2+2}{1+2}, \frac{3+0}{1+2}, \frac{-5+8}{1+2}\right)$, 즉 $(0, 1, 1)$

또 선분 AB를 1 : 2로 외분하는 점의 좌표는

$\left(\frac{-2-2}{1-2}, \frac{3-0}{1-2}, \frac{-5-8}{1-2}\right)$, 즉 $(4, -3, 13)$

이때 두 점 $(0, 1, 1)$, $(4, -3, 13)$을 지름의 양 끝점으로 하는 구는 두 점 $(0, 1, 1)$, $(4, -3, 13)$을 이은 선분의 중점 $(2, -1, 7)$을 중심으로 하고, 반지름의 길이가 두 점 $(0, 1, 1)$, $(2, -1, 7)$ 사이의 거리인 $\sqrt{(2-0)^2+(-1-1)^2+(7-1)^2}=2\sqrt{11}$이므로 구하는 구의 방정식은

$\boldsymbol{(x-2)^2+(y+1)^2+(z-7)^2=44}$

09 셀파 구의 방정식을 변형하여 반지름의 길이를 구한다.

$x^2+y^2+z^2+6x+ky+10=0$을 변형하면

$(x+3)^2+\left(y+\frac{k}{2}\right)^2+z^2=\frac{k^2}{4}-1$

이 방정식이 구의 방정식이 되려면 반지름의 길이가 양수이어야 하므로

$\frac{k^2}{4}-1>0$, $k^2-4>0$, $(k+2)(k-2)>0$

$\therefore$ $\boldsymbol{k<-2}$ **또는** $\boldsymbol{k>2}$

10 셀파 구가 x축, y축, z축에 모두 접하므로 구의 중심을 $C(a, a, a)$ $(a>0)$로 놓는다.

x축, y축, z축에 모두 접하고 구의 중심의 x, y, z좌표가 모두 양수이므로 구의 중심을 $C(a, a, a)$ $(a>0)$로 놓을 수 있다.

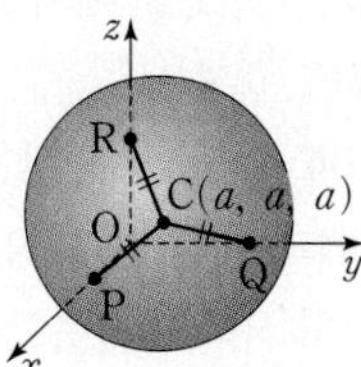

이때 이 구와 x축, y축, z축과의 접점을 각각 $P(a, 0, 0)$, $Q(0, a, 0)$, $R(0, 0, a)$라 하면 $\overline{CP}=\overline{CQ}=\overline{CR}=2$에서

$\sqrt{2a^2}=2$, $a^2=2$ $\quad\therefore a=\sqrt{2}$ $(\because a>0)$

따라서 구하는 구의 방정식은 중심이 $C(\sqrt{2}, \sqrt{2}, \sqrt{2})$이고, 반지름의 길이가 2이므로

$\boldsymbol{(x-\sqrt{2})^2+(y-\sqrt{2})^2+(z-\sqrt{2})^2=4}$

셀파 세미나 좌표평면 또는 좌표축에 접하는 구의 방정식

(1) 중심이 $C(a, b, c)$이고

❶ xy평면에 접하는 구의 방정식
⇨ $(x-a)^2+(y-b)^2+(z-c)^2=c^2$

❷ yz평면에 접하는 구의 방정식
⇨ $(x-a)^2+(y-b)^2+(z-c)^2=a^2$

❸ zx평면에 접하는 구의 방정식
⇨ $(x-a)^2+(y-b)^2+(z-c)^2=b^2$

❹ x축에 접하는 구의 방정식
⇨ $(x-a)^2+(y-b)^2+(z-c)^2=b^2+c^2$

❺ y축에 접하는 구의 방정식
⇨ $(x-a)^2+(y-b)^2+(z-c)^2=a^2+c^2$

❻ z축에 접하는 구의 방정식
⇨ $(x-a)^2+(y-b)^2+(z-c)^2=a^2+b^2$

(2) x축, y축, z축에 모두 접하는 구

구의 중심과 x축, y축, z축 사이의 거리가 모두 같아야 하므로 오른쪽 그림과 같이 한 모서리의 길이가 a인 정육면체를 그려 보면 구의 중심이 $C(a, a, a)$, x축, y축, z축에 접하는 접점이 각각 $P(a, 0, 0)$, $Q(0, a, 0)$, $R(0, 0, a)$인 것을 알 수 있다.

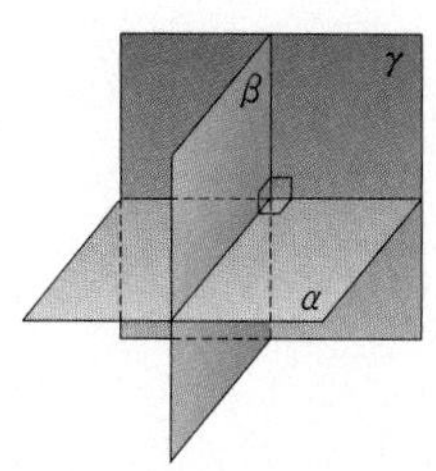

11 셀파 구와 x축이 만나는 점은 y좌표, z좌표가 모두 0이다.

두 점 $(1, -3, 0)$, $(3, 1, 5)$ 사이의 거리는

$\sqrt{(3-1)^2+(1+3)^2+(5-0)^2}=\sqrt{45}=3\sqrt{5}$이므로

중심의 좌표가 $(1, -3, 0)$이고, 반지름의 길이가 $3\sqrt{5}$인 구의 방정식은

$(x-1)^2+(y+3)^2+z^2=45$ ……㉠

이 구와 x축이 만나는 서로 다른 두 점 P, Q는 y좌표, z좌표가 모두 0이므로 ㉠에 $y=0$, $z=0$을 대입하면

$(x-1)^2+3^2=45$, $x^2-2x-35=0$

$(x+5)(x-7)=0$

$\therefore x=-5$ 또는 $x=7$

따라서 두 점 P, Q의 좌표는 $P(-5, 0, 0)$, $Q(7, 0, 0)$ 또는 $P(7, 0, 0)$, $Q(-5, 0, 0)$이므로

$\boldsymbol{\overline{PQ}=12}$

12 셀파 구가 xy평면과 만나서 생기는 원의 방정식은 구의 방정식에 $z=0$을 대입한다.

$x^2+y^2+z^2-4x-6ky-2z=0$에서

$(x-2)^2+(y-3k)^2+(z-1)^2=9k^2+5$

이때 구와 xy평면과의 교선인 원의 방정식은 구의 방정식에 $z=0$을 대입하면

$(x-2)^2+(y-3k)^2=9k^2+4$

구와 yz평면과의 교선인 원의 방정식은 구의 방정식에 $x=0$을 대입하면

$(y-3k)^2+(z-1)^2=9k^2+1$

두 원의 넓이의 비가 5 : 2이므로

$(9k^2+4)\pi : (9k^2+1)\pi=5 : 2$

$18k^2+8=45k^2+5,\ 27k^2=3,\ k^2=\frac{1}{9}$

$\therefore \boldsymbol{k=\frac{1}{3}}\ (\because k>0)$

13 셀파 중심의 좌표를 (a, b, c)로 놓으면 반지름의 길이가 10이므로 구의 방정식은 $(x-a)^2+(y-b)^2+(z-c)^2=100$

구의 중심의 좌표를 (a, b, c)라 하면 반지름의 길이가 10이므로 구의 방정식은

$(x-a)^2+(y-b)^2+(z-c)^2=100$ ······㉠

으로 놓을 수 있다.

구를 xy평면으로 자른 단면은 ㉠에 $z=0$을 대입하면

$(x-a)^2+(y-b)^2=100-c^2$

이 원의 반지름의 길이가 6이므로

$100-c^2=36 \quad \therefore c^2=64$

구를 yz평면으로 자른 단면은 ㉠에 $x=0$을 대입하면

$(y-b)^2+(z-c)^2=100-a^2$

이 원의 반지름의 길이가 8이므로

$100-a^2=64 \quad \therefore a^2=36$

구를 zx평면으로 자른 단면은 ㉠에 $y=0$을 대입하면

$(x-a)^2+(z-c)^2=100-b^2$

이 원의 반지름의 길이가 $\sqrt{31}$이므로

$100-b^2=31 \quad \therefore b^2=69$

따라서 원점과 구의 중심 (a, b, c) 사이의 거리는

$\sqrt{a^2+b^2+c^2}=\sqrt{36+69+64}=\sqrt{169}=\mathbf{13}$

14 셀파 구의 중심에서 x축에 내린 수선의 발을 구한다.

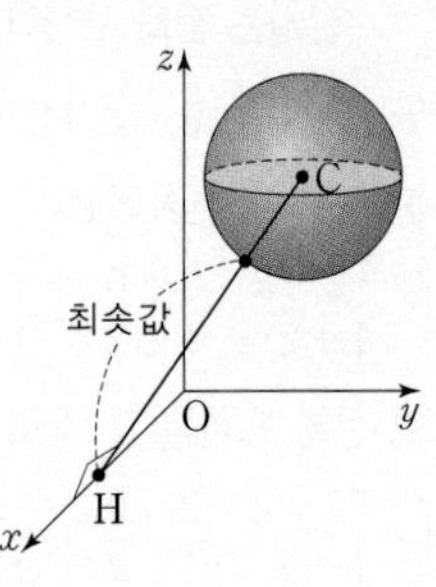

$x^2+y^2+z^2-6x-8y-6z+30=0$

에서

$(x-3)^2+(y-4)^2+(z-3)^2=4$

구의 중심 C(3, 4, 3)에서 x축에 내린 수선의 발을 H라 하면

H(3, 0, 0)

$\overline{\mathrm{CH}}=\sqrt{(3-3)^2+(4-0)^2+(3-0)^2}$

$=5$

이때 구의 반지름의 길이 r는 $r=2$

따라서 구하는 거리의 최솟값은

$\overline{\mathrm{CH}}-r=5-2=\mathbf{3}$

15 셀파 구의 방정식에 $z=0$을 대입하여 교선의 방정식을 구한다.

구의 방정식

$(x-3)^2+(y-2)^2+(z-1)^2=10$ ······㉠

에 $z=0$을 대입하면

$(x-3)^2+(y-2)^2=9$ ······㉡

이므로 구 ㉠과 xy평면의 교선은 반지름의 길이가 3인 원이다.

점 P(7, 5, 4)에서 xy평면에 내린 수선의 발을 H라 하면

H(7, 5, 0)

이때 원 ㉡의 중심을 A, $\overline{\mathrm{AH}}$와 원 ㉡의 교점을 B라 하면 선분 PB의 길이가 구하는 거리, 즉 점 P와 교선 ㉡ 위의 임의의 점 사이의 거리의 최솟값이다.

두 점 A(3, 2, 0), H(7, 5, 0)에 대하여

$\overline{\mathrm{AH}}=\sqrt{(7-3)^2+(5-2)^2}=5$

$\overline{\mathrm{BH}}=\overline{\mathrm{AH}}-\overline{\mathrm{AB}}=5-3=2$

이므로 직각삼각형 PBH에서

$\overline{\mathrm{BP}}=\sqrt{\overline{\mathrm{BH}}^2+\overline{\mathrm{PH}}^2}=\sqrt{2^2+4^2}=\sqrt{20}=\mathbf{2\sqrt{5}}$

memo

memo

memo

memo